新 一 代 人 的 思 想

DK

BIG HISTORY
大历史

从宇宙大爆炸到我们人类的未来 | | | | | | | | | ● ● ● ● ●138亿年的非凡旅程
OUR INCREDIBLE JOURNEY, FROM BIG BANG TO NOW

DAVID CHRISTIAN [美]大卫·克里斯蒂安———主编　　　徐彬 谭莹 王小琛———译　　　刘旭东———审校

中信出版集团 | 北京

图书在版编目（CIP）数据

大历史：从宇宙大爆炸到我们人类的未来，138亿年
的非凡旅程 / (美) 大卫·克里斯蒂安主编；徐彬，谭
瑾，王小琛译 . -- 北京：中信出版社，2019.4（2023.3 重印）
　书名原文：Big History: Our Incredible Journey,
from Big Bang to Now
　ISBN 978-7-5086-9877-9

　Ⅰ.①大… Ⅱ.①大…②徐…③谭…④王… Ⅲ .
①世界史 – 通俗读物 Ⅳ.① K109

中国版本图书馆 CIP 数据核字（2018）第 300310 号

Original Title: Big History: Our Incredible Journey, from Big Bang to Now
Copyright © 2016, 2022 Dorling Kindersley Limited
A Penguin Random House Company
Simplified Chinese translation copyright © 2019 by CITIC Press Corporation
All Rights Reserved.

本书仅限中国大陆地区发行销售

大历史：从宇宙大爆炸到我们人类的未来，138 亿年的非凡旅程

主编：　　[美] 大卫·克里斯蒂安
译者：　　徐彬　谭瑾　王小琛
审校：　　刘旭东
出版发行：中信出版集团股份有限公司
　　　　　（北京市朝阳区东三环北路 27 号嘉铭中心　邮编　100020 ）
承印者：　北京顶佳世纪印刷有限公司

开本：546mm×965mm 1/12　　　印张：30.5　　　字数：350 千字
版次：2019 年 4 月第 1 版　　　印次：2023 年 3 月第 9 次印刷
京权图字：01-2017-4943　　　　书号：ISBN 978-7-5086-9877-9
定　　价：298.00 元

版权所有·侵权必究
如有印刷、装订问题，本公司负责调换。
服务热线：400-600-8099
投稿邮箱：author@citicpub.com
For the curious
www.dk.com

混合产品
纸张 |
支持负责任林业
FSC® C018179

顾问

大卫·克里斯蒂安

　　牛津大学博士，大历史学科的创始人，麦考瑞大学历史和考古系荣休教授，新南威尔士大学客座教授。他与比尔·盖茨携手打造了大历史项目，在 TED 发表的经典演讲观看量超过 600 万（观看量突破 600 万的 TED 演讲目前总共只有 11 场）。他是免费在线公开课平台 COURSERA 上首位大历史讲师。

　　大卫·克里斯蒂安在全球做过数百场演讲，曾出席 2012 年、2014 年和 2015 年达沃斯世界经济论坛。他还是澳大利亚人文学院院士、荷兰皇家科学与人文学会会员，以及《全球史期刊》和《剑桥世界史》的编委会成员。

安德鲁·麦克纳，大历史学会执行主任

　　新南威尔士大学商学士和法学士，麦考瑞大学国际关系学硕士，负责大历史的协调工作，将研究、教学和推广相结合，将其打造成综合性项目。安德鲁引领着大历史学会在全球的战略开拓和发展方向。

特雷西·沙利文，大历史学会教育主管

　　西悉尼大学教育文凭获得者，麦考瑞大学文科硕士，大历史项目的课程开发团队成员，负责监督大历史在澳大利亚学校的开展工作，协调教育活动，推动大历史在全球的开拓和发展。

撰写者

什么是大历史？——埃莉斯·博安
临界点 1——罗伯特·丁威迪
临界点 2——杰克·查洛纳
临界点 3、4——科林·斯图尔特
临界点 5——德里克·哈维
临界点 6——丽贝卡·雷格 - 赛克斯
临界点 7——彼得·克里斯普
临界点 8——本·哈伯德

目录

临界点 **1** 大**爆炸**

临界点 **2** 恒星**诞生**

临界点 **3** 元素**产生**

临界点 **4** 行星**形成**

临界点5　生命出现

临界点6　人类进化

临界点7　文明发展

临界点8　工业兴起

前言

我仍清晰地记着那张世界地图；孩童时期的我坐在教室中，眼也不眨地盯着它。我也记得那一节地理课；在位于英国萨默塞特郡的学校里，课上我们学着画分割地球的经纬线，老师为我们展示脚下土壤的分层，讲解它们如何与整个英国联系在一起。对我而言，最激动人心的时刻是突然发现事物之间联系的时刻：当我忽然发现构成我们脚下层层白垩的竟然是数十亿生活在数百万年前的小生物——被称为"颗石藻"——的遗骸，而在英国其他地方以及更遥远的其他国家的层层白垩中，竟然也发现了同样的遗骸。当颗石藻还活在地球上的时候，萨默塞特郡是什么样子？那个时候的萨默塞特郡在哪个位置？当时，我甚至无法提出这个问题，因为科学家们还无法确定，大陆板块是否曾在地球表面上移动。

对我而言，教室角落里的那个地球仪是为我解开这一切谜题的钥匙。在地球仪上，我看到萨默塞特郡在英国的位置，看到了英国在欧洲的位置——哦，维京人就是从这儿来的！——也看到了欧洲在世界的位置。大历史与这个地球仪相似，但是更宏大：它涵盖了宇宙中一切时间内一切可观察到的事物，它可追溯到138亿年前开天辟地的宇宙大爆炸，要知道，在此之前，宇宙竟比一粒原子还要小！大历史包含了恒星和星系，包含了新元素，比如碳——一种有魔力的分子，没有碳就没有生命；比如铀——铀的放射性不仅帮助人类制造炸弹，也帮助人类探索地球形成的时间。大历史就像一幅囊括了所有时间和空间的地图。一旦你开始探索这张地图，你最终会感叹道："原来，渺小的我所在的世界竟是这样的！在这一切宏伟计划中，这就是我的位置！那么，以后会是什么样呢？"

今天，越来越多的中小学和大学里设置了大历史的课程，因为这个故事是所有人都需要了解的。从这本书里，你会读到这个生动优美的故事，书中的文字和图片涵盖了来自多个学科的知识，会为你展示地球的历史。《大历史》会告诉你，我们的世界如何变成今天的样子，一个阶段接着一个阶段：最初是最简单的宇宙形态，然后出现了恒星和新的化学元素，接着宇宙中就出现了我们的地球这样化学成分丰富的地方，使生命的诞生成为可能。

你还会从中了解到，人类这个物种在这个宏大的故事中扮演的奇妙角色。虽然我们出现在这个故事的最后，但是我们的影响太大了，大到开始改变这个星球。此外，我们还做了一件可能更为惊天动地的事：我们在广阔宇宙中虽然只是站在一个小小的有利位置，却弄明白了宇宙如何诞生、演化并成为今天的模样。这难道不是一项壮举？在本书中，你将通过一系列探索和发现，一点一点地拼凑起整个故事。这就是今天我们拥有的世界，一个21世纪初的世界。为了给后代留下一个和谐美丽的星球，我们正竭尽所能应对一切严峻挑战。

大卫·克里斯蒂安

麦考瑞大学荣休教授

大历史之父

> 毫不夸张地说，大历史可以为我们理解自宇宙大爆炸至今的一切历史提供框架。通常，在学校里，科学和历史是分开教授的——有专门的物理课，也有专门的讲述文明起源的课程——但是大历史打破了这一界限。每当我学到新知识，不论是生物学的、历史学的，还是其他任何一门学科，我总是会努力将它放置在大历史的框架中。再也没有其他课程会对我看待世界的方式产生如此之大的影响。

比尔·盖茨, WWW.GATESNOTES.COM

大历史项目共同创立者

什么是大历史？

大历史是
关于你和我从何而来的故事。

这是为如今这个时代所写的现代版起源故事。这个伟大的进化史诗让我们充满好奇，冲击着我们根深蒂固的直觉，并将科学、理性、经验主义与这段生动而又充满活力的叙事结合了起来。最重要的是，大历史提供的视野和科学基础，可以帮助我们思考关于生命、宇宙等一切让人激动和经久不衰的问题。

这些普遍令人感兴趣的问题包括：地球上的生命是如何演变的？是什么使得人类如此独特？我们在宇宙中是孤独的吗？我们为什么会以目前的方式看待事物、进行思考并行动？人类、地球和宇宙的未来会是怎样？朝宇宙历史的任何一点掷一枚飞镖，它都会落在大历史故事的某一页中。无论这一页多么模糊，或者这一页距我们熟悉的世界有多么遥远，它仍是在描述这一宏大的科学故事的一个片段，其中所有事件和章节都是相互关联的。

在本书中，我们将穿越星球、星系和体内的细胞，并感受所有生物和非生物之间复杂的相互作用。我们将自己的思想延伸到人类理解的极限，以便从多角度和用多尺度来观察现实。从一个如此广阔的视角看待世界，其中真正非同一般的地方，就在于我们开始参与到自然界的许多方面，原本，我们经常忽略这些方面，或者认为它们是理所当然的。

我们是否会经常想到这样一个事实——我们体内的每一颗原子都是在一

我们是否会经常想到这样一个事实——我们体内的每一颗原子都是在一颗行将灭亡的恒星中形成的？

颗行将灭亡的恒星中形成的？或者，正是由于远古天体爆炸产生的各种化学物质，生命才成为可能？我们可曾跳脱出狭窄的视域，在足够高的视角凝望历史，去审视超越了国王、军队、政治家和农民的行为之外的某种联系？

人类的大脑不会本能地遵循进化史的主线，追溯到所有国家、部落和物种的边界都消失的年代。但是当我们超越这些领域去探索，我们会面对一个唯一的族谱，这个谱系显示出人类与地球上每一个生物体都有一个共同的祖先：从蠕

的形态常常是由不可思议的、肉眼看不到的力量塑造的。同时，很重要的一点，是我们要记得，大历史不是一个一成不变的故事，它不是在告诉我们事物是什么样的以及将来一定会怎样。它是一个随着我们对自然界的了解不断增长，以及随着人类这一物种的进化而持续更新的尚未终结的故事。

从宇宙的视角来看，人类是进化史上很晚才出现的一个新物种。进化最开始的时候，我们还不存在，并且几乎也可以确定我们不是进化的终点。然而，大历史主体上仍然是人类的历史，是由人类书写，为人类而写的历史。在这个故事的某个特定的点上，我们选择将注意力集中在人类这一物种以及我们在银河系所处的位置上，因为从我们的角度来看，这才是书写大历史的意义所在。

在宏大的时空体系中，人类似乎只是宇宙的一个注脚。但是当我们仔细观察我们的蓝色星球时，能看到一些非常引人注目的事物是由人类所成就的，这是地球

大历史帮助我们质疑我们所看到的一切和我们认为我们所知道的一切。

虫到鱼类、到爬行动物、到黑猩猩、到世界的另一端唱歌的鸟，以及在鸟儿的歌声中沉睡的陌生人。大历史帮助我们质疑我们所看到的一切和我们认为我们所知道的一切。在这个过程中，我们发现宇宙比我们平时所想象的更加陌生，而且历史

上有生命存在的 30 亿—40 亿年以来，其他物种所没有达到的成就。据我们所知，智人（*Homo sapiens*）是万物中第一个也是唯一一个有自我意识的物种。现在，人类是改变行星生物圈的主导力量，并且我们已经将地球演化的步伐推到了更高的挡

位。当你探索这个非同一般的故事的时候，你会发现人类在扩张和殖民方面已经取得了巨大的成功，这在很大程度上是因为我们有能力进行大历史学家们所谓的集体学习。虽然我们不能通过 DNA（脱氧核糖核酸）向下一代传递积累的知识和

经验，但我们发明了从文化的途径传递信息的方法。人类发明的符号语言，使得这样一种在信息共享方面的巨大创新成为可能。

起初，人们通过口头传授来分享观点。后来他们发明了书写技巧，这降低了信息传输的错误率，并让人类拥有了类似于天然的外部硬盘似的工具。有了书写技术，人类第一次有了存储大量信息的能力，而不必使用大脑有限的记忆力。

借助于书写，人类可以将信息代代相传，不断积累，如此一来，人类学得越来越快，知识和创新都有了很大发展。虽然许多文明崩塌了，一些发现也会在多个世纪的时间里失传，但总体的趋势是加速文化变革的反馈回路：更快捷、更准确的信息共享方式的发明加快了创新的爆发性增长，而创新的增长则反过来加快了信息共享方式的革新。

口头传授的传统持续了数万年，但人类只花了几百年的时间就从印刷机时代过渡到今天的数字化世界。如果文化的演变以这样的速度继续下去，我们也许能够在未来短短的几十年内看到一个新的进化范式出现。

由于我们在集体学习和文化发展方面

**借助于书写，
人类可以将信息代代相传，
不断积累，如此一来，人类学得越来越快，
知识和创新都有了很大发展。**

的惊人能力，人类在相对较短的时间内取得了巨大的进化飞跃。我们已经从最初的角色——进化中的初级玩家之一，变成一个羽翼渐丰的导演，开始有意识地塑造地球上的进化轨迹。虽然这是一个非常令人兴奋的角色，但它也带来了巨大的挑战。

回顾人类庞大的族谱，想到曾经在地球上存活过的99%的物种现在都已灭绝，我们不禁心头一凛。鉴于此，考虑一下我们这个物种是否能够在未来的漫长岁月里可持续地繁荣地生存，就是一件自然而然，而且不无裨益的事情了。如果我们能实现这一点，会是以怎样的方式实现呢？

我们能减少能源消耗，生活得更简单吗？抑或是，我们利用自身无比巨大的集体智慧来探索更为先进的清洁能源、可持续使用的产品以及服务？现代技术的军

备竞赛究竟会解放我们还是会奴役我们？再过多久，大多数人就将不再是纯粹的生物体，而是经过技术改造的生命？

这些就是大历史引导我们去思考的问题。毫无疑问，就其范围、内容和方法而言，大历史是适应现代需要的、真正现代化的起源故事。

像以往所有时代的起源故事一样，这种叙述旨在帮助我们了解我们从哪里来、我们是什么，以及我们可能会到哪里去。但不同于建立在神话和直觉基础上的古代起源故事，这部进化史诗依靠现代科学理论来帮助我们理解我们周围的世界。

对于绝大多数人来说，思考极其宏大、极其微小、极其古老的事物，并不是自然而然的事情。但对伟大的思想和深刻的普遍问题之答案的追求，却是我们与生俱来的！我们情不自禁地想知道：在群星之间，在黑洞内部，或者在我们的大

大历史是适应现代
需要的、真正现代化的
起源故事。

脑、我们的 DNA，以及在我们周围和我们体内的引人注目的细菌生态系统的神秘运作中，还有什么奥秘。

大历史有助于我们探索这些和其他令人兴奋的领域。它让我们关注一系列的话题和历史时刻，并鼓励我们在多种不同尺度中思考现实的本质。我们学习如何将细节与大局相联系，如何将局部的现象和事件置于更广阔的背景下审视。通过探索通才和专家的观点，我们能够更加仔细地、创造性地思考因果关系，并为当今世界所面临的诸多挑战制定更多创新的对策和解决方案。

大历史的统一视角有助于我们以动态的方式看待当前，它还向我们表明，我们不仅是先前的进化临界点的继承者，而且还有可能是那些后来者的祖先。

我们的故事分为八个越来越复杂的临界点，它们强调了宇宙进化历史中的一些关键的过渡阶段。当我们从这一个临界点移动到另一个临界点时，你将会看到每个阶段间的联系多么深远，以及在宇宙秩序的各个角落，物质和信息如何变得更加密集和复杂。这个故事帮助我们看到，地球和地球上的物种出现在难得一见的适当条件下，元素的平衡和稳定"刚好"维持生命存在。

一旦你开始探索这本书，并对它呈现出的大框架有所认识，我们希望你能思考更多激动人心的问题。当你坐下，准备开始这场发现之旅的时候，我们特别希望你能思考这样一个问题：

在决定伟大的宇宙戏剧的下一幕如何展开的临界点上，你将扮演什么角色？

"在现代知识的高度多样化和复杂化的表面之下，仍然具有基本的统一性和一致性，确保不同时间尺度的历史仍然能够相通。"

大历史学家，大卫·克里斯蒂安

临界点

临界点

大爆炸

宇宙的起源是什么？

可能自从人类这个物种出现以来，这个问题就一直令人好奇，促使我们探寻自身在宇宙中的位置。几个世纪的观察、调查和科学探索让我们形成了大爆炸理论——但是这一理论仍然留下了尚未回答的问题，我们仍然在追寻更进一步的解释。

适当条件

宇宙形成于大爆炸。我们不知道在它之前是否存在过什么东西，只能一瞥大爆炸后不到一秒的时间内发生了什么事情。在接下来的38万年中，宇宙暴胀并冷却，出现了我们今天所知道的物质的基本力和形态。

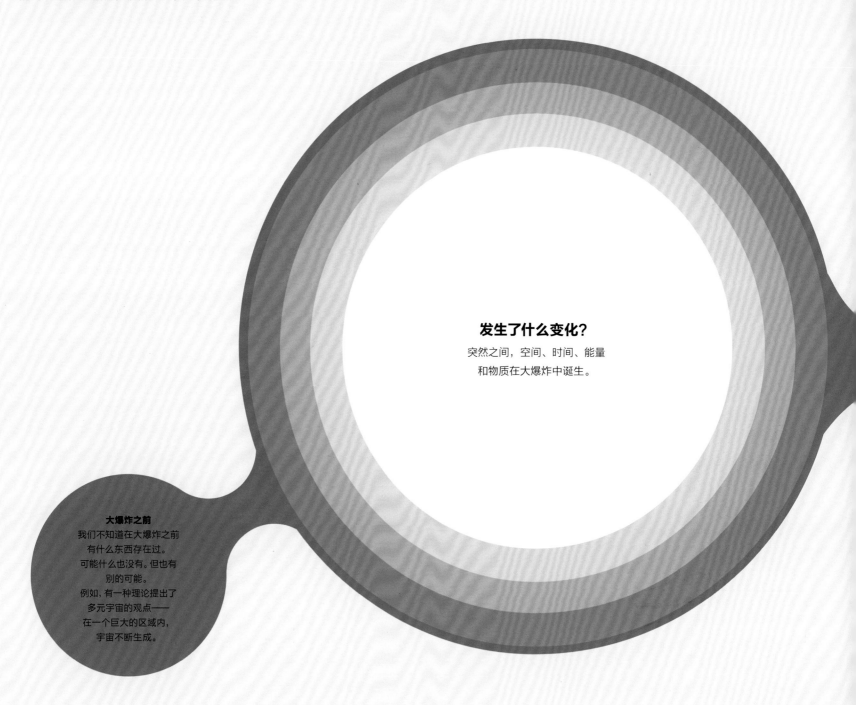

发生了什么变化？
突然之间，空间、时间、能量
和物质在大爆炸中诞生。

大爆炸之前
我们不知道在大爆炸之前
有什么东西存在过。
可能什么也没有。但也有
别的可能。
例如，有一种理论提出了
多元宇宙的观点——
在一个巨大的区域内，
宇宙不断生成。

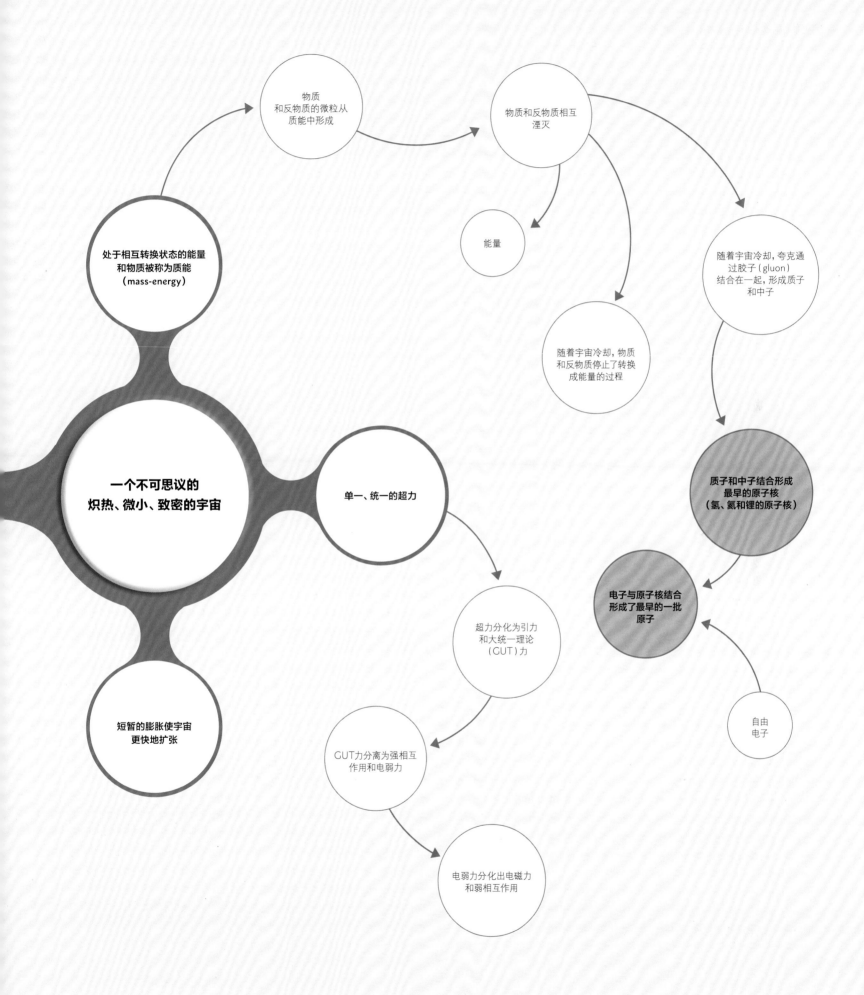

物质
和反物质的微粒从
质能中形成

物质和反物质相互
湮灭

能量

随着宇宙冷却, 夸克通
过胶子 (gluon)
结合在一起, 形成质子
和中子

处于相互转换状态的能量
和物质被称为质能
（mass-energy）

随着宇宙冷却, 物质
和反物质停止了转换
成能量的过程

质子和中子结合形成
最早的原子核
（氢、氦和锂的原子核）

一个不可思议的
炽热、微小、致密的宇宙

单一、统一的超力

电子与原子核结合
形成了最早的一批
原子

超力分化为引力
和大统一理论
（GUT）力

短暂的膨胀使宇宙
更快地扩张

自由
电子

GUT力分离为强相互
作用和电弱力

电弱力分化出电磁力
和弱相互作用

起源**故事**

几乎所有的人类文化和宗教传统都孕育了自己的起源故事——描述世界如何产生的象征性阐述。

这些传说或叙述常常以民间故事或民谣的形式流传，有时也通过文字或图画代代相传。

不同的起源故事在细节上差异巨大，但它们往往包含一些共同的主题。通常它们会讲述宇宙如何从黑暗或深度混沌的原始状态变得有秩序。在一些故事中，包括《旧约》的《创世记》，这种秩序是由一个至高无上的人或神创立的。在另一些故事中，创世是一个循环过程。例如，在印度思想中，秩序生成后会被破坏然后再生。许多创世故事都是从地球开始的。在一些故事中，人和神是在地球上出现的。在另一些故事中，则是一只动物潜入无边的原始海洋，并取回地球的一部分，创造出万事万物。

天空、太阳和月亮的起源

在许多起源故事中，天空与大地都是一起创造出来的，而且常常是从另一个原始天体中分离出来的。在毛利人创世神话的一个常见版本中，宇宙是由一个至高无上的人（Io）凭空创造出来的。他还创造了天空父亲（Ranginui 或 Rangi）和大地母亲（Papatuanuku 或 Papa）。天空父亲和大地母亲连为一体，直到他们的 6 个后代将他们推开，才有了相互分离的大地和天空。许多故事还讲述了太阳和月亮这些天体是如何被创造的。例如，在中国的古老传说中，第一个生命体"盘古"是从宇宙的卵中孵化出来的。他身下的蛋壳变成了大地，上方的其余部分形成了天空。在成千上万年的时间里，他每天都在成长，逐渐将大地和天空推开，直到二者到达合适的位置。然后，盘古就解体了。他的胳膊和腿变成了山，他口里呼出的气变成了风，他的眼睛变成了太阳和月亮。创世神话往往把天体当作神的化身。例如，古埃及的起源故事开始于原始海洋努恩（Nun），阿蒙神（Amen）从中诞生。他的另一个名字是瑞（Re），他孕育了更多的神。他的眼泪化作人类，之后阿蒙-瑞（Amen-Re）回到了天上，化为太阳，永远地统治宇宙万物。

之所以产生了这些起源故事，是因为早期的人类需要为他们的存在和他们所见的每样事物寻求一个解释。孕育了这些故事的文化将这些故事当作真实的，而且对这些文化的后人来说，这些故事通常具有重大意义和情感力量。但是这类观点都是基于信仰产生的，而不是基于精确的观察或科学的推理。

最早的天文学家

在历史上的某一时刻，人类似乎开始厌倦仅仅观察天空以及构想关于恒星、太阳和月亮等天体的传说——这一时刻在不同的文明地区各不相同，在欧洲和中东是在公元前 4000 年前后。一些人开始详细地记录天体现象。之所以开展这些观察，原因不一而足，但通常都是出于某种实用的目的。能够辨别几颗星星，理解天体的运行，这对于导航非常有用。人们也意识到，天空是一种可以利用的时钟，它能告诉农民什么时候播种作物，或者对重大自然事件给出预兆。例如，在古埃及，明亮的天狼星和太阳同时升起预示着尼罗河一年一度洪水的到来。研究天空的一个终极原因是预测日食。人们认为，中国天文学家早在公元前 2500 年就尝试过预测日食，但直到公元前 1 世纪，古希腊人才达到了准确预测日食所需的天文水平。成功预测日食并没有什么具体的实际用途，但它确实能赋予预言者巨大的神秘力量，因此，预言者会获得极高的威望。

在一些早期文化中，精确的天文观察不仅有实际的用途，而且也和宗教交织在一起。公元 250—900 年统治中美洲部分地区的玛雅人，早在望远镜发明前，就做出了一些极其复杂的观察。他们准确地计算出太阳年的长度，编制了金星和月亮的精确位置表，并且能够预测日食和月食。他们用这种历法来测定播种和收获作物的时间，还将观察到的天象循环和神在自然秩序中的位置联系起来。夜空中的特定天象被视为代表了特定的神明。玛雅人还使用某种占星术，把天象循环和个人的日常生活以及人们关心的事情联系起来。

> 现在已从世界各地的民族和文化中发现了
> **100 多种不同的起源故事**

> 从公元前750年开始
> 中国天文学家
> **记录了1 600多次**
> 对**日食**的观测

> "
> 我们从我们祖先那继承了对**统一的、包罗万象的知识**的强烈渴望。
> "
>
> 埃尔温·薛定谔（Erwin Schrödinger, 1887—1961），奥地利理论物理学家

一种现代化的叙事

大历史是现代版的起源故事。这个故事在宇宙学的大爆炸理论的背景下解释了宇宙是如何形成的。该理论描述了宇宙的形成，描述了它的开端和构造。现代宇宙学作为一个整体，还蕴含宇宙随着时间变化而变化的观点，在这个宇宙中，物质和能量以不同的形式呈现，新的粒子生成，空间本身扩张，而恒星和星系等构造则持续产生。大爆炸理论作为大历史故事的一部分，和传统的起源故事有一些共同特征。例如，和几种传说一样，它认为一切事物——所有物质、能量、空间和时间——来自虚无。大爆炸理论和传统的故事也意在回答许多相同的问题，比如宇宙是如何起源的。这个理论并没有完全说明宇宙如何成为现在的样子。例如，它没有解释生命的起源和人类的进化。但它确实构成了大历史的大框架的一部分，大历史也试图回答这类问题。

然而，大爆炸理论就像大历史观一样，在关键的一点上不同于传统的起源故事，那就是它试图提供一个有关宇宙起源的非想象的、准确的解释。它所代表的，是经过几个世纪的演变以及突然的飞跃后，科学思想当前的状态。像大历史里的其他科学理论一样，该理论也能做出预测，这些预测可以通过事实来检验，允许改进，甚至允许证伪。一些问题在大爆炸理论中仍未得到回答。但是，至少迄今为止，大爆炸理论对于宇宙何时以及如何起源提供了最有说服力的解释。

▶ **造物主梵天**

据一些古老的印度教传说，梵天神从一个金蛋中诞生，通常传说他有四个头，创造了地球和万物。

那时，既没有所谓的'**不存在**'，也没有'**存在**'；既没有'**空间**'，也没有空间之外的'**天空**'。

《**梨俱吠陀**》，
公元前2000年的梵语颂歌集

内布拉 星象盘

在欧洲的青铜时代，人们拥有了更为丰富的天文学知识，并将其用于实际。内布拉星象盘是证明人们那时已经进行天文观测的关键证据。对星象盘的材料进行分析，也揭示出了与金属加工和贸易有关的信息。

欧洲的青铜时代始于公元前 3200 年左右。1999 年，人们在德国中部的内布拉附近挖掘出了 3 600 年前的内布拉星象盘，上面描绘了太阳、月亮和其他 32 个天体，可能包括昴星团。它是目前已知的、对天空中的多个天体最古老的描绘。星象盘还显示，它的拥有者已经测量出了在夏至和冬至（每年光照最多和最少的日子）时，日出点和日落点之间的角度。

关于星象盘的用途或功能，有两种见解。一些考古学家认为它是一个天文钟，可用于显示播种和收获作物的时间，并协调阳历和阴历。另一种见解是，星象盘上的天体可能表明了一个重要的天文事件——公元前 1699 年 4 月 16 日发生的日食。那一天，太阳被月亮遮掩，位置靠近昴星团和三个相距较近的行星——水星、金星和火星。

无论它的确切用途如何，内布拉星象盘提供了明确的证据，证明了青铜时代的一些人能够进行详细的天文观测，并制造出能够帮助他们标记时间和季节流逝的工具。

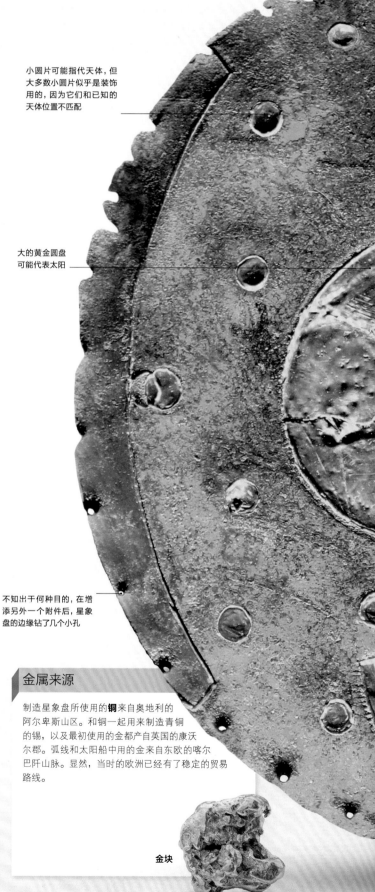

小圆片可能指代天体，但大多数小圆片似乎是装饰用的，因为它们和已知的天体位置不匹配

大的黄金圆盘可能代表太阳

不知出于何种目的，在增添另外一个附件后，星象盘的边缘钻了几个小孔

▲ 对阶段的解释

阶段1	阶段2	阶段3
昴星团 太阳或满月 盈凸月或日偏食	上面添加了弧线，其中一条覆盖了两个天体	添加的太阳船

星象盘的制造分为三个阶段，这三个阶段在时间上有明显的分隔，表明它曾改变用途。添加的太阳船表明它可能具有宗教意义。

▶ 金色圆弧
圆盘上的两条弧的跨度是 82°，这是太阳在夏至和冬至的日落和日出位置之间的角度。

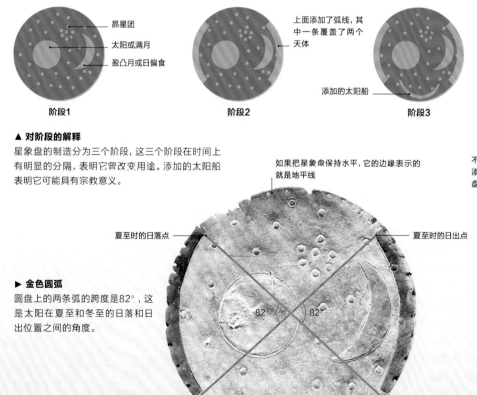

如果把星象盘保持水平，它的边缘表示的就是地平线

夏至时的日落点

夏至时的日出点

82 82

冬至时的日落点

冬至时的日出点

金属来源

制造星象盘所使用的**铜**来自奥地利的阿尔卑斯山区。和铜一起用来制造青铜的锡，以及最初使用的金都产自英国的康沃尔郡。弧线和太阳船中用的金来自东欧的喀尔巴阡山脉。显然，当时的欧洲已经有了稳定的贸易路线。

金块

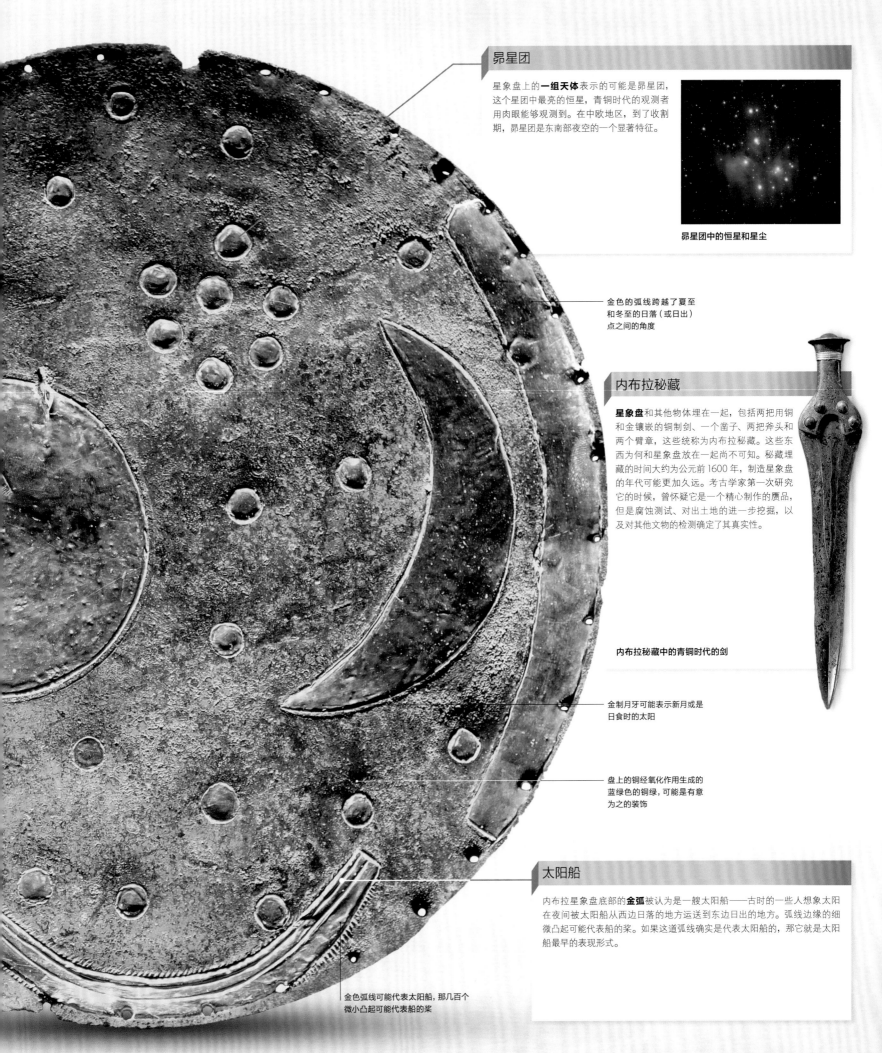

昴星团

星象盘上的**一组天体**表示的可能是昴星团，这个星团中最亮的恒星，青铜时代的观测者用肉眼能够观测到。在中欧地区，到了收割期，昴星团是东南部夜空的一个显著特征。

昴星团中的恒星和星尘

金色的弧线跨越了夏至和冬至的日落（或日出）点之间的角度

内布拉秘藏

星象盘和其他物体埋在一起，包括两把用铜和金镶嵌的铜制剑、一个凿子、两把斧头和两个臂章，这些统称为内布拉秘藏。这些东西为何和星象盘放在一起尚不可知。秘藏埋藏的时间大约为公元前 1600 年，制造星象盘的年代可能更加久远。考古学家第一次研究它的时候，曾怀疑它是一个精心制作的赝品，但是腐蚀测试、对出土地的进一步挖掘，以及对其他文物的检测确定了其真实性。

内布拉秘藏中的青铜时代的剑

金制月牙可能表示新月或是日食时的太阳

盘上的铜经氧化作用生成的蓝绿色的铜绿，可能是有意为之的装饰

太阳船

内布拉星象盘底部的**金弧**被认为是一艘太阳船——古时的一些人想象太阳在夜间被太阳船从西边日落的地方运送到东边日出的地方。弧线边缘的细微凸起可能代表船的桨。如果这道弧线确实是代表太阳船的，那它就是太阳船最早的表现形式。

金色弧线可能代表太阳船，那几个微小凸起可能代表船的桨

天文学的起源

在人类历史的大部分时间中，人们太过忙于生存，而没有太多时间去思考世界的根本性质和起源。但从约公元前 1000 年开始，一些人开始不再依赖超自然的解释来回答宇宙的关键问题。

这些思想家——最初聚集在地中海地区，尤其是希腊——意识到，要了解世界就需要了解其本质，自然现象应该有合乎逻辑的解释。虽然他们并不总能找到正确答案，但这一飞跃标志着一段 3 000 年的历程的开始。这一历程引领现代世界认识了一些关键理论，比如宇宙大爆炸理论。

物质的本质

世界是由什么构成的、物质来自哪里，这是一些最古老的根本问题。在公元前 6 世纪时，希腊哲学家，比如泰勒斯（Thales）和阿那克西米尼（Anaximenes），提出所有物质都是更为内在的物质调整后的产物，那些内在物质主要为水、气、土和火。公元前 5 世纪时，恩培多克勒（Empedocles）声称所有东西都是含有这四种物质或元素的混合物。和他几乎同时代的德谟克利特（Democritus）建立了一个理论，称宇宙是由无数个不可分割的称为原子的粒子组成的。最后，在公元前 4 世纪时，影响力巨大的学者亚里士多德往恩培多克勒的四种元素里添加了第五种元素——以太。虽然亚里士多德对原子的理论持怀疑态度，但不同寻常的是，早在原子和元素被证明存在的 2 000 年前，人们就已经提出了这样的概念。

地球的形状和大小

亚里士多德对许多观点都提出了自己的看法，其中就包括地球是一个球体这一观念。早期的希腊学者，如毕达哥拉斯（Pythagoras），已经论证过这一点，但亚里士多

> 到17世纪初，中国的主流观点仍然认为**大地是平的**

德是第一个总结了主要证据的人。而这里面最主要的证据是，到南方地区旅行的人能够看到那些生活在北部地区的人看不到的星星，只有在地球表面是弯曲的情况下才能解释这一现象。公元前 240 年时，通过比较太阳的光线是如何到达地球上的赛伊尼城（Syene）和亚历山大城（Alexandria）的，数学家埃拉托斯特尼（Eratosthenes）估计出了地球的周长。他提出地球的周长约为 4 万千米——接近今天我们知道的地球真实周长。

地球和太阳

亚里士多德认为地球是宇宙的中心，太阳、行星和恒星都围绕着它转动。这似乎

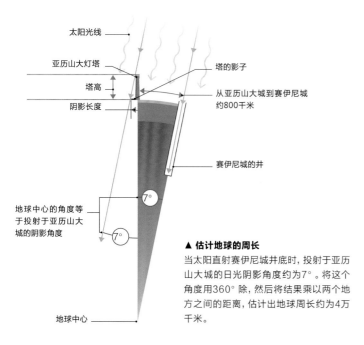

▲ 估计地球的周长

当太阳直射赛伊尼城井底时，投射于亚历山大城的日光阴影角度约为7°。将这个角度用360°除，然后将结果乘以两个地方之间的距离，估计出地球周长约为4万千米。

图注标签：太阳光线／亚历山大大灯塔／塔高／阴影长度／塔的影子／从亚历山大城到赛伊尼城约800千米／赛伊尼城的井／地球中心的角度等于投射于亚历山大城的阴影角度／7°／7°／地球中心

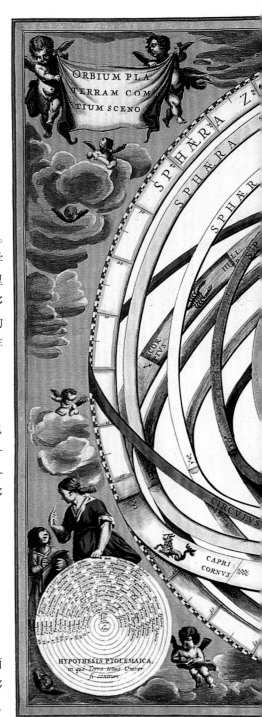

▲ 以地球为中心的宇宙

这幅17世纪安德烈亚斯·塞拉里厄斯（Andreas Cellarius）所做的插图描绘了亚里士多德和托勒密的宇宙模型。月亮、水星、金星、太阳、火星、木星、土星等各种星体以地球为中心在圆形的轨道上运动。

是常识，因为每天晚上人们都可以看到各种天体（白天则是太阳）穿过天空从东到西运转，而地球本身似乎没有移动。天文学家阿里斯塔胡斯（Aristarchus）提出了另一种观点，认为太阳位于中心位置，地球围绕着它运动，但这一观点没有得到多少支持。

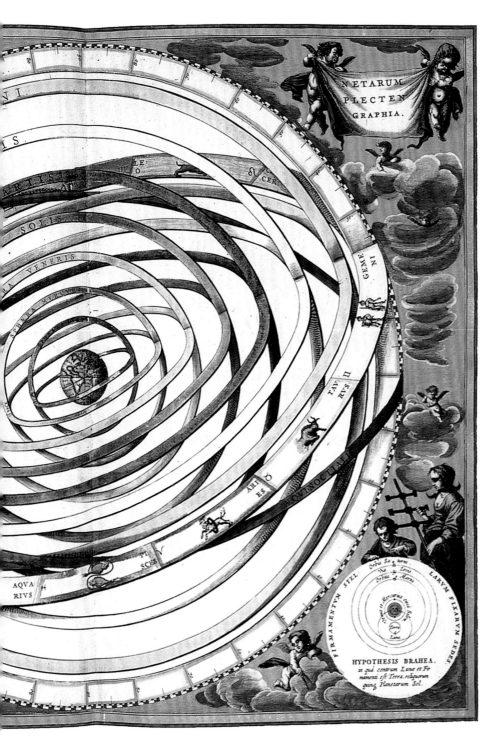

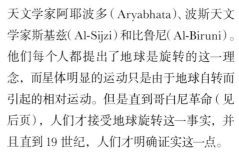

别是对恒星位置进行了编目。

地球是静止的还是旋转的？

地球是否在旋转这个问题与宇宙的中心是什么的问题相互关联，对此人们讨论了大约2 000年，一直持续到17世纪。当时普遍的看法是，地球不旋转，因为这最适合以地球为中心的宇宙理论。然而，也有一些人反对这种观点，这些人包括公元前4世纪的希腊哲学家和天文学家赫拉克利德斯·彭提乌斯（Heraclides Ponticus），以及公元5世纪和15世纪之间的印度天文学家阿耶波多（Aryabhata）、波斯天文学家斯基兹（Al-Sijzi）和比鲁尼（Al-Biruni）。他们每个人都提出了地球是旋转的这一理念，而星体明显的运动只是由于地球自转而引起的相对运动。但是直到哥白尼革命（见后页），人们才接受地球旋转这一事实，并且直到19世纪，人们才明确证实这一点。

▲ 兀鲁伯
兀鲁伯和其他天文学家在撒马尔罕的天文台工作，确定了地球自转轴的倾斜度和一年的准确长度。

宇宙的规模和年龄

早期哲学家普遍探讨的一个终极问题是，宇宙在空间和时间上是有限的还是无限的。亚里士多德提出，宇宙在时间上是无限的（所以它一直存在），但是在空间上是有限的——他认为所有的星星与地球的距离都是固定的，镶嵌在一个水晶球体的表面，外面什么都没有。数学家阿基米德（Archimedes）对固定的恒星距离做了基于推算的估计，并意识到这是非常巨大的（至少是我们现在所说的2光年），但是他却到此为止，没有声称宇宙是无限的。在公元6世纪时，埃及哲学家约翰·菲洛波努斯（John Philoponus）反对当时盛行的亚里士多德的观点，认为宇宙在时间上是有限的。直到20世纪，科学家才找到这些问题的答案。

在公元150年时，生活在亚历山大城的杰出希腊学者克劳狄乌斯·托勒密（Claudius Ptolemy）出版了一本名为《天文学大成》（Almagest）的书，肯定了以地球为中心的主流观点。托勒密详细的模型符合所有已知的观察结果，但是为了做到这一点，却必须对亚里士多德的最初观点做出非常复杂的调整。在接下来的约14个世纪的时间里，亚里士多德和托勒密以地球为中心的观点完全支配着天文学理论，并且在整个欧洲，

它被中世纪的基督教所采纳。在此期间，伊斯兰教天文学家，如兀鲁伯［Ulugh Beg，15世纪在撒马尔罕（Samarkand）一个大型天文台工作，这个天文台现在位于乌兹别克斯坦］，对认识太阳系做出了巨大贡献，特

> **地球位于天空中间**的位置，非常像天空的中心。

克劳狄乌斯·托勒密（90—168），天文学家和地理学家

对于中世纪至 16 世纪的欧洲来说，宇宙是如何组织的这一问题，在多个世纪之前托勒密对亚里士多德首次提出的理论进行修改的时候就早已回答了（见前页）。根据托勒密的理论，地球位于宇宙的中心，静止不动。恒星是"固定在"或镶嵌在一个看不见的、遥远的球体中的，这个球体在地球周围旋转得非常快，周期约为一天。太阳、月亮和行星也绕地球旋转，它们附着在其他看不见的球体上。对大多数人来说，这个解释似乎是合理的——毕竟，我们在晚上看向天空时，会觉得地球似乎是静止的。

而天空中的所有其他物体，包括太阳和星星，都是在东方升起，掠过整个天空，然后落在西方地平线下。

对地心说的质疑

然而，宇宙的地心说并不能说服每个人。比较严重的问题集中在它对行星的预测方面。根据亚里士多德地心说的原始版本，每颗行星都有自己稳定的速度，围绕地球在完美的圆形轨道上旋转。但如果这是事实，由于它们与地球的距离总是不变，行星应该以不变的速度和亮度掠过天空——这与人们所观察到的不符。一些行星，如火星，其亮度随着时间的推移变化巨大。将它们的运动与外层恒星的运动相比还可发现，行星有时会反向运动——这被称为逆行（retrograde）。为了解决这些问题，托勒密修改了亚里士多德的模型。例如，他认为行星不附着在天球本身，而是附着于天球所附带

地球绕
太阳运转

▼ 太阳系模型
这个被称为浑天仪的太阳系模型是依据哥白尼学说制作的，太阳在中心，行星围绕着它旋转。

16 世纪和 17 世纪初，最先由希腊学者亚里士多德和托勒密提出的盛极一时的地心说宇宙观，受到了一个更简单的日心说的挑战。这个观念最终导致了科学革命，产生了一种全新的思考宇宙的方式。

哥白尼除了是**天文学家**，

还是位医生、教士、外交官
兼经济学家

的本轮上。对一些天文学家来说，这些修订看起来像是为了使模型更加符合观察得到的数据而采用的"权宜之计"。不断有天文学家提出另外的观点，例如地球是绕太阳运转的。但是地心说的支持者似乎有一个很好的理由来驳斥这一说法。他们认为，如果地球运转，我们应该能看到恒星间的相对位置在一年中会有些许变化——但由于检测不到这样的变化，所以他们回应说，地球不可能移动。

哥白尼的宇宙模型

面对这些争论以及支持传统观点的天主教会的力量，地心说的理论在几百年间几乎没有遇到反对的声音。然而，1545年左右，欧洲开始流传一个消息：一个全新的、令人信服的学说——以太阳为中心的宇宙理论形式——出现在了一本书中，这本书

就是波兰学者尼古劳斯·哥白尼（Nicolaus Copernicus）所著的《天体运行论》（*De Revolutionibus Orbium Coelestium*；英文题目译作：*On the Revolutions of the Celestial Spheres*）。

哥白尼的理论基于几个假设。第一个假设是地球绕轴自转，这种自转运动解释了天空中恒星、行星、月球和太阳每日大部分的运动。哥白尼认为，成千上万的星星围绕地球快速旋转是不可思议的。相反，他提出它们表面上的运动是地球自转造成的错觉。反对者说这一运动会产生灾难性的风暴，但是他指出，地球大气是地球的一部分，因此会和地球一起运动。

哥白尼的核心假设是：太阳，而不是地球，位于或接近宇宙的中心；而行星（包括地球，它本身也只是一颗行星）以不同的速度绕太阳运转。这个系统可以简单明了地解释行星运动和亮度的变化，而无须借助托勒密的"权宜之计"。另一个重要的假设是恒星到地球和太阳的距离比以前所认为的更远。这解释了为什么从地球看到的恒星的相对位置似乎在一年的过程中一直保持不变。

理论的发展

《天体运行论》出版时，哥白尼即将离世，一个多世纪后他的理论才被广泛接受。一个问题是，他的模型包含了一些错误观念，必须经由后来的天文学家纠正。哥白尼坚持认为，天体都是嵌入于看不见的天球里，它们的运动也就是天球的运动。1576年，英国天文学家托马斯·迪格斯（Thomas Digges）提出修改哥白尼的体系，去除嵌着恒星的最外层天球，代之以满天繁星的无限时空。16世纪80年代，丹麦天文学家第谷·布拉赫（Tycho Brahe）又去除了剩下的天球概念，提出行星也是在自己的轨道上

自由移动。布拉赫观察到彗星很明显会穿过想象中的天球，这使他认为天球实际上不存在。他还观察到一颗超新星，这与长期以来人们认为天空中不会发生任何变化的观点相矛盾。

哥白尼的理论的另一个缺点是他坚信所有的天体都必须绕圆形轨道运转，这迫使他保留了一些托勒密采用的"权宜之计"。但在17世纪20年代，德国天文学家约翰内斯·开普勒（Johannes Kepler）的研究表明，天体的轨道是椭圆形的，而不是圆形的。把日心说所保留的大多数"权宜之计"都去除掉之后，它得到了简化和改进。17世纪末，艾萨克·牛顿（Isaac Newton）发展了开普勒的研究工作，根据他的运动定律和新提出的万有引力（见第46～47页），牛顿能够准确地解释天体为什么以这样的方式运转。他的著作《自然哲学的数学原理》有效地消除了人们对日心说最后的怀疑。

哥白尼理论的这些改进是在宇宙学的其他重要进展的背景下产生的。17世纪初，望远镜的发展帮助人们认识到，恒星比行星远得多，并且数量众多。人们还认识到，宇宙可能是无限的。然而，开普勒指出，宇宙不可能是无限、静态和永恒的，否则夜空看起来应该是均匀明亮的，因为视线所及的每个方向，都会看到恒星发出的光。

教会的反应

1616年，罗马天主教会禁止《天体运行论》出版发行 ——此禁令执行了200多年。这可能是因为教会跟天文学家伽利略·伽利莱（Galileo Galilei）产生了争执而造成的。伽利略是哥白尼理论的拥护者，有很多发现都支持日心说。特别是在大约1610年，伽利略发现有卫星围绕木星运转，证明存在不围绕地球运转的天体。伽利略与教会的争执导致《天体运行论》受到教会的严格审查，因为一些观点似乎违反了《圣经》的理念，该书最终被禁止发行。1633年，伽利略本人遭

伽利略用**美第奇家族**的名字给木星的**卫星**命名

到了宗教审判，被迫放弃了他的观点。

科学革命

由于天主教会的禁止，而且天文学家起初也认为其充满矛盾，人们经过很长的时间才接受了哥白尼的理论。150多年过去后，人们才证明它的一些基本假设是正确的、无可争议的。但是，这个理论的重要贡

献在于，它将宇宙学确立为一门科学，并给一些关于宇宙是如何运行的古老传统观念带来了沉重的打击，这些传统观念大多是亚里士多德提出的。因此，人们通常把它视为开创科学革命的标志。科学革命指的是16世纪和18世纪间的一系列进步，在现代世界的早期改变了人们对自然和社会的观点。

1789年，威廉·赫歇尔（William Herschel）制作了一台12米长的反射望远镜。

夫琅禾费分光镜

18世纪30年代至60年代，詹姆斯·肖特（James Short）改进了反射望远镜，其中有些被用于观测金星凌日现象。

1721年，约翰·哈德利（John Hadley）建造了第一台实用的反射望远镜，他纠正了球差，提高了图像质量。

1814年，太阳光谱上暗（吸收）线的发现者约瑟夫·冯·夫琅禾费（Joseph von Fraunhofer）发明了分光镜。暗（吸收）线后来被称为夫琅禾费谱线，可以帮助天文学家确定恒星里的化学组成。

1839年，天文学研究首次使用摄影技术，使得较暗淡天体的观测和高效永久的记录成为可能。

牛顿式反射望远镜

18世纪60年代至80年代，查尔斯·梅西叶（Charles Messier）发现了多种星云状天体，现在人们大多数称之为星团和星系。

1800

1838年，弗里德里希·贝塞尔（Friedrich Bessel）首次进行了恒星视差的测量。这成为测量方法。恒星视差技术测定了附近恒星距离的标准方法。

1700

1668年，艾萨克·牛顿发明了第一台可用的反射望远镜。该设计避免了折射望远镜会产生色差的缺点，但是球差这一问题的存在又限制了它的实用性。

1686年，克里斯蒂安·惠更斯（Christiaan Huygens）建造了一台96米长的空中无筒折射望远镜，创下了世界上最大望远镜的新纪录。

大事年表

1647年，约翰内斯·赫维留（Johannes Hevelius）建造了一台3.5米长的折射望远镜。他随后建造了更长的望远镜，并且借助这些望远镜绘制了第一幅精确的月球地图。

1638年，威廉·加斯科因（William Gascoigne）发明了望远镜瞄准器和测微计，为更精确的制图和天体测量创造了条件。

看到**光**

望远镜和鲜为人知的分光镜是天文观测的主要工具，在它们的帮助下，天文学家们才有了对宇宙及其起源的深入了解。

1608年，汉斯·利珀希（Hans Lippershey）申请了折射望远镜的专利。

1609年，伽利略建造了一台可放大倍数为20倍的望远镜。之后，他用望远镜做的观测结果使其陷入了与天主教会的矛盾冲突之中。

可见光望远镜天文学

1600

可见光望远镜技术

第一批望远镜是专为收集可见光而设计的，在将近100年的发展过程中主要分成两类——折射望远镜和反射望远镜。19世纪，科学家发明了分光镜，可以用来研究天体的构成和运动。20世纪，科学家发明了更大的光学望远镜，随后又发明了射电望远镜。自20世纪70年代以来，望远镜领域的革新包括发射空间望远镜，以及在地面上建立射电望远镜阵列。

1845年，威廉·帕森斯建造了一台口径为1.5米的大型反射望远镜。

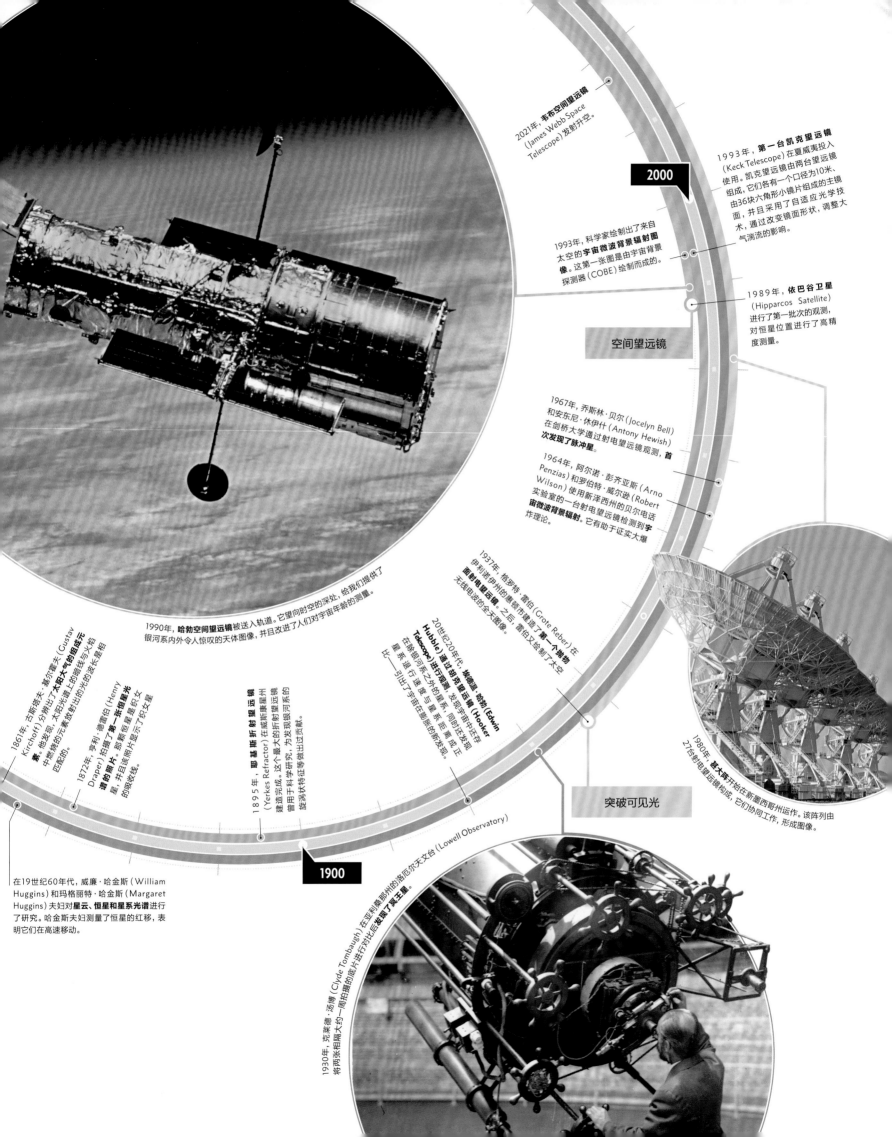

2021年，**韦布空间望远镜** (James Webb Space Telescope) 发射升空。

2000

1993年，**第一台凯克望远镜** (Keck Telescope) 在夏威夷投入使用。凯克望远镜由两台望远镜组成，它们各有一个口径为10米、由36块六角形小镜片组成的主镜面，并且采用了自适应光学技术，通过改变镜面形状，调整大气湍流的影响。

1993年，科学家绘制出了来自太空的**宇宙微波背景辐射图像**。这第一张图是由宇宙背景探测器 (COBE) 绘制而成的。

1989年，**依巴谷卫星** (Hipparcos Satellite) 进行了第一批次的观测，对恒星位置进行了高精度测量。

空间望远镜

1967年，乔斯林·贝尔 (Jocelyn Bell) 和安东尼·休伊什 (Antony Hewish) 在剑桥大学通过射电望远镜观测，**首次发现了脉冲星**。

1964年，阿尔诺·彭齐亚斯 (Arno Penzias) 和罗伯特·威尔逊 (Robert Wilson) 使用新泽西州的贝尔电话实验室的一台射电望远镜检测到**宇宙微波背景辐射**。它有助于证实大爆炸理论。

1937年，格劳特·雷伯 (Grote Reber) 在伊利诺伊州的惠顿市建造了**第一个抛物面射电望远镜**，之后，雷伯又绘制了太空无线电波的全天图像。

20世纪20年代，**埃德温·哈勃 (Edwin Hubble)** 通过胡克望远镜 (Hooker Telescope) 进行了银河系之外的观测。哈勃在银河系附近发现恒星，同时也发现星系在退行，距离越远的星系正在以越快的速度远离。——引出了宇宙在膨胀的新证据。

1990年，**哈勃空间望远镜**被送入轨道。它望向时空的深处，给我们提供了银河系内外令人惊叹的天体图像，并且改进了人们对宇宙年龄的测量。

1861年，古斯塔夫·基尔霍夫 (Gustav Kirchoff) 分辨出了**太阳大气的组成元素**。他发现，太阳光谱上的暗线与义炽中燃烧的元素放射出的光的波长是相匹配的。

1872年，亨利·德雷伯 (Henry Draper) 拍摄了**第一张恒星光谱的照片**。那颗恒星是织女星，并且该照片显示了织女星的吸收线。

1895年，**耶基斯折射望远镜** (Yerkes Refractor) 在威斯康星州建造完成。这个最大的折射望远镜曾用于科学研究，为发现银河系的旋涡状特征做出过贡献。

突破可见光

1900

在19世纪60年代，威廉·哈金斯 (William Huggins) 和玛格丽特·哈金斯 (Margaret Huggins) 夫妇对**星云、恒星和星系光谱**进行了研究。哈金斯夫妇测量了恒星的红移，表明它们在高速移动。

1930年，克莱德·汤博 (Clyde Tombaugh) 在亚利桑那州的洛厄尔天文台 (Lowell Observatory) 将两张相隔大约一周拍摄的底片进行对比后**发现了冥王星**。

1980年，**甚大阵**开始在新墨西哥州运作，27台射电望远镜构成，它们协同工作，形成图像。该阵列由

原子和宇宙

从19世纪初到20世纪20年代末，物理学界实现了一系列突破。无论是在微观还是宏观方面，它们都改变了我们对宇宙运行和结构的理解，并且拓展了无限宇宙理论的可能性。

从宇宙膨胀说到能量和物质如何在亚原子层面相互作用理论的发展，这些发现为20世纪30年代到50年代的研究进步铺平了道路。通过将宇宙学和粒子物理学相结合，这些突破最终推动了大爆炸理论的发展。

在一个子结构。大约在同一时期，德国理论物理学家爱因斯坦的研究表明物质和能量具有等价性。同时，一个新的物理学领域，即量子理论，提出光可以表现为一段波或一束粒子流（此外还有其他理论）。到20世纪20年代末，人们已经知道原子核由

◀ **亨丽埃塔·莱维特**
（Henrietta Leavitt）
20多年来，莱维特在哈佛大学天文台研究了1 777颗恒星，之后得到了关键的发现。

探索物质和能量

物质由原子组成的理论最初是由古希腊人德谟克利特提出的（见第22页）。在19世纪初，英国人约翰·道尔顿（John Dalton）复兴了这一理论。道尔顿认为原子是不可分割的，但是在20世纪初，一些科学家，如新西兰籍科学家欧内斯特·卢瑟福（Ernest Rutherford），通过实验证明原子存

我们观察到的**实体和力**只不过是**空间结构的外形和变化。**

埃尔温·薛定谔

▶ **理解原子结构**
从1800年左右到20世纪20年代中期，人们对原子结构的理解逐渐深入。到了20世纪20年代后期，物理学家们发现原子核有一个子结构。

每个原子都是单一的、不可分割的实体

原子就像微小的实心球

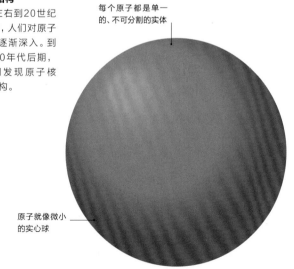

道尔顿的原子论（1803） 英国化学家约翰·道尔顿将原子定义为极小的球体，就像微型的台球，没有内部结构，也不能被细分、创造或销毁。

电子的分布就像布丁上的葡萄干

带正电荷的物质

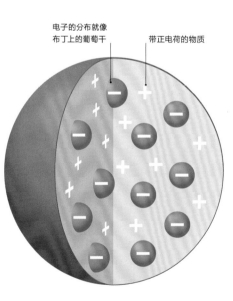

汤姆森的"葡萄干布丁"模型（1904） 作为电子的发现者，英国物理学家汤姆森（J. J. Thomson）提出了一种"葡萄干布丁"模型，即带负电荷的电子镶嵌在带有正电荷的球体中。

带正电荷的原子核

在一个（或多个）环形轨道中运行的电子

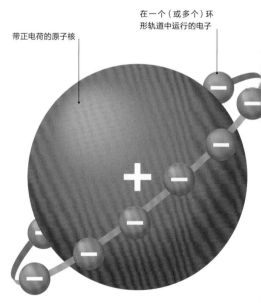

长冈的"土星模型"（1904） 日本物理学家长冈半太郎认为，原子具有中心核，电子在环绕它的一个或多个轨道上运转，就像土星环一样。

质子和中子组成。一种新检测到的强相互作用把它们结合在一起。同一时期，人们发现了反物质——与其对应粒子当量相同但电荷相反的亚原子粒子——而且还发现，物质和反物质结合之后就会湮灭，同时产生纯粹的能量。

恒星的距离

在与此大致相同的时期里，人类在理解宇宙的真实规模方面也取得了巨大进步。1838 年，德国天文学家弗里德里希·贝塞尔使用恒星视差法，首次可靠地测量到了地球到太阳以外的另一颗恒星的距离。这颗恒星虽然是最接近太阳的恒星之一，但在那时看来距地球远得几乎无法想象——我

1光年——光在真空中1年内走过的距离——**大约为9.5万亿千米**

们现在将这段距离描述为 10.3 光年。直到 1912 年，才有人发现可以用来估测地球到更多遥远恒星的距离的方法。发现者是一个叫亨丽埃塔·莱维特的美国人。她的这个

突破涉及一类称为"造父变星"（Cepheid variables）的恒星，其亮度会呈周期性变化。莱维特发现这些恒星的周期和亮度之间存在联系，这意味着如果我们能测量出这两者的值，那么就可以很好地估计这些恒星与地球的距离。随后几年内，人们了解到有些恒星距我们有数万光年的距离，而天空中的一些模糊的旋涡状星云斑块，在当时被称为"旋涡星云"，似乎距我们有几百万光年远。

移动的星云

1912 年到 1917 年，美国天文学家维斯托·斯里弗（Vesto Slipher）研究了一些"旋涡星云"，发现许多星云正高速远离地球，然而也有少数正接近地球。他是通过测量星云中光的属性——红移或蓝移——发现这一点的。星云以这样的速度相对于星系的其余部分移动看上去很奇怪。1920 年，受斯里弗发现的启发，人们在华盛顿特区举行了一次正式的辩论，主题是这些星云是否可能是我们所处的银河系以外的其他星系。然而辩论并没能得出结论。但在随后的几年内，另一位美国天文学家埃德温·哈勃找到了答案（见后页）。

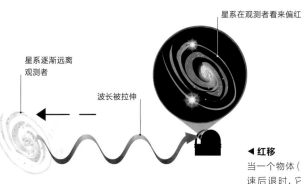

红移

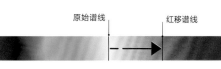

◀ **红移**
当一个物体（例如星系）高速后退时，它的光波就会显得更长。这导致星系的光谱特征，例如一些明显的光谱线，向红色端（波长较长）移动。这就是红移。

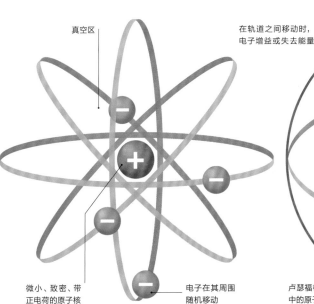

星系在观测者看来偏蓝

蓝移

◀ **蓝移**
一个快速接近的物体的光波会被挤压，这使它的光谱特征向蓝色端（波长较短）移动。这就是蓝移。

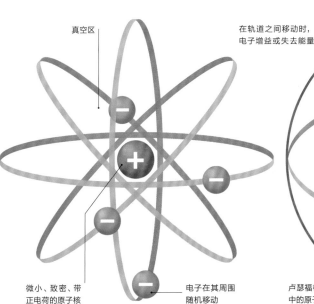

卢瑟福的原子结构理论（1911）卢瑟福经实验证明，一个原子的核比之前认为的要小得多，密度也要大得多，而且原子的大部分都是空的。

真空区

微小、致密、带正电荷的原子核

电子在其周围随机移动

在轨道之间移动时，电子增益或失去能量

玻尔的电子轨道理论（1913）丹麦物理学家尼尔斯·玻尔（Niels Bohr）提出，电子可以在球形轨道上移动，与原子核保持固定的距离，并可以在轨道之间"跳跃"。

卢瑟福模型中的原子核

电子轨道

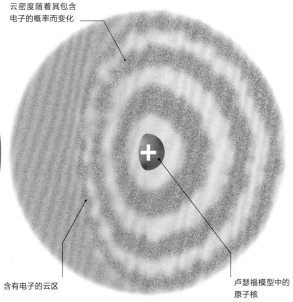

云密度随着其包含电子的概率而变化

含有电子的云区

卢瑟福模型中的原子核

薛定谔的电子云模型（1926）根据奥地利物理学家埃尔温·薛定谔的模型，电子在原子中的位置是不固定的，只能以概率来表示。

宇宙
变得更大

在20世纪20年代，两个关键的突破引发了对于宇宙大小及其性质的理解上的革命。这两个突破都来自天文学家埃德温·哈勃的发现。

1919 年，30 岁的哈勃来到了加利福尼亚州的威尔逊山天文台（Mount Wilson Observatory）。当时世界上最大的望远镜刚刚建造完成，这是一个有 2.5 米直径反光镜的反射望远镜，称为胡克望远镜。

终结有关星系的争论

当时的普遍看法是宇宙只包含银河系，虽然在 1920 年，一场著名的辩论（见前页）探讨过夜空中一些模糊的旋涡状星云——模糊的、含恒星的天体——有没有可能是我们星系以外的恒星的集合。哈勃一直在研究这些星云，强烈怀疑它们位于我们的星系之外。在 1922—1923 年，他使用胡克望远镜来观察一些星云内的被称为造父变星

的一类恒星。这些星云包括今天称为仙女座星系（Andromeda Galaxy）的星云。我们可以通过测量造父变星的平均亮度及其亮度变化周期来估测它们和我们之间的距离。哈勃基于其观察结果，于 1924 年宣布：仙女座星云和其他旋涡星云极其遥远，不可能是银河系的一部分，因此它们一定是银河系以外的星系。几乎一夜之间，宇宙的大小超过了之前所有人的想象。

退行的星系

哈勃接下来研究了一种天文学家斯里弗注意过的现象：许多旋涡星系的光谱呈现大幅度的"红移"，这意味着它们正高速远离地球（见前页）。通过再次观测造父变星，哈勃开始测量这些星系的距离并将观测的距离与它们的红移进行比较。他注意到一些不同寻常的现象：某个星系距离地球越远，它的退行速度就越快——这种关系后来被称为哈勃定律。哈勃在 1929 年发表了他的成果。虽然他本人最初持怀疑态度，但对其他天文学家来说显然只能得出一个结论——整个宇宙一定正在扩张！

▼ 照片证据
哈勃使用这两张照相底片（负片）辨认出了仙女座星系中的某颗造父变星。有关这颗恒星的研究对于确认仙女座星系位于银河系以外起到了至关重要的作用。

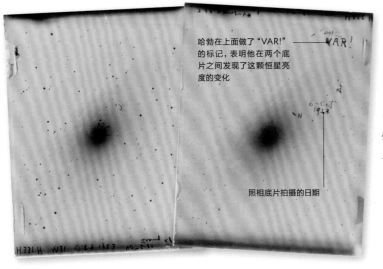

哈勃在上面做了"VAR!"的标记，表明他在两个底片之间发现了这颗恒星亮度的变化

照相底片拍摄的日期

"

天文学的历史就是视界**不断拉近的历史。**

"

埃德温·哈勃（1889—1953），美国天文学家

世界上最大的望远镜
1917年建造完成的胡克望远镜在约30年的时间里一直是世界上最大的望远镜。铸造玻璃镜面时,要精确到几百万分之一英寸,而且必须保持低温,以防止它们受热而变形。

膨胀的宇宙

埃德温·哈勃的研究结果表明，许多星系正以与其距离成正比的速度远离我们。人们很快便推断出宇宙在膨胀。但天文学家仍然必须了解这种膨胀的性质，以及宇宙是从何种状态开始膨胀的。

到20世纪30年代初的时候，科学家着手解决一个哲学家已思考了几千年的问题——我们的宇宙是始终存在的还是有一个开始？到了这时候，物理学家、数学家和天文学家已可试着回答这个问题了。

果后，许多天文学家清楚地意识到：尽管哈勃和爱因斯坦起初都不相信，但宇宙确实在膨胀。尽管多年来此项发现都归功于哈勃，但今天大多数专家都同意，哈勃应与勒梅特共享这一荣誉。

> 空间半径从零开始；膨胀的第一阶段是一段**快速膨胀**，这是由原始原子的质量决定的。
>
> **乔治·勒梅特**（1894—1966），天文学家

爱因斯坦的宇宙模型

谈及科学家是如何意识到宇宙正在膨胀的，就要从1915年爱因斯坦发表广义相对论说起。这一理论描述了引力如何在大范围空间发生作用，并且定义了可能存在的宇宙类型。爱因斯坦的理论包含一整套方程，解出这些方程能对宇宙长期的、大规模的运行方式进行描述。

▼ 乔治·勒梅特
第一个（尚有争议）提出宇宙正在膨胀的人，身兼神父、物理学家以及天文学家等角色于一身。

爱因斯坦对其方程最初的解表明宇宙是收缩的，但是他无法相信这一点，所以他引入了一个"调整"——他把一个称为宇宙常数的膨胀诱导因子引入了公式，好得出静态宇宙的解。1927年，比利时天文学家乔治·勒梅特（Georges Lemaître）在研究了爱因斯坦的方程，听说了哈勃对星系距离的测量后，提出整个空间正在膨胀的假说，但是他的假说没有引起广泛关注。在哈勃于1929年发表了关于退行星系的研究结

发现大爆炸

如果宇宙目前正在膨胀，而且如果我们将时钟倒转，那么越往过去看，宇宙就越致密。但是，正如勒梅特推论的那样，我们只能上溯到宇宙被压成一个无限致密的点（奇点）为止。因此，在1931年，勒梅

▶ 膨胀的空间
对宇宙膨胀最准确的看法是空间本身膨胀并携带物体膨胀——称为宇宙膨胀——而不是星系和星团飞速移动并"经过"空间，使彼此远离。

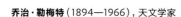

在时间开始的时候，所有的物质都集中在一个微小的粒子中——勒梅特称之为"原初原子"——该粒子发生了爆炸

特提出宇宙最初是一个单一的、极其致密的粒子——他称之为"原初原子"——在爆炸中解体，产生了空间和时间，并导致了宇宙的膨胀。到1933年，爱因斯坦（那时他已经放弃了宇宙常数的提法）完全同意勒梅特的理论，称之为"我听过的对于宇宙诞生的最漂亮且令人满意的解释"。

根据简单的物理学原理，压缩成一个奇点的宇宙温度极高。20世纪40年代，俄裔美国物理学家乔治·伽莫夫（George Gamow）和他的同事计算出了在勒梅特式宇宙中极热的最初时刻内可能发生的细节，解释了轻元素的原子核（如氦原子核）是如何由质子和中子制造出来的。其研究表明，由一个"热"的早期宇宙演变为今天所观察到的宇宙至少在理论上是可行的。在1949年的一次电台访谈节目中，英国天文学家弗雷德·霍伊尔（Fred Hoyle）为勒梅特和伽莫夫构建的宇宙模型创造了"大爆炸"这个术语。最终，勒梅特提出的惊人假说有了一个名字，而且这个名字不胫而走，沿用了下来。

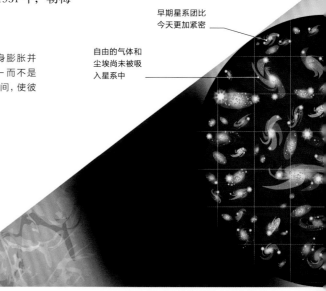

早期星系团比今天更加紧密

自由的气体和尘埃尚未被吸入星系中

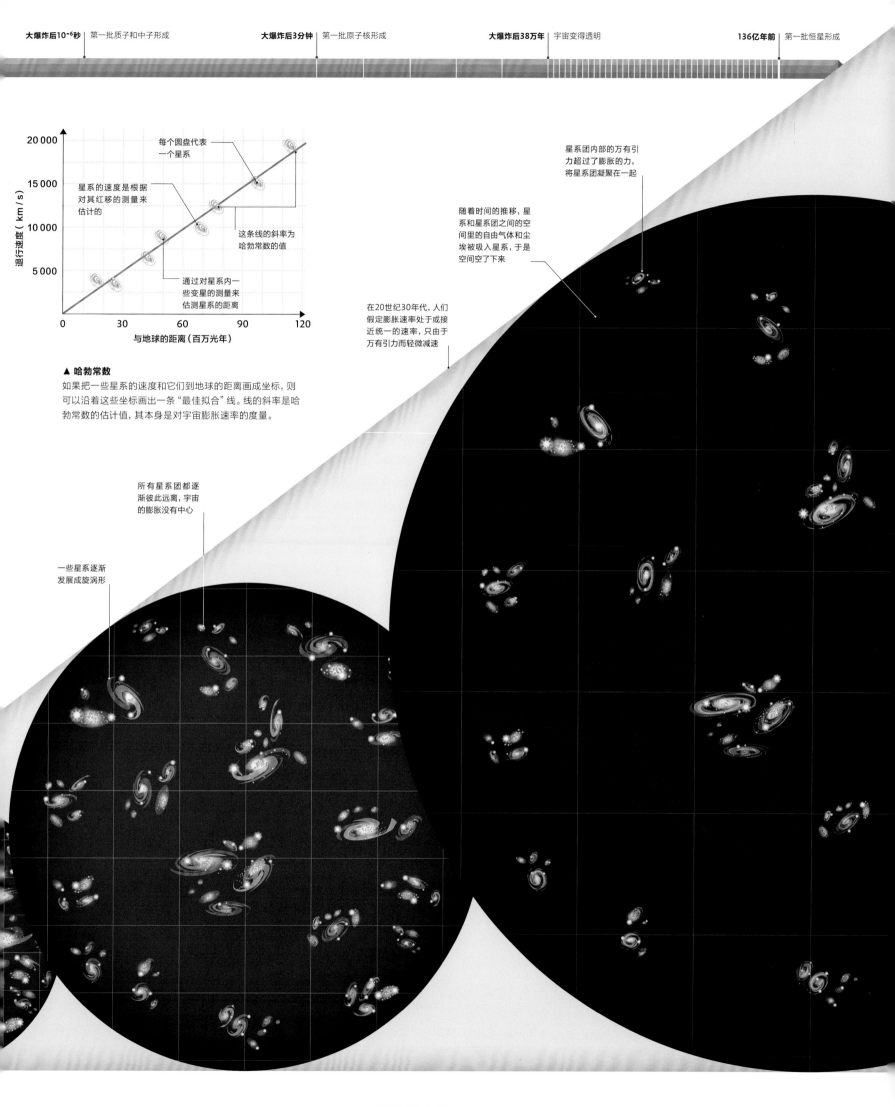

每个圆盘代表一个星系

星系的速度是根据对其红移的测量来估计的

这条线的斜率为哈勃常数的值

通过对星系内一些变星的测量来估测星系的距离

▲ 哈勃常数

如果把一些星系的速度和它们到地球的距离画成坐标，则可以沿着这些坐标画出一条"最佳拟合"线。线的斜率是哈勃常数的估计值，其本身是对宇宙膨胀速率的度量。

星系团内部的万有引力超过了膨胀的力，将星系团凝聚在一起

随着时间的推移，星系和星系团之间的空间里的自由气体和尘埃被吸入星系，于是空间空了下来

在20世纪30年代，人们假定膨胀速率处于或接近统一的速率，只由于万有引力而轻微减速

所有星系团都逐渐彼此远离，宇宙的膨胀没有中心

一些星系逐渐发展成旋涡形

大爆炸

自从20世纪30年代大爆炸理论首次提出后，物理学家和宇宙学家一直在检验和发展这个理论，填补宇宙最初形成时的细节。

改进大爆炸理论的一部分工作是通过实验进行的，在实验中用高能粒子相互碰撞，重现类似大爆炸的条件（见第36~37页）；另一部分工作则是纯粹理论化的，涉及数学方程和构建模型。在这段探究旅程的实验领域，人们已经发现了许多新的亚原子粒子。研究的另一个焦点是控制粒子相互作用的基本力。自从 20 世纪 30 年代以来，人们已知道有四种这样的力：引力、电磁力、强相互作用和弱相互作用。据理论分析，在大爆炸阶段，这些力最初是统一的。随后，当宇宙冷却下来，这些力分离开，并可能引发了大爆炸的新阶段。逐渐地，物理学家将所有已知粒子和力融合到了称为"标准模型"的粒子物理学方案中。

对最初理论的一个重要改变，是 20 世纪 80 年代由美国物理学家阿兰·古思（Alan Guth）提出的。他提出在很早的时期，宇宙的一部分经历了一个极快的膨胀过程，称为宇宙暴胀。古斯的想法有助于解释今天宇宙的一些特性，包括为什么在最大的范围内，物质和能量似乎分布得非常均匀。宇宙暴胀理论现在已被广泛接受。

上夸克　下夸克　一共有6种夸克。上下夸克是最稳定和最常见的。

电子　这种微小的亚原子粒子带有负电荷。

胶子　通过携带强相互作用，胶子将夸克连接在一起。

光子　光子是一个极小的光的能量包或其他电磁辐射能量包。

希格斯玻色子　这种粒子与给其他粒子赋予质量的场有关。

▲ 基本粒子
众所周知，目前为止这些粒子并不是由更小的粒子组成的。其中一些（如夸克）是物质的基本构建成分。其他的（如胶子和光子）是载力粒子。

质子　质子由两个上夸克和一个下夸克加上胶子组成。

中子　两个下夸克和一个上夸克加上胶子组成一个中子。

▲ 复合粒子　这些粒子由其他更小的粒子组成。人们已经发现许多不同的复合粒子，但是质子和中子是其中仅有的稳定类型。

上反夸克　下反夸克　6种夸克中的每一种，都存在被称为反夸克的相应类型。

正电子　正电子带正电荷，是电子的对应物。

反质子　两个上反夸克和一个下反夸克，加上胶子，形成一个反质子。

反中子　这包括两个下反夸克和一个上反夸克，还有胶子。

▲ 反粒子　这些是与其对应粒子具有相同质量但电荷相反的粒子。

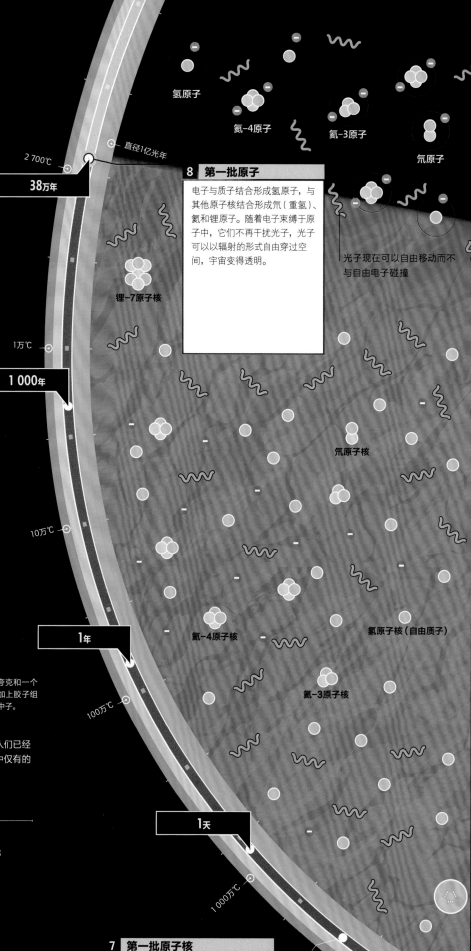

2 700℃　直径1亿光年

38万年

氢原子

氦-4原子　氦-3原子

氚原子

8　第一批原子

电子与质子结合形成氢原子，与其他原子核结合形成氘（重氢）、氦和锂原子。随着电子束缚于原子中，它们不再干扰光子，光子可以以辐射的形式自由穿过空间，宇宙变得透明。

光子现在可以自由移动而不与自由电子碰撞

锂-7原子核

1万℃

1 000年

氚原子核

10万℃

1年

氦-4原子核　氢原子核（自由质子）

氦-3原子核

100万℃

1天

1 000万℃

7　第一批原子核

质子和中子之间的碰撞开始形成氦-4原子核和少量其他的原子核，例如氦-3原子核和锂-7原子核。所有的中子都被这些反应清除了，但许多自由质子仍然存在。

1/6秒　1/2℃

3分钟

3 2亿℃

60秒　10亿℃

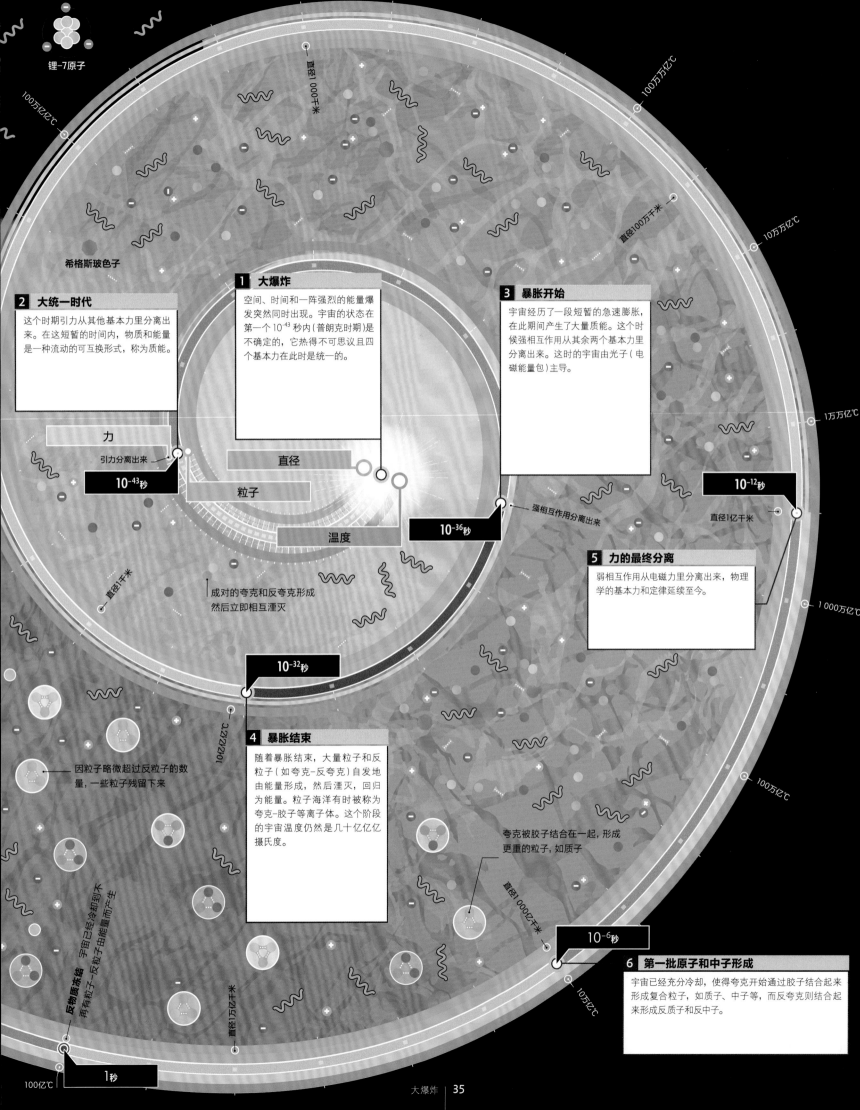

锂-7原子

希格斯玻色子

2 大统一时代

这个时期引力从其他基本力里分离出来。在这短暂的时间内，物质和能量是一种流动的可互换形式，称为质能。

1 大爆炸

空间、时间和一阵强烈的能量爆发突然同时出现。宇宙的状态在第一个 10^{-43} 秒内（普朗克时期）是不确定的，它热得不可思议且四个基本力在此时是统一的。

3 暴胀开始

宇宙经历了一段短暂的急速膨胀，在此期间产生了大量质能。这个时候强相互作用从其余两个基本力里分离出来。这时的宇宙由光子（电磁能量包）主导。

力

引力分离出来

10^{-43}秒

直径

粒子

温度

10^{-36}秒

强相互作用分离出来

10^{-12}秒

直径1亿千米

5 力的最终分离

弱相互作用从电磁力里分离出来，物理学的基本力和定律延续至今。

直径1千米

成对的夸克和反夸克形成然后立即相互湮灭

10^{-32}秒

4 暴胀结束

随着暴胀结束，大量粒子和反粒子（如夸克-反夸克）自发地由能量形成，然后湮灭，回归为能量。粒子海洋有时被称为夸克-胶子等离子体。这个阶段的宇宙温度仍然是几十亿亿亿摄氏度。

因粒子略微超过反粒子的数量，一些粒子残留下来

夸克被胶子结合在一起，形成更重的粒子，如质子

反物质底结 宇宙已经冷却到不再有粒子-反粒子由能量而产生

直径1万亿千米

10^{-6}秒

6 第一批原子和中子形成

宇宙已经充分冷却，使得夸克开始通过胶子结合起来形成复合粒子，如质子、中子等，而反夸克则结合起来形成反质子和反中子。

1秒

100亿℃

大规模物理学研究
这台正在进行改装的大型筒状机器是大型强子对撞机中叫作电磁量能器的部分。它能以很高的精度测量电子和光子的能量。

重现宇宙
大爆炸

多年以来，欧洲核子研究中心（CERN）的研究人员使用世界上最大的粒子加速器大型强子对撞机（LHC），以极高的速度撞击粒子，以重新创造大爆炸不久之后的条件。

LHC 是有史以来最大、最精密的科学仪器。它位于法国与瑞士交界处的地下，能将两束朝相反方向运动的高能粒子进行加速，在一个周长约 27 千米的圆环隧道中运行。这两束粒子不时相撞，其结果——通常包括短暂存在的不稳定的奇异粒子——由圆环周围的探测器记录下来。LHC 的目的是研究可以存在的亚原子粒子的范围以及控制它们的相互作用的定律。

物理学家希望这些实验可以完善他们对于大爆炸中到底发生了哪些事情的推测，帮助他们研究一些很难理解的宇宙现象。这种类似宇宙大爆炸的条件仅仅在很小的规模上重现——所以这些实验不可能引发一场新的大爆炸或产生一个新的宇宙。

新发现

LHC 的一项成功是曾创造了一种夸克-胶子等离子体，这是一种自由夸克和胶子的混合物（见第 34 页），科学家们认为这种等离子体于大爆炸开始后最多存在了一微秒（百万分之一秒）的时间。这是在 2015 年通过撞击质子与铅原子核实现的，这创造出了一堆微小的火球，火球内的一切都暂时分解为夸克和胶子。

2012 年，LHC 检测到了希格斯玻色子，这是一种人们搜寻了很长时间、具有极大质量、寿命极短的粒子。它的出现证实了希格斯场（the Higgs field）这种能量场的存在，它赋予穿过它的粒子以质量。这对于大爆炸的意义在于：它解释了在宇宙形成的最初时刻，粒子（如夸克）如何获得了质量，致使它们减速并结合形成复合粒子（如质子和中子）。

其他重要成果包括于 2014 年发现了一个五夸克态（由四个夸克和一个反夸克组成）。这一发现有助于科学家更深入地研究将夸克结合在一起的强相互作用。

▲ 寻找希格斯玻色子
这幅计算机图像显示了在寻找希格斯玻色子期间记录下的粒子碰撞。它显示了从一个希格斯玻色子衰变为两个其他玻色子时人们预期看到的特征。其中一个衰变为一对电子（绿线所指），另一个衰变为一对 μ 子（红线所指）。

> 我们发现了**一种粒子，一种全新的粒子**——它很可能与其他所有粒子都大不相同。

罗尔夫–迪特尔·霍耶尔（Rolf-Dieter Heuer，生于1948年），CERN主任，这是他对希格斯玻色子的发现所说的评语

大爆炸
之前

虽然大爆炸模型现在被绝大多数天文学家接受，但他们仍在不断寻找更多的证据来支持它。理论上还有一些问题需要解决，有些方面还有待理解。

支持大爆炸模型的一个一般观点是，它所依据的一个重要假设——宇宙学原理（见对页）——迄今为止是正确的。该模型在广义相对论（见第 32 页）的框架下也是成立的，后者已被视作宇宙学的支柱。然而，这些事实并不意味着大爆炸理论一定正确。为保证其正确性，需要具体的肯定性证据——不过这类证据并不缺乏。

具体证据

大爆炸的最重要的肯定性证据是来自天空的极微弱但均匀的热辐射，即宇宙微波背景辐射（CMB）。大爆炸理论的早期支持者预测应该存在这种辐射，1964 年，两个美国无线电天文学家检测到了这种辐射。CMB 在大爆炸之后不久出现，那时光子（能量辐射的小包）停止与物质相互作用，并开始在空间无阻碍地运动。

更强有力的证据来对深空的观测，这种观测等于穿越了数十亿年的时间。这样的观测发现了如今似乎已经不存在的类星体（星系的高能中心）等天体。此外，最遥远的星系——也就是说，存在于 130 亿年前至 100 亿年前的星系——看起来跟后来的现代星系不一样。这些观测表明宇宙的年龄是有限的，而且宇宙会随着时间演变，并非静态的、不变的。

另一个重要的证据是宇宙中氢和氦这两种化学元素在数量上的优势以及其比例。这两种元素的不同形式（称为同位素）的比例与大爆炸理论预测的非常接近。

尚未解答的疑问

宇宙学的一个主要问题是阐明"暗物质"的性质以及它如何在大爆炸中出现。暗物质是一种不发光、不放热、不发射无线电波或任何其他种类辐射的未知物质——这使得它极难被检测——但它确实与其他物质相互作用。另一个难题是理解"暗能量"。1998 年，人们发现在过去 60 亿年中宇宙一直在加速膨胀。加速的原因未知，但有人提出，可能是暗能量这种神秘现象导致了加速。目前人们对它所知甚少，但如果暗能量存在，它必定遍布整个宇宙。其他尚未回答的疑问包括为什么在宇宙的最初时刻物质的量会超过反物质——不然便不可能形成原子——以及是

▼ 暗物质

在这个距离地球70亿光年、被称为El Gordo（"大胖子"）的星系团的图像中，蓝色雾状区域显示了难以检测的暗物质的分布，星系团似乎是因其引力而聚合起来的。粉红色雾状区域显示了X射线的辐射。

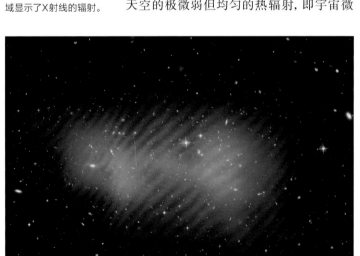

红橙色斑点
它们的温度只比CMB平均温度高0.0002° C

全天空投影图
这张天体图是收集了整个大空测量数据的投影图

▲ 宇宙微波背景辐射

普朗克航天器测量的CMB强度在这里显示为温度变化。虽然 CMB 在天空分布均匀，但是人们用精细的分级来显示其微小差别，在这张图上表现为彩色斑点。

我们可以追溯到**大爆炸的早期阶段**，但我们仍然不知道是**什么发生**了爆炸以及**为什么发生**爆炸。这是留给**21世纪科学**的挑战。

马丁·里斯（Martin Rees，生于1942年），英国宇宙学家

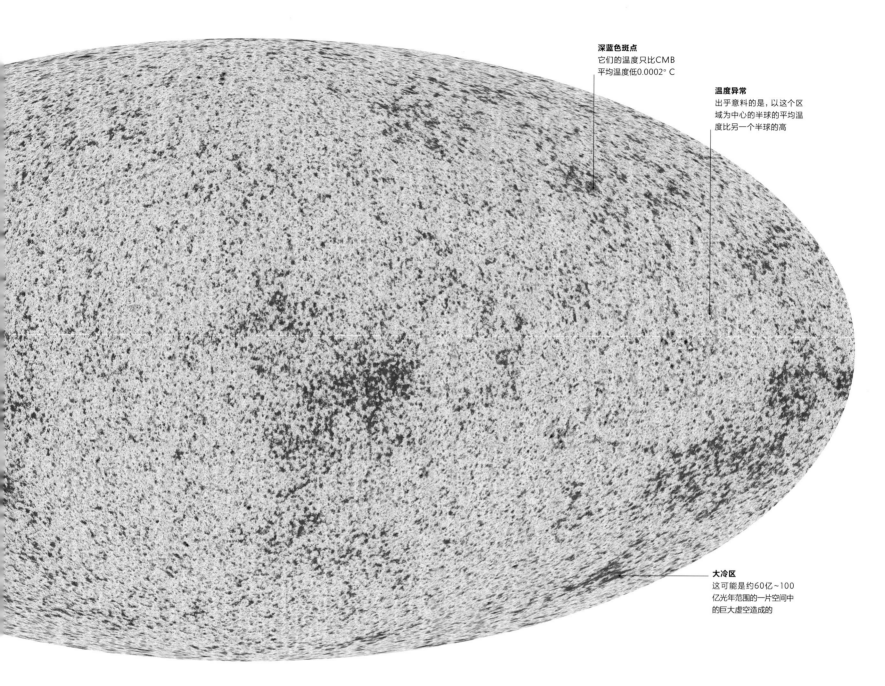

深蓝色斑点
它们的温度只比CMB
平均温度低0.0002°C

温度异常
出乎意料的是，以这个区
域为中心的半球的平均温
度比另一个半球的高

大冷区
这可能是约60亿~100
亿光年范围的一片空间中
的巨大虚空造成的

什么导致了宇宙暴胀并产生了我们如今在
宇宙中看到的物质的均匀分布状态。最后
一个问题是"什么触发了大爆炸？"。当然，
这个问题可能永远得不到解答。

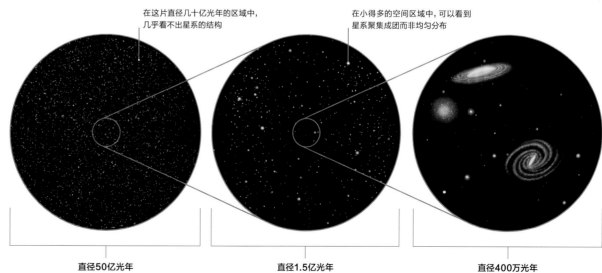

在这片直径几十亿光年的区域中，
几乎看不出星系的结构

在小得多的空间区域中，可以看到
星系聚集成团而非均匀分布

直径50亿光年

直径1.5亿光年

直径400万光年

▶ 宇宙学原理
这个原理指出，当我们以足够大的尺度观测宇宙时，它是
均匀的。但当我们以小尺度观测时，不同区域的物质分布
（如星系）则有明显差异。从宇宙学原理可以推论出，宇
宙没有中心，也没有边缘。

临界点

恒星诞生

大爆炸之后，随着空间、时间、物质和能量的产生，恒星这种新的强大能量源开始出现。随着物质在引力的作用下挤压得越来越紧密，它们形成了。由此而产生的极高温度使原子融合在一起，释放巨大的能量，打开了通往宇宙新一层次的复杂性的大门。

适当条件

早期的宇宙由两种成分构成，它们都是在宇宙诞生后的一秒之内出现的。在物质密度存在微小差异的基础上，引力的作用引发了一系列过程，形成了第一批恒星和星系，并最终形成了一个更复杂的宇宙。

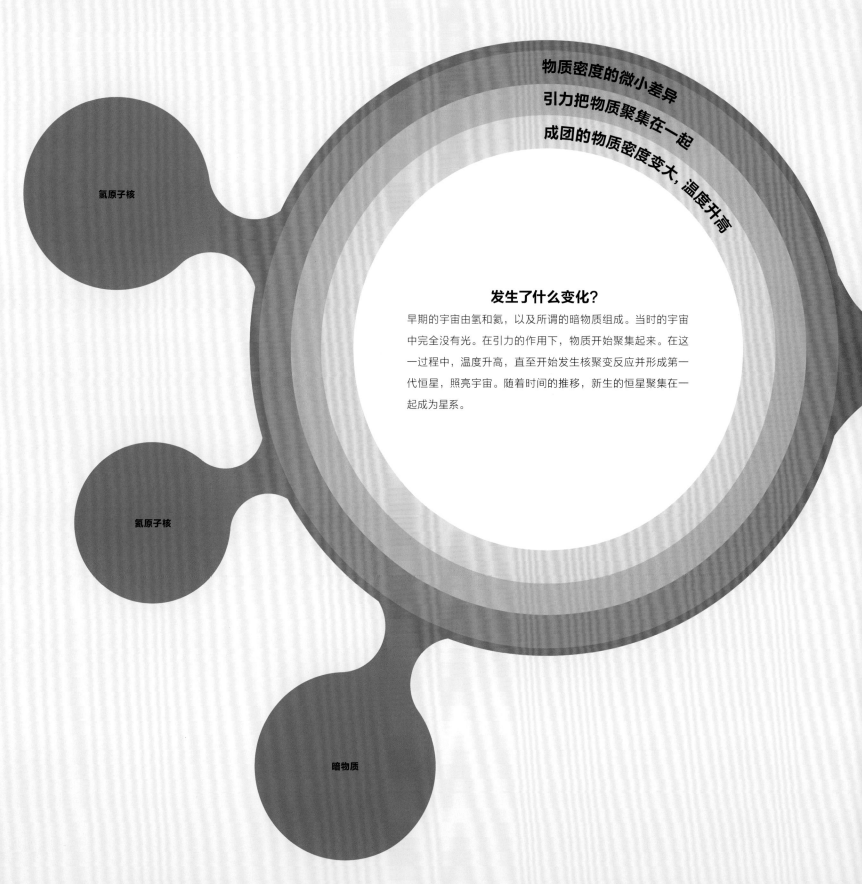

氢原子核

氦原子核

暗物质

物质密度的微小差异

引力把物质聚集在一起

成团的物质密度变大，温度升高

发生了什么变化？

早期的宇宙由氢和氦，以及所谓的暗物质组成。当时的宇宙中完全没有光。在引力的作用下，物质开始聚集起来。在这一过程中，温度升高，直至开始发生核聚变反应并形成第一代恒星，照亮宇宙。随着时间的推移，新生的恒星聚集在一起成为星系。

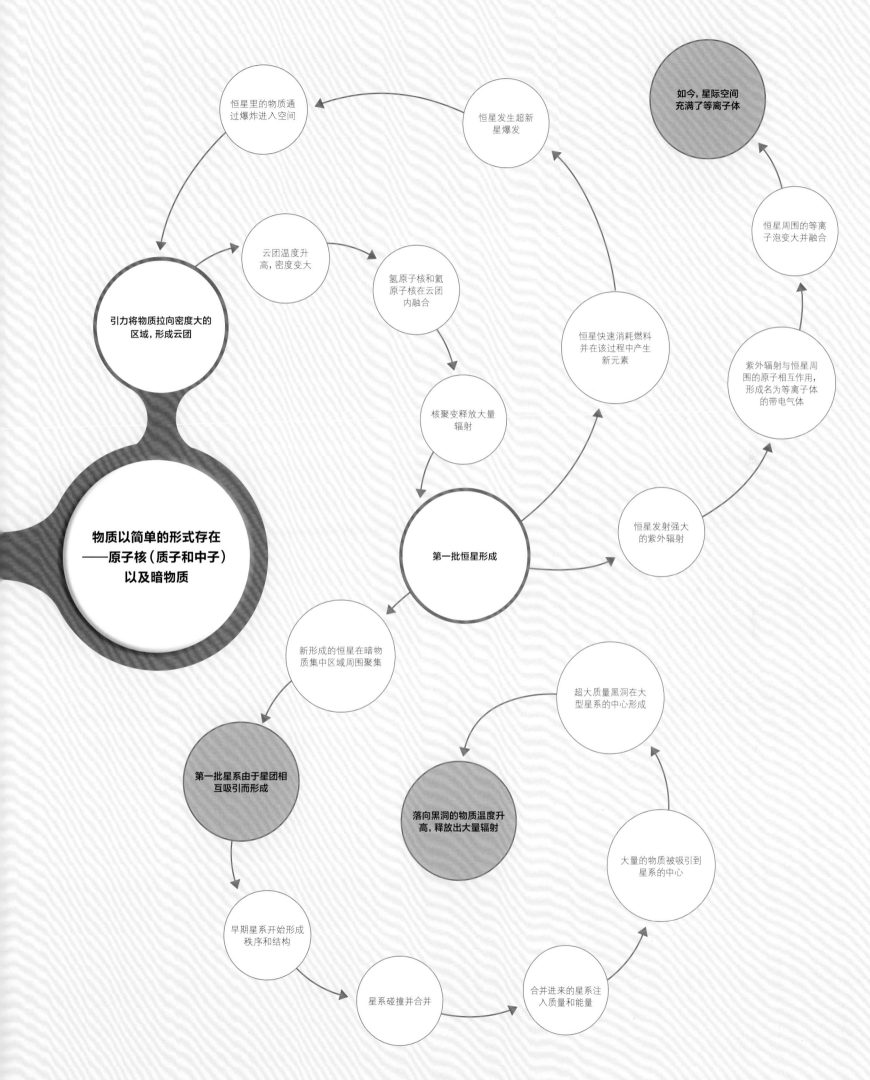

恒星里的物质通过爆炸进入空间

恒星发生超新星爆发

如今，星际空间充满了等离子体

引力将物质拉向密度大的区域，形成云团

云团温度升高，密度变大

氢原子核和氦原子核在云团内融合

恒星周围的等离子体泡变大并融合

物质以简单的形式存在
——原子核（质子和中子）以及暗物质

核聚变释放大量辐射

恒星快速消耗燃料并在该过程中产生新元素

紫外辐射与恒星周围的原子相互作用，形成名为等离子体的带电气体

第一批恒星形成

恒星发射强大的紫外辐射

新形成的恒星在暗物质集中区域周围聚集

超大质量黑洞在大型星系的中心形成

第一批星系由于星团相互吸引而形成

落向黑洞的物质温度升高，释放出大量辐射

大量的物质被吸引到星系的中心

早期星系开始形成秩序和结构

星系碰撞并合并

合并进来的星系注入质量和能量

第一代恒星

宇宙在最初2亿年里是一片漆黑的。但是当气体云坍缩，形成第一代恒星，宇宙发生了巨大变化。恒星内部形成了新的化学元素，而当恒星的短暂生命走到尽头，这些元素将随着爆炸散布到宇宙空间中。

典型的第一代恒星

太阳

在复合（recombination）阶段，即大爆炸发生38万年后（见第34页），带正电荷的氢原子核和氦原子核与带负电荷的电子结合形成电中性（不带电）的原子。在此之前，光子由于与自由电子碰撞，根本无法沿直线运动。现在宇宙可以透光了，只不过此刻还没有光源，仍然是一片黑暗。宇宙学家称这个阶段为宇宙黑暗时期。在中性气体环境之中存在更暗的东西：暗物质。科学家对暗物质的性质知之甚少，他们只知道宇宙中有很多暗物质，它们受引力影响且不与光和任何其他形式的辐射相互作用。

恒星是如何形成的

暗物质、氢气和氦气密度的微小变化使得巨大的气体云在引力的影响下坍缩，形成巨大的球状物质团。如果没有暗物质，这个过程也会发生，但是会慢很多——慢到直到今天也不会形成一颗恒星。

在坍缩过程中释放出的巨大能量加热了气体球。气体球深处的密度不断增

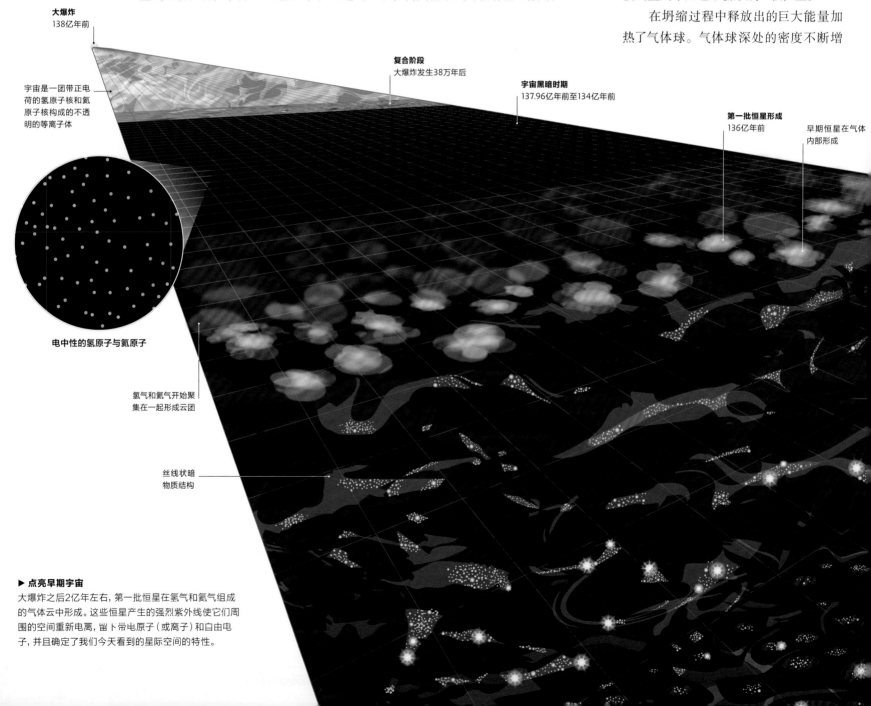

大爆炸
138亿年前

宇宙是一团带正电荷的氢原子核和氦原子核构成的不透明的等离子体

复合阶段
大爆炸发生38万年后

宇宙黑暗时期
137.96亿年前至134亿年前

第一批恒星形成
136亿年前

早期恒星在气体内部形成

电中性的氢原子与氦原子

氢气和氦气开始聚集在一起形成云团

丝线状暗物质结构

▶ 点亮早期宇宙
大爆炸之后2亿年左右，第一批恒星在氢气和氦气组成的气体云中形成。这些恒星产生的强烈紫外线使它们周围的空间重新电离，当卜带电原子（或离子）和自由电子，并且确定了我们今天看到的星际空间的特性。

▲ 早期恒星的体积 根据天体物理学家最好的模型判断，大多数早期恒星体积比太阳大得多，质量也是它的数百倍。

大，因此其核心温度很高，氢原子核与氦原子核碰撞，其中一部分结合在一起（聚变）。这种核聚变使得氢原子核产生氦原子核，也使得氦原子核产生更重的新元素（包括硼、碳和氧）（见第 58～59 页）。

坍缩的气体球内发生的核聚变释放出大量能量，足以将气体加热到难以想象的高温。这使气体持续膨胀，阻止了进一步坍塌的发生。高温也使得气体球发出明亮的光，从而成为第一代恒星。

极热的第一代恒星发出大量强大的紫外线辐射，产生了深远的影响。当强烈的辐射击中仍在空间中的电中性氢原子和氦原

子时，它的能量将它们的电子与原子核分离——就像它们在复合阶段之前的状态一样。这种"再电离"使得每个恒星周围的空间产生了由氢离子、氦离子和自由电子组成的等离子泡。如今星际空间充满的这种非常稀薄的等离子体，就是由这种再电离产生的，几乎所有的辐射都可以穿过它。

短暂的生命

第一代恒星的体积和质量都很大：直径也许是太阳的几十倍，质量则是其几百倍。这样的恒星很快就会耗尽燃料。第一

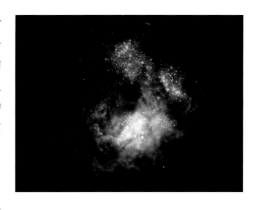

◀ 早期的光
这是 CR7（一个明亮的小星系）在一位艺术家印象中的样子。CR7 位于 127 亿光年外，在大爆炸后约 10 亿年出现。它是迄今为止发现的第一代恒星的最佳例证。

代恒星可能只存活了几百万年，相比之下，后代的普通恒星一般可存在几十亿年。随着恒星内核氢和氦"燃料"的减少，它们开始冷却并再次坍缩，最终发生超新星爆发（见第 60～61 页）。一些新元素和剩余的未融合的氢和氦会在爆炸中被抛入太空。这种混合物形成了第二代恒星的原料。

第一代恒星
只存在了**几百万年**就发生了
超新星爆发

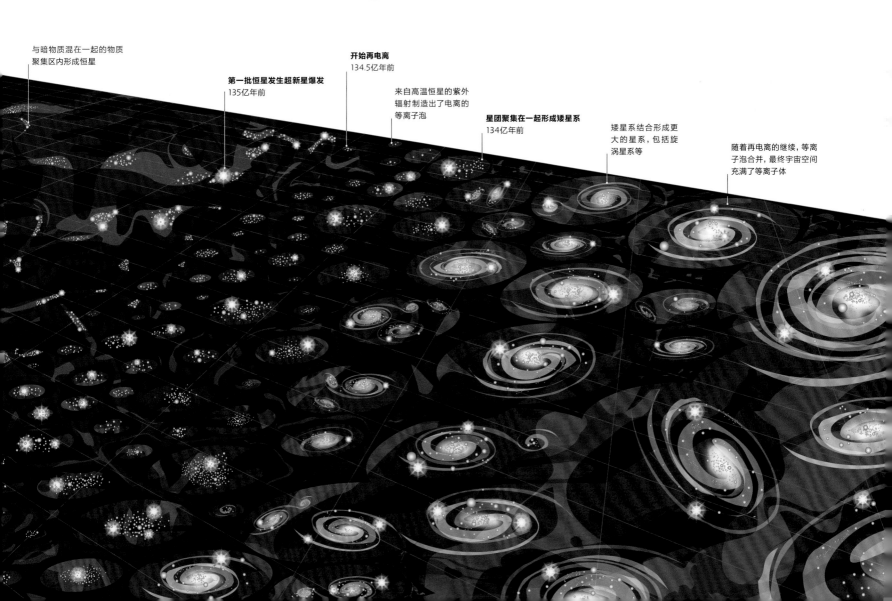

与暗物质混在一起的物质聚集区内形成恒星

第一批恒星发生超新星爆发
135亿年前

开始再电离
134.5亿年前

来自高温恒星的紫外辐射制造出了电离的等离子泡

星团聚集在一起形成矮星系
134亿年前

矮星系结合形成更大的星系，包括旋涡星系等

随着再电离的继续，等离子泡合并，最终宇宙空间充满了等离子体

引力之谜

▼ 艾萨克·牛顿

17世纪80年代末，牛顿发表了人类第一个有关引力的科学理论——万有引力定律，以及牛顿三定律。

万有引力简称引力，可以将物质聚集在一起，所以在恒星和行星的形成过程中起着至关重要的作用。现代的引力理论——爱因斯坦的广义相对论——准确地解释了它的作用。然而，引力的真实属性仍是一个谜。

古希腊哲学家亚里士多德认为地球是宇宙的中心，而一切物质都有朝向地球运动的趋势。根据亚里士多德的说法，物质越重，这种趋势越显著，所以它们下落得越快。虽然表面上的观察支持亚里士多德的简单观念，但17世纪意大利科学家伽利略的实验表明，亚里士多德是错的。伽利略的实验使他正确地推断出，在没有空气阻力的情况下，所有下落的物体都以相同的速率向下加速。英国科学家艾萨克·牛顿用他的万有引力定律证明了伽利略的论断。

牛顿的引力定律

牛顿意识到，将万物吸引在地表和使月球维持在轨道上的是同一种力。他提出，引力是力的一种，并推导出了可以计算出任何两个物体之间力的大小的方程式。根据牛顿定律，这种力的大小取决于两物体的质量和它们之间的距离。

把万有引力定律和牛顿三定律结合起来，牛顿就能够解释引力影响下所有物体的运动了——不论是地球还是太空中的行星。在200多年的时间里，他的理论被广为接受——直至今天，在大多数需要计算引力影响的情况下，科学家们都仍然会使用他的方程式。然而，在19世纪，对水星

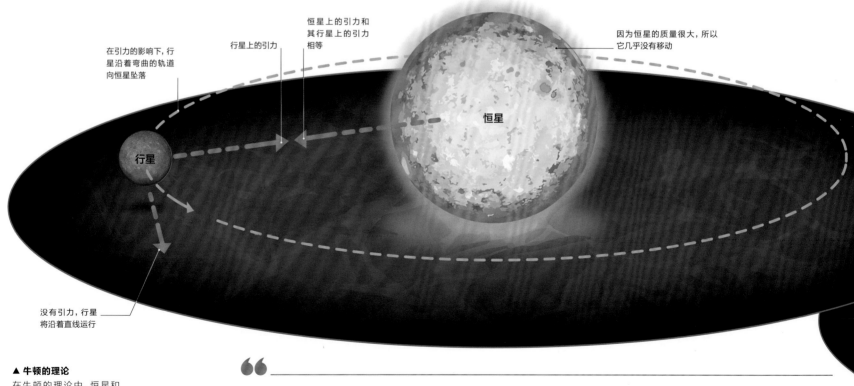

在引力的影响下，行星沿着弯曲的轨道向恒星坠落

行星上的引力

恒星上的引力和其行星上的引力相等

因为恒星的质量很大，所以它几乎没有移动

恒星

行星

没有引力，行星将沿着直线运行

▲ 牛顿的理论

在牛顿的理论中，恒星和行星对彼此施加了一种吸引力。两者受到同等大小的力的作用，但这种力对行星的影响更明显，因为其质量较小。

> **牛顿**比他之后的几代学者更加明白自己在**知识结构上的弱点**。

阿尔伯特·爱因斯坦（1879—1955），德国物理学家

轨道进行的计算与观察结果不一致，显示出牛顿的理论存在缺陷。1915年，德国物理学家阿尔伯特·爱因斯坦提出了一个完全不同的新引力理论——广义相对论，这个理论能够准确预测水星轨道。根据爱因斯坦的理论，引力并不是一种力。

爱因斯坦的引力理论

广义相对论是爱因斯坦1905年发表的狭义相对论的延伸。狭义相对论试图将牛顿三定律与19世纪60年代的电磁理论结合在一起。为了做到这一点，爱因斯坦不得不认为空间和时间不是绝对的：相对运动的人对距离和时间间隔的测量结果不同——这种差异仅在极快的相对速度下才变得明显。狭义相对论的直接结果之一，就是认识到时间是一个维度，就像空间的三维一样，这四个维度存在于一个我们称之为"时空"（spacetime）的四维网格中。因此物体是在时空中，而不是在空间中运动。

为了将引力纳入狭义相对论中，爱因斯坦发现物体的质量能够扭曲时空。物体的质量越大，扭曲度越大。物体沿着弯曲的路径，在扭曲的时空中自由通行。所以抛体和行星在扭曲的时空中是沿着与直线相对应的路径运动的。要改变物体的路径，需要一个力。举个例子，地面对人的脚向上施力，人才不会沿"自由落体"的路径向地心坠落。对于恒星，构成星体的热气体的膨胀产生了阻止其坍缩的力——只要恒星产生热量，恒星就会持续膨胀（见第56～57页）。

爱因斯坦的预言

广义相对论已经过多次检验，准确度极高。它还做出了几个重大的推测，例如，光也必须沿着扭曲时空中的弯曲路径前进。其结果是产生了一种称为"引力透镜"（Gravitational lensing）的现象。这种现象在遥远星系的扭曲视图中可以明显看到，当它们的光经过星系附近时，会产生弯曲。另一个关键的推测是引力波（Gravitational waves）的存在：任何一个高能事件都会产生以光速散播开的时空波纹。2015年，科学家们检测到了由两个黑洞的合并产生的引力波，从而证明了引力波的确是存在的。

尽管广义相对论非常成功，但该理论与一个同样经过检验的理论，也就是现代科学的基石量子力学不能统一。量子力学准确描述了物质在原子和亚原子层面的活动方式，而引力定律则准确描述了物质在更大层面的活动方式——但这两种理论却不相容。对引力量子力学的探究是现代物理学主要关注的一个问题，爱因斯坦的引力理论很可能会被一个更宏伟的理论重新解释或取代，这种新理论应该能够解释物质在所有层面的活动方式。有一件事是确定的：引力的谜题依然没有解决。

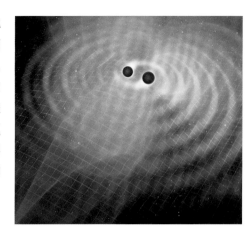

◀ **引力波**
科学家们第一次探测到的引力波是由两个黑洞合并造成的。这种"波"被表示为二维时空中的波纹。这些波是使用地球上的非常灵敏的设备检测到的。

▼ **爱因斯坦的理论**
要阐释四维时空扭曲的曲线，最好的方法莫过于把它看作一张二维薄膜。大质量的物体会在这个二维薄膜上造成一个凹陷，导致附近的物体沿着扭曲的路径运行。

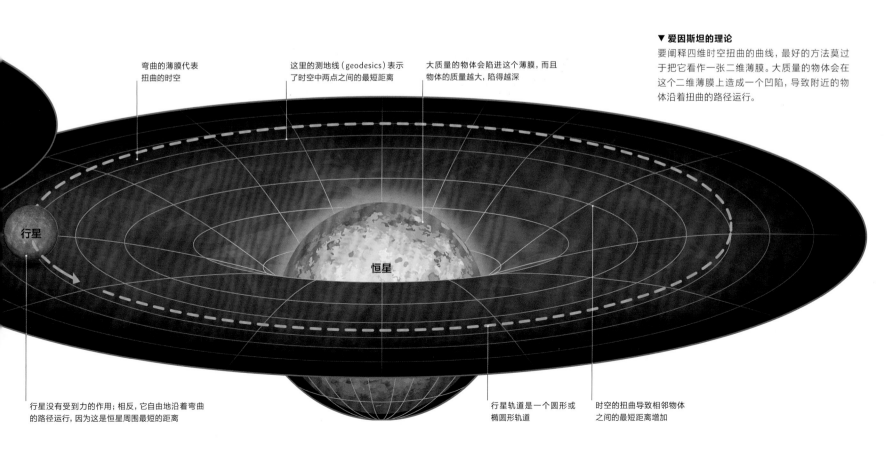

弯曲的薄膜代表扭曲的时空

这里的测地线（geodesics）表示了时空中两点之间的最短距离

大质量的物体会陷进这个薄膜，而且物体的质量越大，陷得越深

行星

恒星

行星没有受到力的作用；相反，它自由地沿着弯曲的路径运行，因为这是恒星周围最短的距离

行星轨道是一个圆形或椭圆形轨道

时空的扭曲导致相邻物体之间的最短距离增加

第一批
星系

星系是一个巨大的恒星群，它们围绕着一个共同的中心运行。最初的星系在第一批恒星出现后不久开始围绕着暗物质团块形成。相互的引力造成这些小星系合并，每一次合并都会引发一批新的恒星诞生。

▼ 星系演化

在缺乏直接观测结果的情况下，天体物理学家通过构造仿真模型来检验他们有关第一批星系如何形成的理论。下面的几幅图是其中一个仿真模型的截图。

暗物质对于第一批星系的创生至关重要，就像其对于第一批恒星形成起的作用一样（见第 44～45 页）。在早期宇宙中，暗物质密度的微小不同使得暗物质和普通物质——后者以氢和氦的形式存在——聚集在一起。暗物质大小各异，形状呈弯曲的丝状、节点状或晕圈状。随着聚集在一

起的物质开始旋转和变热，聚集过程促成了恒星个体的出现，最终导致了核聚变（见第 56～57 页）。在更大的范围内，同样的过程产生了星团。每个星团及其周围的气体都被相邻的星团吸引，宇宙的第一批星系便诞生了。

成长的星系

随着物质相互靠近，暗物质晕圈扩大，星系也随之增长。就像水流进排水孔的情形一样，物质在相互靠近的过程中开始旋转，进而围绕着最密集、最中心的光晕沿轨道运行。结果，开始时形状不规则的团块结构的星系开始形成秩序和结构。许多星

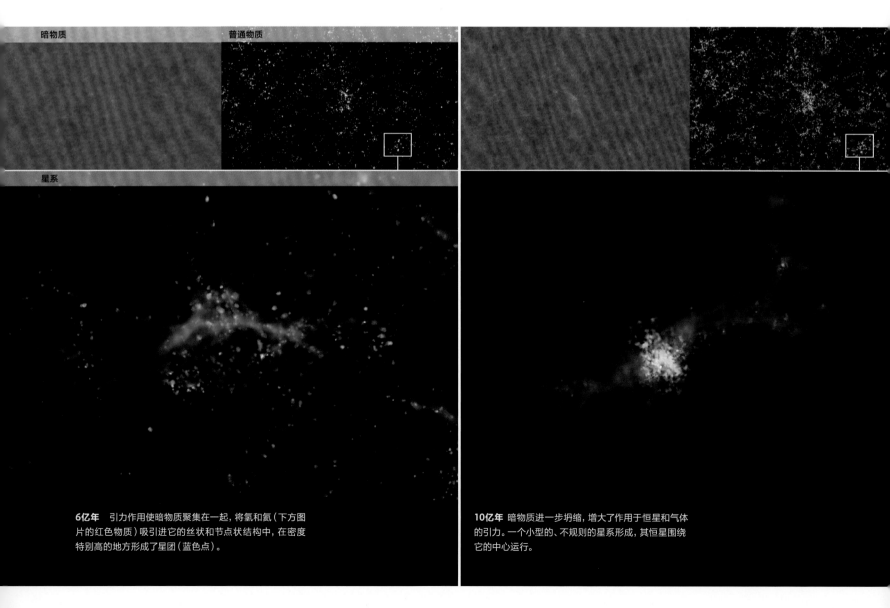

暗物质   普通物质

星系

6亿年 引力作用使暗物质聚集在一起，将氢和氦（下方图片中的红色物质）吸引进它的丝状和节点状结构中，在密度特别高的地方形成了星团（蓝色点）。

10亿年 暗物质进一步坍缩，增大了作用于恒星和气体的引力。一个小型的、不规则的星系形成，其恒星围绕它的中心运行。

系形成了带旋臂的旋涡形状，另一些则是卵形的椭圆星系。但是每当发生合并，原有结构都会被破坏，需要数百万甚至数十亿年才能恢复或重新发展起来。合并也给星系注入了能量和质量，恒星的形成率和死亡率也会增加。一个年轻星系中的每颗恒星都会不可避免地通过超新星爆发而结束其生命，给星系带来大量的元素，成为下一代恒星甚至行星形成的种子。

温度，释放出大量能量——高能（波长很短）X射线、紫外线辐射和明亮的可见光。天文学家最早在20世纪50年代就检测到了这些充满能量的星系；他们是用早期的射电望远镜做出这类发现的，因为随着空间膨胀，波长较短的辐射被拉伸为波长较长的红外线和无线电波。如今宇宙中的大多数星系，包括我们自己的银河系，星系中心仍然有超大质量黑洞。

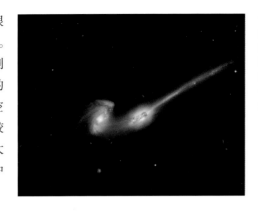

◄ **合并星系**
天文学家观察到了许多合并的星系。这里展示的是NGC4676，也就是双鼠星系（Mice Galaxies），它是一对碰撞星系，距离我们大约为2.9亿光年。

超大质量黑洞

虽然相当一部分气体和许多恒星会处在围绕星系中心的轨道上，但是大量的物质会落入星系中心。在大型星系中，星系中心的密度极大增加，以致形成超大质量黑洞（见第47页）。随着物质向不断增大的黑洞飞速涌入，物质摩擦将其加热到极高

> 66
>
> （在仿真模型中）你可以让**恒星和星系**看起来十分真实。但是**发号施令**的实际上是**暗物质**。
>
> 99

卡洛斯·弗伦克（Carlos Frenk，生于1951年）教授，宇宙学家

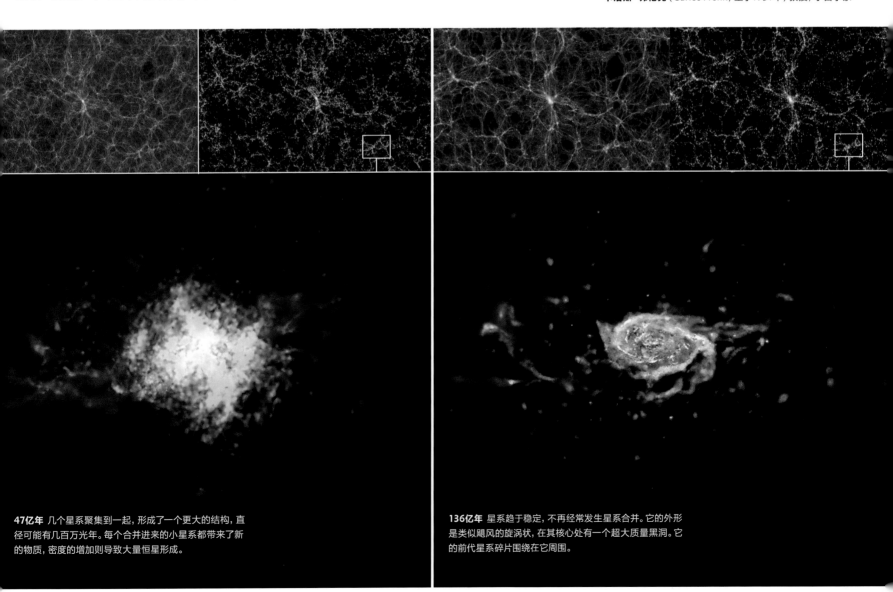

47亿年 几个星系聚集到一起，形成了一个更大的结构，直径可能有几百万光年。每个合并进来的小星系都带来了新的物质，密度的增加则导致大量恒星形成。

136亿年 星系趋于稳定，不再经常发生星系合并。它的外形是类似飓风的旋涡状，在其核心处有一个超大质量黑洞。它的前代星系碎片围绕在它周围。

哈勃
极深空视场

哈勃空间望远镜拍摄的深空视场，记录了来自天空中一小片区域的成千上万个星系的暗光。这是人类迄今拍摄到的最深的太空景象，为我们提供了有关早期宇宙的恒星和星系的最好证据。

当我们望向太空时，我们其实是在回望过去，因为那些来自遥远天体的光在很久以前就出发了。不管当时星系多么明亮，50亿年前离开星系的光现在看上去都非常微弱。拍摄如此昏暗的对象需要长时间曝光，不是像平常拍摄那样仅用几分之一秒，而是要用几百万秒的时间。

1995年，天文学家将NASA（美国国家航空航天局）的哈勃空间望远镜指向太空的一个小范围区域140多个小时，并将拍摄到的总共342幅图像合成成为一幅效果非凡的哈勃深场图像。2004年，NASA的科学家们针对另外一片宇宙深空拍摄制作了更令人惊叹的哈勃超深场（Ultra Deep Field）图，曝光时间更长。在接下来的8年里，

科学家持续对该区域观测，而且在2009年为哈勃望远镜增加了一台红外相机，这意味着即使天体的光发生红移（见第29页），超出可见光谱进入红外波段，也可以被它拍摄到。科学家们将新的观测结果与超深场图结合，于2012年发布了哈勃极深空视场（XDF，eXtreme Deep Filed）图。在哈勃极深空视场中，最遥远的星系发出的光到达我们这里花了超过130亿年的时间，它们的亮度只有肉眼可见最暗亮度的一百亿分之一。

哈勃极深空视场图包含了星系合并（见前页）、极端红移和引力透镜（见第47页）等现象，是支持我们在宇宙演化方面最具说服力的理论的重要证据。

较近的星系看起来是红色的，这是由于它的恒星上缺乏氢燃料

前景恒星位于我们所在的银河系中

来自UDFj-39546284这个非常暗淡的星系的光，走了134亿光年才到达地球

这个相对较近的天体从正面看是一个旋涡星系，就像银河系一样

▶ 回望时间

哈勃极深空视场中最大、最亮的天体包括一些成熟星系，它们大约是在90亿年前至50亿年前出现的——这些星系通过合并增大，星系内部分布的是第二代或第三代恒星。背景中的星系较小，它们是出现于90多亿年前的初期不规则星系。前景相对来说比较空，因为哈勃极深空视场团队选择了一个附近几乎没有星系以及银河系恒星的区域。

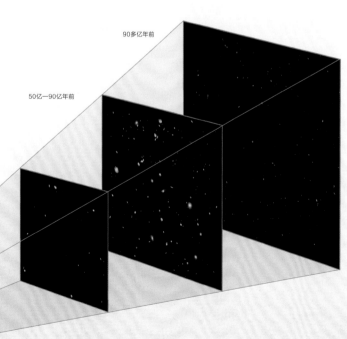

90多亿年前

50亿—90亿年前

不到50亿年前

较晚形成的星系是较早
的小型星系合并的结果

由于星系发出的光发生了红
移，遥远的星系会呈现出红色

哈勃极深空视场覆盖了**满月旁边**一个很小的区域：比整个天空面积的2 000万分之一还小。要想看到本图真实大小的效果，你需要把这张图放到约300米开外的地方。值得注意的是，在如此小的视场中，可以看到超过7 000个星系——不要忘了，图像中的每个小点都是一个有着数百万甚至数十亿颗恒星的，凝结在时间中的星系。

哈勃极深空视场与月球的比较

早期星系

哈勃极深空视场为天文学家提供了观察星系的独特视角，展示了宇宙最开始的几亿年中的景象，那个时候星系还是相对较小、结构不规则的星团。它们碰撞和合并时，由于碰撞导致旋转，大多数星系变成了旋涡状。哈勃极深空视场拍摄到的光离开早期星系的时候，宇宙比现在要小。随着宇宙空间扩展，光被"拉伸"，使其频率朝向光谱的红色端偏移，甚至超出了可见范围，因此，许多哈勃极深空视场的星系看起来是红色的。

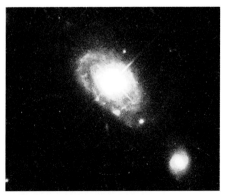

发生了明显红移的合并星系的特写镜头

臨界点

元素**产生**

我们都来自垂死的恒星。构成我们世界的所有元素都起源于那里。恒星总是需要燃料，随着部分恒星用尽其燃料、变老，并最终死亡，它们会坍缩、熄灭，并释放出巨大的能量。但是在恒星死亡的过程中，会产生新的物质构件——元素。它们被散布到宇宙中，开始新的旅程。

适当条件

第一批恒星的形成具有深远的影响。恒星除了照亮宇宙之外，还充当着化学工厂的角色，生产新的化学元素。这些元素为包括生物在内的宇宙中的一切提供了原材料。

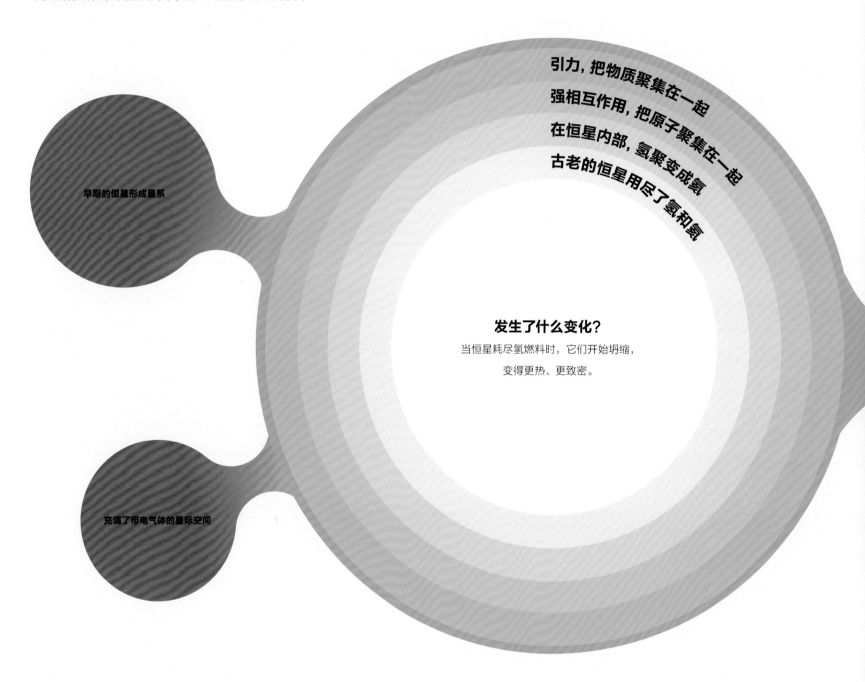

早期的恒星形成星系

充满了带电气体的星际空间

引力，把物质聚集在一起

强相互作用，把原子聚集在一起

在恒星内部，氢聚变成氦

古老的恒星用尽了氢和氦

发生了什么变化？

当恒星耗尽氢燃料时，它们开始坍缩，
变得更热、更致密。

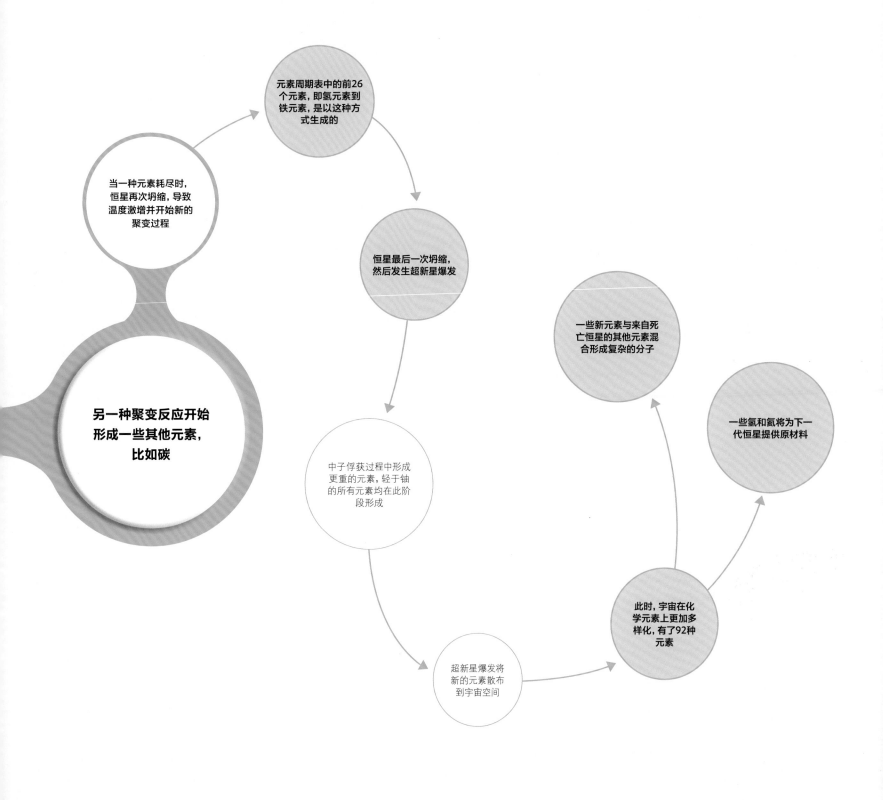

当一种元素耗尽时，恒星再次坍缩，导致温度激增并开始新的聚变过程

元素周期表中的前26个元素，即氢元素到铁元素，是以这种方式生成的

恒星最后一次坍缩，然后发生超新星爆发

另一种聚变反应开始形成一些其他元素，比如碳

中子俘获过程中形成更重的元素，轻于铀的所有元素均在此阶段形成

超新星爆发将新的元素散布到宇宙空间

此时，宇宙在化学元素上更加多样化，有了92种元素

一些新元素与来自死亡恒星的其他元素混合形成复杂的分子

一些氢和氦将为下一代恒星提供原材料

恒星的
生命周期

就像人类一样，恒星也会诞生、衰老，最后死亡。一颗恒星如何结束它的生命取决于它的质量，大的恒星会发生超新星爆发。这些爆炸源源不断地为宇宙供应更重的元素，回收利用旧材料，为形成新的恒星做准备。

恒星的生命周期对于地球生命的出现也起到了至关重要的作用。生命的基本成分——包括人体骨骼中的钙和血液中的铁——都是在恒星内部生成的，超新星爆发则将它们广泛散播开来。

恒星的体积相差巨大。天文学家将它们分为 7 大类，从最大的到最小的，分别由字母 O、B、A、F、G、K 和 M 表示。我们的太阳是一颗 G 型恒星，意味着宇宙中的恒星既有比太阳更大的，也有更小的。最小的恒星被称为矮星，是最常见的一种恒星。M 型恒星占所有恒星的 75% 以上。相比之下，O 型恒星仅占 0.00003%。恒星的大小还决定了它将存活多长时间。恒星越大，消耗核

▼ 类日恒星
像太阳这样的恒星通常生存约100亿年。在红巨星阶段，它们会形成行星状星云，并且通常不会发生超新星爆发。

一颗**超巨星**的体积可能是**太阳**体积的
80亿倍

材料的速度就越快。O 型恒星寿命短暂，通常在几百万年内就会死亡，而最小的恒星可以存在数万亿年。

生命阶段

恒星的生命始于原恒星，它是由星际尘埃云形成的（见第 44～45 页）。恒星核心发生的核反应会抵御引力造成的坍缩。在恒星生命周期内的大部分时间里，这种平

衡得以维持，但是当核聚变最终停止时，情况会发生改变。天文学家将氢仍在聚变成氦的恒星称为主序星。一旦核聚变停止，恒星就脱离了主序星的行列。

除了最小的恒星外，核聚变结束后，恒星的核心会收缩，且温度会上升到约 1 亿摄氏度。这足以让氦聚变形成碳，产生足够的能量，从相反的方向打破平衡，使恒星向外爆发。然后，根据恒星的大小，它或是变成一个绕着中心的白矮星运行的行星状星云，或是发生超新星爆发，留下一颗中子星或是黑洞。

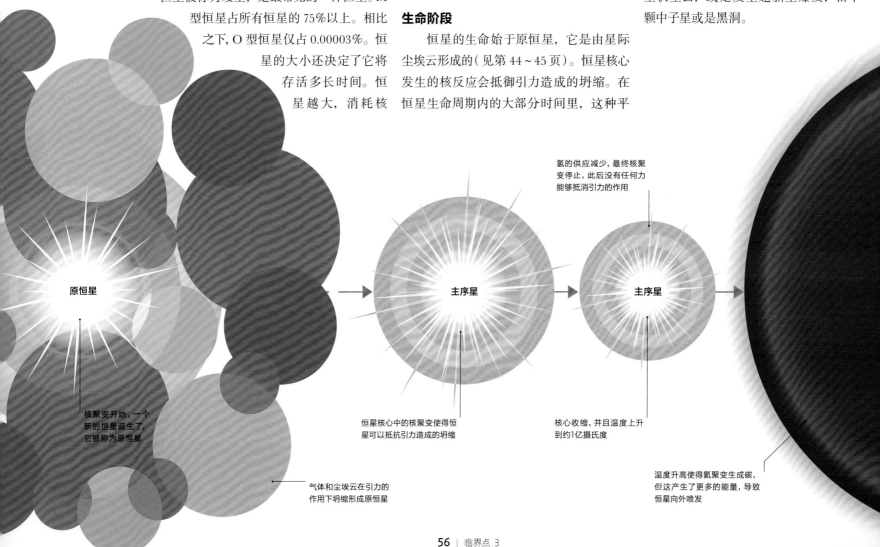

原恒星

核聚变开始，一个新的恒星诞生了，它被称为原恒星

气体和尘埃云在引力的作用下坍缩形成原恒星

主序星

恒星核心中的核聚变使得恒星可以抵抗引力造成的坍缩

主序星

核心收缩，并且温度上升到约1亿摄氏度

氢的供应减少，最终核聚变停止，此后没有任何力能够抵消引力的作用

温度升高使得氦聚变生成碳，但这产生了更多的能量，导致恒星向外喷发

▶ **小质量恒星**

这些较小的恒星能够混合内部的物质，这意味着外层的氢落向中心，可以为核心补充原料，因此核心不会收缩以致开始氦聚变。

质量不足太阳1/4的恒星不会成为红巨星

氢聚变可以持续数万亿年

恒星最终耗尽燃料，成为一颗白矮星

原恒星 **主序星** **红矮星** **白矮星**

▶ **大质量恒星**

大质量恒星演化的最初阶段类似于类日恒星。但是它们会形成红超巨星而不是红巨星，最终会形成超新星。恒星的最终命运取决于它的质量。

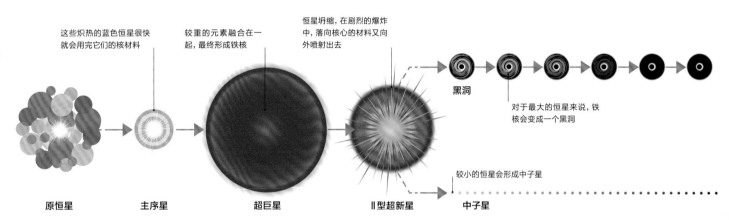

这些炽热的蓝色恒星很快就会用完它们的核材料

较重的元素融合在一起，最终形成铁核

恒星坍缩，在剧烈的爆炸中，落向核心的材料又向外喷射出去

对于最大的恒星来说，铁核会变成一个黑洞

较小的恒星会形成中子星

原恒星 **主序星** **超巨星** **Ⅱ型超新星** **中子星** **黑洞**

恒星**诞生**后，往往能**存活**数十亿年，有些会以**非常壮观的方式死亡**。

卡尔·萨根（Carl Sagan, 1934—1996），美国天文学家

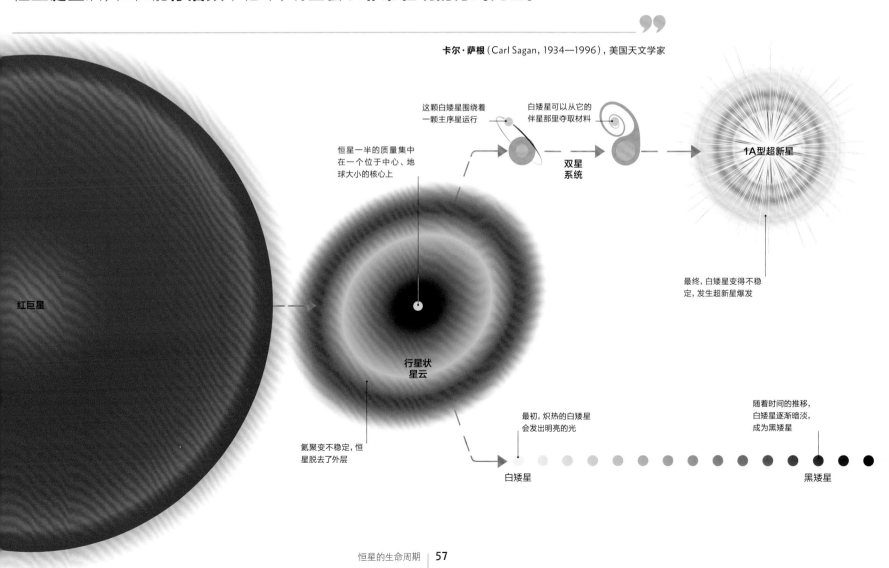

红巨星

恒星一半的质量集中在一个位于中心、地球大小的核心上

这颗白矮星围绕着一颗主序星运行

白矮星可以从它的伴星那里夺取材料

双星系统

1A型超新星

最终，白矮星变得不稳定，发生超新星爆发

行星状星云

氦聚变不稳定，恒星脱去了外层

最初，炽热的白矮星会发出明亮的光

随着时间的推移，白矮星逐渐暗淡，成为黑矮星

白矮星 **黑矮星**

新元素
如何在**恒星**内部形成

在第一批恒星出现之前，宇宙是只有氢和氦的海洋，还有大爆炸产生的剩余能量。今天宇宙化学元素的多样性归功于恒星，它们是巨大而有效的原子工厂，将原始材料搅拌成更复杂的元素，然后在自身死亡时将它们抛出。

在恒星内部，温度高到足以使电子脱离原子核。氢原子只剩单独的质子（和电子）在恒星内部徘徊。这种状态下的物质称为等离子体。由于电荷相同，质子彼此排斥，就像磁铁的同极相斥一样。

恒星中的新元素

然而，在恒星的内核深处，温度和压力高到足以将质子压在一起。这个过程被称为核聚变，会释放能量，是恒星的动力源。它还产生一个向外的压力以抵抗向内的引力。

最简单的聚变反应机制被称为质子-质子链（或 pp 链）反应。第一个步骤是两个质子中的一个在聚变后变成中子，产生一个新的质子-中子对，被称为氘核（deuteron）。之后氘核和另一个质子相撞，产生了氦-3原子。当两个氦-3原子碰撞时，产生一个氦-4原子核以及两个质子，后者可以再次开始整个过程。德裔美国物理学家汉斯·贝特（Hans Bethe）是揭示这一过程的关键人物，这项贡献使他获得了 1967 年诺贝尔物理学奖。这一过程的关键在于，pp 链反应产物的总质量小于反应前成分的质量。例如，在太阳系中，每秒有 6.2 亿吨的氢（质子）变成 6.16 亿吨氦。根据爱因斯坦著名的方程式 $E=mc^2$，缺失的 400 万吨质量转化为了能量。

最终，恒星内核中的氢耗尽，引力使内核收缩，由此而产生的温度激增允许新的聚变机制发生。这种机制被称作 3α 过程，是一个以氦-4原子核（α 粒子）作为主要成分的过程。这使两个氦原子核聚变产生铍，然后在添加第三个氦原子核的情况下变成碳。在较小的恒星，例如太阳中，原子构造过程到这里就结束了。

然而，更大的恒星可以继续增加化学元素的多样性。一旦一个聚变反应过程结束，内核便会收缩，温度升高，启动另一个聚变反应过程。接下来，碳与氦聚变形成氧，再与另一个氦原子核撞击形成氖，氖则经过类似聚变过程形成镁。可能产生的类似反应范围非常广。最终，碳和氧聚变在一起形成硅。此刻，内核的温度已经飙升到 30 亿摄氏度，足以迫使两个硅原子核聚变形成铁。以这种方式，恒星壳层内形成了丰富的元素，就像洋葱的表层，

铁元素位于其核心位置。然而，因为铁是所有元素中最稳定的，它不能发生聚变形成任何其他元素，所以核聚变过程到此就停止了。随着重元素的形成，核聚变过程越来越快——一个恒星耗尽其氢可能需要数

> 最后，我谈到了**碳**，众所周知，有碳参与的反应**都很完美**。

汉斯·贝特（1906—2005），德裔美国物理学家

▼3α 过程
在这个过程中，两个氦-4原子核聚变成铍-8原子核，当被第三个氦-4原子核击中时，它变成碳-12原子核。氦-4原子核也称为 α 粒子，因此这种机制被称为 3α 过程。

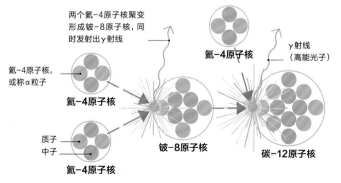

两个氦-4原子核聚变形成铍-8原子核，同时发射出 γ 射线

γ 射线（高能光子）

氦-4原子核，或称 α 粒子

氦-4原子核

质子 中子

氦-4原子核

铍-8原子核

碳-12原子核

氦-4和铍-8原子核聚变形成碳-12原子核

氢 | 1
氦 | 2
锂 | 3
铍 | 4
硼 | 5
碳 | 6
氮 | 7
氧 | 8
氟 | 9
氖 | 10
钠 | 11
镁 | 12
铝 | 13
硅 | 14
磷 | 15
硫 | 16
氯 | 17
氩 | 18
钾 | 19
钙 | 20
钪 | 21
钛 | 22
钒 | 23
铬 | 24
锰 | 25
铁 | 26

百万年，但是硅原子核聚变成铁元素只需要一天时间。

超新星中的新元素

比铁还重的元素只有在一颗大质量恒星发生超新星爆发时才会产生。最重的那些元素是在慢中子俘获过程（s-neutron-capture process）中形成的，之所以说慢，是因为这一过程通常需要几百年时间。这个过程实际上是在恒星内部开始的，但是恒星中的相互作用非常缓慢，只有发生超新星爆发才会加速。在早期转化过程中，碳元素转化为氧，氖元素转化为镁，并且产生了大量额外的中子。这些额外的粒子与现有原子核逐渐组合，形成像铋那样的重元素。然而，这个过程不会产生比铋重的任何元素，因为铋在与中子结合之前就衰变成了钋。要想形成更重的新元素，需要更快的中子俘获机制——快中子俘获（r-process，"r"代表快速）。快中子俘获只能在超新星制造的极端条件下发生。因为中子的密度在爆炸期间大大增加，新元素可以在一秒之内形成。

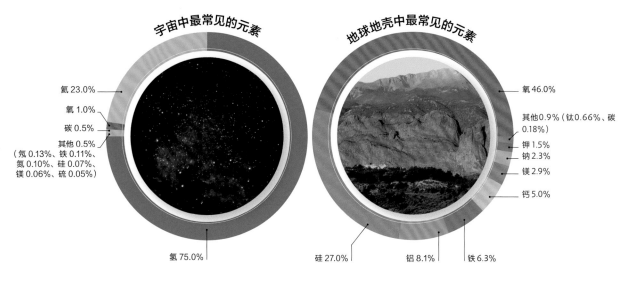

宇宙中最常见的元素

氢 23.0%
氧 1.0%
碳 0.5%
其他 0.5%
（氖 0.13%、铁 0.11%、氮 0.10%、硅 0.07%、镁 0.06%、硫 0.05%）
氢 75.0%

地球地壳中最常见的元素

氧 46.0%
其他 0.9%（钛 0.66%、碳 0.18%）
钾 1.5%
钠 2.3%
镁 2.9%
钙 5.0%
硅 27.0%　　铝 8.1%　　铁 6.3%

快中子俘获产生的一些原子核随后会衰变，产生不是直接通过中子俘获过程形成的新元素。

复杂的化学组成

超新星的力量将大量物质分散到更广阔的宇宙中。然后它与星际物质和其他死亡恒星的碎片混合成巨大的分子云，分子云最终会坍缩成新的恒星。单个原子可以与分子云中的其他原子结合，形成复杂的分子，其中一些对生命的形成至关重要。天文学家和天体化学家已经发现了这些分子存在的证据。最简单的氨基酸——甘氨酸（glycine）——已经在银河系中心的气体云以及附近的猎户座大星云（Orion Nebula）中被检测到。氨基酸被认为是生命的基石，所以生命的基本成分可能在太阳点亮之前就已经形成了。

▲ 元素分布
地球上元素的组合与整个宇宙里的有很大不同。最轻的元素，氢和氦，被年轻的太阳从地球的轨道中驱逐出去了。地壳中含量最丰富的元素氧，是生物通过光合作用将二氧化碳转化为有机物时产生的。

◀ 濒死恒星中的新元素
随着核聚变的原料耗尽，引力引起恒星内核的收缩并触发进一步核聚变。这样的过程逐渐构造出新元素构成的同心壳层。产生的元素越来越重，原子序数（原子核中的质子数）为1到26。

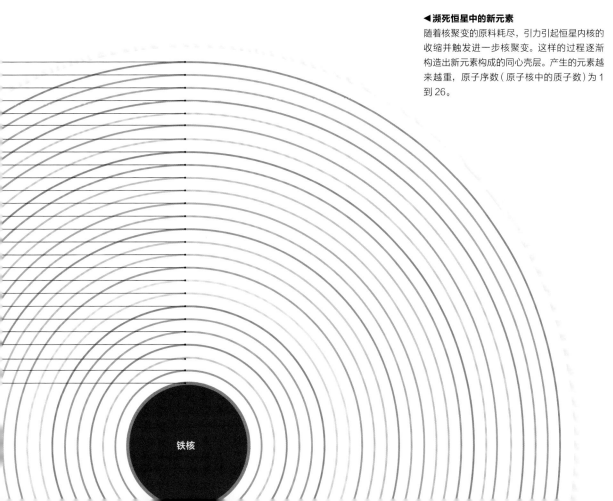

铁核

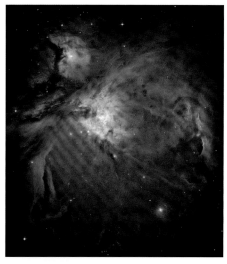

▲ 生命的宇宙起源
在距离太阳系最近的恒星形成区域——猎户座大星云——可以发现生命的建筑材料氨基酸。氨基酸结合能产生蛋白质，是DNA的关键成分。

大质量恒星的
爆炸

如今，我们知道是超新星把比铁重的元素散播到宇宙当中的。我们对这些猛烈爆炸的探索可追溯到现代天文学出现之前。对它们的记录已经有将近2 000年的历史。

关于超新星的最早观察记录，是公元185年由中国天文学家完成的。记录显示，天空中突然出现了一个明亮的光源，8个月后才变暗消失。类似的事件又发生在公元393年，此外在中国的历史文献里还有多达20个可能的案例，不过现代的天文学家

在超巨星发生超新星爆发之前，其温度可达1 000亿摄氏度

尚不能确认它们都是超新星现象。

1054年观察到的一次明确的爆发，也许是望远镜出现之前的时代里最著名的一次。这次爆发在日本、中东地区和中国均有人观察到。这颗超新星非常耀眼，在将近一个月的时间内白天就可以看到，在夜晚可见的时间则持续了将近两年。这场巨大

爆炸的残余物形成了金牛座中壮观的蟹状星云（Crab Nebula）。

进入望远镜年代

1054年的事件后过了近6个世纪，才发生了1572年和1604年的超新星爆发，后者是前望远镜时代观测到的最后一次超新星爆发，被称为第谷超新星爆发，是人类最近一次观测到银河系中发生超新星爆发。

不过还有更近的爆发。我们星系的伴星系之一大麦哲伦星云（Large Magellanic Cloud）内的一次爆发后的光在1987年到达地球，天文学家可以在爆发发生的几天内用望远镜观察到它。"旅行者号"（Voyager）探测器当时正在前往太阳系最远的行星的路上，它也仔细观测了这场爆发。这个超新星被命名为 SN 1987A。这场爆发使天文学家备感惊讶，因为根据当时最好的理论，恒星不应该发生这样的爆发。因此，它成了天文学家检测他们理论的极有价值的证据来源。他们的一些想法，特别是认为钴原子的放射性衰变使得超新星残留物在初次爆发后的较长时间里保持明亮的想法，通过 SN 1987A 得到了证实。但仍然存在一些谜。例如天文学家尚未找到本应在垂死恒星的中心形成的中子星。

1054年的超新星和 SN 1987A 都是 II 型超新星，是由大质量恒星的内核坍缩形成的。近年来，天文学家还观测到一些距离我们较近的1a 型超新星，它们由质量较小的恒星形成，包括风车星系（Pinwheel Galaxy）的 SN 2011fe 和雪茄星系（Cigar Galaxy）的 SN 2014J。

▼ 查科峡谷（Chaco Canyon）
这些新墨西哥洞穴岩壁上的标记显示了一颗大星、一弯新月和一个手印。有人认为这幅画是当地的阿纳萨齐人（Anasazi）画的，是在记录1054年的超新星爆发。

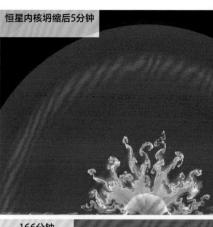
恒星内核坍缩后5分钟

166分钟

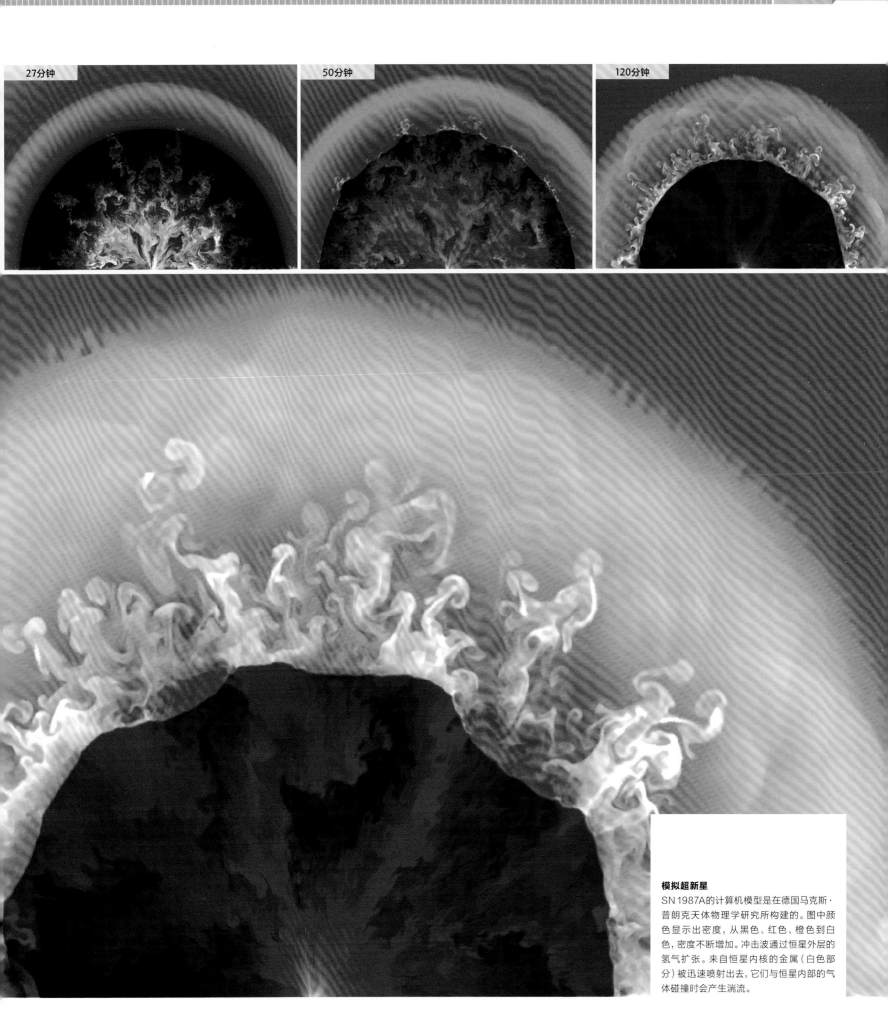

27分钟

50分钟

120分钟

模拟超新星

SN 1987A的计算机模型是在德国马克斯·普朗克天体物理学研究所构建的。图中颜色显示出密度，从黑色、红色、橙色到白色，密度不断增加。冲击波通过恒星外层的氢气扩张。来自恒星内核的金属（白色部分）被迅速喷射出去，它们与恒星内部的气体碰撞时会产生湍流。

▼ 元素周期表

门捷列夫于1869年3月6日首次将元素周期表提交给俄罗斯化学学会，这个著名的列表将物质的主要构成元素按照一种极有用的方式进行了排列。

缺失的元素 门捷列夫将元素按性质和结构排列，发现了一些缺失，表明可能存在尚未发现的元素，其中包括锗

原子序数 指的是原子核中的质子数，其中氢元素只含有一个质子

ПЕРИОДИЧЕСКАЯ СИСТЕМА ЭЛЕМЕНТОВ Д. И. МЕНДЕЛЕЕВА

	I	II	III	IV	V	VI	VII	VIII
1	H 1,0079 ВОДОРОД						H 1,0079 ВОДОРОД	He 2 4,00260 ГЕЛИЙ
2	Li 3 6,94 ЛИТИЙ	Be 4 9,01218 БЕРИЛЛИЙ	B 5 10,81 БОР	C 6 12,011 УГЛЕРОД	N 7 14,0067 АЗОТ	O 8 15,999 КИСЛОРОД	F 9 18,99840 ФТОР	Ne 10 20,17 НЕОН
3	Na 11 22,98977 НАТРИЙ	Mg 12 24,305 МАГНИЙ	Al 13 26,98154 АЛЮМИНИЙ	Si 14 28,08 КРЕМНИЙ	P 15 30,97376 ФОСФОР	S 16 32,06 СЕРА	Cl 17 35,453 ХЛОР	Ar 18 39,94 АРГОН
4	K 19 39,09 КАЛИЙ / Cu 29 63,54 МЕДЬ	Ca 20 40,08 КАЛЬЦИЙ / Zn 30 65,38 ЦИНК	Sc 21 44,9559 СКАНДИЙ / Ga 31 69,72 ГАЛЛИЙ	Ti 22 47,90 ТИТАН / Ge 32 72,5 ГЕРМАНИЙ	V 23 50,941 ВАНАДИЙ / As 33 74,9216 МЫШЬЯК	Cr 24 51,996 ХРОМ / Se 34 78,9 СЕЛЕН	Mn 25 54,9380 МАРГАНЕЦ / Br 35 79,904 БРОМ	Fe 26 55,84 ЖЕЛЕЗО / Kr 36 83,80 КРИПТОН
5	Rb 37 85,467 РУБИДИЙ / Ag 47 107,868 СЕРЕБРО	Sr 38 87,62 СТРОНЦИЙ / Cd 48 112,40 КАДМИЙ	Y 39 88,9059 ИТТРИЙ / In 49 114,82 ИНДИЙ	Zr 40 91,22 ЦИРКОНИЙ / Sn 50 118,6 ОЛОВО	Nb 41 92,9064 НИОБИЙ / Sb 51 121,7 СУРЬМА	Mo 42 95,9 МОЛИБДЕН / Te 52 127,6 ТЕЛЛУР	Tc 43 98,9062 ТЕХНЕЦИЙ / I 53 126,9045 ИОД	Ru 44 101,0 РУТЕНИЙ / Xe 54 131,30 КСЕНОН
6	Cs 55 132,9054 ЦЕЗИЙ / Au 79 196,9665 ЗОЛОТО	Ba 56 137,3 БАРИЙ / Hg 80 200,5 РТУТЬ	La 57 * 138,905 ЛАНТАН / Tl 81 204,3 ТАЛЛИЙ	Hf 72 178,4 ГАФНИЙ / Pb 82 207,2 СВИНЕЦ	Ta 73 180,947 ТАНТАЛ / Bi 83 208,9804 ВИСМУТ	W 74 183,8 ВОЛЬФРАМ / Po 84 [209] ПОЛОНИЙ	Re 75 186,2 РЕНИЙ / At 85 [210] АСТАТ	Os 76 190,2 ОСМИЙ / Rn 86 [222] РАДОН
7	Fr 87 [223] ФРАНЦИЙ	Ra 88 226,0254 РАДИЙ	Ac 89 ** [227] АКТИНИЙ	Ku 104 [261] КУРЧАТОВИЙ	105			

= s-элементы　= p-элементы　= d-элементы　= f-элементы

* лантаноиды

| Ce 58 140,12 ЦЕРИЙ | Pr 59 140,9077 ПРАЗЕОДИМ | Nd 60 144,2 НЕОДИМ | Pm 61 [145] ПРОМЕТИЙ | Sm 62 150,4 САМАРИЙ | Eu 63 151,96 ЕВРОПИЙ | Gd 64 157,2 ГАДОЛИНИЙ | Tb 65 158,9254 ТЕРБИЙ | Dy 66 162,5 ДИСПРОЗИЙ | Ho 67 164,9304 ГОЛЬМИЙ | Er 68 167,2 ЭРБИЙ | T 168,9342 ТУЛИЙ |

** актиноиды

| Th 90 232,0381 ТОРИЙ | Pa 91 231,0359 ПРОТАКТИНИЙ | U 92 238,02 УРАН | Np 93 237,0482 НЕПТУНИЙ | Pu 94 [244] ПЛУТОНИЙ | Am 95 [243] АМЕРИЦИЙ | Cm 96 [247] КЮРИЙ | Bk 97 [247] БЕРКЛИЙ | Cf 98 [251] КАЛИФОРНИЙ | Es 99 [254] ЭЙНШТЕЙНИЙ | Fm 100 [257] ФЕРМИЙ | M [258] МЕНДЕЛ |

族 每一纵列叫作一个族。同族元素具有相似的电子构型，因此具有相似的化学性质。目前有18个被正式认可的族

不稳定元素 一些元素不稳定，会随时间衰减。即使卢（原称kurchatovium，现称rutherfordium）最稳定的形式也会在短短1小时20分钟内衰减到原来的一半

相对原子质量 这是按原子质量单位（amu）测量的，1amu等于碳原子质量的1/12。这就是为什么它被称为相对原子质量——它有助于比较不同元素的质量

理解
元素

元素周期表是科学最著名的象征之一。它根据原子结构来排列元素，为元素的排序和分类提供了范式。表中的118个元素里有92个形成于恒星和超新星内部。

随着科学革命的加快，发现新元素的速度也在加快。随着时间的推移，科学家们还发现了它们的化学特性。18世纪末，法国化学家安托万·洛朗·德·拉瓦锡（Antoine Lavoisier）将元素分为四类，分别为：气态元素、非金属元素、金属元素和土元素。1829年，德国化学家约翰·德贝赖纳（Johann Döbereiner）指出"三元素组"中的元素具有相似的化学性质。关键是，他注意到可以根据其中一个元素的属性推测出其他两个的属性。到19世纪60年代，英国化学家约翰·纽兰兹（John Newlands）设计了八行周期律，认为每八个元素具有相似的化学性质。然而，那时他把两个元素挤在同一个格子里，没有为尚未发现的元素留下空隙。这就可以解释为什么人们将俄国的德米特里·门捷列夫（Dmitri Mendeleev）视为元素周期表之父而不是他。1869年，门捷列夫发表了著名的元素周期表的原始版本，基于已知元素的"周期性"，在表中留下了一些空位。

元素周期表的排列原理

元素按照原子质量递增的顺序排列。每一横行称为一个周期——当元素的性质重复时，新的周期便会开始。例如，氖之后开始了一个新周期，以确保钠与锂在同一列（两者的化学性质都极活泼）。这些周期和族是元素周期表的关键。门捷列夫的周期表只有七个族，但在19世纪90年代，化学家们发现惰性气体完全适合作为第八个族加到表中，进一步证实了这个体系的强大。

元素是在哪里生成的？

大爆炸后一分钟内的灼热将一些宇宙的新生氢通过核聚变转化为氦（见第58页）。仅仅20分钟后，核聚变停止，宇宙的基本成分固定为约75%的氢和25%的氦。然后又过了几百万年，才产生了更多的元素。元素周期表中的铁及以前的元素，都是在恒星的核聚变过程中生成的，而铁以后的许多元素则产生于超新星爆发的过程中。

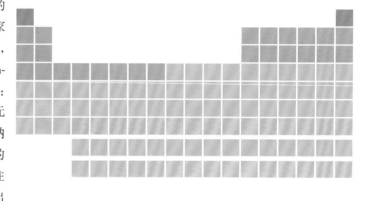

▲ 元素的排列

元素可以根据它们是如何形成的进行分组。铀及以前的大多数元素都产生于恒星或超新星的核反应。比铀重的元素不稳定且很罕见。

图例

■ 形成于大爆炸时期
（氢和氦）

■ 形成于恒星中的核聚变
（锂到铁）

□ 在恒星中通过中子俘获形成
（钴到铀）

■ 不稳定的元素

左侧图注：

德米特里·门捷列夫 门捷列夫这个名字与元素周期表紧密相连。他没有获得过诺贝尔奖，但他却有以他的名字来命名的元素（钔）以及月球上的一个环形山。

周期 每一横行称为周期。按周期划分，主要是确保具有相似化学性质的元素在正确的族中出现。目前元素被分为七个周期

格 周期表划分的每一个格上标有元素的化学符号（一个或两个字母）以及原子序数和相对原子质量

> 科学的功能是发现自然界中的支配性秩序，并且找到控制这个秩序的原因。

德米特里·门捷列夫（1834—1907），俄国化学家

临界点

行星**形成**

当我们的恒星——太阳——开始燃烧时，它的引力将元素吸入它的轨道。随着这些物质相互撞击，行星开始形成。较轻的元素被抛到外部区域，形成气态巨行星；接近太阳且较重的元素保留下来并形成岩石行星，其中包括地球。我们的家园诞生了。

适当条件

当恒星从前代恒星的残骸中形成时，一些包含丰富化学元素的碎片留在了轨道上。这些碎片在引力和化学键的作用下聚集成一团物质，这团物质就是行星。它比此前出现的天体都要复杂得多。现在我们知道，这个过程很久以前就在其他行星系中发生过了。

一个新生的类日恒星

新的化学元素和由丰富的化学物质组成的云状天体围绕着新星运转

引力、吸积和随机的碰撞

来自垂死恒星的物质
恒星的消亡使重元素不断增多，为早期主要由氢和氦构成的宇宙增补了许多元素。这导致了复杂的化学世界的形成，共有92种元素能够合成化合物。

发生了什么变化？

恒星形成后，剩余的物质在星云盘中继续运转。恒星发出的强烈辐射会将较轻的挥发性物质（特别是氢和氦）吹到远方。这些气体会在遥远的地方形成气态巨行星。在距离恒星更近的地方，前代恒星消亡时留下的更重的、化学成分更丰富的物质仍然保持固态或液态，并形成岩石行星。在我们的太阳系中，地球就是这样的一颗岩石行星。

恒星形成区
死亡恒星留下的物质云富含多种重元素，如碳、氧、氮、铝、镍和铁。它们在较弱的引力和电磁力的作用下聚集在一起，成为新恒星形成的场所。

超新星的冲击波
相邻恒星爆炸产生的冲击波这样的干扰，可能会导致物质云收缩，形成一颗恒星。随着它慢慢坍缩，物质云旋转得越来越快，并且呈现出圆盘的形状。

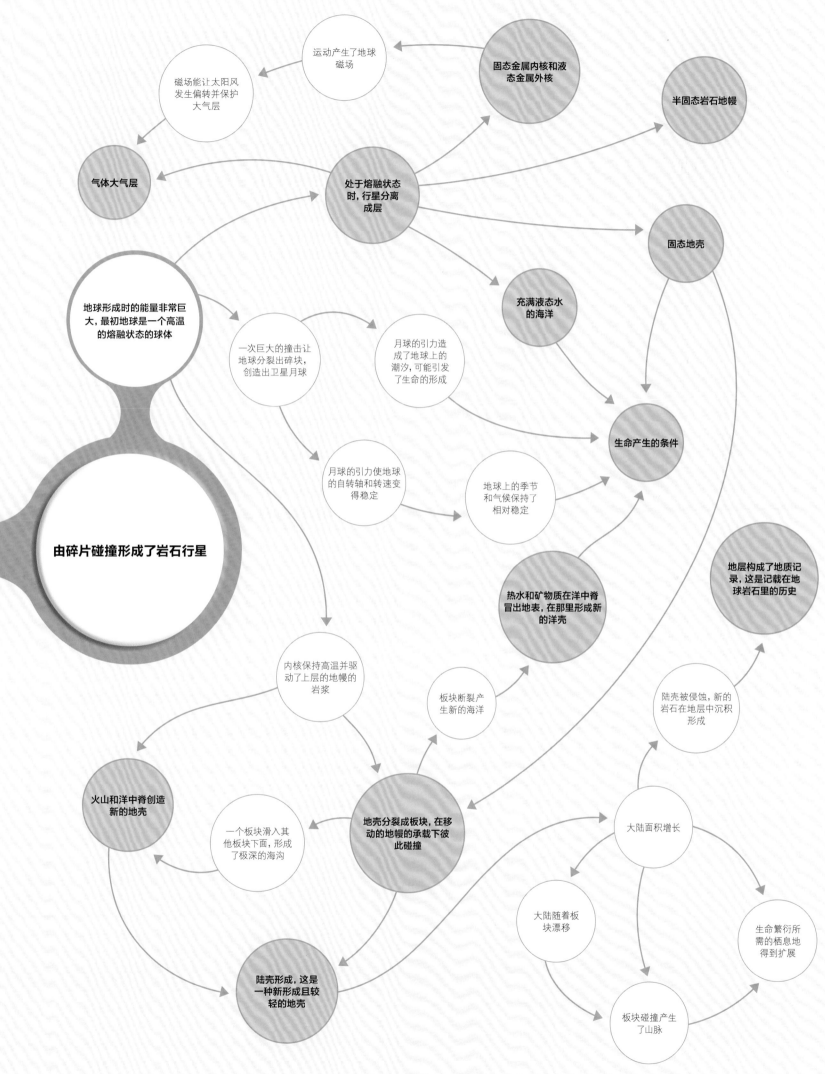

运动产生了地球磁场

固态金属内核和液态金属外核

磁场能让太阳风发生偏转并保护大气层

半固态岩石地幔

气体大气层

处于熔融状态时，行星分离成层

固态地壳

地球形成时的能量非常巨大，最初地球是一个高温的熔融状态的球体

一次巨大的撞击让地球分裂出碎块，创造出卫星月球

月球的引力造成了地球上的潮汐，可能引发了生命的形成

充满液态水的海洋

生命产生的条件

月球的引力使地球的自转轴和转速变得稳定

地球上的季节和气候保持了相对稳定

由碎片碰撞形成了岩石行星

地层构成了地质记录，这是记载在地球岩石里的历史

内核保持高温并驱动了上层的地幔的岩浆

热水和矿物质在洋中脊冒出地表，在那里形成新的洋壳

板块断裂产生新的海洋

陆壳被侵蚀，新的岩石在地层中沉积形成

火山和洋中脊创造新的地壳

一个板块滑入其他板块下面，形成了极深的海沟

地壳分裂成板块，在移动的地幔的承载下彼此碰撞

大陆面积增长

大陆随着板块漂移

生命繁衍所需的栖息地得到扩展

陆壳形成，这是一种新形成且较轻的地壳

板块碰撞产生了山脉

太阳开始发光

在我们的银河系中一个原本不起眼的区域，一团巨大的物质云开始凝聚。我们的太阳诞生时的情景十分壮观：温度不断上升，物质不断旋转，一阵爆发过后，太阳出现在宇宙之中。

一团不起眼的气体和尘埃，密度仅有每立方厘米几个气体分子，在太空中漫无目的地飘荡。最终，它在自身引力的作用下开始坍缩。

这次坍缩很可能是附近超新星爆发的冲击波诱发的。整个太阳系中都可以找到一种稀有的铝，这可能是这次超新星爆发留下的痕迹。

不可抵挡的力量

不论诱因是什么，我们目前已经知道，在太阳形成的几千万年以前，这一团物质云渐渐变得更加密集。物质云的中心密度最大且温度最高——这就是原太阳，它由约75%的氢和25%的氦组成。极端的温度和压力抵消了自身的引力，它从中心向外喷发出冰、岩石和气体。这些物质变成了扁平的圆盘，开始绕着原太阳运转。

原太阳进入了剧烈活动的新阶段，开始从它的极点喷射放射线。猛烈的太阳风把原太阳轨道上较轻的元素，如氢和氦，吹到了外围。很快，原太阳的温度升高，压力和体积也变得更大，直到它吸收了最初太阳星云99.9%的物质。

尽管这些活动发生在大约50亿年前，我们仍然可以收集到关于太阳如何诞生的线索。因为我们可以观测到银河系其他地方新恒星诞生的过程。

> 虽然有这么多行星围绕着**太阳**运转……它仍然可以**使一串葡萄成熟**，好像它在这个**宇宙**中**没有任何其他事情可做**似的。
>
> **伽利略·伽利莱**（1564—1642），天文学家

旋转的尘埃、氢和氦组成的云团

由于引力而形成的原太阳的密集中心

冰冷的尘埃颗粒留在圆盘外侧冰冷的区域

太阳开始发光

岩石碎片沿靠近太阳的轨道运行

太阳形成时的温度和压力

太阳星云变得扁平，像一个圆盘

液体和气体在这里凝聚，远离原太阳的高温

距离原太阳近的岩石尘埃

气体和冰冷的颗粒在更远的轨道上运行

气体和尘埃组成的**星际云**开始在引力的作用下坍缩，伴随此过程，它开始旋转变热。在高温、高密度的中心，原太阳形成。

原太阳内部**极端的高温**产生的能量抵消了它自身的引力。靠近原太阳的气体和冰被蒸发，只留下了岩石尘埃颗粒。

原太阳温度升高，内部压力增强，变成了早期的太阳。围绕着太阳的大量岩石块和冰开始碰撞。

爆发诞生

随着原太阳吞噬掉越来越多的尘埃和气体，其极点喷发出强烈的辐射。由此形成的剧烈的太阳风，冲击周围的岩石和冰。这些岩石和冰后来形成了太阳系的一些行星。

岩石世界诞生

随着星子在冰冻线以内围绕着年轻的太阳运转, 吸引进来的物质以更快的速度接近这些星子。不断的碰撞冲击加速了它们的成长, 把更多的物质吸引到它们这里。

行星
形成

我们太阳系中的行星是从气体和微小的灰尘颗粒开始形成的。在年轻的太阳的引力作用下，气体和尘埃形成一个旋转的圆盘，数百万年的碰撞最终会将它们塑造成体积巨大的行星，而其中的一个将成为我们的家园。

行星的前身是星子（planetesimal）——最终形成了行星的小型天体。将较小的物质吸引并积聚形成一个大的个体的过程叫作吸积（accretion）。

聚集形成一颗行星

围绕着年轻的太阳运动的大部分固体物质的轨道不规则，导致它们频繁碰撞，开始吸积的过程。最初只有几厘米大小的颗粒逐渐生长成几米大小的块状物质。经过几千万年到几亿年的时间，它们共同的引力作用积累的物质最终形成了直径几千米的星子。

最大的星子具有足够的引力，不断吸引更多的物质。这个难以控制的吸积过程形成的星子创造了行星的胚胎。

不同的世界

这些胚胎行星形成的位置与太阳距离的远近决定了最终形成的行星主要是由岩石还是由气体组成的。

在内太阳系的高温环中，只有熔点非常高的物质，例如铁、镍和硅，可以留存下来并进入岩石行星，例如水星、金星、我们的家园地球，以及火星。

在外太阳系中，在天文学家称之为冰冻线（frost line）以外的地方，诸如水和甲烷等物质在寒冷的温度下冻结。随着更多固体物质的加入，这些更大的星子的引力也更加强大。因此，氢与氦等较轻的元素更容易被捕获，形成巨大的气体大气层，典型的例子有木星、土星、天王星和海王星。

> **行星的形成**就像一场**巨大的雪球大战**……一个行星球把周围**所有的雪花都聚集了起来**。

克劳德·阿莱格尔（Claude Allègre，生于1937年），科学家及政治家

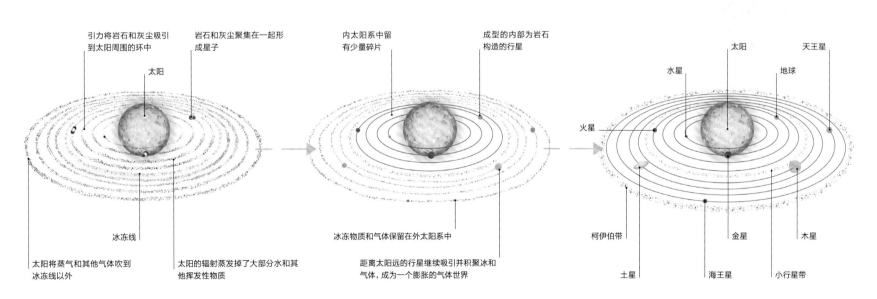

引力将岩石和灰尘吸引到太阳周围的环中　　岩石和灰尘聚集在一起形成星子　　太阳

冰冻线
太阳将蒸气和其他气体吹到冰冻线以外　　太阳的辐射蒸发掉了大部分水和其他挥发性物质

从太阳形成过程中留存下来的**物质**和碎片在年轻太阳的外环中运转。内环由金属物质和岩石组成，外环在冰冻线之外由岩石、冻结的水和气体组成。

内太阳系中留有少量碎片　　成型的内部为岩石构造的行星

冰冻物质和气体保留在外太阳系中
距离太阳远的行星继续吸引并积聚冰和气体，成为一个膨胀的气体世界

较大的星子吸引了更小的粒子。随着体积的变大，它们的引力场也越来越强。大多数围绕轨道运动的物质最终都被卷入到行星中。

太阳　　天王星
水星　　地球
火星

柯伊伯带　　金星　　木星
土星　　海王星　　小行星带

太阳系经过了数亿年才**稳定**下来（见第74~75页）。年轻行星的引力相互作用稳定下来，最终形成我们今天观察到的稳定轨道。

智利伊米拉克
陨石

陨石——飞越太空并降落在地球上的物质，是带来古代信息的微小时间胶囊。它们自太阳系诞生以来一直流浪，所以它们包含的信息通常比地球更古老。

在太阳系形成后，周围的古老天体今天仍然围绕着我们的太阳运行，如彗星和小行星。它们是早期太阳系的遗迹，由于缺乏地质活动而相对稳定。它们变成陨石落在地球上之后，我们可以研究它们，以此来探索过去，检验我们关于太阳系和地球如何形成的理论是否正确。每年有成千上万块重量超过 10g 的陨石落入地球，每颗陨石都会带来关于太阳系几十亿年前的样子的宝贵信息。

这件样本是一个名为伊米拉克（Imilac）的陨石上的一片，伊米拉克陨石本身是一个近一吨重的物质的一小部分，在一次陨石撞击中落入智利的阿塔卡马沙漠。伊米拉克由于具有金属外皮包裹的结晶体，被归类为石铁陨石。像所有的石铁陨石一样，它产生于金属核心和星子的岩石地幔的边界。岩石地幔可能是由于早期太阳引力的作用，在太阳系的形成期间分裂了。在这个过程中，一小部分地幔落入熔化的核心。经过至少 100 万年这些部分才冷却成分散在金属中的晶体，就像我们现在看到的这样。

石铁陨石不仅有助于我们确定太阳系的年龄，还可以提供关于太阳系早期化学成分的线索。像这里展示的石铁陨石，在地球上是非常罕见的——只占科学家收集到的陨石的 0.4%。

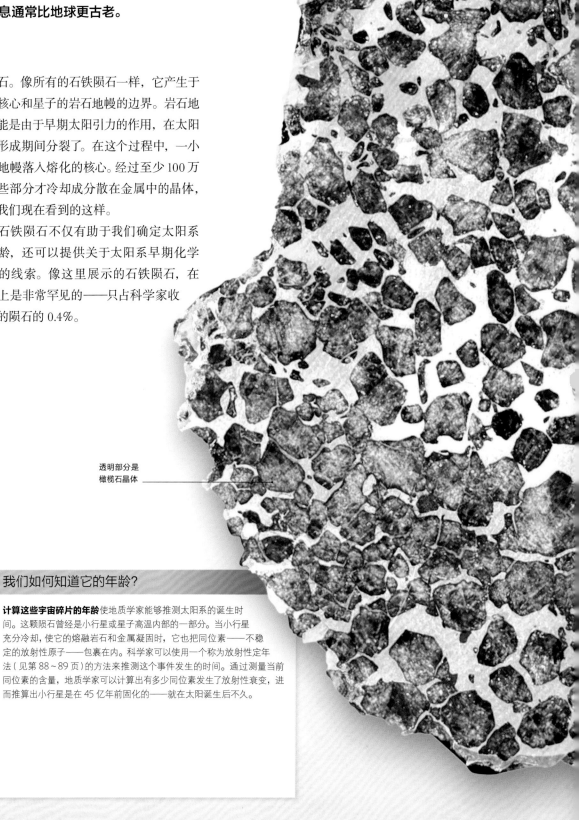

由铁和镍组成的金属混合物

透明部分是橄榄石晶体

▲ 轨道证据
2014—2015年的探测研究发现，67p彗星上的冰山与我们的太阳系一样古老。彗星内部有冰存在，表明在太阳系形成时期存在水或冰。

我们如何知道它的年龄？

计算这些宇宙碎片的年龄使地质学家能够推测太阳系的诞生时间。这颗陨石曾经是小行星或星子高温内部的一部分。当小行星充分冷却，使它的熔融岩石和金属凝固时，它也把同位素——不稳定的放射性原子——包裹在内。科学家可以使用一个称为放射性定年法（见第 88~89 页）的方法来推测这个事件发生的时间。通过测量当前同位素的含量，地质学家可以计算出有多少同位素发生了放射性衰变，进而推算出小行星是在 45 亿年前固化的——就在太阳诞生后不久。

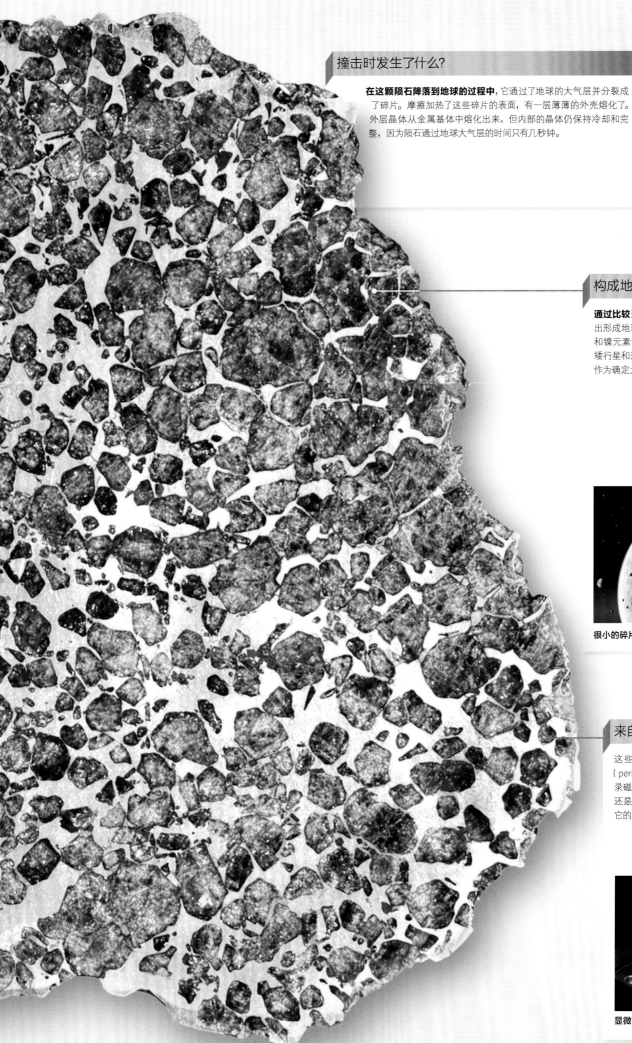

撞击时发生了什么?

在这颗陨石降落到地球的过程中,它通过了地球的大气层并分裂成了碎片。摩擦加热了这些碎片的表面,有一层薄薄的外壳熔化了。外层晶体从金属基体中熔化出来,但内部的晶体仍保持冷却和完整,因为陨石通过地球大气层的时间只有几秒钟。

构成地球的基础是什么?

通过比较这些陨石的构成与地球的构成,地质学家可以判断出形成地球的星子类型。像地球一样,这颗陨石包含铁元素和镍元素——这两者都被认为是地核的组成元素。小行星、矮行星和这种石铁陨石从太阳系早期就保持不变,因此可以作为确定太阳系历史的关键证据。

很小的碎片聚集形成的星子

来自岩石地幔的晶体

这些**晶体**由黄绿色橄榄石(olivine)和浓绿色橄榄石(peridot)组成。这些是铁镍矿中发现的物质,能够记录磁场。对这些颗粒进行的显微分析表明,当这些陨石还是小行星的一部分时,小行星中有一个磁场——直到它的核心固化之后才消失。

显微镜下的陨石薄片

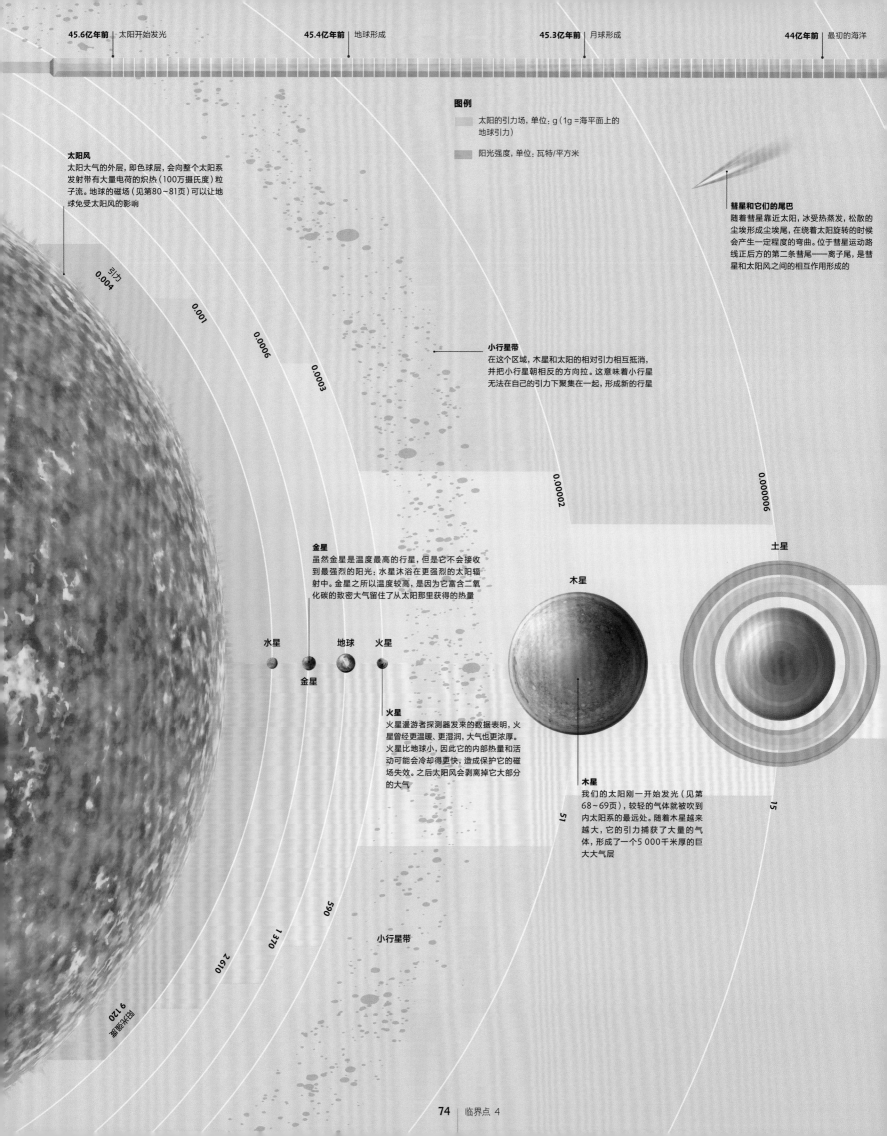

图例

太阳的引力场, 单位: g (1g = 海平面上的地球引力)

阳光强度, 单位: 瓦特/平方米

太阳风
太阳大气的外层, 即色球层, 会向整个太阳系发射带有大量电荷的炽热 (100万摄氏度) 粒子流。地球的磁场 (见第80~81页) 可以让地球免受太阳风的影响

彗星和它们的尾巴
随着彗星靠近太阳, 冰受热蒸发, 松散的尘埃形成尘埃尾, 在绕着太阳旋转的时候会产生一定程度的弯曲。位于彗星运动路线正后方的第二条彗尾——离子尾, 是彗星和太阳风之间的相互作用形成的

小行星带
在这个区域, 木星和太阳的相对引力相互抵消, 并把小行星朝相反的方向拉。这意味着小行星无法在自己的引力下聚集在一起, 形成新的行星

引力
0.004
0.001
0.0006
0.0003
0.00002
0.000006

金星
虽然金星是温度最高的行星, 但是它不会接收到最强烈的阳光: 水星沐浴在更强烈的太阳辐射中。金星之所以温度较高, 是因为它富含二氧化碳的致密大气留住了从太阳那里获得的热量

水星　地球　火星
金星

土星

木星

火星
火星漫游者探测器发来的数据表明, 火星曾经更温暖、更湿润, 大气也更浓厚。火星比地球小, 因此它的内部热量和活动可能会冷却得更快, 造成保护它的磁场失效。之后太阳风会剥离掉它大部分的大气

木星
我们的太阳刚一开始发光 (见第68~69页), 较轻的气体就被吹到内太阳系的最远处。随着木星越来越大, 它的引力捕获了大量的气体, 形成了一个5 000千米厚的巨大大气层

51

15

590

1 370

2 610

阳光强度
9 120

小行星带

太阳开始
掌控局面

在41亿年前到38亿年前，行星在一系列的引力干扰下改变了轨道。至今保留了8颗主要行星运行在轨道上并保持稳定。然而，太阳所控制的天体，远远不止这几颗行星。

◀ **内太阳系**

人们把八大行星所在的领域称为内太阳系。然而，在八大行星之外，绝不是就没有绕行太阳的天体了。海王星之外还有许多天体，包括矮行星和彗星。来自太阳的光和引力向各个方向传播——它们的强度都随着距离的增加而迅速减弱。

0.000002

0.0000007

天王星

海王星

1.5

3.7

天王星

光的强度随着距离的增加而减弱：在两倍距离处，阳光是原来的1/4。天王星轨道离太阳的距离是地日距离的20倍，因此天王星上的阳光强度只有地球上的1/400。

科学家们曾长时间对现代太阳系是怎样形成的感到困惑。模拟太阳环境的演变时，如果这些行星始终处于它们如今所在的地方，就很难解释太阳系现在的情况。

尼斯模型

太阳系目前的布局，只有在四颗气态巨行星最初更加接近彼此的情况下，才能得到合理的解释：木星向内发生了移动，其他三颗则远离了太阳。天王星和海王星甚至还可能交换了顺序。海王星向外迁移的过程，使许多太阳系的较小天体分散到了一个被称为柯伊伯带的区域。

这个模型是在法国城市尼斯提出来的，所以被称为尼斯模型。如果气态巨行星的迁移发生在太阳系形成之后约 6 亿年，那么这就能解释被称为后期重轰炸期（Late Heavy Bombardment）的事件。这些气态巨行星及其引力场的运动突然发生变化，导

致大批小行星灾难性地落在包括地球在内的内太阳系天体上，这就是所谓的后期重轰炸期事件。阿波罗宇航员带回地球的月球岩石样本表明，大约 39 亿年前出现过集中的陨石撞击。根据尼斯模型，巨行星的迁移是撞击的原因。

失踪的星球

对太阳系初期状态的模拟表明，太阳系中曾经有更多的行星。通过在模型中添加第五颗气态巨行星，研究人员发现他们可以为行星目前的排列情况找到更合适的解释。然而，现在太阳系中并没有五颗气态巨行星，因此第五颗必定是从太阳系中弹出去了。鉴于天文学家最近发现了流浪行星（rogue planet）——它们没有主恒星，在空间漫游——这个想法已经不像最初提出时那么奇怪了。

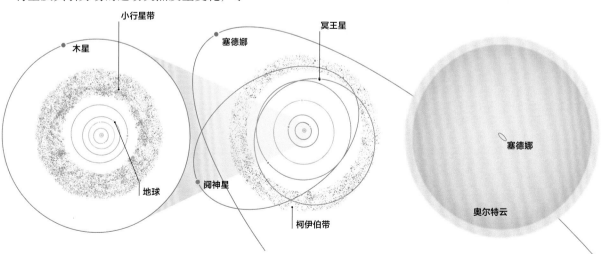

▲ **中央太阳系**

太阳的引力将四颗岩石行星——水星、金星、地球和火星——以及小行星带紧紧吸引在周围。在它们之外，是木星、土星、天王星和海王星等气态巨行星。

▲ **柯伊伯带**

人们把包括冥王星在内的冰冻物体组成的区域叫作柯伊伯带，它到太阳的距离是地日距离的30到50倍。而阋神星（Eris）和塞德娜（Sedna）等天体离太阳的距离甚至更远。

▲ **外太阳系**

奥尔特云是一个稀疏分布着彗星的大片球形区域。太阳的引力将这些彗星的轨道控制在1光年的范围之内，这就是我们太阳系的范围。

如何找到
其他行星系

几个世纪以来, 天文学家认识到, 恒星是距离我们更加遥远的类似太阳的天体。其他恒星的距离实在太过遥远, 以至于直到20世纪末, 科学家才找到有行星绕其他恒星运行的证据, 从而发现新的行星系。

恒星通常比行星大数百万倍, 而且它们的光芒极易盖过行星所反射的任何光线。由于距离遥远, 在地球上看来, 恒星只是微小的光斑——太阳系外最近的一颗恒星距离地球也超过了40万亿千米。直到最近的几十年, 科学家才研发出了相应的技术, 探测到围绕着其他恒星运行的外星世界。

遮挡光线

尽管太阳系外的行星太小、太暗, 难以直接观察到, 但是当一颗行星在它的主星前面通过时, 会阻挡一些主星的光。天文学家可以从这一普通的事件中收集到丰富的信息。例如, 行星的大小可以通过遮挡的光量判断出来。地球凌日会导致太阳的亮度出现 0.01% 的变化。

两次凌日相隔的时间反映了行星公转的周期, 反过来又揭示了其轨道距离: 较短的轨道距离意味着行星距离其恒星较近。

因此, 天文学家使用这个距离来估计行星上的温度以及它是否宜居。

引力摆动

寻找其他行星系的另一个主要方法是利用引力的双向性。众所周知, 恒星吸引着行星, 行星反过来也吸引着它们的太阳。这轻微的牵引会导致恒星在原地出现轻微的摆动。恒星运动中的这些小变化, 会对我们看到的它发出的光产生影响。如果恒星向我们摆动, 它的光线会移向光谱的蓝色端; 相反, 如果它远离我们, 光线就会移向红色端(见第 28~29 页)。行星越大, 施加在恒星上的力也越大, 因此质量更大的行星带来的光谱移动更明显, 这使得天文学家可以估算出行星的质量。

通信中心以每秒5兆比特的速度, 每天向地球传输数据8小时

拥有十亿像素照相机的**两个双速聚焦望远镜**安装在航天器的圆柱形主体上

耐温材料
能适应-170~70°C的材料

恒星

行星在绕恒星运行的时候, 会阻挡它的一些星光

地球

亮度

行星在恒星前面通过, 恒星的亮度会下降

时间

▲ 寻找遥远的行星
星光亮度(红点)被多次采样。这条线显示了行星凌日导致的亮度变化的平均值。

恒星轨道　恒星

行星轨道

恒星向我们移动时星光发生蓝移

行星的引力导致系外恒星的轨道发生摆动

恒星远离我们时星光发生红移

地球

▲ 追踪遥远的恒星
恒星发生摆动时, 星光颜色的变化可以显示它朝向或远离我们的速度。

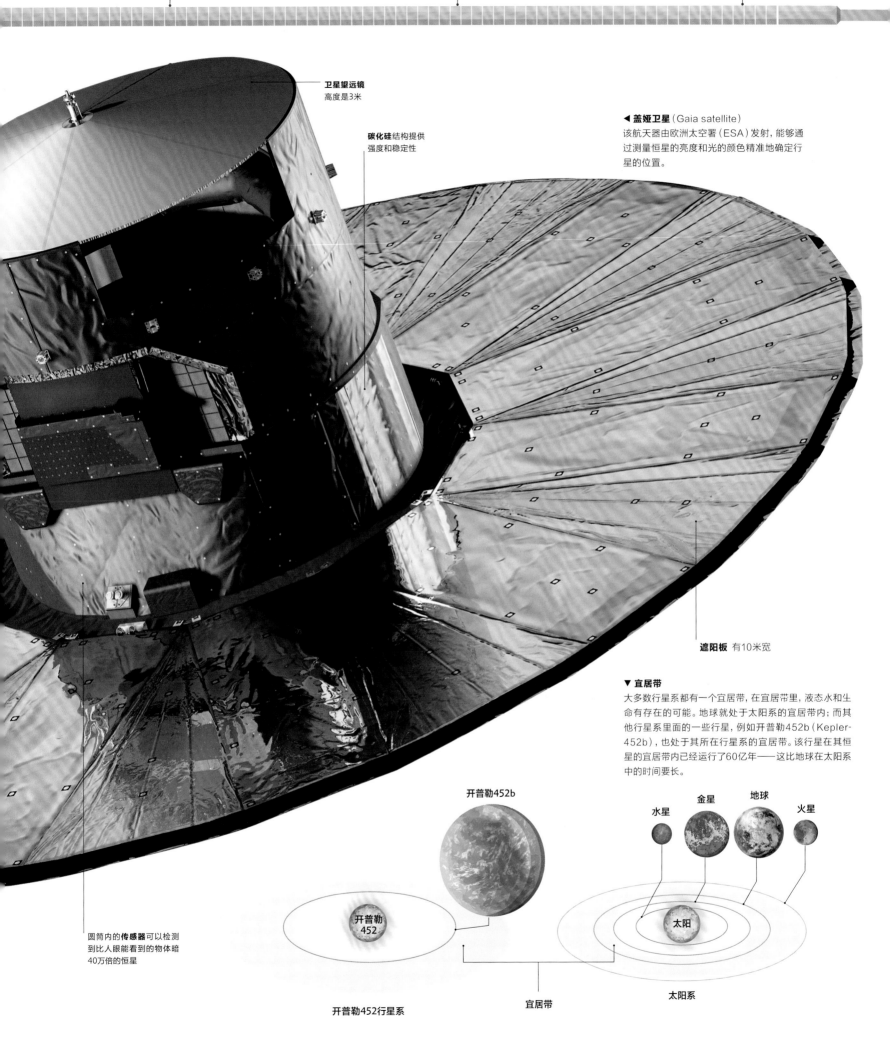

卫星望远镜
高度是3米

碳化硅结构提供
强度和稳定性

◀ 盖娅卫星（Gaia satellite）
该航天器由欧洲太空署（ESA）发射，能够通
过测量恒星的亮度和光的颜色精准地确定行
星的位置。

遮阳板 有10米宽

▼ 宜居带
大多数行星系都有一个宜居带，在宜居带里，液态水和生
命有存在的可能。地球就处于太阳系的宜居带内；而其
他行星系里面的一些行星，例如开普勒452b（Kepler-
452b），也处于其所在行星系的宜居带。该行星在其恒
星的宜居带内已经运行了60亿年——这比地球在太阳系
中的时间要长。

圆筒内的**传感器**可以检测
到比人眼能看到的物体暗
40万倍的恒星

开普勒452b

水星　金星　地球　火星

开普勒
452

太阳

开普勒452行星系

宜居带

太阳系

地球**冷却**

早期地球与我们今天所认识的温暖的蓝色星球非常不同。它在早期动荡的阶段，不断遭到来自太阳系其他地方的天体撞击。最初，它是一个巨大的熔融的岩浆球，后来逐渐变成了一个适合生命存在的世界。

大约 45.6 亿年前，围绕着早期太阳的岩石和冰在引力的作用下碰撞形成了一个小的岩石行星。地球原本可能和现在的情形非常不同，没有大气，也没有海洋。但地球形成后，碰撞并没有结束——早期的地球仍然遭到许多物体撞击，其中一些物体和行星差不多大。有人认为，地球形成 1 亿年后，一个火星大小物体的撞击导致了月球的形成（见第 82~83 页）。

对地球的撞击

这些碰撞产生的能量，加上重元素的放射性衰变所释放的能量，使早期的地球温度极高。大部分物质保持熔融的状态。这使得较重的物质，如铁和镍，沉到地心深处。而不那么致密的岩石物质，例如熔融的镁和氧化硅，漂浮到表面。地质学家把这个过程称为"分异"（differentiation），

它会稳定地球的结构（见第 80~81 页）。

地狱般的行星

地球的最早期曾经被认为如地狱一般，因此这个时期被称为冥古宙（Hadean Era）——这是以地狱之神哈得斯（Hades）命名的。人们曾经认为，地球表面的许多物质在数亿年的时间里一直保持熔融的状态，但最近的发现推翻了这一认识，并指出我们的地球可能冷却得比以前推测的更快。随着火山活动释放的蒸气凝结成水，地球可能在形成之后 2 亿年内就有了海洋。

巨大的质量和引力场使地球呈现球形

撞击坑

▲ 带着持续撞击所产生的伤疤，**一个微小的地球开始形成**，凹凸不平的表面是最新增加的物质造成的。引力使之大致成为球形。

局部的岩石的受热和熔化

▲ 早期地球的**引力效应**增加，吸引了小行星等在太阳系里乱窜的天体。每个碰撞物撞击后都会成为地球的一部分，进而增加地球的质量和引力。这又增加了下一个碰撞物的加速度和冲击力。

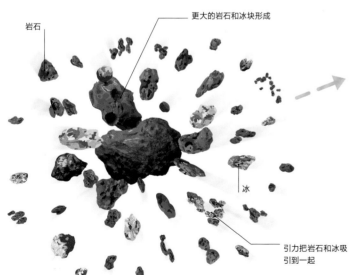

岩石

更大的岩石和冰块形成

冰

引力把岩石和冰吸引到一起

▲ 在几千万年的**吸积**过程中，越来越大的岩石和冰块（星子）聚集到一起。它们形成了一个行星胚胎，然后吸引更多的材料。大块的冰开始时保持固态，不过后来太阳的热量会将之变成地球上最初的水源。

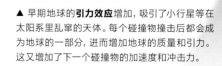

46亿年前至40亿年前，**地球形成**，其**地层也开始稳定**下来，这段时期称为**冥古宙**

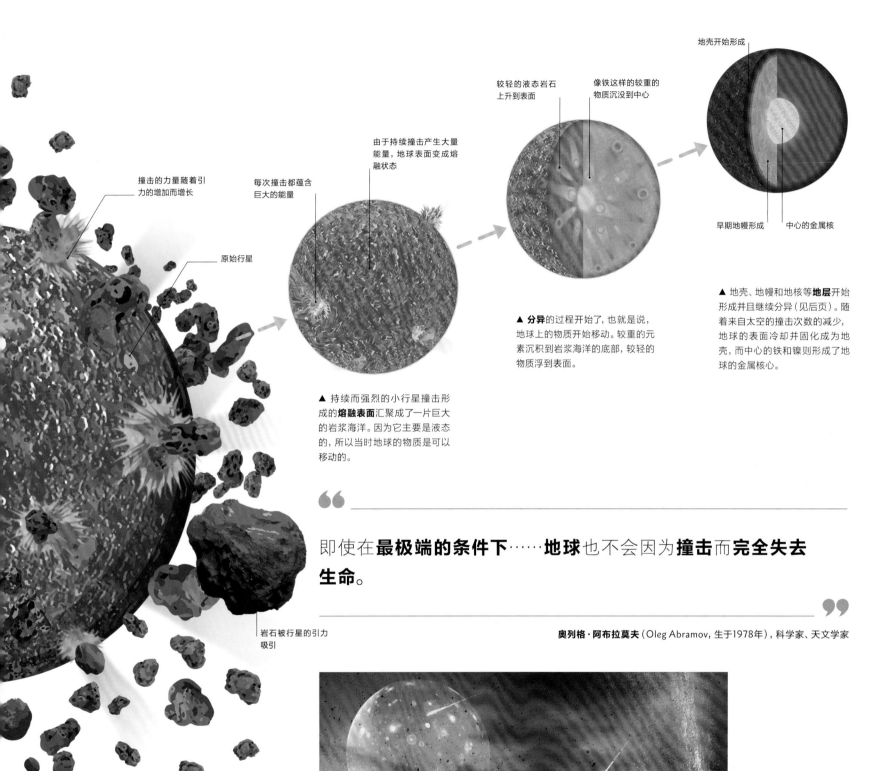

撞击的力量随着引力的增加而增长

每次撞击都蕴含巨大的能量

原始行星

由于持续撞击产生大量能量，地球表面变成熔融状态

较轻的液态岩石上升到表面

像铁这样的较重的物质沉没到中心

地壳开始形成

早期地幔形成

中心的金属核

▲ **分异**的过程开始了，也就是说，地球上的物质开始移动。较重的元素沉积到岩浆海洋的底部，较轻的物质浮到表面。

▲ 地壳、地幔和地核等**地层**开始形成并且继续分异（见后页）。随着来自太空的撞击次数的减少，地球的表面冷却并固化成为地壳，而中心的铁和镍则形成了地球的金属核心。

▲ 持续而强烈的小行星撞击形成的**熔融表面**汇聚成了一片巨大的岩浆海洋。因为它主要是液态的，所以当时地球的物质是可以移动的。

岩石被行星的引力吸引

" 即使在**最极端的条件下**……**地球**也不会因为**撞击**而**完全失去生命**。 "

奥列格·阿布拉莫夫（Oleg Abramov，生于1978年），科学家、天文学家

◀ **冥古宙的地球**
在冥古宙时期，熔岩占据了地表，地球大气中没有氧气。大量的撞击物像下雨一样不断落下，同时，那时的月球离地球比现在更近，造成了巨大的熔岩潮汐。

地球分层

地球由不同的地层组成，每层都由不同的物质构成。形成这种结构的过程在数十亿年前便已开始，至今仍在塑造和影响地球。

在形成后的数亿年间，地球是一大团熔融物。它仍然在自身的引力下收缩，太阳系形成阶段剩下的物质仍在撞击它。这两个过程均产生了热量。地球的外壳凝固后，内部却继续分化，现有的分层逐渐定型。

从地核到大气层

地球中心的物质硬化形成了固体内核，外面被基本上是液态的外核包围。外核中的液体能够自由流动，人们认为其中的湍流至今对地球的磁场还有影响。外核上方

地核中的温度估计高于
6 700° C

是最厚的层——地幔。由地幔涌出的熔融岩石形成的外层是地壳，仅占地球厚度的0.5%。

分异继续进行，早期火山活动释放的水蒸气液化成水，形成了最早的海洋。在大约41亿年前至39亿年前（见第74～75页）

的后期重轰炸期，地球经历了第二次撞击高峰。人们认为这些撞击地球的小行星和彗星带来了形成原始海洋的大部分水。

最轻的物质——气体——通过火山从地幔中逃逸出来，成为我们星球富含二氧化碳的大气的一部分。氢和氦会被太阳风吹走，但是地球的引力足够强，能够保存二氧化碳、氮气、水蒸气和氩气。当时大气中不存在氧气——地球所有的氧都结合到了岩石和水中。

探索地球内部

地球的深处温度太高，而且压力极大，人类连地壳都从未钻透过。所以，科学家使用其他方法来推断地球内部到底有什么。他们知道，地球的中心一定有相当重的物质，因为地球的平均密度大于其表面的密度。对于地震波的传导方向以及磁场成因等方面的研究，提供了关于地球内部结构的更多线索。

▼ 地层
地层形成于44亿年前至38亿年前。我们的地球在此阶段分为六层：固态内核、液态外核、半固态地幔、固态地壳、液态海洋和气态大气。

▶ 地震波
地震的振动或者是纵波（P），或者是横波（S）。它们在地震发生期间穿过地球的速度可以帮助我们确定地球的结构。

地壳
地震的震中
横波不能穿过液体外核
纵波穿过每个地层时，路径都会发生弯曲和摆动
阴影区是地幔和地核之间的边界处，由于传播方向会发生变化，没有地震波能穿过这里
内核
外核
地幔

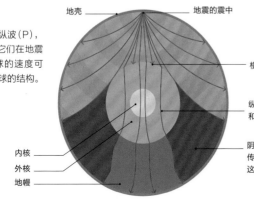

由铁和镍构成的固态核心在地球形成后不久沉降到地球中心

内核

液态铁和镍在外核中的流动产生了地球磁场

外核

地幔

较重、较薄的洋壳在地幔上的位置较低，形成了深海盆地

较轻、较厚的陆壳在炽热的地幔上浮得更高，形成干燥的陆地，边缘处被海洋淹没，成为浅海

大气层

大约120千米厚的气体层包含氧气、氮气、氩气和少量二氧化碳

平均深度为3.7千米的海洋覆盖了地球表面的2/3

海洋

地壳

弓形激波

带电粒子被磁场聚集在一定区域内，有时会表现为极光

地球

太阳

磁场线显示了磁场的形状和强度

地幔中的半固态岩石缓慢地对流，造成了地壳的板块运动（见第92~93页）

▲ 自然防护

来自太阳的有害粒子流——太阳风——由于地球磁场而发生偏转。磁场由地核中液态铁的流动而产生。

太阳风被地球磁场偏转

月球的角色

尽管地球是体积相对较小的行星，其卫星却相当大——月球是太阳系中第五大的卫星。月球是地球唯一的自然卫星，对地球有重要意义，它甚至可能在地球生命起源的过程中发挥了作用。

如果将地球存在的时间浓缩为一天，那么地球形成 10 分钟后，月球就形成了。月球是地球忠实的伙伴，没有它，可能人类也不会存在。

据信，在地球形成初期，一块巨大的岩石碎片撞了上来。在巨大撞击下飞出去的岩石在地球轨道上聚集在一起，形成了月球。月球在形成初期与地球的距离是现在的 1/10。

▼ 超级大潮
加拿大大西洋海岸上的芬迪湾有着地球上最剧烈的潮汐。在这里，每天都有两次潮汐，涨潮时水面升高 16 米，定期将霍普韦尔岩（Hopewell Rocks）淹没。

月球和生命

在地球的童年期，月球对地球的引力比现在我们感受到的引力强烈很多。那时的潮汐极其剧烈，而且生物学家推测，这些超级大潮引起的强烈搅动，是早期海洋形成生命所需的混合物质的关键因素。千百万年过去了，由于月球的轨道速度逐渐增加，月球离地球越来越远了。现今，月球是每天两次潮汐的主要原因，并继续以每年 3.8 厘米的速度离开地球。随着月球离地球越来越远，地球上的潮汐强度逐渐下降。

潮汐引起洋流的变化，这有助于热量在两极到赤道之间传递，调节当时尚年轻的地球的温度。月球的引力也使地轴的倾斜角度趋于稳定，从而使地球上的季节稳定地变化，周而复始。经过漫长的时期，月球使地球变得稳定，这给了生命繁荣成长的机会。

月球对板块的引力

地质学家推测，地球之所以是唯一有板块构造的行星（见第 92～93 页），是因为早期月球对地球施加了强大的引力。在地球寸草不生的冥古宙，月球可能会导致地球上原始的岩浆海洋涌动。有的理论提出，月球对地球上逐渐冷却的液态岩石的扰动，有助于地壳分裂，形成如今我们的星球所独有的板块构造。

▼ 月球的引力

月球的引力会使地球的两侧产生潮汐。在面对月球的一侧，月球的引力引起海水运动，造成涨潮。除了月球对地球的吸引作用，重力也对地球施加拉力。这导致背对月球的一面也会涨潮，与人们的直觉判断相反。

> 我们应该考虑一下这种可能性：**月球的形成……造成了地球生命的诞生**。

理查德·拉特（Richard Lathe，生于1950年左右），分子生物学家

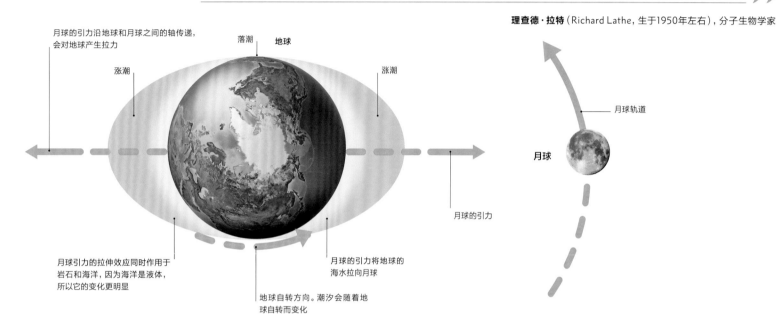

月球的引力沿地球和月球之间的轴传递，会对地球产生拉力

落潮　　地球

涨潮　　　　　　　　　　　　涨潮

月球轨道

月球

月球的引力

月球引力的拉伸效应同时作用于岩石和海洋，因为海洋是液体，所以它的变化更明显

地球自转方向。潮汐会随着地球自转而变化

月球的引力将地球的海水拉向月球

大陆
诞生

大约40亿年前的某个时期，地壳开始移动，将一部分地壳挤入地幔。岩浆喷发出来并冷却后，会形成一种较轻的新地壳——陆壳。新形成的地壳高出周围的岩石，形成了地球上的第一片陆地。时至今日，这一过程仍在持续。目前陆地占了地球表面积的30%。

在大陆形成之前，首先形成的是克拉通（craton，又称古陆核），更大的陆地是在它上面形成的。而克拉通是由最早的陆壳表层上的一些岛屿构成的。这个过程起始于太古宙（Archean era，40亿年前至25亿年前）。从冥古宙开始，地球便已冷却下来，但是那时地球的温度比现在还是要高得多。不过，地层在此时已经形成，而且海洋也开始在坚硬的地壳上形成。

如今，地壳是由洋壳和陆壳共同组成的，后者较轻，且更厚。原始地壳厚度均匀，但是当地幔中的岩浆流拖动地壳下层（见第92～93页），地壳就开始移动，并分裂成不同的板块。当这些板块相互碰撞时，一个板块会被压在另一个板块下面。碰撞引发了地壳的进一步分异，在这个过程中，

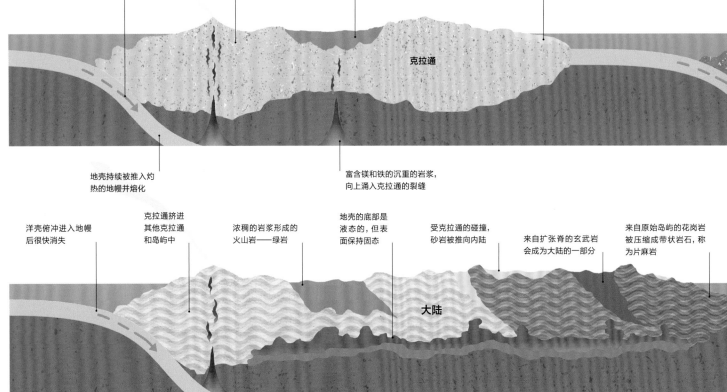

最初覆盖地球表面的是原始地壳。 地壳运动中，若两个板块正面碰撞，一块会被压在另一块下面。在地幔中，较轻的物质会先熔化，然后浮到地球表面。

最初，岩浆冷却形成陆壳，形成了结晶岩（通常是花岗岩）构成的火山岛

浅海

俯冲地壳

火山岛

原始地壳

地幔

地壳被迫下降，或者说俯冲进入炽热的地幔并熔化

熔融地壳形成富含轻元素的岩浆，这些元素包括硅、氧、铝、钠、钾等

地壳的运动 将相邻的岛屿推到一起，形成了较轻的岩石构成的逐渐变大的地块，称为克拉通。但是这个过程中还有两个环节在起作用：在克拉通分裂的地方，重物质上升到表面；而在海洋中板块分裂的地方，会形成新的较重的洋壳。

地壳继续被向下挤压

岛屿碰撞，形成克拉通

一些克拉通裂开，下面较重的物质会填补空隙

海洋、风和雨侵蚀克拉通，产生沉积物，如砂岩等

克拉通

地壳持续被推入灼热的地幔并熔化

富含镁和铁的沉重的岩浆，向上涌入克拉通的裂缝

克拉通和岛屿碰撞， 最终形成了**第一批大陆**。它们比较轻，所以留在了上面，但是构成它们的岩石种类越来越多。较重的洋壳持续俯冲进地幔，存在时间较短，来不及形成复杂的构造。在扩张脊上，它不断被新的地壳取代。

洋壳俯冲进入地幔后很快消失

克拉通挤进其他克拉通和岛屿中

浓稠的岩浆形成的火山岩——绿岩

地壳的底部是液态的，但表面保持固态

受克拉通的碰撞，砂岩被推向内陆

来自扩张脊的玄武岩会成为大陆的一部分

来自原始岛屿的花岗岩被压缩成带状岩石，称为片麻岩

大陆

一部分原始地壳熔化，较轻的物质上升到表面，冷却后形成岛屿。经过几百万年的时间，地壳运动将这些岛屿推到一起，形成了克拉通——小型的原始大陆。最终，这些地块碰撞合并，形成了更大的连续的陆地——第一个大陆就此形成。

第一个超大陆

25亿年前，到了太古宙末期，陆地面积已经相当于现在的80%，而且陆地大多聚集在一起，形成一个超大陆，名为瓦巴拉大陆（Vaalbara）。它是由两块分别叫作卡普瓦（Kaapvaal）和皮尔巴拉（Pilbara）的克拉通撞击形成的。这两个克拉通留存至今，不过卡普瓦现在位于南非，皮尔巴拉位于澳大利亚，两个地块上都找到了36亿年前

至27亿年前的岩石。我们现在知道，这些大陆已经分裂并且重新结合了不止一次（见第158~159页），形成第一个大陆的克拉通现在散布在现代大陆的各处。即使大陆发生了变化，克拉通仍然是稳定的核心。

现在，大陆形成作用仍在发生。洋壳继续沉入其他的洋壳，导致岩浆涌向地表，并冷却成火山岛弧，如加勒比海上的岛弧。

地球上**最古老的陆地**上的岩石至今仍然存在，这块陆地被**称作"乌尔"**，该名称来自古代苏美尔的一座城市

◀ 西之岛
（Nishinoshima）
2013年，科学家在日本海岸附近发现了一个新的岛屿。在火山喷发活动中，熔岩冲破地壳，然后冷却形成了岛屿；40亿年前，同样的过程创造了大陆。

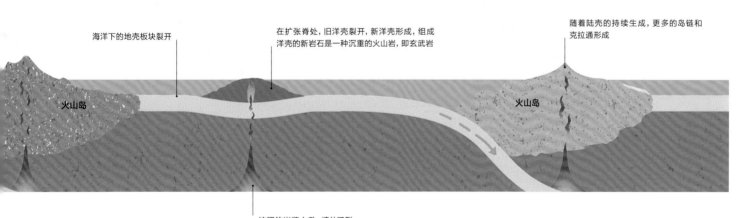

海洋下的地壳板块裂开

在扩张脊处，旧洋壳裂开，新洋壳形成，组成洋壳的新岩石是一种沉重的火山岩，即玄武岩

随着陆壳的持续生成，更多的岛链和克拉通形成

火山岛

火山岛

浓稠的岩浆上升，填补了裂开的地壳产生的空隙

新的洋壳在海洋扩张脊上持续形成

洋壳

"

大陆的核心……构成了稳定的岩石圈。**它们是几十亿年前……形成的。**

"

尼古拉斯·威金顿（Nicholas Wigginton，生于1970年左右），《科学》杂志编辑

测算地球**年龄**

直到最近的几十年，人们才测算出了地球的年龄。随着知识的增长和科学技术的进步，我们估计的地球年龄从数千岁增加到数十亿岁。现在我们知道地球约45.4亿岁。

人们不是一直都认为地球有起源的。包括亚里士多德在内的古希腊哲学家坚信我们的星球是永恒的——它一直在这里，而且会永远存在下去。人类大多数文明都有自己的起源故事（见第18~19页），在现代科学发端之前，宗教文本是关于地球起源的主要思想来源。1645年，爱尔兰主教詹姆斯·厄舍（James Usher）使用《圣经》中的谱系学计算出地球诞生的日期是公元前4004年10月23日。

早期科学思想

并不是所有人都相信地球会这么年轻。早在16世纪，法国思想家贝尔纳·帕利西（Bernard Palissy）就认为，如果岩石的侵蚀是多年风雨肆虐造成的，那么地球的年龄绝不会只有几千年。法国自然学家德马耶（Benoît de Maillet）在解释为什么高海拔地区可发现海洋化石时，误认为地球的海平面在过去一定非常高。当时距离发现板块构造还有很长一段时间（见第90~91页）。18世纪末，由于舆论开始认为地球存在的

时间可能比预想的更长，苏格兰地质学家詹姆斯·赫顿（James Hutton）重新审视了关于侵蚀速率的这一观点。赫顿提出，尽管哈德良长城是1 000多年前罗马人在英国建造的，但是城墙几乎没有遭到侵蚀。因此，那些遭受严重侵蚀的其他岩石存在的时间一定长得多。赫顿还指出，岩层不是连续的，而是形成于多次相互分离的沉积过程中，因而"不一致的"岩层需要数百万年才能形成，而不只是数千年。维多利亚时代的地质学家查尔斯·莱尔（Charles Lyell）赞同赫顿的观点，不过他强调，地球的变化是缓慢而持续的，现代观察到的变化速率可用于推测过去的变化速率。

辩论日趋激烈

到19世纪中叶，人们更加热衷于计算地球的年龄，来自许多不同学科的科学家都做出了自己的估计。1862年，物理学家威廉·汤普森（William Thompson，后来人称开尔文勋爵）把早期的地球想象成一个熔化的岩石球，认为地球需要大约2 000万年到4亿年的时间才能冷却到现在的温度。他没有考虑到放射性的影响，这种现象当时尚未被发现。莱尔批评汤普森的想法太保守，指出这与他所了解的岩层沉积不一致。查尔斯·达尔文也加入了辩论，他在《物种起源》中指出，地球至少有3亿年的历史，才能将在英国发现的白垩沉积物侵蚀到如今的状况。查尔斯的儿子，天文学家乔治·达尔文，认为月球是从地球分离出来形成的。如果真的是这样，他推断月球达到现在的距离至少需要5 600万年的时间。进入20世纪后，人们对地球年龄的普遍共识已经从几千岁跃升到几

千万岁，甚至上亿岁。

放射性的时代

1896年，亨利·贝可勒尔（Henri Becquerel）发现了放射现象，这使科学家能够找到有关地球年龄的具体证据。岩石中放射性原子的衰变持续了数百万年，可以通过测量剩余的不稳定原子的比例来判断岩石的年龄（见第88~89页）。在接下来的30年里，许多科学家使用放射性定年法来测定世界各地岩石的年龄——得到的结果介于9 200万年到30亿年之间。

到了20世纪60年代，利用放射性元素测定岩石年龄的方法也增多了。这些技术的精确度和估算出的年龄的准确性都在稳步提升。我们现在知道，地球已经将近45.4亿岁了，出入最多是5 000万年。这些数字也得到了我们认为比地球年龄略大的陨石的证实。

▼ **岩石中的线索**
一幅作于1787年的有关苏格兰杰德堡岩层的素描，显示了水平的岩层位于垂直岩层上方，两种岩层属于不同的时期。这种岩层分布的不一致，被地质学家詹姆斯·赫顿拿来当作证明地球非常古老的证据。

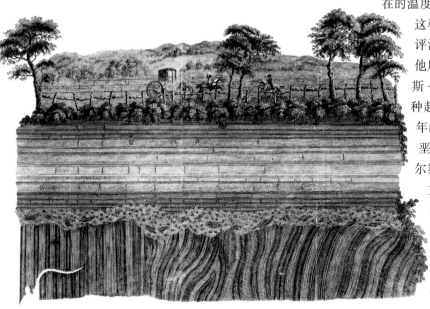

安第斯山脉海拔1 800米的**史前海床**上的**化石树**，使得查尔斯·达尔文相信**地球非常古老**

▼ 岩石的历史

像这种希腊海岸的石灰岩，其沉积的历史显然非常悠久，它在形成后出现了褶皱，此后又遭到侵蚀。这类证据在18和19世纪让地质学先驱们开始思考此类地质变化所需的时间。

> 从人类的视角来看，我们这个**世界是无始无终的**。

詹姆斯·赫顿（1726—1797），地质学家

锆石**晶体**

一些古老的晶体在地球上已经存在了44亿年。它们的存在为我们提供了一个探索地球历史,乃至了解生命起源和原始海洋的契机。

西澳大利亚的杰克山区(Jack Hills)拥有地球上最古老的矿石。虽然锆石晶体只有尘螨那么小,但是它们内部却隐藏着这个星球早年动荡时期的奥秘。最古老的晶体是44亿年前,即地球经历了巨大撞击并产生月亮的1亿年后产生的。这些晶体产生于地壳内,这意味着,地球的固体外壳至少有同样的年龄。锆石是含有锆元素的矿物,它的硬度与钻石类似(只不过后者更出名一些),这意味着锆石晶体可以承受侵蚀和其他地质活动的影响,能很好地记录下地球的历史。

通常锆石晶体是红色的,但是科学家在研究这种晶体的时候,要用电子对其进行轰击,这样锆石会带上一点蓝色。对这些晶体进行的分析颠覆了人们以前对早期地球的认识。很长时间以来,人们认为地球刚形成的时候就像一个地狱,环境太过恶劣,很难有液态水和生命存在。但是现在人们开始认为,地球冷却的速度相对较快,因为这些晶体只有在较凉的环境中才能形成。

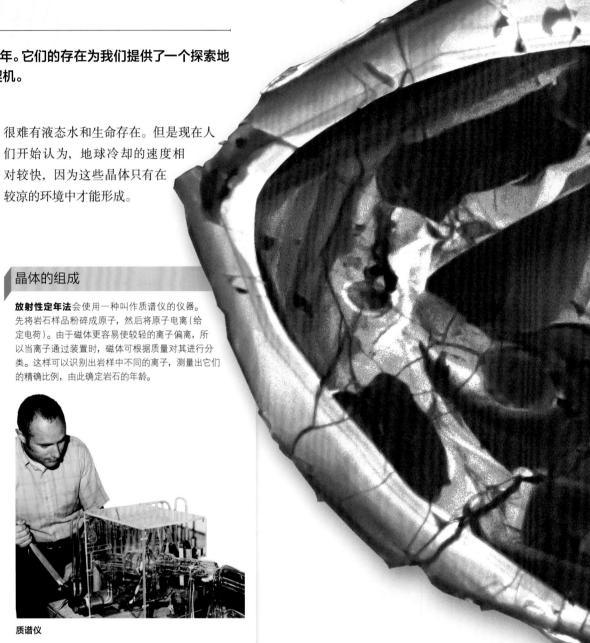

▼ 放射性定年法的原理
铀原子大而且不稳定,所以容易衰变——它们会产生辐射,同时变成更稳定的原子——而且其衰变的速率是已知的。测量岩石中有多大比例的铀衰变成了最终的产物(铅),我们就可以得知岩石形成以来放射性衰变的量,从而得知岩石的年龄。

晶体的组成

放射性定年法会使用一种叫作质谱仪的仪器。先将岩石样品粉碎成原子,然后将原子电离(给定电荷)。由于磁体更容易使较轻的离子偏离,所以当离子通过装置时,磁体可根据质量对其进行分类。这样可以识别出岩样中不同的离子,测量出它们的精确比例,由此确定岩石的年龄。

质谱仪

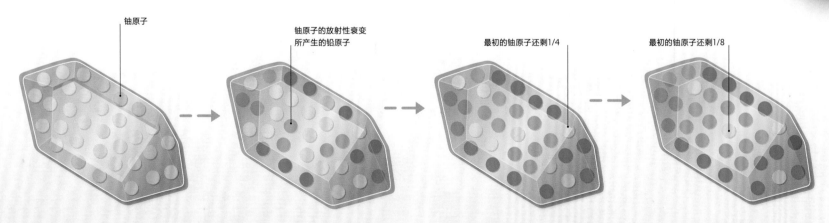

铀原子

铀原子的放射性衰变所产生的铅原子

最初的铀原子还剩1/4

最初的铀原子还剩1/8

岩石由熔岩凝固并结晶时,岩样中仅含有铀元素。

7.04亿年后,部分铀原子衰变,发出辐射,变成铅原子。

14.06亿年后,更多的铀原子发生衰变。岩石中的铅含量越高,说明样本的年代越久远。

现今,地质学家通过测量铀与铅在岩石中的比例,得知这块岩石形成于约21.12亿年前。

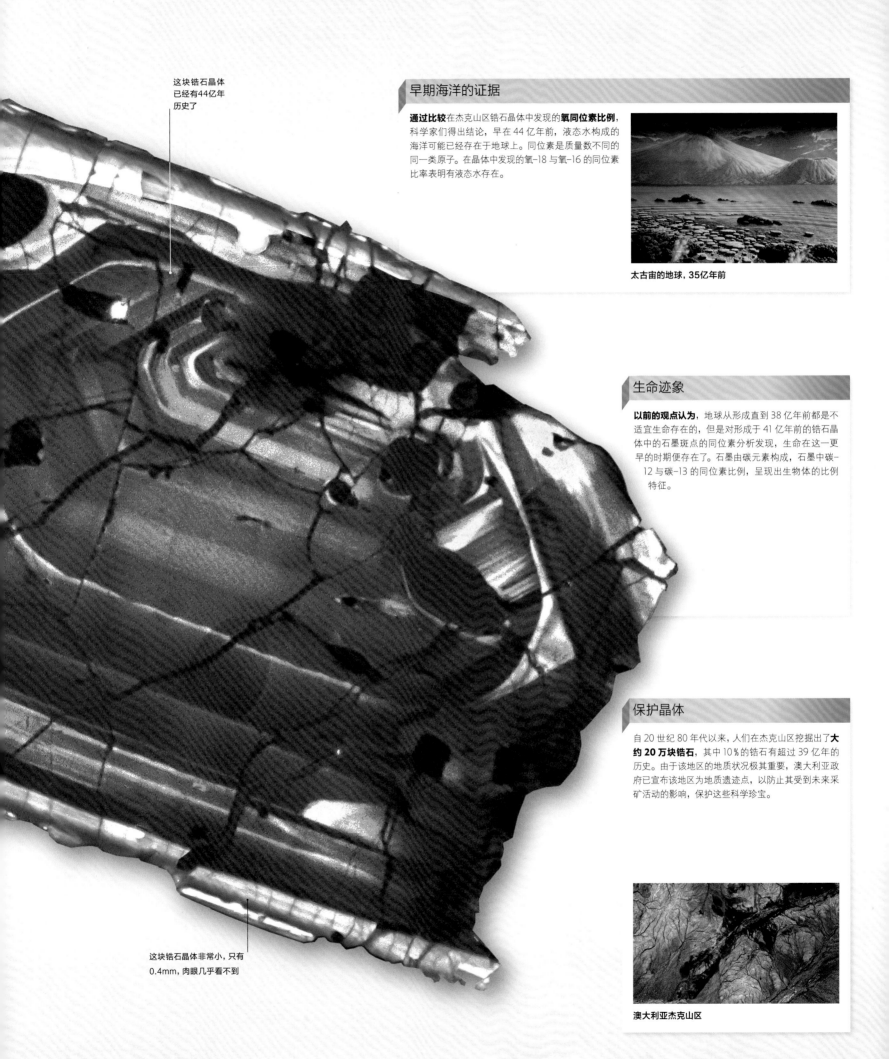

这块锆石晶体
已经有44亿年
历史了

这块锆石晶体非常小，只有
0.4mm，肉眼几乎看不到

早期海洋的证据

通过比较在杰克山区锆石晶体中发现的**氧同位素比例**，科学家们得出结论，早在44亿年前，液态水构成的海洋可能已经存在于地球上。同位素是质量数不同的同一类原子。在晶体中发现的氧-18与氧-16的同位素比率表明有液态水存在。

太古宙的地球，35亿年前

生命迹象

以前的观点认为，地球从形成直到38亿年前都是不适宜生命存在的，但是对形成于41亿年前的锆石晶体中的石墨斑点的同位素分析发现，生命在这一更早的时期便存在了。石墨由碳元素构成，石墨中碳-12与碳-13的同位素比例，呈现出生物体的比例特征。

保护晶体

自20世纪80年代以来，人们在杰克山区挖掘出了**大约20万块锆石**，其中10%的锆石有超过39亿年的历史。由于该地区的地质状况极其重要，澳大利亚政府已宣布该地区为地质遗迹点，以防止其受到未来采矿活动的影响，保护这些科学珍宝。

澳大利亚杰克山区

大陆
漂移

我们都很熟悉现代的世界地图，而大陆的这种布局是地球历史上较为晚近的发展结果。在数亿年的时间里，整个大陆都在分裂和移动。不过，大陆漂移的观点直到20世纪后期才被人们接受。

观察一下世界地图，你会觉得地球上的大陆长时间以来发生的位移是讲得通的。一些大陆看起来就像拼图一样，可以拼合到一起。然而，科学界曾长期认为巨大的大陆板块能够移动的想法是荒唐的。尽管科学界对此持保留意见，但这个想法其实已经存在几个世纪了。人们普遍认为，佛兰芒制图师亚伯拉罕·奥特柳斯是第一个表达这种想法的人，他是在16世纪末提出这一观点的。

非洲大陆的一角可以跟南美洲的海岸线嵌合在一起

连接大陆

19世纪，安东尼奥·斯奈德–佩莱格里尼（Antonio Snider-Pellegrini）制作了两张地图，图中几个大陆蜿蜒的海岸线可以轻易地拼合起来，形成一个巨大的超大陆。化石记录进一步表明，这些相隔遥远的大陆曾经是连接在一起的（见第158~159页）。科学家陆续发现了一些类似的动物化石，特别是还有植物化石，出现在如今已被大洋隔开

▶ **大胆的想法**
德国科学家阿尔弗雷德·韦格纳希望在第四次远征格陵兰时为自己的大陆漂移理论收集可靠的证据，但他却在为营地收集给养的时候遇难。

▲ **最早的线索**
探险者注意到，南美洲的东海岸和非洲的西海岸看起来似乎十分匹配。这些地图是由地理学家安东尼奥·斯奈德–佩莱格里尼在1858年绘制的。

的不同地方。但是，有人解释说，这些大陆曾通过巨大的大陆桥连接在一起，后来这些陆桥遭到了侵蚀，或是淹没在了海底深处。

另一个让地质学家感到困惑而棘手的问题是山脉形成的原因，比如喜马拉雅山。19世纪的主流观点认为，山峰是地球在冷却和收缩过程中地表形成的褶皱。如果这个想法成立，那么山脉应该均匀地散布在地球的表面，而事实并非如此。

20世纪初，不同的观点陆续提出。查尔斯·达尔文的儿子乔治·达尔文认为月球曾是地球的一部分，后来它脱离了地球，其原来的位置形成了浩瀚的太平洋。他的理论还提出，月球脱离后，大陆也产生了分离，这是大陆如今分布状态的成因。另一个理论则提出地球正在膨胀。随着地球越来越大，板块也随之分开。但这两个观点逐渐失

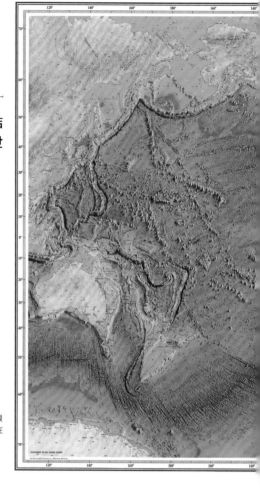

去了支持者，因为人们无法找到它们背后确切的物理机制。

一种新观点

1912年，德国科学家阿尔弗雷德·韦格纳（Alfred Wegener）提出了大陆漂移说。他不仅展示了不同大陆上相匹配的化石证据，而且还得出结论，即这些大陆对应位置的岩石类型和其他地质结构也是类似的。他认为这个想法不能与淹没的大陆桥理论共存，所以他认为，是大陆本身移动分离开了。这也为山脉的形成这一难题提供了一个潜在的答案。如果大陆可以自由漂移，那么随着时间的推移，一些大陆可能会发生碰撞。如果印度板块与亚洲大陆板块相撞，那么喜马拉雅山就会是大陆挤压形成的。

韦格纳在同年发表了他的研究结果，提出随着时间的推移，陆地会漂移，在海洋上移动。科学家对他的研究表现得比较冷淡，部分原因是他无法为大陆漂移提供说得通的解释。他错误地计算了大陆漂移的

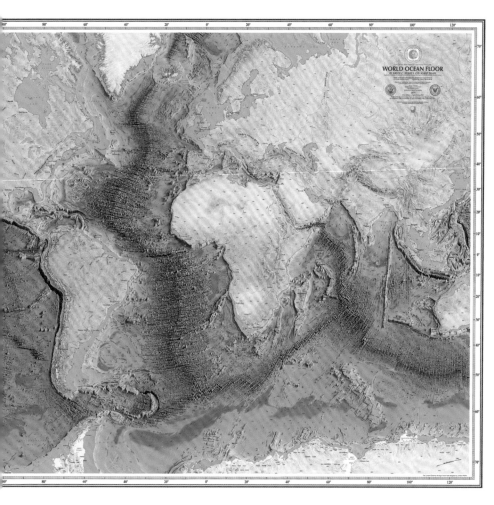

◀ 大陆上的疤痕
1977年，两位海洋学家兼制图师玛丽·撒普和布鲁斯·希曾倾尽一生绘制的这张地图揭示了海底的新细节，为板块构造说提供了确凿的证据。

边界地壳会发生破裂，使得岩浆从地幔涌出。岩浆凝固会形成一个山脊，这个山脊推动现有的海底向两边分开。因此，大陆并不是像韦格纳认为的那样是在洋壳上移动，

大陆漂移说被提出

三百多年之后，终于**得到证实和认可**

而是海底本身正在增长，带着大陆移动，而大陆也是移动的地壳板块的一部分（见后页）。

如今，这些观点合在一起，形成了板块构造理论。该理论还得到了从太空进行的大地测量学观测的支持。大地测量学会记录地球引力的微小变化，以确定哪些位置质量较为集中。此外，对地球磁场的研究也为该理论提供了支持。研究证明，地球磁场在长时期内多次翻转（北极变成南极，南极变成北极）。这在洋底留下了有磁性条纹的岩石（见第94～95页），我们可以

速率，与今日已被广泛接受的数值相比，他的估计值高出了100倍，这无助于他得出正确的结论。

韦格纳的学术背景对他也是一个障碍。由于他的专业背景是天文学和气象学，因此地质界的许多人认为他不具备相关的专业知识，故而没把他的学说当回事。但是，他也并不是没有支持者。英国地质学家阿瑟·霍姆斯（Arthur Holmes）就支持他的观点。早在1931年，霍姆斯就提出，地幔里有岩浆流动，可以使部分地壳发生移动。

来自海底的线索

直到20世纪50年代，才开始有证据使人们倾向于支持韦格纳的观点。1953年，对印度的一些岩石的分析表明，它曾经位于南半球，这支持了韦格纳关于山脉形成的观点。大约在同一时期，人们发现了一个巨大的水下山脉——洋中脊。它是地球上最长的山脉，延伸穿过所有的大洋。如此一来，当时的地质学家就必须向人们解释这个山脊为

何会存在。将所有这些观点联系起来的任务落在了前美国海军军官、后来成了地质学家的哈里·赫斯（Harry Hess）身上。

赫斯从"二战"以来一直使用声呐绘制海洋地图，到20世纪60年代初，他的研究使他提出，大陆确实是移动的，这是由于"海床扩张"导致的。1958年，澳大利亚地质学家塞缪尔·凯里（Samuel Carey）已经提出，地球的表面，即地壳，是由板块组成的。赫斯继承了这个观点，提出在板块

> 我曾经问过一个老师……他不无嘲笑地告诉我，**只有当我能证明**哪种**力量可以移动大陆**，他才会考虑这种可能性。**这简直是痴人说梦。**

戴维·阿滕伯勒（David Attenborough，生于1926年），自然类电视节目主持人

通过测定岩石条纹的年代，判断洋底的扩张速度。

在20世纪70年代之前，板块构造说还没有被广泛接受。但是，玛丽·撒普（Marie Tharp）和布鲁斯·希曾（Bruce Heezen）绘制的洋底地图，无可置疑地证明了洋底正在扩张，而这正是大陆漂移的原因。

地壳是如何
移动的

地球的表面是由地幔中流动极其缓慢的岩浆对流塑造成型的。地球的板块构造系统使其在太阳系的岩石行星中与众不同，因为地球的表面不断变化，地质上比较活跃。

地壳是地球的表层，它是由七个主要的板块——非洲板块、南极洲板块、欧亚板块、北美板块、南美板块、太平洋板块和印澳板块——以及其他一些较小的板块构成的。这些固态的板块在半固态的地幔上漂浮着。这些板块运动极其缓慢，通常情况下和人的指甲或头发的生长速度差不多。自从40亿年前地球分层结构稳定下来以后，这些板块就一直在运动。

▼ 火山喷发
冰岛的埃亚菲亚德拉冰盖火山喷出的熔融岩浆，随同落在地上的火山灰，变成了地壳上新的外层。

构造现象

板块相撞的地方可能会发生一系列的板块活动，但是到底发生何种活动，取决于构成地壳的物质和板块运动的方向。板块边界有三种主要类型：转换边界，其相邻板块会相互侧向滑移；离散边界，板块在边界处分离，使得岩浆涌出并冷凝形成新的地壳；会聚边界，在那里两个板块边缘会发生正面的碰撞。在俯冲带，部分地壳会下沉和熔化，但新的地壳会在别处由火山喷发形成，或是在洋壳离散处的洋中脊形成。

地震是一种地壳的突然运动，发生在板块边界处。在板块的离散边界和转换边界处发生的地震多是浅源地震，而发生在会聚边界的碰撞则会引发深源地震。

在两个板块碰撞的地方，陆壳会被推升，形成像喜马拉雅山这样的山脉。喜马拉雅山脉是约5000万年前印度板块撞击并俯冲到欧亚板块下方时形成的。

水下火山喷出的熔岩会冷却成新的洋壳

对流引起熔融岩浆上涌

地核释放的热能
引起地幔中的热对流，驱动地壳构造板块的运动

地球表面的运动

地幔中的对流运动是由地核渗入到地幔的热能驱动的。虽然地幔基本上是固态的，但它会缓慢流动，从而拖着地壳的底部，使板块移动。地壳分为两种：由富含镁和铁的致密岩石构成的洋壳，以及由含有铝等较轻元素的岩石构成的陆壳。如果板块的边缘是洋壳，由于密度相对较大，它会下沉或者俯冲到更轻的地壳之下。它会深深地沉入炽热的地幔之中，使熔融的岩浆冲破地壳的表层，喷涌而出，形成火山喷发。

▶ 动态的地表
板块在下面的地幔的托举下发生移动，引起地壳不断变化。根据板块不同的相互作用，地表可能发生地震、火山喷发，或是形成山脉。

固态地壳

半固态地幔

液态外核

固态内核

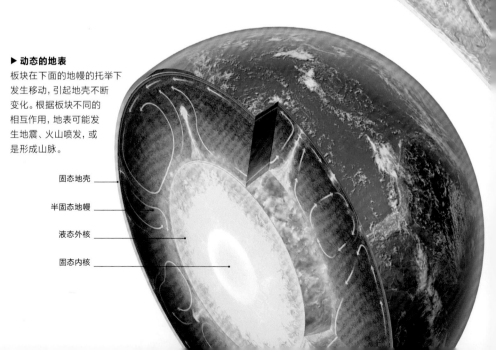

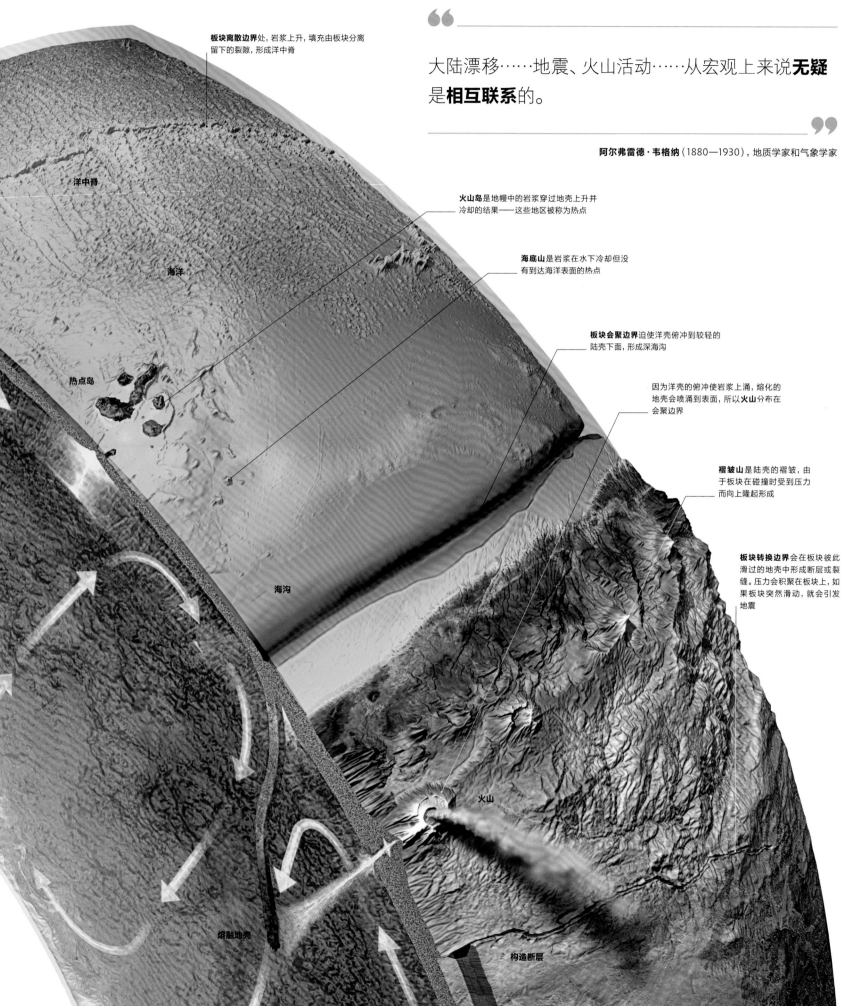

板块离散边界处，岩浆上升，填充由板块分离留下的裂隙，形成洋中脊

洋中脊

海洋

热点岛

熔融地壳

海沟

火山

构造断层

"

大陆漂移……地震、火山活动……从宏观上来说**无疑**是**相互联系**的。

"

阿尔弗雷德·韦格纳（1880—1930），地质学家和气象学家

火山岛是地幔中的岩浆穿过地壳上升并冷却的结果——这些地区被称为热点

海底山是岩浆在水下冷却但没有到达海洋表面的热点

板块会聚边界迫使洋壳俯冲到较轻的陆壳下面，形成深海沟

因为洋壳的俯冲使岩浆上涌，熔化的地壳会喷涌到表面，所以**火山**分布在会聚边界

褶皱山是陆壳的褶皱，由于板块在碰撞时受到压力而向上隆起形成

板块转换边界会在板块彼此滑过的地壳中形成断层或裂缝。压力会积聚在板块上，如果板块突然滑动，就会引发地震

洋底

在许多方面，洋底都称得上是了解地球历史的指南，研究它可以帮助我们破译这个星球过去的奥秘。探索洋底甚至有助于科学家找到生命起源的线索。洋底测绘为我们揭开了板块活动频繁的多样而活跃的洋底世界。

大海深处寒冷、黑暗，对人非常不友好。海底最深处，每平方厘米都承受着1.2吨的水压。如此极端的条件意味着海洋学家只能借助声呐装置从海面来探测海床。得到部分海底的图像非常难，相比之下，拍摄火星上的图片还要更容易一些。

尽管海床很难探测，但这里却有关于了解地壳发展和生命演化的一些关键线索。深海探测活动不断改变我们对板块构造的看法（见第90～91页）。在海床发现的丰富矿物质，加上海底火山喷发产生的热量，使生物学家们相信这些水域是最初的生命形式出现的地方（见第106～107页）。

海底最深处是两个大洋板块交接的地方，这里会形成水下深谷——一个板块滑落到另一个板块的下边，形成V形的海沟。最深的海沟是太平洋中的马里亚纳海沟，其最深处距离海平面10 994米。把珠穆朗玛峰放进这里，上面还会有约2 000米深的海水。

大西洋里的波多黎各海沟深度超过8 400米。加勒比板块和北美板块之间的水下边界，即波多黎各海沟所在的位置，是洋底地质活动特别活跃的地区。这里独特的板块边界，以及各种特殊的现象，为科学研究提供了丰富的资源。海洋学家、生物学家、地震学家和海洋测深学家（研究湖泊和海洋等水下地形的专家）都以此为研究对象，希望揭开海底的秘密。

多波束声呐通过记录声音从海底反射回来所需的时间来测量海洋深度。海洋学家可根据数据创建海底的彩色地图，显示出海底地形。侧扫声呐更为准确，因为其回波的强度可以反映海底是岩石质（回波强）还是沙质（回波弱）。玛丽·撒普和布鲁斯·希普在20世纪50年代绘制了地球的洋底地图（见第90～91页）。

玛丽·撒普，海洋学家

▶ 位于洋底的线索
来自地幔的岩浆冲破了地壳，并迫使构造板块分开（见前页）。随着岩浆冷却形成新的地壳，岩浆中的矿物质排列得与地球磁场方向一致。由于未知的原因，地球的南北极磁性不时反转。经过几百万年的时间后，这些地磁反转被记录在洋底岩石中，形成一道道磁性条纹。

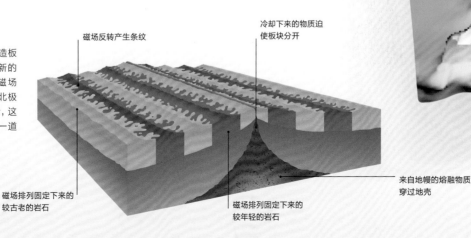

加勒比板块正在向东移动

穆埃尔托斯海槽

▲ 西

加勒比板块

◀ 南

安的列斯岛弧

磁场反转产生条纹

冷却下来的物质迫使板块分开

磁场排列固定下来的较古老的岩石

来自地幔的熔融物质穿过地壳

磁场排列固定下来的较年轻的岩石

板块边界的褶皱和火山活动形成了安的列斯群岛

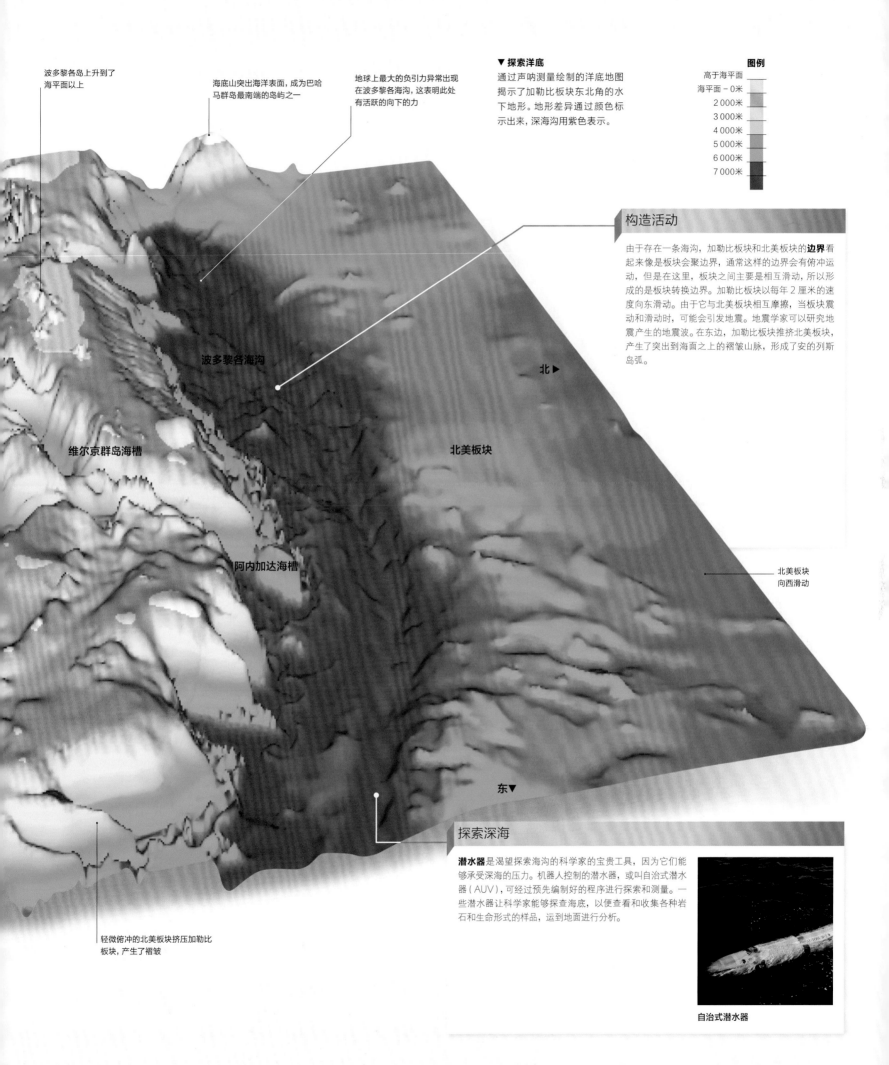

波多黎各岛上升到了
海平面以上

海底山突出海洋表面，成为巴哈
马群岛最南端的岛屿之一

地球上最大的负引力异常出现
在波多黎各海沟，这表明此处
有活跃的向下的力

▼ 探索洋底
通过声呐测量绘制的洋底地图
揭示了加勒比板块东北角的水
下地形。地形差异通过颜色标
示出来，深海沟用紫色表示。

图例

高于海平面
海平面－0米
2 000米
3 000米
4 000米
5 000米
6 000米
7 000米

构造活动

由于存在一条海沟，加勒比板块和北美板块的**边界**看
起来像是板块会聚边界，通常这样的边界会有俯冲运
动，但是在这里，板块之间主要是相互滑动，所以形
成的是板块转换边界。加勒比板块以每年 2 厘米的速
度向东滑动。由于它与北美板块相互摩擦，当板块震
动和滑动时，可能会引发地震。地震学家可以研究地
震产生的地震波。在东边，加勒比板块推挤北美板块，
产生了突出到海面之上的褶皱山脉，形成了安的列斯
岛弧。

波多黎各海沟

维尔京群岛海槽

北 ▶

北美板块

阿内加达海槽

北美板块
向西滑动

东 ▼

轻微俯冲的北美板块挤压加勒比
板块，产生了褶皱

探索深海

潜水器是渴望探索海沟的科学家的宝贵工具，因为它们能
够承受深海的压力。机器人控制的潜水器，或叫自治式潜水
器（AUV），可经过预先编制好的程序进行探索和测量。一
些潜水器让科学家能够探查海底，以便查看和收集各种岩
石和生命形式的样品，运到地面进行分析。

自治式潜水器

临界点

生命**出现**

地球在太阳系中的位置极其特殊——处于一个既不太冷，也不太热的区域，液态水可以存在。正是由于这个重要的条件，最早的生命才得以出现。经过自然选择的过程，生命从简单的细菌演变成复杂的脊椎动物，塑造了我们的地球，并以惊人的多样性填满了地球的各个角落。

适当条件

在地球上，生命体是从无生命的复杂化学物质中产生的。生命体可以进行代谢，这意味着它们能够从周围的环境中摄取能量。它们还可以通过自然选择这一过程复制自己并适应环境。

复杂的化学物质
岩石行星，例如地球，由多种多样的元素（包括氧、硅、铁、镍、铝、氮、氢和碳等）构成。上面所列的最后一种元素碳，可以和其他元素组合，形成大量复杂的分子。

有丰富的复杂化学物质和矿物质

行星拥有固态地壳和液态水

有稳定的栖息地（可能处于深海中）和热能来源

发生了什么变化？
化学反应产生了更大、更复杂的分子。具有自我复制能力的分子变得更常见了。能够同时提供能量和制造更复杂分子的反应出现了。生命所需的化学物质被包裹在膜内，形成原细胞（protocell）——这是第一批真正的生物体。

来自地核的热量
由于放射现象和地球剧烈的形成期遗留的热量，地球内部是炽热的。热能可以通过火山和深海火山口到达地球表面。

矿物催化剂
产生大的复杂分子的反应需要催化剂驱动。深海火山口里从地幔中涌出的矿物质可能是这些催化剂的来源。

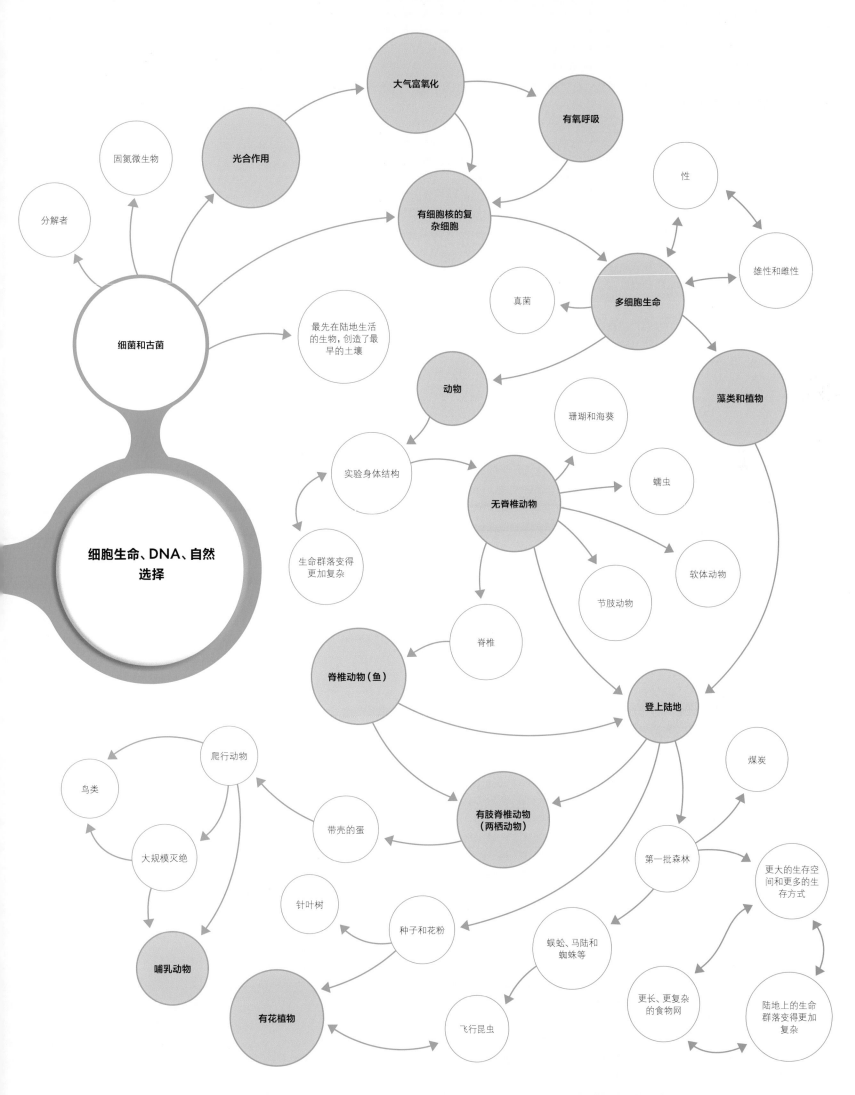

生命的故事

生命的发展历程已经超过40亿年。生命最初出现时，地球的年龄只有现在的十分之一。虽然在最初阶段，生命体极其微小，但在已知的宇宙空间中，它们已经是最复杂的事物了。

地球剧烈的诞生过程使得生命出现在这个星球上不仅是一种可能，甚至是一种必然。随着陆地逐渐冷却，永久性海洋逐渐形成，最初的原细胞出现了——或许是在深水中，就在化学物质丰富的年轻海底的裂缝周围。几百万年后，这些原细胞变成了微生物——在接下来的几十亿年，世界一直是它们的天下。它们通过吸收阳光或吃掉其他微生物来获取进化的能量，为之后生命多样性的演变打下了基础。

最大最复杂的生命形式——多细胞生物——在地球历史的最近十亿年里才进化形成。这些生物进化成了如今我们所熟悉的植物和动物。从那时起，生命从微观世界中走了出来，海洋和陆地上充满了绿色植物和来去自如的动物。

1 生命起源

在澳大利亚距今41亿年的岩石中发现的微量碳可能是生命最古老的"印迹"。（来自生物体的）DNA证据表明，生命的起源估计还要稍早一些，现存所有生物的祖先都能追溯到一种假想的微生物，被称作LUCA（Last Universal Common Ancestor，最近普遍共同祖先）。

现存生物的DNA证据表明，42亿年前，**细菌和古菌**从它们的共同祖先LUCA分化出来。

最初的永久性海洋可能形成于44亿年前，为生命提供了最早的栖息地。

现代DNA证据表明，一**种古菌**出现于38亿年前，进而发展形成了复杂细胞的细胞核。

化石证据显示，37.7亿年前，海底热泉周围有生命存在

叠层石于35.5亿年前由细菌沉积形成，为生命的存在提供了早期化石证据。

后期重轰炸期——外来天体撞击高峰，出现在41亿年前至39亿年前，可能导致了大气的消失，所有的早期生命全部灭绝。

人们根据DNA，对陆生细菌的起源时间进行了估计：细菌于31.8亿年前登上陆地。

植物和绿藻类

现代DNA证据表明，**植物出现**于9.34亿年前。

3 多细胞生物

最古老的多细胞生物化石拥有12亿年的历史，这种生物是一种海藻，Bangiomorpha。该化石包括一个杆状部分，可能是"固着器"，还有生殖器官。这也是最早的复杂生物（真核生物），可能隶属于现存的生物类别——红藻。

叶绿体出现于15亿年前，有了它，复杂细胞就能从阳光中汲取能量。

16亿年前，**真核生物（复杂细胞生物）分化**成类似植物和类似动物的群体。

线粒体——复杂细胞的能量加工厂——进化形成于20亿年前。

DNA证据表明，复杂的有核细胞进化形成于27.3亿年前。

29亿年前的土壤证明了陆地早期存在生命。

含氧栖息地的踪迹表明27亿年前光合生物已经开始为大气提供氧气。

26亿年前的**地表细菌**化石是最早的陆地生物化石。

24亿年前，**大氧化事件**使地球大气充满了氧气。

动物

6.35亿年前，**已知最早的动物胚胎**和刺胞动物（水母和海葵的亲缘动物）形成了化石。

6.5亿年前发生的**超大陆断裂**，产生了巨神海（Iapetus Ocean），还有可能引发了埃迪卡拉纪（Ediacaran）和寒武纪（Cambrian）的生物大爆发。

DNA证据显示，最早的动物，即**海绵**，出现于7.5亿年前。

"实验性的"埃迪卡拉动物，包括加尼亚虫（Charnia，上图），出现于5.5亿年前。

2 复杂细胞

真核生物拥有复杂的有核细胞，包括植物、动物、真菌和大量微生物。24亿年前的岩石中可以发现真核生物特有的近似类固醇的物质痕迹，不过其直接证据还是来自Diskagma化石，这可能是22亿年前某种真菌留下的痕迹。

今天，在澳大利亚海岸，叠层石——种细菌的菌落——仍然在不断形成。

叠层石化石

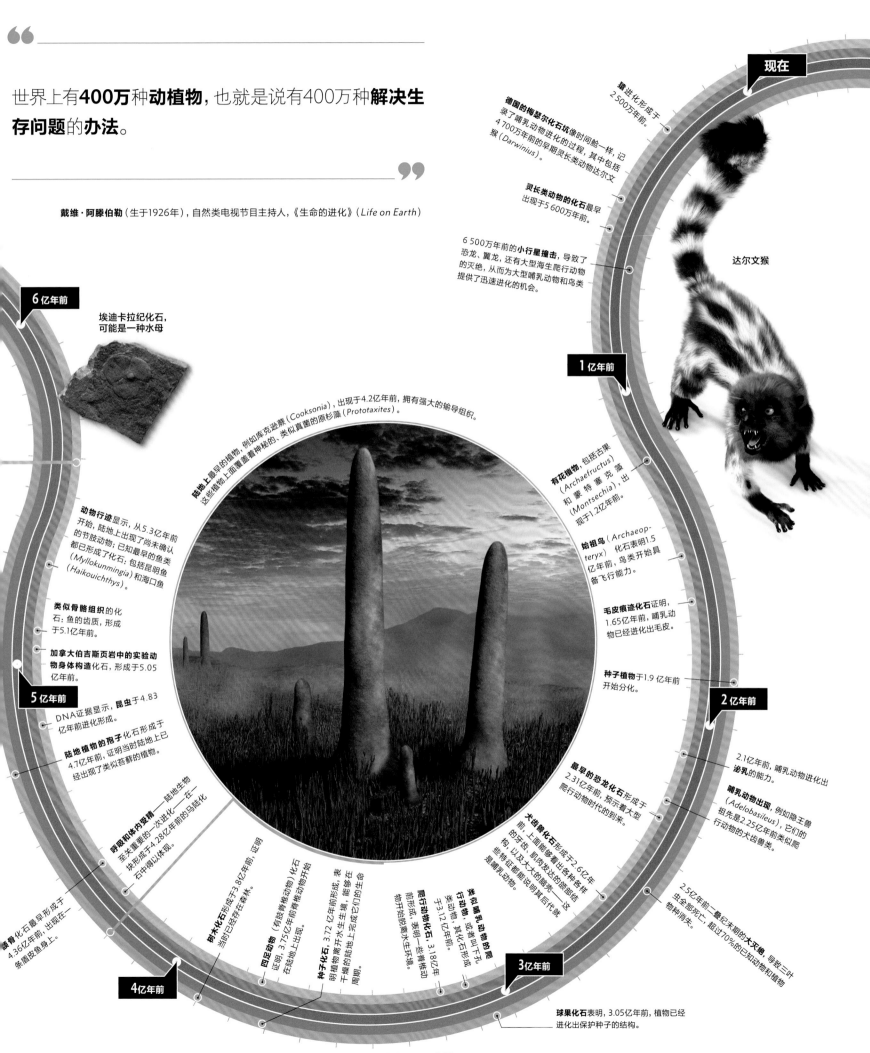

> 世界上有**400万**种**动植物**，也就是说有400万种**解决生存问题**的**办法**。

戴维·阿滕伯勒（生于1926年），自然类电视节目主持人，《生命的进化》（*Life on Earth*）

现在

德国的梅瑟尔化石坑像时间舱一样，记录了哺乳动物进化的过程，其中包括4 700万年前的早期灵长类动物达尔文猴（*Darwinius*）。

人类进化形成于2 500万年前。

灵长类动物的化石最早出现于5 600万年前。

6 500万年前的**小行星撞击**，导致了恐龙、翼龙，还有大型海生爬行动物的灭绝，从而为大型哺乳动物和鸟类提供了迅速进化的机会。

1亿年前

达尔文猴

有花植物，包括古果（*Archaefructus*）和豪特塞克藻（*Montsechia*），出现于1.2亿年前。

始祖鸟（*Archaeopteryx*）化石表明1.5亿年前，鸟类开始具备飞行能力。

毛皮痕迹化石证明，1.65亿年前，哺乳动物已经进化出毛皮。

种子植物于1.9亿年前开始分化。

2亿年前

2.1亿年前，哺乳动物进化出**泌乳**的能力。

哺乳动物出现，例如隐王兽（*Adelobasileus*），它们的祖先是2.25亿年前爬行动物类似爬行动物的犬齿兽类。

2.5亿年前二叠纪末期的**大灭绝**，导致三叶虫全部死亡，超过70%的已知动物和植物物种消失。

6亿年前

埃迪卡拉纪化石，可能是一种水母

陆地上最早的植物，例如库克逊蕨（*Cooksonia*），出现于4.2亿年前，拥有强大的输导组织。这些植物上面覆盖着种秘的、类似真菌的原杉藻（*Prototaxites*）。

动物行迹显示，从5.3亿年前开始，陆地上出现了尚未确认的节肢动物；已知最早的鱼类都已形成了化石：包括昆明鱼（*Myllokunmingia*）和海口鱼（*Haikouichthys*）。

类似**骨骼组织**的化石：鱼的齿质，形成于5.1亿年前。

加拿大伯吉斯页岩中的实验动物身体构造化石，形成于5.05亿年前。

5亿年前

DNA证据显示，昆虫于4.83亿年前进化形成。

陆地植物的孢子化石形成于4.7亿年前，证明当时陆地上已经出现了类似苔藓的植物。

呼吸和体内受精——陆地生物至关重要的一次进化——在一块形成于4.28亿年前的马鞍化石中得以体现。

骨骼化石最早形成于4.36亿年前，出现在一条盾皮鱼身上。

树木化石形成于3.87亿年前，证明当时已经存在着森林。

四足动物（有脊椎动物）化石证明，3.75亿年前脊椎动物开始在陆地上出现。

种子化石，3.72亿年前形成，表明植物离开水生生境，能够在干燥的陆地上完成它们的生命周期。

4亿年前

3亿年前

球果化石表明，3.05亿年前，植物已经进化出保护种子的结构。

最早的恐龙化石形成于2.31亿年前，预示着大型爬行动物时代的到来。

犬齿兽化石形成于2.6亿年前，上面能够看出各种各样的牙齿、肌肉发达的颌部结构，以及粗大的腭骨，这些独特的特征都能说明其后代就是哺乳动物。

类似哺乳动物的爬行动物，就着叫下巴类动物，其化石形成于3.12亿年前。

爬行动物化石，3.18亿年前形成，表明一些脊椎动物开始脱离水环境。

生命
成分形成

地壳中包含几十种化学元素，但是其中只有几种（包括碳、氢、氧和氮）是构成生物的成分。它们的原子组合在一起，形成复杂的分子，这种化学组合促成了生命的出现。

地球铁核周围多为硅质岩石，碳相对较少，而已知的所有生物都是碳基生物。硅原子和碳原子都会同其他原子大量结合，只不过硅主要与氧结合（构成地球岩石的主要成分是二氧化硅），而碳的选择更多一些。它可以跟其他元素结合，比如氢、氮和磷。

复杂的生命需要复杂的分子。地球经过早期的剧烈变化后，岩石不断冷却，液态水汇集成最初的海洋，这个过程为复杂分子的形成提供了恰到好处的条件。

地球最初的大气中弥漫着多种无法呼吸的气体，例如二氧化碳、氢气、氮气和水蒸气，不过这些都是生命的源泉。在没有氧气的世界里，氢只能同其他元素结合，形成甲烷（CH_4）和氨（NH_3）。1953年，美国化学家斯坦利·米勒（Stanley Miller）和哈罗德·尤里（Harold Urey）在实验室里用电火花来模仿闪电，从而模拟了早期的地球环境。他们证明，只要有足够的热量和能量，地球大气中的化学成分就能形成简单的有机分子，即生命起源所需的碳基化学成分。

还需要更大的分子

但是生命需要更多成分：由长链氨基酸组成的蛋白质，还有DNA。今天，饥饿的生物会把富含蛋白质的水塘抢食一空，但在早期的地球上，热量是能量来源，丰富的矿物质充当了催化剂的角色，促进了特定化学反应的发生。在这个过程中，大分子能存在很长时间，外层形成膜将其覆盖——这就是早期细胞的前身。

大气中因为有二氧化碳而变得沉重，所以当时的气压比现在高。这样一来，即使超过现在的沸点，水依然能保持液态

水滴汇聚而成的云团覆盖整个天空，就像现在一样

液态水——最初的生命在这里形成——在44亿年前到42亿年前的某个时期，首次以海洋的形式持续存在

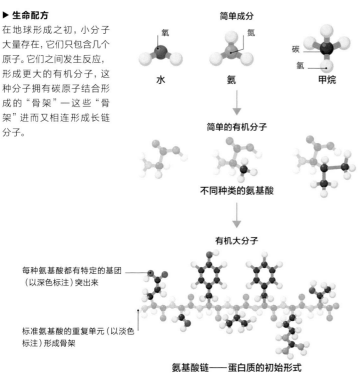

▶ 生命配方

在地球形成之初，小分子大量存在，它们只包含几个原子。它们之间发生反应，形成更大的有机分子，这种分子拥有碳原子结合形成的"骨架"—这些"骨架"进而又相连形成长链分子。

简单成分

氧
水

氮
氨

碳
氢
甲烷

简单的有机分子

不同种类的氨基酸

有机大分子

每种氨基酸都有特定的基团（以深色标注）突出来

标准氨基酸的重复单元（以淡色标注）形成骨架

氨基酸链——蛋白质的初始形式

▼ 生命形成

创造生命的化学物质需要单独的空间来聚合到一起。这种空间可以由一种叫作磷脂（存在于现在的细胞膜中）的油性分子来提供，这种分子在水里可以自然地聚合成膜。它们会聚合成球形，将创造生命的化学物质包裹在里面。

磷脂

磷酸亲水头

疏水尾

亲水头向外，指向水

疏水尾向内

亲水头也指向内部的有水空间

形成球形的膜

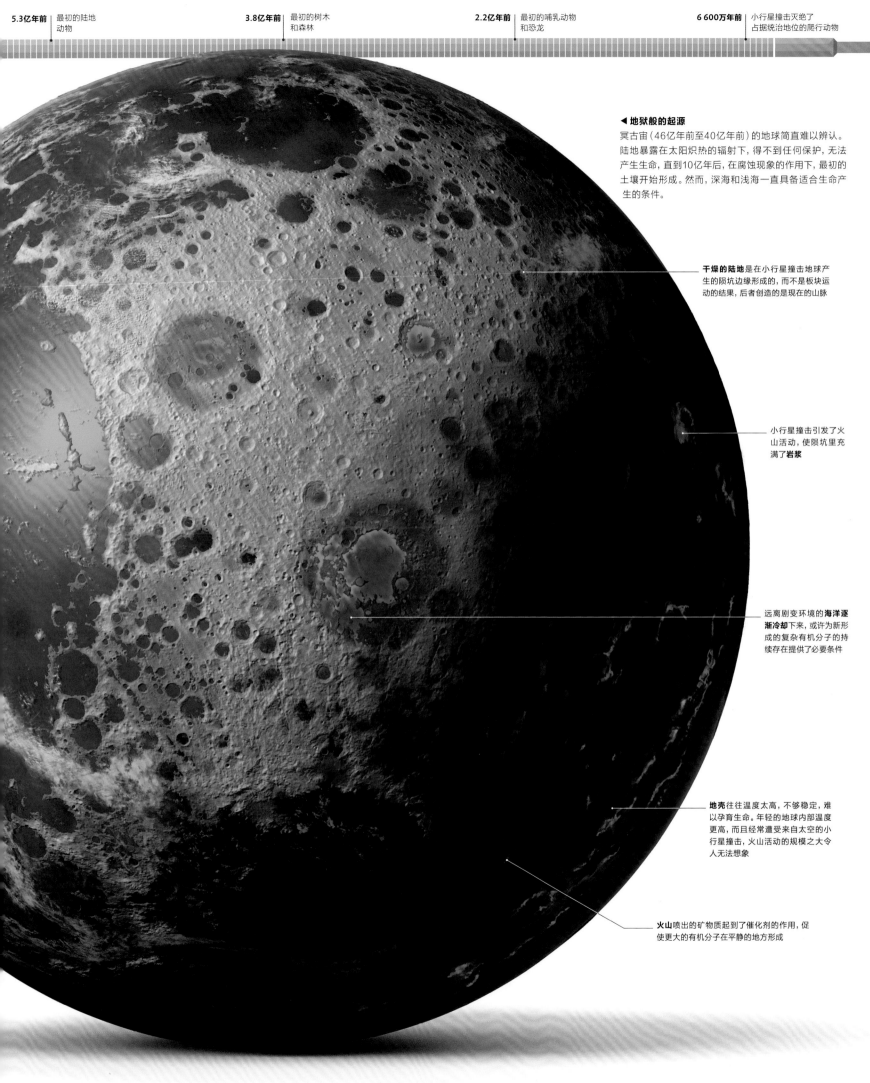

◄ 地狱般的起源

冥古宙（46亿年前至40亿年前）的地球简直难以辨认。陆地暴露在太阳炽热的辐射下，得不到任何保护，无法产生生命，直到10亿年后，在腐蚀现象的作用下，最初的土壤开始形成。然而，深海和浅海一直具备适合生命产生的条件。

干燥的陆地是在小行星撞击地球产生的陨坑边缘形成的，而不是板块运动的结果，后者创造的是现在的山脉

小行星撞击引发了火山活动，使陨坑里充满了**岩浆**

远离剧变环境的**海洋逐渐冷却**下来，或许为新形成的复杂有机分子的持续存在提供了必要条件

地壳往往温度太高，不够稳定，难以孕育生命。年轻的地球内部温度更高，而且经常遭受来自太空的小行星撞击，火山活动的规模之大令人无法想象

火山喷出的矿物质起到了催化剂的作用，促使更大的有机分子在平静的地方形成

遗传密码

在已知的宇宙中，生物体是最为精确有序的东西。一个生命机体的组合和维系需要方向和控制，整个过程的引领者就是自我复制的核酸（DNA及其前身）分子。生命起源的那一刻，这些分子就出现了。

1953年，人类发现了DNA的准确形态，在这之前，生命形式如何将遗传信息传给下一代一直是个谜。DNA 的双链结构一旦发现，人类就能了解一个细胞分裂成两个时信息传递的途径。在接下来的几年里，实验证明，DNA 不仅携带遗传单位（我们称之为基因），而且还会以一种极为复杂的方式发挥影响力。

是 RNA（核糖核酸），这种核酸或许可以自己推动复制反应。它们的链能够充当模板，为新生成的平行链指明组合方向。当今生物的 DNA 也在使用这种复制模板的方式，不过这种现象只发生在细胞准备分裂、双螺旋链分离的情况下，否则，一条链会就固定在另一条上，形成梯子般的结构。这种复制产生了两组双螺旋结构，每组都携带着将要传递给子细胞的相同信息。这样一来，遗传信息就得以复制和传递下去。

信息载体

DNA 是一个庞大的长链分子，就像蛋白质、纤维素和许多其他生物分子一样。但是，纤维素是一条由相同亚基组成的单一纤维，而 DNA 和蛋白质却拥有不同种类的亚基。不同的亚基组合成一个运载信息的序列，就好像不同字母组合成单词一样。有一种长链信息载体叫作核酸，DNA 就是核酸的一种。DNA 结构中的糖和其他元素将成为生命的原始成分。最初的核酸可能

使用信息

DNA 无法单独执行任何任务。它向其他分子——蛋白质——发出指令，让它们完成生物的维系和发展。一个单独的 DNA 分子包括几百个片段——基因——每个片段都携带着形成某种蛋白质的指令。活细胞的 DNA 片段不断地缠绕和松开，为制造蛋白质提供基因。

> ▶ 解读密码
> 在活细胞的细胞核里，DNA的双螺旋是解开的，这样基因可以用来产生RNA，继而产生蛋白质。在这里，一条RNA链正通过碱基（化学成分）配对和序列转录而形成。这条RNA链会继续合成某种蛋白质，而蛋白质是生命产生的必备材料。RNA的碱基顺序就是合成特定蛋白质所需的化学物质的序列密码。

> **DNA**就好比**电脑程序**，不过它比现有的任何软件都要先进得多。
>
> 比尔·盖茨（生于1955年），科技先驱和慈善家

连接DNA的横档是一些被称作核苷碱基，或者简称为碱基的化学物质。每个碱基就是一个数据单位

黄色标出的碱基是腺嘌呤。还有另外三种碱基：鸟嘌呤（绿色）、胞嘧啶（蓝色）和胸腺嘧啶（橙色）。每种碱基都只与另外一种碱基配对

> ▼ 那时候，它们更简单……
> 现在，DNA需要蛋白质来进行复制，需要RNA来让蛋白质执行所有其他功能。而在生命起源之时，情况要简单得多。最初的复制分子，或许就是RNA，具备单独携带和复制数据的能力。

第二条相同的DNA链与其对应链上的某种碱基模式相匹配，形成著名的双螺旋结构

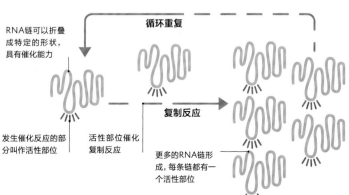

RNA链可以折叠成特定的形状，具有催化能力

循环重复

发生催化反应的部分叫作活性部位

活性部位催化复制反应

复制反应

更多的RNA链形成，每条链都有一个活性部位

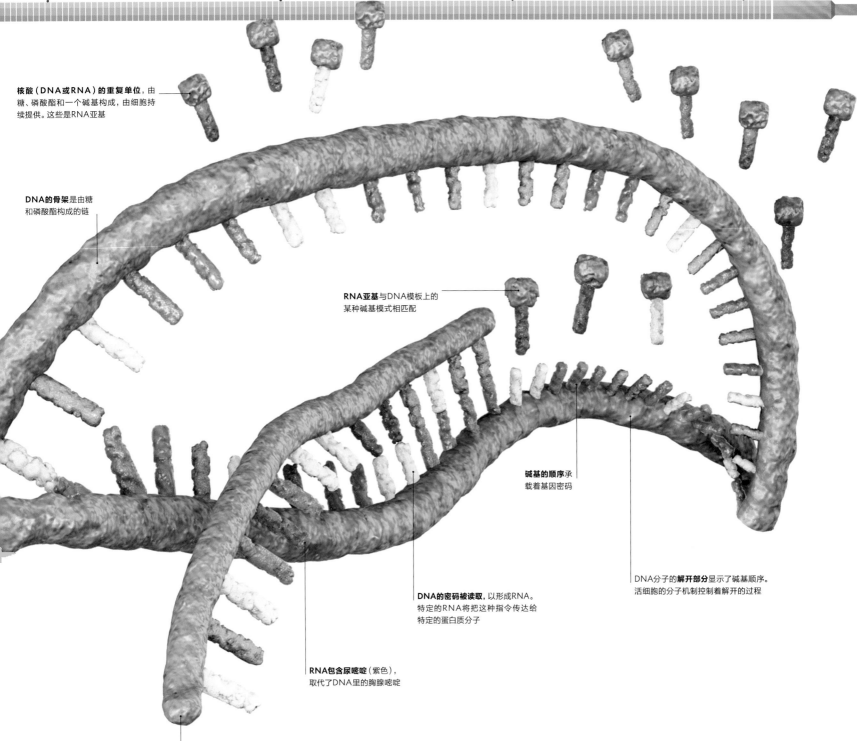

核酸（DNA或RNA）的重复单位，由糖、磷酸酯和一个碱基构成，由细胞持续提供。这些是RNA亚基

DNA的骨架是由糖和磷酸酯构成的链

RNA亚基与DNA模板上的某种碱基模式相匹配

碱基的顺序承载着基因密码

DNA分子的解开部分显示了碱基顺序。活细胞的分子机制控制着解开的过程

DNA的密码被读取，以形成RNA。特定的RNA将把这种指令传达给特定的蛋白质分子

RNA包含尿嘧啶（紫色），取代了DNA里的胸腺嘧啶

RNA骨架里的糖与DNA里的不同

DNA是**最长的分子之一**

——人类的DNA分子链

长达8.4厘米，

包含**2.49亿个**碱基对

◀ 发现DNA

1953年，科学家在剑桥大学取得了重大突破。美国生物学家詹姆斯·沃森（James Watson）和英国生物学家弗朗西斯·克里克（Francis Crick）推断：DNA呈规则的双螺旋形态，具有传递遗传信息的特性。

生命的**诞生**

非生物物质变得越来越复杂，生命由此诞生。自我复制的分子同催化剂（推动化学反应的物质）混合，自身迅速膨胀，形成最初的细胞，即拥有我们所熟知的生命特征的生物。

所有的生物都由细胞构成，细胞外面包裹着细胞膜，里面包含着产生生命的化学物质。生物要保持生命力，抵御疾病和死亡。这种机制是如何从无生命的地球上出现的，人类尚未明了，但是科学家运用他们的生物化学知识和对早期地球环境的了解，对可能发生的事情进行了推断。生命需要特殊的环境才能出现。一个流行的假说是，约40亿年前，海洋中具备了生命诞生的理想条件。

享用免费大餐

深海火山口富含多种化学物质且温度较高，不过这种高温还不足以让大分子分裂。几百万年以前，这些火山口还是安全的港湾，远离小行星的撞击，也没有强烈的太阳光照射。随着海水的冷却，火山口表面结了一层金属硫化物的硬壳。这些矿物质促进，或者说催化了化学反应——其中一些化学反应把二氧化碳转化成醋酸盐。醋酸盐在所有生物的新陈代谢中都起着关键作用。另外，有一种形成醋酸盐的反应甚至能产生能量。既能创造养料，又能产生能源——这一切都发生在这个有催化作用的硬壳中——这个一举两得的过程有可能使深海火山口成为生命的"孵化场"。

今天的DNA以长链的形式存在于地球上所有的**细胞中**，它们是……**最初的分子**发展和**不断进化**的结果。

刘易斯·托马斯（Lewis Thomas, 1913—1993），医生、作家、教育家

逃离喷烟口

火山喷烟口中产生的化学物质外面包裹上了一层油膜，于是，最初的"原细胞"诞生了。在海水的帮助下，原细胞从喷烟口分散开来，里面具有催化作用的矿物质帮助它们维持原始的新陈代谢。

碳元素是形成醋酸盐骨架的基本元素，其多样性意味着碳原子可以组合形成多种分子。一些通过矿物催化剂产生的分子或许能形成催化能力，甚至能驱使自己进行组合。这些分子或许已经与RNA有关——今天所有的细胞里都有RNA。RNA及类似RNA的分子也标志着生物信息的出现。这些分子能够控制细胞，使细胞维持生物新出现的特质。

▲ 高温生境
和水一起从深海火山口涌出的矿物质结成硬壳，堆积成了"喷烟口"，其中一些喷烟口可能冒出了含硫化铁的黑烟。这些生境如今孕育着一些奇异的生命形式，它们完全依赖流出物的化学能量维生。

▶ 生命起源
深海喷烟口内的矿物质表面覆着一层膜，经其催化发生的化学反应或许为最早的生命——"原细胞"——的出现奠定了基础。之后，更复杂的原细胞开始自己生产催化剂，以促进其自身发生反应。起初，这些催化剂或许就是RNA。最终，原细胞发展形成了蛋白质催化剂"酶"。RNA（以及最终的DNA）接管了控制整个组合过程的工作。

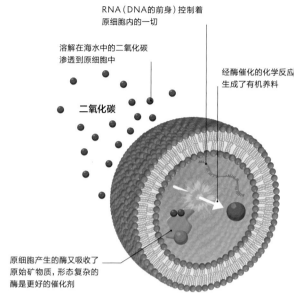

RNA（DNA的前身）控制着原细胞内的一切

溶解在海水中的二氧化碳渗透到原细胞中

经酶催化的化学反应生成了有机养料

二氧化碳

原细胞产生的酶又吸收了原始矿物质，形态复杂的酶是更好的催化剂

更加复杂的原细胞

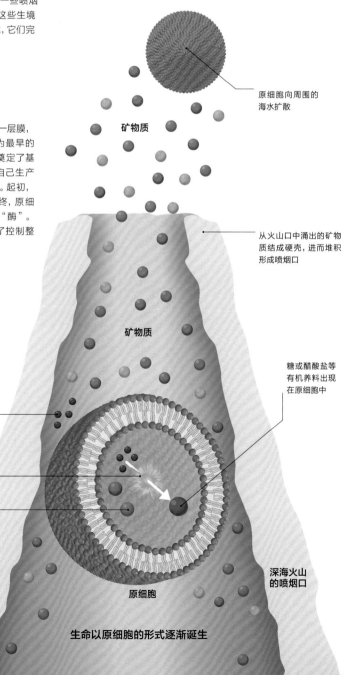

原细胞向周围的海水扩散

矿物质

从火山口中涌出的矿物质结成硬壳，进而堆积形成喷烟口

糖或醋酸盐等有机养料出现在原细胞中

二氧化碳渗透到原细胞中

二氧化碳生成有机养料的过程中释放出了能量

矿物质催化了（推动了）化学反应

深海火山的喷烟口

原细胞

生命以原细胞的形式逐渐诞生

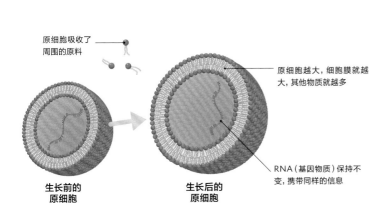

原细胞吸收了周围的原料

原细胞越大，细胞膜就越大，其他物质就越多

RNA（基因物质）保持不变，携带同样的信息

生长前的原细胞　　生长后的原细胞

▲ 生长

原细胞获得并产生更多的有机分子，它们将这些分子吸纳到自身的结构当中，从而生长。细胞膜膨胀起来，不过仍然保持着两个分子的厚度，这种厚度在今天所有的细胞膜中也很常见。

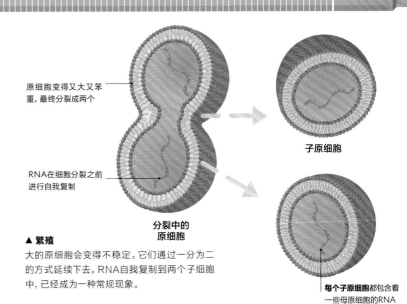

原细胞变得又大又笨重，最终分裂成两个

RNA在细胞分裂之前进行自我复制

子原细胞

分裂中的原细胞

每个子原细胞都包含着一些母原细胞的RNA

▲ 繁殖

大的原细胞会变得不稳定。它们通过一分为二的方式延续下去。RNA自我复制到两个子细胞中，已经成为一种常规现象。

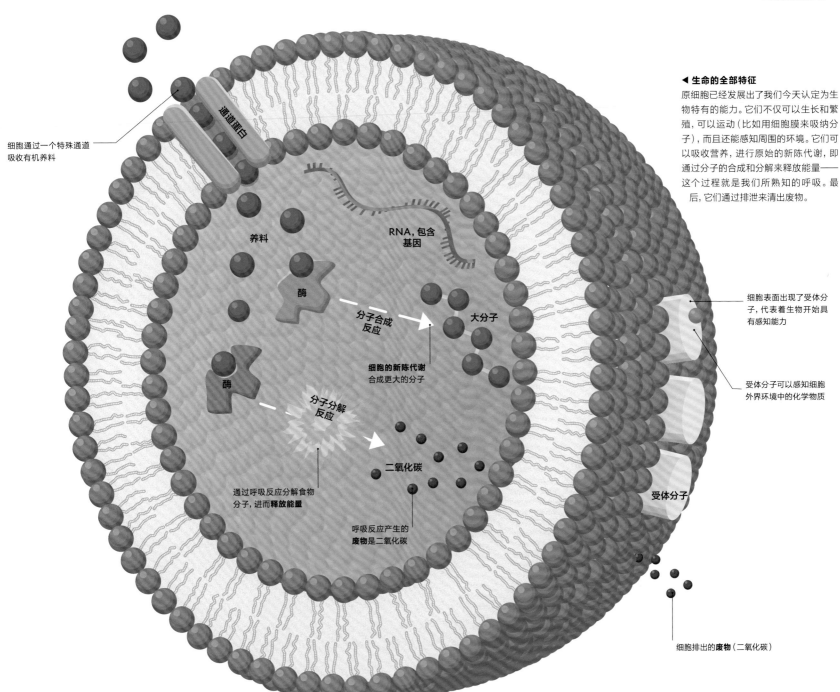

细胞通过一个特殊通道吸收有机养料

通道蛋白

养料

RNA，包含基因

酶

分子合成反应

大分子

细胞的新陈代谢 合成更大的分子

酶

分子分解反应

二氧化碳

通过呼吸反应分解食物分子，进而**释放能量**

呼吸反应产生的**废物是二氧化碳**

细胞排出的**废物**（二氧化碳）

◀ 生命的全部特征

原细胞已经发展出了我们今天认定为生物特有的能力。它们不仅可以生长和繁殖，可以运动（比如用细胞膜来吸纳分子），而且还能感知周围的环境。它们可以吸收营养，进行原始的新陈代谢，即通过分子的合成和分解来释放能量——这个过程就是我们所熟知的呼吸。最后，它们通过排泄来清出废物。

细胞表面出现了受体分子，代表着生物开始具有感知能力

受体分子可以感知细胞外界环境中的化学物质

受体分子

原细胞具备生命的全部特征

生命的**进化**

即使在生命的起源阶段，进化的脚步就已迈出。生命日新月异，突变——DNA复制过程中的错误，是一切变化的根源。这些错误带来了多样性，而在一个充满变化的星球上，有些突变成功了，有些突变失败了。

所有的生物在存活期间都会发生变化。而种群层面的大规模突变，要经过几代生物的更替才会发生。生物在繁殖过程中，会将DNA全部复制，DNA中存储的信息量从几百万到几十亿"比特"不等。这个过程是分子数据的一次重要调整。尽管生物会本能地进行适当的系统检查，但依然会出

生良性突变的生命形式会在选择中胜出并迅速繁殖，把自己的"优良基因"传给至少一部分后代。有些突变会影响生物的生存或繁殖能力，导致产生这些突变的生物减少甚至灭绝。

变化的环境、生命形式所处的生境及其生存策略，共同决定了突变有益还是有

> **进化**并无**长期目标**。自然选择没有长远目标，**也没有完美的终极形式**来作为选择的标准。
>
> 理查德·道金斯（Richard Dawkins，生于1941年），进化生物学家

现复制错误，我们称之为突变。突变为生物多样性的出现奠定了基础。有些突变影响不大，有些则会中止生物的发展，不过也有些突变是有益的。

环境的选择

突变是偶然的，进化却不是随机的。所有突变都要经历一个被选择的过程。产

害。深海鱼类眼睛很大，生有发光组织，因而可以在黑暗中猎食；沙漠仙人掌则有储水功能，还有利刺防身。仙人掌刺和发光鱼类的出现离不开基因多样性，不过在适当地点选出它们的是环境。机遇会影响突变的传播，对小型种群尤其如此，但是只有自然选择能够解释生物对生存环境的适应性。

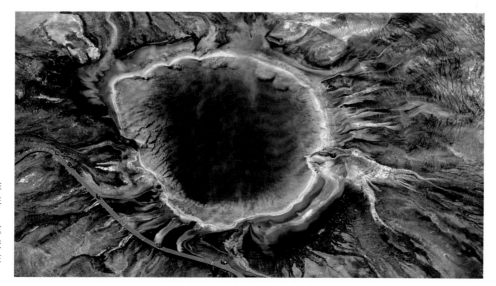

 达到极限

今天，在一些高温的酸性水池边缘生活着一些微生物，它们在这里一枝独秀，成为一抹亮丽的色彩，这充分证明了依靠基因的变异和调适，生命能够存在于多么极端的环境里。

新的物种

尽管有些突变会立刻带来明显变化，但进化通常是漫长而渐进的。选择往往会影响几组基因，它们共同作用，控制生物的多种特征，比如大小或形状。可生物多样性不会立即随之发生——它是以独立的物种为单位发生的。两个群体不能再杂交的时候，新物种就诞生了。它们无法交换基因，进化之路从此分道扬镳。如果出现新的障碍，比如河流或山脉，这种分化也有可能发生。但是突变本身，比如涉及全部染色体的突变，也能阻止杂交，隔离种群，对植物来说尤其如此。

地球现有几百万个物种，过去的物种更多，数也数不清，它们全都是环境塑造下的进化变迁的产物。

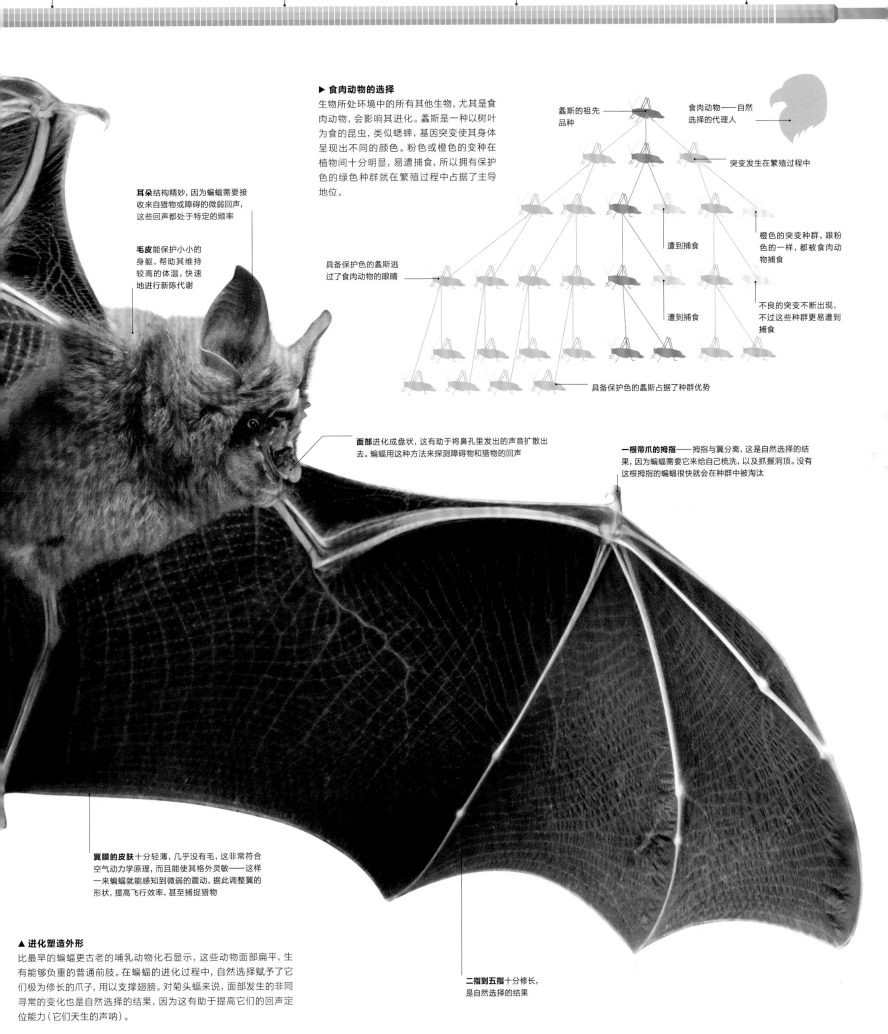

5.3亿年前 | 最初的陆地
动物

3.8亿年前 | 最初的树木
和森林

2.2亿年前 | 最初的哺乳动物
和恐龙

6 600万年前 | 小行星撞击灭绝了
占据统治地位的爬行动物

▶ 食肉动物的选择

生物所处环境中的所有其他生物，尤其是食肉动物，会影响其进化。螽斯是一种以树叶为食的昆虫，类似蟋蟀，基因突变使其身体呈现出不同的颜色。粉色或橙色的变种在植物间十分明显，易遭捕食，所以拥有保护色的绿色种群就在繁殖过程中占据了主导地位。

螽斯的祖先品种

食肉动物——自然选择的代理人

突变发生在繁殖过程中

橙色的突变种群，跟粉色的一样，都被食肉动物捕食

具备保护色的螽斯逃过了食肉动物的眼睛

遭到捕食

不良的突变不断出现，不过这些种群更易遭到捕食

遭到捕食

具备保护色的螽斯占据了种群优势

耳朵结构精妙，因为蝙蝠需要接收来自猎物或障碍的微弱回声，这些回声都处于特定的频率

毛皮能保护小小的身躯，帮助其维持较高的体温，快速地进行新陈代谢

面部进化成盘状，这有助于将鼻孔里发出的声音扩散出去。蝙蝠用这种方法来探测障碍物和猎物的回声

一根带爪的拇指——拇指与翼分离，这是自然选择的结果，因为蝙蝠需要它来给自己梳洗，以及抓握洞顶。没有这根拇指的蝙蝠很快就会在种群中被淘汰

翼膜的皮肤十分轻薄，几乎没有毛，这非常符合空气动力学原理，而且能使其格外灵敏——这样一来蝙蝠就能感知到微弱的震动，据此调整翼的形状，提高飞行效率，甚至捕捉猎物

二指到五指十分修长，是自然选择的结果

▲ 进化塑造外形

比最早的蝙蝠更古老的哺乳动物化石显示，这些动物面部扁平，生有能够负重的普通前肢。在蝙蝠的进化过程中，自然选择赋予了它们极为修长的爪子，用以支撑翅膀。对菊头蝠来说，面部发生的非同寻常的变化也是自然选择的结果，因为这有助于提高它们的回声定位能力（它们天生的声呐）。

生命经历了千百万年的变化。新的生命形态从旧的生命形态中诞生，在环境的影响下形成某种程度上的改变。新的生命形态更适合在其所处的环境中生存，同时也保留了其前身的某些特征。这就是自然选择下的进化，我们可以通过化石记录来追踪这一过程。

早期线索

古代哲学家就提出过进化的思想：有些人认为，或许所有的生物都可以按层次排名——人类排在最上层。

在17、18世纪，西方的博物学家对世界进行了考察探索，给各地的博物馆填满了化石。他们在为已经灭绝的动物命名的时候，是从宗教的角度出发的。人们以为动物自从被上帝创造之日起就是现在的样子。地球上的每一个物种都是一直存在的，而且无法被改变。化石可以理解为在大洪水时代死去的动物。一些科学家把不同的动物进行了身体结构上的比较，发现物种之间存在很多相似之处。这种相似性支持了某些动物群体间存在亲缘关系的观点。例如，非洲狒狒跟亚洲猕猴的关系，无疑比它们跟小巧的美国狨猴的关系更紧密。同样，黑猩猩跟人类的关系似乎也很密切。如果这种密切的关系有意义的话，会是什么意义呢？

另一种世界观

查尔斯·达尔文出生在一个宗教信仰浓厚的社会。他注意到了生物结构上的相似性，经人推荐登上了"小猎犬号"，在为期五年的旅行过程中，收集了全球各地的生物标本。

达尔文意外地发现，这些标本中存在区域相似性，由此陷入了深深的思考。相距遥远的物种之间存在相似性，这违背了《圣经》神创论的观点，因为这种创造是单一而

进化的
历史

有观点认为，地球上存在过的所有生物——包括渡渡鸟和硅藻，甘蓝和人类的君主——都是由同一个祖先进化而来的。有些人认为这是有史以来最重要的理念。很多伟大人物都思考过生命进化的可能性，而有一个人则倾其一生来研究"物种问题"，想搞清楚生命进化到底是如何发生的。

> 历史提醒我们……**新的真理**往往逃不过这样一种**命运**，即其**一开始总被视为异端邪说**……

托马斯·亨利·赫胥黎（Thomas Henry Huxley, 1825—1895），生物学家

随意的。加拉帕戈斯群岛上的动物与附近南美洲的动物存在相似性，而澳大利亚罕见的野生动物似乎是在另外一次造物过程中产生的。达尔文回到英国之后，鸟类学家约翰·古尔德查看了他收集的加拉帕戈斯鸟类标本。达尔文原以为这些鸟类属于不同的科，但是古尔德表示，它们实际上关系密切，是同科的雀类。经过航海探险，达尔文相信，不但这些新物种是由之前某类共同的物种改变而来，而且或许所有的生命形式都是如此，所有生物都有共同的祖先。达尔文经过深思，得出这样的理论：生物在进化过程中，会经历很多很多年的变化，这种变化极其细微，具备有利于生存的特质的动物更有可能繁衍生息，并将这些"有利"特征传递给下一代。

1858 年，英国博物学家阿尔弗雷德·拉塞尔·华莱士在给达尔文的信中表达了同样的观点。一年以后，1859 年，达尔文出版了名著《物种起源》，在书中阐述了自己的观点，在科学界引起了轰动。他招致了公众的愤怒，因为这一观点从根本上挑战了那些人认为是事实的《圣经》神创论。尽管如此，达尔文的理论也赢得了很多支持者，包括英国博物学家托马斯·亨利·赫胥黎，他是达尔文的朋友，是科学界中达尔文的拥护者。几年以后，很多教科书就开始推崇自然选择的进化论了。哲学家赫伯特·斯宾塞在其《生物学原理》中提到"适者生存"，同达尔文的观点可谓异曲同工。

统一理论

达尔文的《物种起源》列举的证据不可谓不详尽，可遗传之谜仍然没有解开。达尔文认为，随着时间的推移，生命不断变化，但是这些变化到底是如何发生的呢？多

数人认可的说法是，遗传特征是由父母双方共同给予的，就像把两种不同颜色的颜料混合到一起一样。无人知晓这些特征是否真正存在。而实际上，这种混合不会带来新的物种，反而会降低物种的多样性，因此不足以解释这一问题。

一个意想不到的人物带来了突破性的

> 由于太富有争议性，查尔斯·达尔文足足等了**23年**才将其理论公之于世

进展，那是奥地利奥古斯丁修道院的一位修士。19 世纪 60 年代，格雷戈尔·孟德尔进行了豌豆实验，培育了不同的品种，从而得出结论：生物遗传靠的是"粒子"，即后来我们所说的基因。有性繁殖将基因混合，产生独特的组合，其中一些组合会在后代中表现出来。这就解答了两个谜题：有些特征会隔代出现，有利于生存（自然选择）的特征能延续下来。孟德尔发现，当他将黄色豌豆和绿色豌豆杂交时，所得的杂交第一代全部是黄色的。这说明有些特征更容易表现出来。将杂交后的第一代再进行杂交，

所得的豌豆不止一种颜色，这说明生物特征还能隔代遗传。

尽管孟德尔与达尔文互相并不了解对方的观点，但是孟德尔的发现不仅延展了达尔文的理论，而且抨击了当时一些流行的理论——比如法国博物学家让-巴蒂斯特·拉马克提出的"拉马克主义"（Lamarckism），该理论认为生物在生存过程中形成的某些特征，比如更加发达强健的肌肉，可以遗传给后代。孟德尔的遗传学说在 1900 年被再次发现，更多的科学家开始思考与基因遗传相伴的进化问题。新兴的遗传学令科学界振奋，逐渐成为自然科学的新学科。至此，人们清楚了，新的基因种类的出现要经过一个自发突变的过程。自然选择会把最有用的基因种类挑选和保留下来。到 20 世纪 40 年代，德裔美籍生物学家恩斯特·迈尔（Ernst Mayr）提出，假如将一种生物分成多个种

群，那么来自共同祖先的各个种群都会发生不同的进化过程，继而诞生新的物种。

化石记录了进化过程：鱼鳍进化成两栖动物的四肢，肢体进化成翅膀，哺乳动物的四肢反又进化成鳍状肢等等。今天，人们通过 DNA 分析证明，即使是最低级和最高级的生命形式，也拥有同样的起源，这是毋庸置疑的。

> 只要……出现**一块不符合时间顺序的化石**，进化论就会……**被推翻**。但进化论成功地通过了这种考验。

理查德·道金斯（生于1941年），进化生物学家

微生物出现

细菌存在的时间要比其他所有生物都长得多。它们最先进行光合作用，最先摄取养料，而且至今仍是唯一能在没有光线的情况下生产养料的生物。几十亿年前，它们是海洋和陆地生物的先驱。

细菌是最简单的细胞生物，也是到目前为止数量最多、分布最广泛的生物。它们要比动植物的细胞小得多——多数只有人类皮肤细胞的 1/10 大小。它们被称为原核生物（prokaryotic，"pro" 的意思是"原来的"，"karyon" 的意思是"核"），因为它们的细胞缺少复杂细胞拥有的那种包含 DNA 的致密细胞核。

细菌的结构似乎很统一，但这就违背了众所周知的多样性理论。1977 年，生物学家发现了几种原核生物，认为是全新的生

> 细菌分布**广泛**，有些生活在地下3千米的**地壳深处**，依靠**放射性元素铀**获取能量

命形式，称之为古菌。这些古菌主要生活在恶劣的环境中，比如盐湖或者高温的酸性水池，生有独特的醚基细胞膜，这与其他所有生物都不同。有些古菌会进行奇怪的化学反应，释放出甲烷。

防御大堤

早期的细菌是在充满其他微生物的世界里进化的——很多早期的生命形式都会产生排斥物质，也就是所谓的抗生素，因为它们要争夺养料和空间。因此，细菌拥有多层防御系统。它们的细胞膜很薄，这对生物来说是很普遍的，但它们的细胞膜外面包裹着一层坚韧的细胞壁，而且多数的细菌细胞还有第二层膜，这层膜能够阻止抗生素渗透进来——直到今天，仍然是内膜和外膜之间夹有细胞壁的细菌对抗生素的抵抗力最强。

化学多样性

动植物体内为细菌提供了丰富的营养，不过细菌还能通过其他途径获取营养。最早的生命拥有生产养料的能力，很多细菌将这种能力保留了下来，能从矿物中获取能量。有些细菌会进入土壤，将某些元素回收利用，比如说氮，因而会对其他生命产生重要影响。另一些细菌，比如蓝细菌，进化出光合作用的能力，利用阳光生产食物，成了最早给大气带来氧的生物。可是，随着微生物群体向更加复杂的生物进化，其中很多都成了食物消耗者，从周围的环境中吸收营养。几十亿年以后，这样的细菌会侵入死亡或存活的动植物体内，成为分解者或引发疾病的寄生者。

▼ 杆菌
细菌形状各异，从球形到螺旋形，应有尽有。这种杆状细菌十分常见，我们称之为杆菌。它具备很多现代细菌的特征。大多数早期细菌没有外面的荚膜层，也没有毛发一般的菌毛。

质粒是众多较短的 DNA 环之一

主基因组是一个长长的、扭曲的、封闭的DNA环，包含几千个基因，松散地缠绕在细胞中心［编者注：该部分又被称为拟核（nucleoid）］

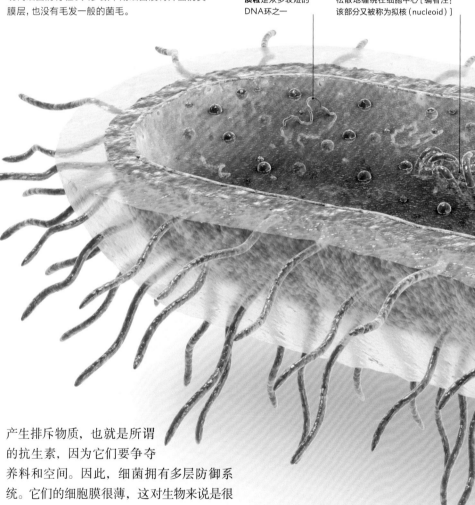

▼ 动物体内的细菌
很多摄取养料的细菌生活在动物的肠道内，有些生活在人类结肠内膜上。这类细菌大多会跟宿主交换养分，二者建立合作性的关系——对人类来说，它们是消化功能必不可少的帮手。不过少数细菌会引发疾病。

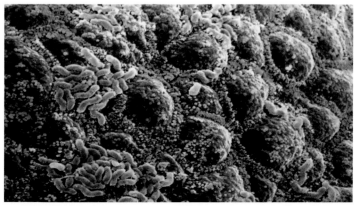

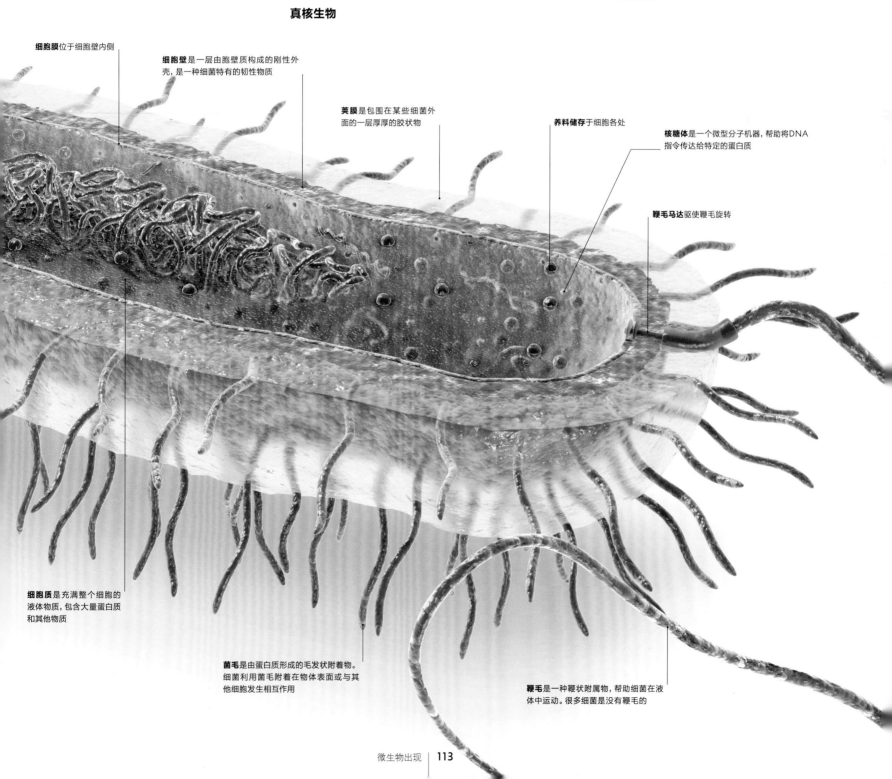

生命之树

这棵树显示了人们通过DNA分析认识到的所有生命形式之间的分支关系。分析表明，今天存活的所有细胞生命都有一个共同的起源——它只经历了一次演变，由一个我们称之为"LUCA"的未知祖先进化而来。它有三个主要分支，或者说领域：细菌、古菌和真核生物。

图例

细菌是原核生物，都是简单的单细胞微生物。

古菌跟细菌一样，属于原核生物。它们跟细菌类似，可是从化学层面讲，它们则完全不同，关系较远。

真核生物要复杂得多（见第118~119页），不过多数分支也是微生物。植物、动物和真菌只是生命之树真核生物主枝上的小枝而已。

地球生物的最近普遍共同祖先

细菌

古菌

真菌

陆地植物

动物

真核生物

细胞膜位于细胞壁内侧

细胞壁是一层由胞壁质构成的刚性外壳，是一种细菌特有的韧性物质

荚膜是包围在某些细菌外面的一层厚厚的胶状物

养料储存于细胞各处

核糖体是一个微型分子机器，帮助将DNA指令传达给特定的蛋白质

鞭毛马达驱使鞭毛旋转

细胞质是充满整个细胞的液体物质，包含大量蛋白质和其他物质

菌毛是由蛋白质形成的毛发状附着物。细菌利用菌毛附着在物体表面或与其他细胞发生相互作用

鞭毛是一种鞭状附属物，帮助细菌在液体中运动。很多细菌是没有鞭毛的

生命发现阳光

生命需要能量，最早的生物会从矿物中获取能量，从而在黑暗的深海中生产养料。后来，动植物的祖先在其他地方发现了能量，它们有的在浅海中获取阳光，有的摄取其他细胞生产的养料。

每一种生物，从微生物到最高大的树，都要靠能量来将小分子变成大分子，将维持生命的物质注入细胞，以及抵抗腐败。最直接的能量来源就是养料。富含能量的物质，比如糖和脂肪，会在细胞内经过一个可控的燃烧过程——就跟燃烧化学燃料为机器提供动力一样。不过细胞不会点火，它们利用分子催化剂（我们称之为酶），以安全而可控的方式，将营养性燃料转化为能量。这个过程叫作呼吸作用。

要想实现营养自给，最有效的策略就是将非养料物质转化成糖、脂肪和蛋白质等养料。空气中的或者溶解在水里的二氧化碳能够提供碳和部分氧。水可以提供氢和矿物质，像硝酸酯和磷酸酯，而硫酸盐能够输送氮、磷和硫。现在，世界上到处都是植物，这些植物利用太阳的能量来完成这一切，但是对于那些完全自给自足的生命来说，整个过程所涉及的内容要复杂得多。

生产养料

植物并不是唯一的养料生产者。所有生物当中，最具自给自足能力的生物能够不依赖阳光，只要有富含矿物质的水就能生存。这些生命形式，包括细菌和古菌，能够从矿物质参与的化学加工过程中提取能量，并利用这些能量为自己生产养料。最早的生命形式成长在富含矿物质的深海中，其中就包括这些能够吸收化学养分的生物。现在，它们有的成了大自然的无形回收器，可以通过矿物质转化能力将死亡动植物体内的氮回收供其他生物再利用。

当史前微生物进入阳光照耀的浅水中时，它们的能力发生了重大的改变。这些新细菌利用阳光来生产养料，产生了光合作用。它们只能从阳光中获取营养了，但是这

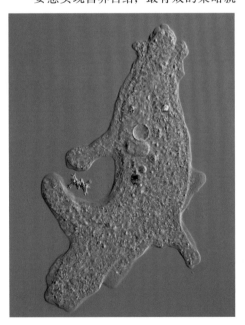

▶ **微型食肉动物**
变形虫（Amoeba）通过吞噬更小的生物，比如藻类，来获得食物，并利用消化酶将其分解。这就意味着变形虫可以在黑暗中生存，不过需要捕食。

▲ **来自太阳的能量**
活的叠层石表面有一层薄薄的蓝细菌，它们利用绿色的叶绿素来吸收阳光。这种能量将用来把二氧化碳和水转化为有机养料，同时会产生副产品——氧。

种做法要远远优于在黑暗中生产养料，因为阳光所含的能量要比矿物质多得多。因此，在海岸浅水中沐浴阳光的微生物能够大量繁殖。它们重新组织了化学加工过程，将原来产生能量的化学反应转变为利用太阳照射的新过程。它们还用到了色素，比如吸收和转化太阳能的叶绿素。最早的光合作用系统能够从硫化氢中提取氢，从而将二氧化碳转化为糖。科学家们在岩石中发现了这一过程中留下的硫的黄色沉淀物，从而知晓了这一点。不过，光合作用后来发生了改进，能够让生物从水里获取氢。这一次留下的物质——氧，最终融入大气中（见第116~117页），后来还帮助细胞通过呼吸作用更有效

绿色植物能够将**地下的水及矿物质和地上的阳光**以及空气中的二氧化碳相结合，从而成为**大地和天空的纽带**。

弗里乔夫·卡普拉（Fritjof Capra，生于1939年），物理学家

地代谢它们的食物。这些先驱生物和今天的蓝细菌也许很相像。它们发展出了细胞的黏性薄膜，将沉淀物困在里面。几千年以后，这些菌群形成了岩石堆，我们称之为叠层石（stromatolites，"stroma"意为床，"lithos"意为岩石）。叠层石至今仍有少数存活在一些温暖的近岸海洋中，这里的高盐条件令食草动物难以生存——但是它们在化石记录中却为数不少。

消耗养料

　　一旦某些生物开始生产养料，其他生物就有机会占便宜了。这些生物不再充当生产者的角色，而是形成新的策略——吃掉其他生物生产的食物。它们由食物的生产者变成了消耗者——汲取现成的养分。以这种方式消耗有机养料的生物主要包括：动物、真菌，以及所有的微生物。最早的食物消耗者可能会享用溶解的食物，比方说糖，它们只需要从周围的环境中将其吸收就可以了。像真菌这样的分解者仍然以这种方式获取营养——分泌消化液，分解附近的有机物质，使这些物质更容易被吸收。主动猎食是指一种生物吃掉和消化另一种生物，很明显，这将成为生物消耗养料的下一个发展方向。像变形虫这样的复杂细胞会吞噬更加微小的生物。这种掠食性行为标志着微观食物链的出现。

　　今天，生产者和消耗者通过更大的食物链上的能量转化联系在一起。海洋和陆地生命的发展是从吸收太阳能量的藻类和植物开始的，现在世界上几乎所有的食物都是它们提供的。食草动物和食肉动物的食物需求量很大，而植物和藻类又反过来依靠真菌和细菌用不同的方式从死亡的动植物身上回收各种元素。

▼ 光合作用发生的地方

对现代生物来说，光合作用是生产养料的主要过程。植物和藻类是陆地和海洋动物赖以生存的食物链中的生产者。

海藻集中在营养丰富的季节性循环水域当中，这些水域远离赤道或靠近海岸

热带雨林是陆地上生产力特别高的生物群落

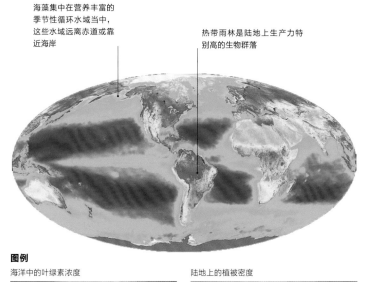

图例

海洋中的叶绿素浓度		陆地上的植被密度	
最小值	最大值	最小值	最大值

大气
中有了**氧**

大约25亿年前，地球上的大气发生了巨大的变化：里面有了氧。这种重大变化是新的微生物带来的，它对所有生命的未来都极其重要。

这些微生物出现在有阳光的浅海水域，产生了氧，这意味着以后的生物永远不会和以前一样了。

氧是一种了不起的元素。它可以助燃，而火可以将有机物质变为灰烬；它还是DNA等复杂分子的组成成分。大多数生物需要氧来呼吸和存活。今天氧气约占大气成分的1/5，但是对于地球历史的前半部分来说，大气中根本没有气态氧，所有的氧都以化学成分的形式存在于水和岩石当中。进行光合作用的微生物在生产养料的过程中，将氧从水中分解出来，成了最早释放出氧的生物（见第114~115页）。

毒素变益处

大气中的氧越来越多，早期生物很不适应，于是灾难发生了。氧会让金属腐蚀生锈，也会给那些防护能力差的细胞带来灾难，因为它能严重破坏其脆弱的细胞结构。对于很多在无氧生境中进化发展的早期生命来说，氧是一种新的毒素。在它的侵袭下，这些生命死亡了。有些微生物想办法存活了下来。它们产生了酶，将氧锁定在分子内部，这样一来，氧就失去了破坏力。然而，氧化作用既有破坏性，也有建设性。对此加以利用的生命形式得到了更进一步的发展。

氧的反应能力很强，这意味着氧化作用会带来能量。氧化过程中释放的能量很多，因此氧化反应的温度很高。几十亿年来，细胞一直在寻求获取能量、推动生命进程的方法。氧的出现开启了新陈代谢的新篇章——有氧呼吸，即让氧和有机分子发生反应（见第102~103页），利用反应过程中释放出的能量。在接下来的十亿年里，这成了一种相当有效的能量产生机制，几乎所有的地球生命都靠氧气来呼吸。

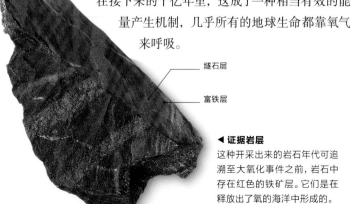

燧石层

富铁层

◀ 证据岩层
这种开采出来的岩石年代可追溯至大氧化事件之前，岩石中存在红色的铁矿层。它们是在释放出了氧的海洋中形成的。

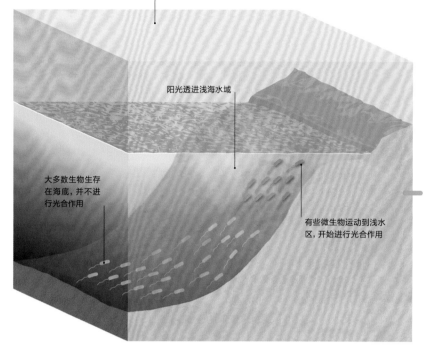

早期的大气中包含一些活跃性相对较低的气体，比如氮和二氧化碳，那时的天空是红色的

阳光透进浅海水域

大多数生物生存在海底，并不进行光合作用

有些微生物运动到浅水区，开始进行光合作用

生命有可能起源于阳光照射不到的深海中。后来，早期生命形式开始向新的生境扩散，有些来到了阳光照射的浅水中，它们发现了一种生产食物的新能量来源：太阳的光能。

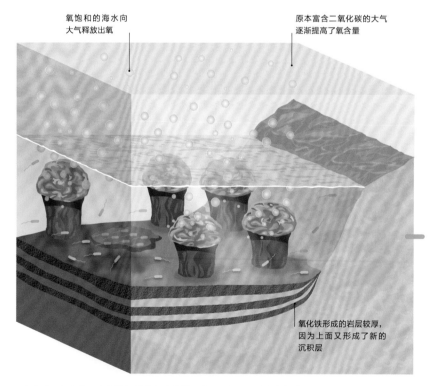

氧饱和的海水向大气释放出氧

原本富含二氧化碳的大气逐渐提高了氧含量

氧化铁形成的岩层较厚，因为上面又形成了新的沉积层

几亿年来，光合作用产生的氧被海水中的铁吸收后，沉积形成氧化铁岩层，它们是当今世界铁矿储备的重要组成部分。大约24亿年前，溶解在海水中的铁消耗殆尽，水中的氧达到饱和状态，开始向大气中扩散。

叠层石包含多层矿物质，这些矿物质是由吸收太阳能量的微生物沉积形成的

氧通过微生物的光合作用释放到海水中

像尾巴一样的鞭毛可以用来游泳

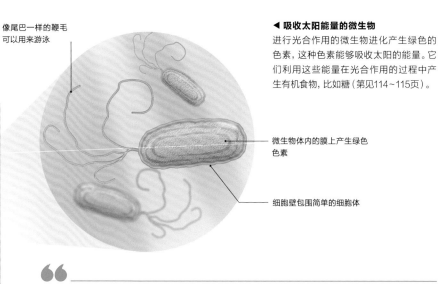

◀ 吸收太阳能量的微生物

进行光合作用的微生物进化产生绿色的色素，这种色素能够吸收太阳的能量。它们利用这些能量在光合作用的过程中产生有机食物，比如糖（第见114~115页）。

微生物体内的膜上产生绿色色素

细胞壁包围简单的细胞体

细菌席形成

氧化铁在海底形成了红色的铁锈层

在38亿年前到32亿年前，**浅海中的微生物开始进行光合作用**。它们集合在一起，形成菌落，进而构成细菌席，再进一步构成叠层石。它们提取水中的氢，释放出氧，但是这些氧并没有进入大气，而是跟溶解在海水中的铁发生反应，将其转化为海底的氧化铁。

这种条件可能**为动物的进化**搭建了**环境舞台**，并最终决定了其发生的时间。

蒂莫西·莱昂斯（Timothy Lyons，生于1960年左右），生物地球化学教授

大气中富含氧，天空呈蓝色

能够通过氧获取能量的新生物进化形成

早先的微生物相继灭亡

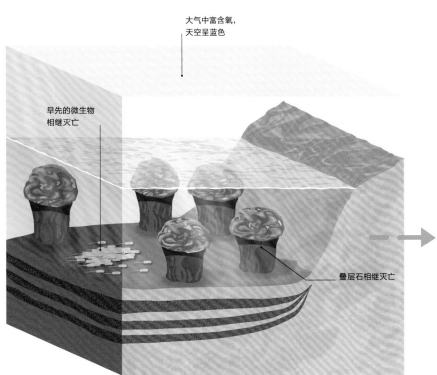

叠层石相继灭亡

叠层石变成化石后形成岩石

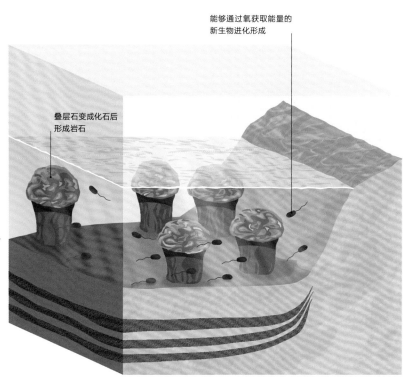

自24亿年前开始，海水中充满了氧，大气中的氧也很丰富。由于生物是在低氧生境中进化发展的，这种新的环境条件对大多数生物来说是有毒的。只有少数生物能够排除氧的毒性，继而存活下来。

新的微生物进化产生，现在它们能够利用氧从食物中获取更多的能量，继而在这种新的富氧生境中成为占据主导地位的生命形式。少数厌氧微生物能够在氧接触不到的地方，比如浓厚的泥浆中存活下来。

复杂**细胞进化形成**

27亿年前，世界上到处都是微生物，生命找到了发展前进的道路。更大的细胞与简单的细菌结合，在微观世界中达成了合作状态。它们相互融合、共同协作，形成了复杂的新细胞。这些细胞后来会发展成动植物的基本构成单位。

简单的结构限制了细菌的能力。尽管它们所产生的化学反应，可能更加复杂的生命都无法完成，但它们在运动和合作方面却有很大的局限性。后来，较大的微生物开始吞噬较小的微生物，而且后者还能在前者体内存活，这样，更大的可能性就出现了。

细胞区室

动植物的细胞都是真核的（eukaryotic，"eu"意为"真的"，"karyon"意为"核"），意思就是细胞中央有一个封闭的隔室，我们称之为细胞核。细胞内还有很多其他由膜包裹的隔室，这就是复杂细胞和细菌的区别所在。这些隔室又叫细胞器，因为它们对于细胞的用处就好比身体里的器官一样。有些细胞器，特别是叶绿体和线粒体，会让人想到自给自足的细菌。这意味着，存活在史前阶段的微生物将较小的细胞吞噬之后，并没有吃掉它们，而是将它们困在自己体内，保留它们的生命进程。如此一来，真核细胞出现了。通过这种方式，过去那些能够进行光合作用的细菌就变成了现在的叶绿体。而利用氧呼吸的线粒体，是由呼吸氧的细菌发展而来的。就连细胞核，或许也是由此开始形成的；细胞核的前身可能是细菌，只不过这方面的证据非常少。不管是哪种情况，被吞噬的"俘房"都被"圈养"起来，并且在宿主繁殖的过程中得以延续。经过几百万年的时间，宿主和细胞器之间建立了彻底的共生关系。

真核生物大量繁殖，达到了细菌从未达到过的规模。有些真核生物利用叶绿体进行光合作用，后来发展成藻类和植物。而那些捕食的真核生物则发展成了变形虫、真菌和动物。少数真核生物，比如眼虫（*Euglena*），既能在阳光下进行光合作用，又能在黑暗中获取食物。但是细胞间的相互作用依然驱动着生物向更加复杂的阶段发展，所以一段时间以后，真核生物进化成了地球上最大、最复杂的生物。

光合膜存在于吸收太阳光能的叶绿体内，其排列情况就跟今天蓝细菌体内的情况一样

外膜分为三层——这是宿主细胞内的蓝细菌形成叶绿体时留下的痕迹

叶绿体

外膜具有可渗透性，以满足有机分子有氧呼吸的需要

线粒体

内膜向内折叠，以满足大量酶类物质有氧呼吸的需要。有氧呼吸是利用氧分解食物、释放能量的过程

线粒体呈杆状，就像杆菌一样，由自给自足的细菌发展而来。它甚至留有一些作为独立的生物时形成的DNA，内含30多个基因

叶绿体通过光合作用生成糖。叶绿体的前身有可能是古老的蓝细菌。像线粒体一样，叶绿体也有自己的DNA，包含大约100个基因

细胞吞噬的食物微粒在细胞内通过酶进行消化

内质网就是许多膜质扁囊。大多数膜上布满了合成蛋白质的颗粒，即核糖体；其他的膜用来合成油性物质

带条纹的菌膜十分坚韧，足以起到保护作用，而且具有弹性，可以保证眼虫顺利捕食

高尔基体由许多囊泡构成，其作用是对蛋白质和其他细胞分泌物进行加工和分类

细胞核有双层膜，内含DNA。细胞核的前身或许是自给自足的细菌，这些细菌是存活在高温酸性水池里的微生物

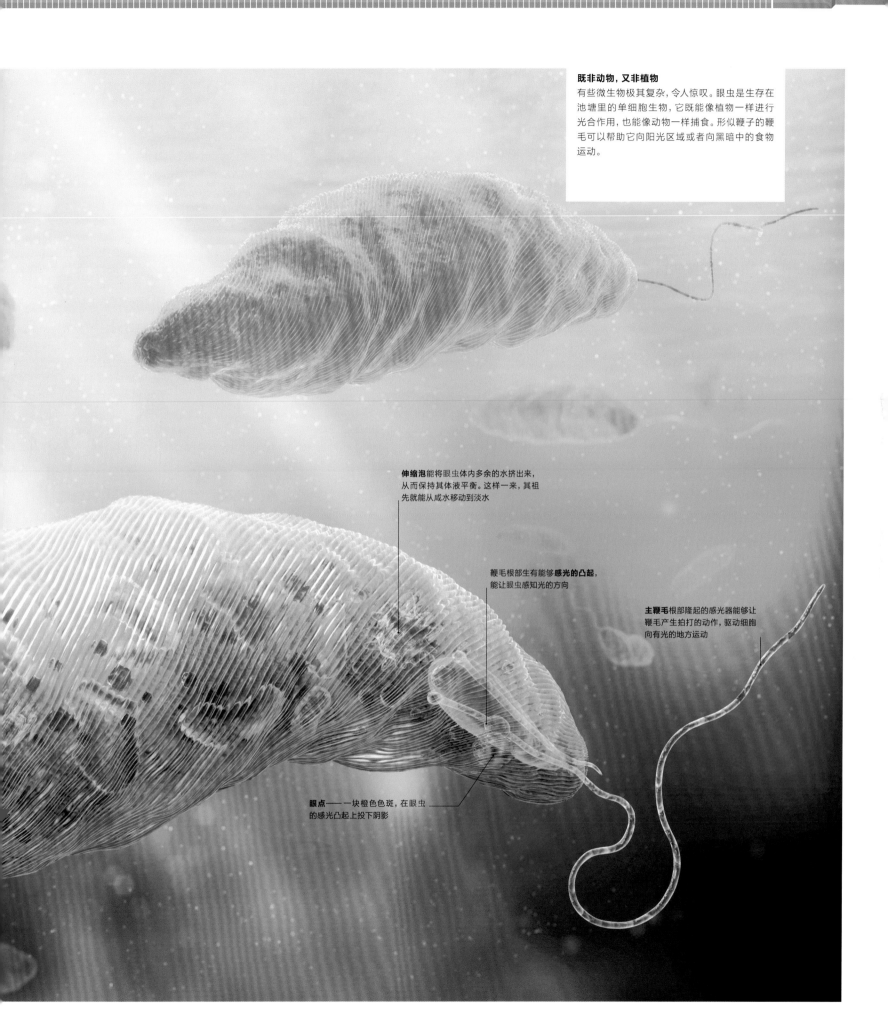

既非动物，又非植物

有些微生物极其复杂，令人惊叹。眼虫是生存在池塘里的单细胞生物，它既能像植物一样进行光合作用，也能像动物一样捕食。形似鞭子的鞭毛可以帮助它向阳光区域或者向黑暗中的食物运动。

伸缩泡能将眼虫体内多余的水挤出来，从而保持其体液平衡。这样一来，其祖先就能从咸水移动到淡水

鞭毛根部生有能够**感光的凸起**，能让眼虫感知光的方向

主鞭毛根部隆起的感光器能够让鞭毛产生拍打的动作，驱动细胞向有光的地方运动

眼点——一块橙色色斑，在眼虫的感光凸起上投下阴影

基因通过有性生殖混合

如果基因在复制过程中出现错误，即我们所说的突变，就会产生新的基因和特征——但是，生物只有通过生殖才会将它们混合在一起，创造出独特的个体。性是所有已知生命的基本特征，而且有可能在生物进化早期就出现了。

有些生物可以无性生殖，所以子代会精确复制母体的基因。其后代发生改变的唯一途径就是基因突变。但是大多数生物都能进行有性生殖，因此它们的变化机会要多得多。性能够混合 DNA，为种群催生新的组合。某种植物或许已经从基因上决定了花朵是白色还是紫色，植株是高的还是矮的。这些变种都是突变（见第 108～109 页）的结果，但是性将其混合后，高的和矮的植物都能开出两种颜色的花。

最简单的性行为是细菌互换 DNA 片段。它们分离之后，双方的基因都发生了改变，但是没有产生新的细胞。所以说，细菌已经进化出性，不过还没有开始有性生殖。

如何将庞大的基因组混合

所有植物、真菌以及动物的细胞都属于复杂细胞，或者说真核细胞（见第 118～119 页），它们不能像细菌那样交换基因，因为它们的 DNA 链又长又笨重，很难交换。它们会首先产生特殊的生殖细胞，其中包含自身一半的 DNA，然后将其与另一个个体的一半 DNA 融合，或者说使其受精。

要实现基因对分和受精，每一种基因都

> **一个人**产生的
> **精子或卵子**中可能会有
> **800万**种基因组合

需要分成"两份"。这个对分的过程叫作减数分裂，能让两份基因进入生殖细胞（通常是精子和卵子），而受精的过程会让基因恢复完整。这样可确保每个基因都能无损遗传。

精子和卵子内的变体

受精将不同个体的基因混合，减数分裂则保证了所有来自同一个母体的生殖细胞都有所不同。减数分裂开始时，性器官细胞内的 DNA 完全打乱，因此所有母体产生的精细胞或卵细胞基因都是不同的。

植物、动物和其他复杂生物进化出了生殖周期，该周期是由其自身能力决定的。真菌的形态类似细线，生殖方式类似于细菌：它们并不产生真正的精子或卵子，而是用细线融合在一起。扎根在土壤中的植物发展出生殖周期后，会利用分散的孢子或花粉来繁殖。性可以为所有生物增加变异机会，从而为自然选择增加了可能性。

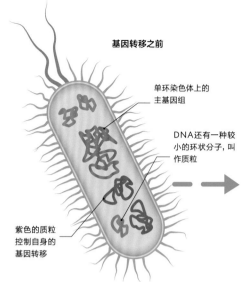

▲ 细菌

细菌的性行为就是将DNA转移给其他个体。有些控制交换的基因实际上就在被转移的DNA上，因此，该DNA能控制自身的转移，这有点类似独立的生命形式。

基因转移之前

- 单环染色体上的主基因组
- DNA还有一种较小的环状分子，叫作质粒
- 紫色的质粒控制自身的基因转移

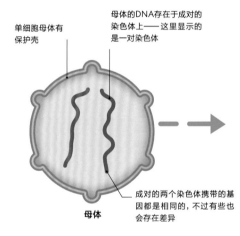

▲ 复杂的微生物

衣藻（*Chlamydomonas*）是一种单细胞微生物，不过比较复杂（属真核生物），它拥有双倍的DNA，承载在成对的均等的染色体上。成对的两个染色体携带的基因是均等的，但是经过几百万年的变异后，这些基因可能会有所不同。

- 单细胞母体有保护壳
- 母体的DNA存在于成对的染色体上——这里显示的是一对染色体
- 成对的两个染色体携带的基因都是相同的，不过有些也会存在差异

母体

▼ 产卵

生殖细胞一次能产生很多。珊瑚可以同时释放出几百万个精子和卵子，以增加其在广阔海水中受精的机会。

母体——线虫，一种简单的动物

▲ 动物

动物也是真核生物。它们跟所有的真核生物一样，也会经历染色体减半和受精的过程。但是它们的生殖细胞，即卵子和精子的存活时间很短。这些生殖细胞是在动物的生殖器官——卵巢或精巢——内的染色体减半（减数分裂）过程中产生的。

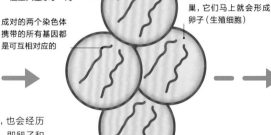

- 动物母体中拥有几百万个细胞，其中每一个都包含若干对染色体——这里只显示了一对
- 成对的两个染色体携带的所有基因都是可互相对应的
- 这些细胞来自线虫的卵巢，它们马上就会形成卵子（生殖细胞）

母体局部放大图

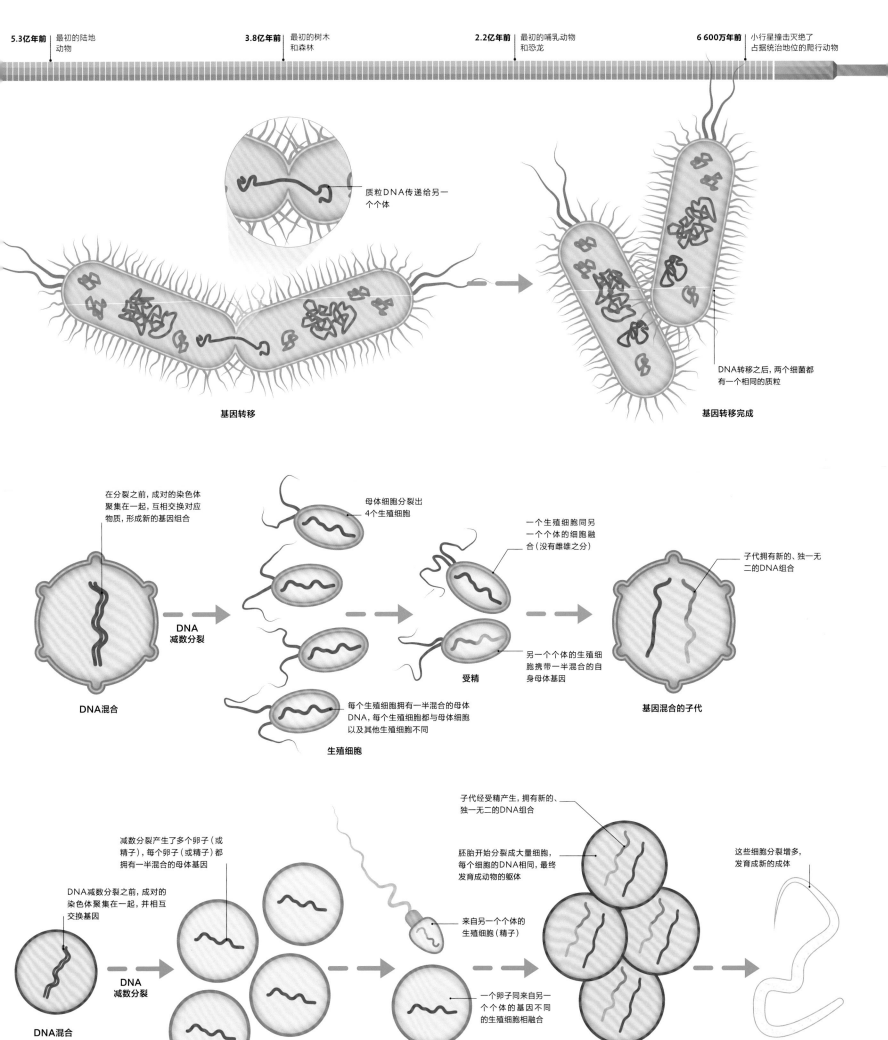

质粒DNA传递给另一个个体

DNA转移之后,两个细菌都有一个相同的质粒

基因转移

基因转移完成

在分裂之前,成对的染色体聚集在一起,互相交换对应物质,形成新的基因组合

母体细胞分裂出4个生殖细胞

一个生殖细胞同另一个个体的细胞融合(没有雌雄之分)

子代拥有新的、独一无二的DNA组合

DNA混合

DNA减数分裂

另一个个体的生殖细胞携带一半混合的自身母体基因

受精

每个生殖细胞拥有一半混合的母体DNA,每个生殖细胞都与母体细胞以及其他生殖细胞不同

生殖细胞

基因混合的子代

子代经受精产生,拥有新的、独一无二的DNA组合

减数分裂产生了多个卵子(或精子),每个卵子(或精子)都拥有一半混合的母体基因

胚胎开始分裂成大量细胞,每个细胞的DNA相同,最终发育成动物的躯体

这些细胞分裂增多,发育成新的成体

DNA减数分裂之前,成对的染色体聚集在一起,并相互交换基因

DNA混合

DNA减数分裂

来自另一个个体的生殖细胞(精子)

生殖细胞(卵子)

一个卵子同来自另一个个体的基因不同的生殖细胞相融合

受精

基因混合的子代局部放大图

子代

细胞开始
组成躯体

从微观的单细胞微生物进化到拥有无数细胞的动植物，是生命复杂性的又一次飞跃。多细胞生物体内的细胞要做到有条不紊，不仅要以正确的方式结合在一起，而且还要互相交流，以确保整个躯体正常发展。

单细胞微生物能力有限。细胞的体积不能太大，不然就会陷入难以控制的局面——细胞只能在微观范围内通过扩散的方式将生命物质吸收或排出体外，如果细胞太大的话，油性细胞膜就会破裂。细胞达到一定的体积就会分裂开来，所以微生物只能保持在微观状态。较大的生物体内

▲ 临时躯体
黏菌寄生在多细胞体的顶端。它们本来是独立生存的，是类似变形虫的单细胞生物，但是在应激状态下，它们会相互结合，形成多细胞子实体（fruiting body），如图所示。

各部分能相互合作，因此它们会进化出新的生存方式。不过要做到这一点，它们必须要变成多细胞生物。有些微生物在细胞分裂后不会分开，所以细胞仍然成群地聚在一起。这种分裂而不分离的方式十分简单，这表明其多细胞化本身并没有多大意义，然而给身体各部（当然包括各个细胞）赋予不同的职责就是另一回事了。

细胞职能的划分

后来，一个群落的细胞依靠互相之间发出的化学指令，开始协作，各司其职，这时，真正的多细胞体出现了。细胞在每一次分裂过程中都会复制DNA，因此，群落中的所有细胞都会携带复制的DNA。尽管它们的遗传物质完全一样，但它们会关闭部分基因以放弃部分职能，从而将某些特定

的工作做好。它们会越来越依靠周围的其他细胞来弥补自己的不足。

在前寒武纪的海洋中，滤食性海绵是最早的多细胞动物之一，尽管它们几乎只是松散的群落而已。海绵穿过筛子状的环状物，生出芽体，然后从每一个分离的细胞上产生新的个体，有些简单的藻类也是如此。后来，情况越来越复杂，动植物的细胞更加专注于特定的职能。它们的命运——变成皮肤、肌肉，或者其他组织——是由其在早期胚胎中的位置决定的。合作的组织进而变成了器官，比如利用阳光的树叶或跳动的心脏，它们的细胞不再独立生存。

多细胞化或许会让细胞永远地相互依赖，但它也让更大的躯体获益匪浅。有了它，生物才有机会进化出不同组织，例如触角和生殖器。生物的大小有了区别后，自然群落的复杂性就可能会增加，从而使得从珊瑚到树木的大型有机体形成丰富多样的食物网和栖息地。

裂缝的出现意味着胚胎已经完成了第一次细胞分裂，即一个细胞分裂成两个细胞

2细胞期

16细胞期

上皮细胞覆盖海绵身体表面

领细胞产生摄食水流

小孔细胞摄入水和食物

变形虫细胞抵御入侵者

海绵

领

鞭毛振动产生水流，带动水流中的食饵进入细胞

领鞭虫群落

◀ 生物抑或群落？
细胞群落和真正的多细胞生物之间的区别并非总是很明显。名为领鞭虫的单细胞微生物形成了茎状群落。海绵体内很多多细胞的形态和行为方式都跟领鞭虫很像。动物比细胞群落高级的地方在于其类型不同、具备专门职能的细胞，它们必须统一协作，生物才能生存。

该化石中包含**4个细胞**，证明这是一个分裂过两次的胚胎

4细胞期

粒状结构是化石形成过程中发生矿化作用的结果

细胞由膜包围，就像动物胚胎一样

8细胞期

该"胚胎"内的**细胞**更圆一些，或许是由于没有包膜的缘故

32细胞期

膜里包裹的东西好像一个细胞球，它被称为囊胚，位于动物的胚胎内

囊胚期

> 高级**动物**的**祖先**一定是……**单细胞生物**，类似于**变形虫**，……我们可以在河流、池塘和湖泊中找到变形虫的踪影。

恩斯特·海克尔（Ernst Haeckel, 1834—1919），进化生物学家
《创造的历史》（*The History of Creation*）

 发育受阻

在中国的陡山沱组发现的化石令世人震惊。这些化石中的胚胎在细胞分裂的最早阶段就被及时冻结在化石中，那时它们正从单个卵细胞先分裂成2个细胞，然后是4个、8个，等等。这种细胞分裂而不分离的现象就是多细胞体的形成根源。这些化石体现的或许就是大约6.35亿年前开始出现的早期多细胞动物。这种解释还存在争议，一些研究人员认为这些化石可能是海藻囊孢而不是胚胎。

招摇

对于日间视觉敏锐的物种来说，很多雄性都会利用色彩来吸引雌性，比如眼睛很大的跳蛛。这只招摇的雄性跳蛛色彩艳丽、舞姿优美，它会以此来求偶。

两性
分化

动植物不仅进化出复杂的多细胞躯体，而且还出现了两性分化。每种动物都有一半成员分化成雌性，通过产卵或妊娠担负起繁殖后代的责任。另外一半则分化成雄性，负责战斗，出尽风头。

两性之间的差别有时真的非常明显。雄性象海豹的体形可以比配偶大出 5 倍，而对鮟鱇鱼来说，雌性要大出 40 倍。所有有性生殖的生物在生殖过程中都会有基因遗传，不过雌雄两性对于繁殖下一代的贡献方式是不一样的，二者能起到互补的作用。

身体资本，因此，它们在选择配偶、传递基因的时候就会格外挑剔。

而雄性产生精子所付出的代价却小得多。为了传递基因，雄性会把更多精力放在战胜同性、赢取配偶上。在这个过程中，它们可能要参与竞争，比如比赛或者搏斗，也可能要通过炫耀性展示来赢得雌性的芳心。基于上述需

我们很难相信……**当雄性**……**用艳丽的色彩**或其他装饰**来展示自己时**，雌性……**不会受到影响**。

查尔斯·达尔文（1809—1882），生物学家，《人类的由来》

交配型和两性

最低等的生物根本不需要两性就可以完成繁殖。很多微生物和真菌的"交配型"虽然种类繁多，但看起来都是一样的。它们的化学成分存在细微的差别，这种差别决定了它们是否能够互相融合，互通基因。

低等生物的交配型间承担相同的生殖责任。但是，两性的分化改变了这种局面。两性提供的遗传信息数量相同，但方式迥异。雌性产下的卵子拥有营养丰富的卵黄，而雄性产下的精子营养成分较少，只是抢着跟卵子结合。精子游向储备营养物质的卵子时，性的战争便开始了。

挑剔的雌性，招摇的雄性

有些雌性动物，比如许多昆虫和鱼类，每个卵子的卵黄含量很小，因此能产下几百个卵子，而另一些动物产生的卵子则数量较少，卵黄含量较高，或者经过代价高昂的妊娠才能产下后代。不管采用何种方式，雌性在繁殖后代的过程中，都会投入大量的

要，雄性特征往往更加突出，从锹甲发达的上颌，到极乐鸟的羽毛，无不将此特点体现得淋漓尽致。这方面的化石证据，比如雄性翼龙的头冠，表明这一特点由来已久。尽管我们无法追溯雄性依靠色彩、声音或行为来展示自己的起源，但是今天这些特征却为我们呈现了一些最耀眼的自然奇观，比如雄性动物为赢取配偶而进行的搏斗、舞蹈，或独特的歌唱。

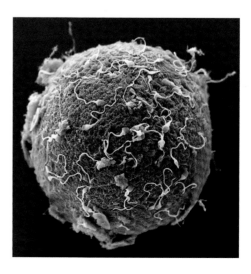

◀ **大小对比**

卵子包含细胞质和卵黄，因此成为最大的细胞之一。精子则是最小的细胞种类之一，生有长鞭毛，鞭毛在线粒体的驱动下，能使精子游动。

动物
有了**大脑**

动物都有神经系统，可以察觉外界的变化，并做出反应。不过只有一部分动物出现了更加复杂的行为，开始向前游动或爬行。它们进化出了感觉器官和具有决策能力的大脑，可以找到前进的方向。

有些早期动物，比如水母，会利用触手使身体向各个方向移动。它们的身体有上下之分，没有前后之分，所以没有头尾。它们的神经系统由一些长长的、互相连接的神经细胞构成，可以察觉食物和危险。周围环境中的任何响动都会成为一种刺激，触发它们的神经系统沿着神经细胞纤维发送电脉冲——电信号到达肌肉时，肌肉就会收缩，从而带动身体的某个部分做出动作。但是它们没有大脑，无法完成复杂的行为，不能对感觉输入进行分析并制定决策。

用来思考的头脑

6亿多年前，向前移动的动物出现了意义重大的变化。如果它们始终向同一个方向移动，其身体的一部分，即前端，就会一直最先接触新的区域。动物将感觉器官集中在这一端，并发展出了相应数量的神经细胞，用来处理所有输入的信息：它们进化出了最早的头部，里面有最早的大脑。它们的身体中生有一根导管——神经索，可以将电脉冲传输到整个身体，从而在大脑、肌肉和感觉器官之间交流信息。这是一种根本性的结构调整。它们的身体开始变得细长，身体两侧的发育状况就好似镜像一般，这样一来就产生了新的动物形态，即沿着身体中线向两侧对称发展。从最简单的扁虫，到最复杂的脊椎动物，身体结构都是如此。

有了脑力，才有复杂的行为，比如蜘蛛能吐丝织网，捕捉猎物。但是只要行为模式是固定的，就依然能够由基因来决定和传递。当脑电活动产生影响行为的记忆时，真正的行为能力就出现了。脑容量比较大的动物，比如哺乳动物和鸟类，能够从经验中学习。其中一些动物还具有预见性，这是脑力的终极体现，预示了人类的创造力。

神经网络扩展到触角中

神经纤维是神经细胞的细长部分，能传导电脉冲

神经纤维交会和传导信号的点叫作**节**

▲ **神经网络**
海葵没有神经细胞集中的大脑。它的神经细胞是呈网状排列的，其中，感官神经细胞负责收集信息，更深处的细胞负责将信息传递给肌肉。由此产生的是最简单的刺激–反应行为。

▼ **脑化石**
像大脑这样的软组织很少会形成化石，但是寒武纪有一种虾状动物，名叫抚仙湖虫（*Fuxianhuia*），其头部化石显示出了大脑的细节。发达的视叶说明这种动物是依靠视觉生存的。

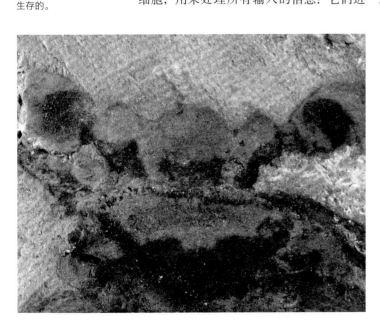

神经索是一大束神经纤维，沿腹侧生有两条

耳郭，生在头侧的凸起，能够感知化学物质，用于寻找食物

眼点，能够感光，却无法形成细致的图像

脑，其实就是头部最大神经节的中心

吻，身体的最前端，接触新事物，具有触觉

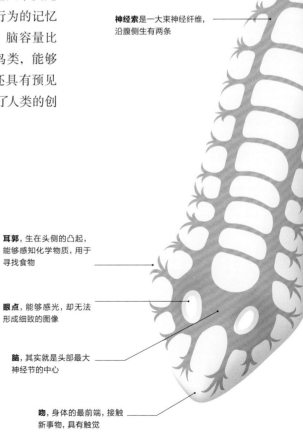

有些动物的大脑的某些部分**会增大，重要性加强**……这都是由该物种的**生存需要决定的**。

苏珊·格林菲尔德（Susan Greenfield，生于1950年），神经学家

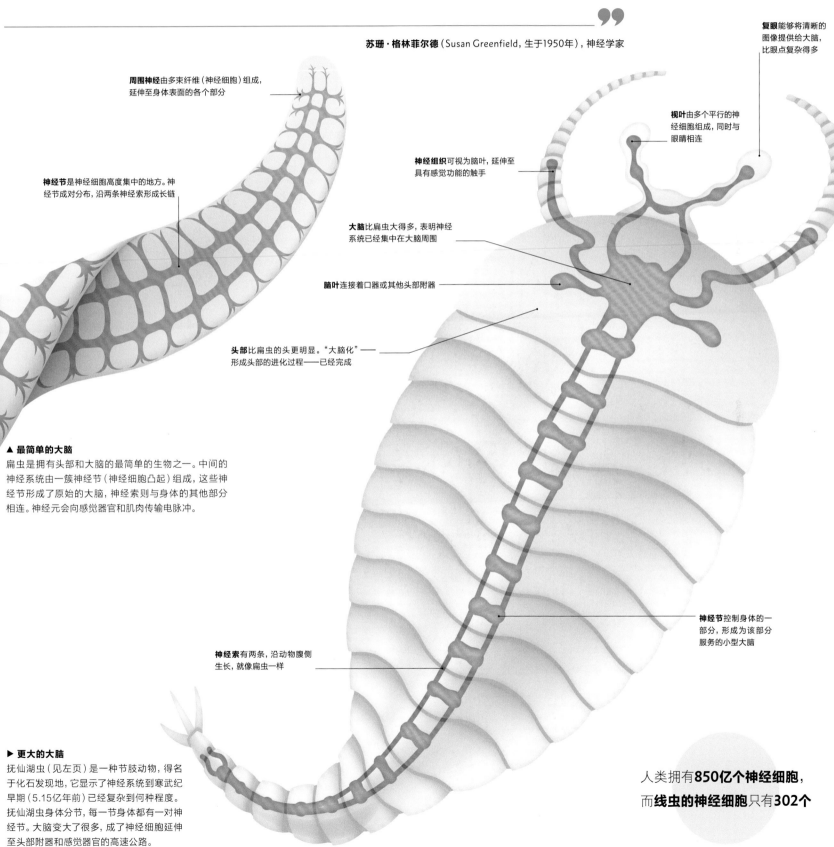

周围神经由多束纤维（神经细胞）组成，延伸至身体表面的各个部分

神经节是神经细胞高度集中的地方。神经节成对分布，沿两条神经索形成长链

复眼能够将清晰的图像提供给大脑，比眼点复杂得多

视叶由多个平行的神经细胞组成，同时与眼睛相连

神经组织可视为脑叶，延伸至具有感觉功能的触手

大脑比扁虫大得多，表明神经系统已经集中在大脑周围

脑叶连接着口器或其他头部附器

头部比扁虫的头更明显。"大脑化"——形成头部的进化过程——已经完成

神经节控制身体的一部分，形成为该部分服务的小型大脑

神经索有两条，沿动物腹侧生长，就像扁虫一样

▲ 最简单的大脑
扁虫是拥有头部和大脑的最简单的生物之一。中间的神经系统由一簇神经节（神经细胞凸起）组成，这些神经节形成了原始的大脑，神经索则与身体的其他部分相连。神经元会向感觉器官和肌肉传输电脉冲。

▶ 更大的大脑
抚仙湖虫（见左页）是一种节肢动物，得名于化石发现地，它显示了神经系统到寒武纪早期（5.15亿年前）已经复杂到何种程度。抚仙湖虫身体分节，每一节身体都有一对神经节。大脑变大了很多，成了神经细胞延伸至头部附器和感觉器官的高速公路。

人类拥有**850亿个神经细胞**，而**线虫的神经细胞**只有**302个**

动物生命
大爆发

动物生命的第一次大爆发发生在6亿多年前——此前海洋中已经到处都是藻类和微生物了。起初只是在海底出现了不起眼的爬虫和食草动物，后来动物飞速发展，进化出了今天所有的主要种群。

年代最久远的全身动物化石出现得似乎太突然了，所以动物进化的第一篇章被称作"大爆发"。事实上，更全面的研究显示，这种爆发出现过不止一次。早期的进化阶段在世界各地都留下了化石，尤其是纽芬兰和澳大利亚的埃迪卡拉山区，这个阶段还依据埃迪卡拉山区被命名为埃迪卡拉纪（6.35亿年前至5.41亿年前）。保留下来的动物化石难以辨认——有些呈扁圆形，另一些则像海藻一样聚集在一起，科学家无法将它们归类于任何一个现代种群。这些都不是最早的动物。DNA证据显示，它们起源于更早的前寒武纪，不过最早的生命形式除了这些痕迹以外，什么也没留下。然而，这些化石痕迹本身就是丰富的数据来源，向我们展示了动物的生活方式和聚集群落。

▼ 向海底拓展
最早的动物出现在海底，其中一部分潜入淤泥深处，另一部分则上行到水中，探索新的生存策略，形成复杂的生物群落，这时动物就产生了多样性，生态系统也在不断发展变化。

早期循环

动物由单细胞生物进化而来。前寒武纪的痕迹显示，最早的动物与海底的沉积物息息相关。有些动物在沉积物表面爬行，或者形成了类似海绵的覆盖物。动物已经进化出了肌肉系统，与其他多细胞生物有了区别。正因为有了肌肉，它们才能主动塑造环境。为了寻找溶解在水中的食物，一些先驱者率先进化成水底的掘穴动物，开始在沉积物中搅动，这种觅食方式之前从来没有出现过。海水和淤泥混合而成的物质为沉积物增加了氧，并且在两种生境之间交换有机物和矿物质。

> 从寒武纪初期到末期，
> 动物的**掘穴深度**从1厘米
> 增加到了1米

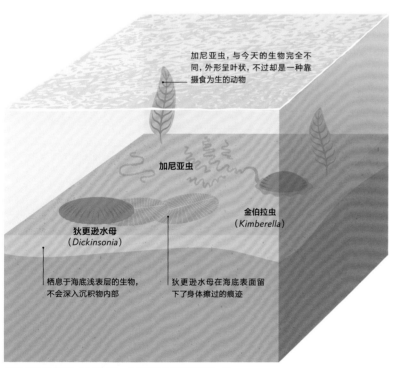

埃迪卡拉纪（约5.6亿年前），海底表面覆盖着藻类、微生物，可能还有海绵。早期动物在这里留下了刮擦的印痕，其中可能就有金伯拉虫擦过藻类的痕迹。

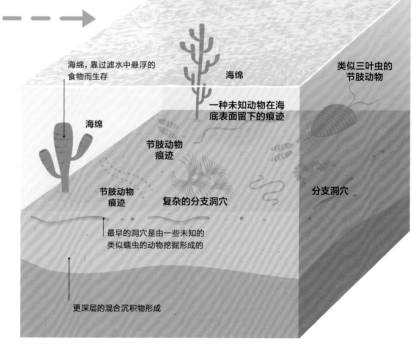

寒武纪早期（约5.4亿年前），在动物挖掘的过程中，更深一层的混合沉积物形成了。已知最早的节肢动物（可能类似于三叶虫）在这一时期留下了痕迹，远远早于形成化石的最早的三叶虫。

海底群落

　　到寒武纪早期，海底出现了大量的动物群落。这一时期的化石遗迹相对完整，因为很多动物已经具备了白垩质外骨骼，既能自我保护，又能支撑更大的肢体甚至群落。这时，浮游生物中出现了更多体形更大的生物，它们的尸体和排泄物很有可能会沉向海底。水面的生物首次与海底的生物密切地联系在一起，原始的食物链就是它们之间的纽带。原本依靠沉积物生存的动物开始享用这种从天而降的盛宴。

　　这就是"寒武纪大爆发"发生的时期，著名的加拿大伯吉斯页岩（Burgess Shale）化石群记录了这一切（5.05 亿年前）。所有主要的生物种类，包括扁虫、软体动物和节肢动物，都在进化。与此同时，其他一些我们不太熟悉的物种也没有停止进化的脚步。有些化石证明，当时一些动物的形态跟今天的任何生物都很不一样。很多科学家将该时期描述为一个塑造身体的实验阶段。这些远古时期的生物，很多都已经消失了，没有留下长期存续的后代，不过也有一些延续下来，至今仍然生活在这个星球上。

▲ **实验性的身体**

欧巴宾海蝎（*opabinia*）就是一个实验性身体的例子，其化石发现于伯吉斯页岩中。该生物与今天的任何生物都毫无关联。有些专家认为这个物种是一次失败的身体结构实验，后来很快就消失了。

约有**15~20个伯吉斯物种**无法与任何**已知物种**关联。将其中一些放大……你会感觉正在看**科幻电影**。

斯蒂芬·杰伊·古尔德（Stephen Jay Gould, 1941—2002），古生物学家和进化生物学家，《奇妙的生命》（*Wonderful Life: The Burgess Shale and the Nature of History*）

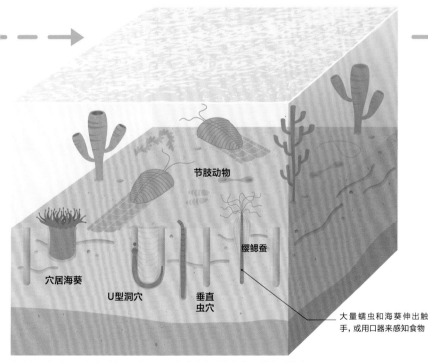

寒武纪后期（5.29亿年前），原本以沉积物为食的动物依靠下落的浮游生物"残渣雨"而生存。其中包括那些用触手抓取食物的动物，类似于现在缨鳃蚕的掘穴动物，还有各种类似三叶虫的节肢动物。它们在海底移动时，留下了不同形状的痕迹。

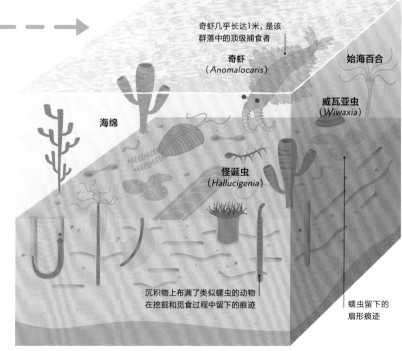

伴随着寒武纪大爆发的全面展开（5.2亿年前至5.05亿年前），新的生存方式和身体结构出现了。一些独特的动物，比如奇虾、威瓦亚虫和怪诞虫进化形成，不过没有成功地存续下来。

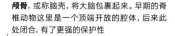

动物有了
脊柱

鱼类和哺乳动物等脊椎动物的历史可以追溯到寒武纪大爆发时期出现的小型滤食性动物，这种动物的形态类似于蠕虫。它们进化出内部骨架，用以支撑比之前大得多的身体。

脊椎动物（生有脊柱的动物）是 5 亿年前由寒武纪海洋中肌肉发达的小型动物演变而来的。这些动物具备有弹性的棒状结构，也就是贯穿于锥形身体背部的脊索，左右两侧还有几块弯曲的肌肉。当今鱼类的游泳技巧跟这些动物是一样的，但是多数情况下，鱼类的脊索只在胚胎时期生长，成年后会被硬度更大的脊柱取代。在寒武纪出现的这种背部生有棒状结构的滤食性动物虽然体形不大，但是脊柱为它们的后代带来了全新的生存方式。

出现软骨组织

最早形成骨架的基本成分来自软骨：一种坚韧而灵活的组织，含有胶原蛋白。最早的鱼类，比如海口鱼，其头部生有软骨，用以保护大脑和支撑鳃裂之间的弓形结构。后来，动物的脊索上也开始生长软骨，用来保护脊髓，最早的真正意义上的脊柱就此形成。有了脊柱后，鱼类的游泳力度更大，而有软骨支撑的鱼鳍，能够帮助鱼类更好地控制游泳的稳定性。

有了带有支撑功能的软骨，动物就能长得更大、更灵活，不过也就需要更多的食物和氧。最早的鱼类利用鳃来过滤水中食物和氧，不过后来，获取食物的功能转给了口和咽部，这样鳃就能更好地从水中

提取出氧。甲胄鱼（ostracoderm，"ostrakon" 意为甲壳，"derma" 意为皮肤）就是如此。它是一种生活在水底的无颌鱼类，身上包裹着骨质甲胄，利用咽部肌肉从淤泥中吸取食物。不过甲胄鱼之所以称得上先驱，还有另一个原因：它们有最早的骨骼。

骨质身体

骨头自身的胶原蛋白发生了硬化，含有至少 70% 的矿物质，它或许已经进化成一个多余钙质和磷酸酯的储备器。这些钙质和磷酸酯能够促进肌肉和神经做出快速反应，而且还能增加结构强度。对于甲胄鱼来说，骨头是它们的外部盔甲，里面的矿物质含量很高，没有活细胞。后来鱼类的骨头上出现了维持生命的狭小管道，这意味着骨头可以从内部生长，形成内部骨架。今天存活的大多数脊椎动物都有骨架，关节周围还有大量软骨。也有少数，比如鲨鱼和鳐鱼，又恢复了较轻的软骨架。但是有硬骨架的鱼更加多样化，为了托起沉重的骨骼，它们又生出了鱼鳔，通过鱼鳔充气来增加浮力。硬骨架对于后来陆地脊椎动物的进化有极为重要的意义。只有大型的骨骼才能承受最大恐龙的重量。

▼ 循序渐进
化石证据表明，脊柱是在 5.41 亿年前至 4.85 亿年前的寒武纪时期进化形成的。这是一个循序渐进的过程。起初，动物背部出现了具有一定硬度的脊索（有弹性的棒状结构），然后由软骨组成脊椎，最后经过矿化，发展成真正的脊柱。

颅骨，或称脑壳，将大脑包裹起来。早期的脊椎动物这里是一个顶端开放的腔体，后来此处闭合，有了更强的保护性

下颌骨原来其实是鳃弓，后来进化成下颌

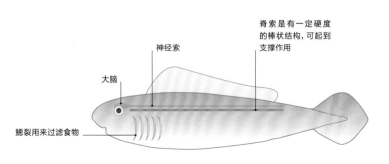

脊索是有一定硬度的棒状结构，可起到支撑作用

神经索

大脑

鳃裂用来过滤食物

脊索动物——只有脊索的原始鱼类

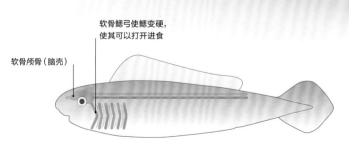

软骨鳃弓使鳃变硬，使其可以打开进食

软骨颅骨（脑壳）

有头动物——生有脑壳的原始鱼类

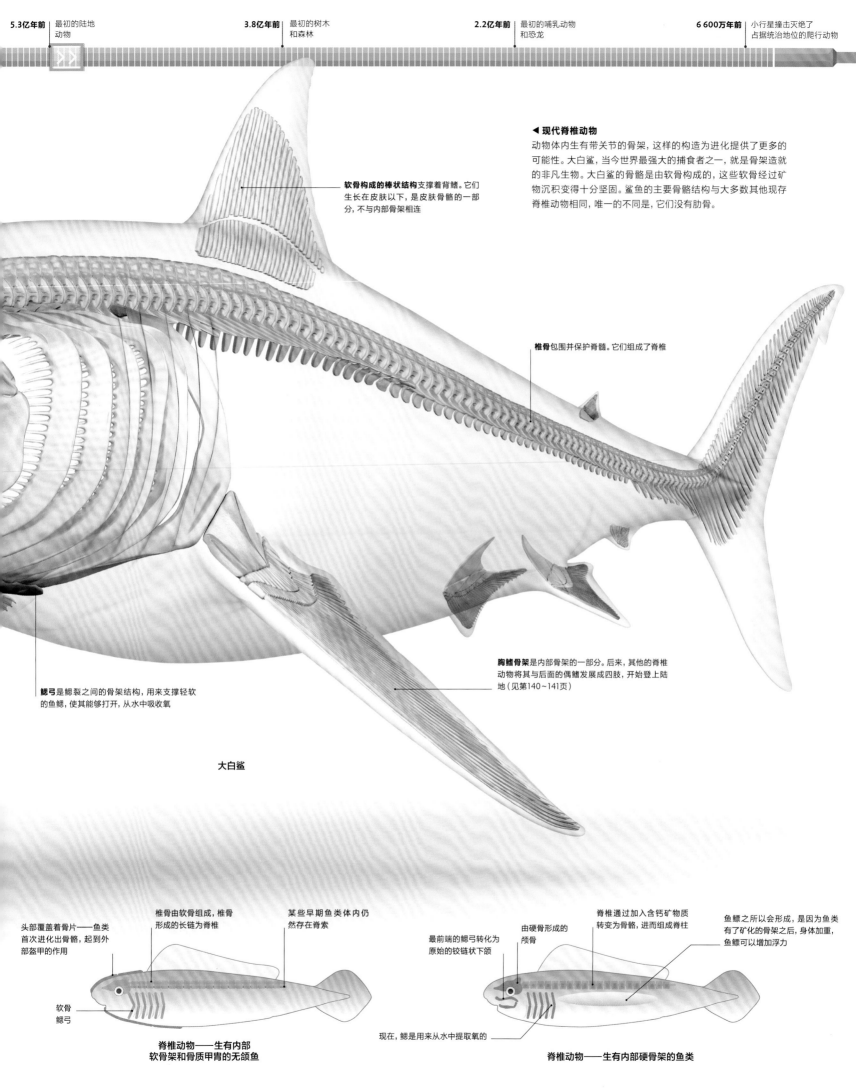

◀ 现代脊椎动物

动物体内生有带关节的骨架，这样的构造为进化提供了更多的可能性。大白鲨，当今世界最强大的捕食者之一，就是骨架造就的非凡生物。大白鲨的骨骼是由软骨构成的，这些软骨经过矿物沉积变得十分坚固。鲨鱼的主要骨骼结构与大多数其他现存脊椎动物相同，唯一的不同是，它们没有肋骨。

软骨构成的棒状结构支撑着背鳍。它们生长在皮肤以下，是皮肤骨骼的一部分，不与内部骨架相连

椎骨包围并保护脊髓。它们组成了脊椎

胸鳍骨架是内部骨架的一部分。后来，其他的脊椎动物将其与后面的偶鳍发展成四肢，开始登上陆地（见第140~141页）

鳃弓是鳃裂之间的骨架结构，用来支撑轻软的鱼鳃，使其能够打开，从水中吸收氧

大白鲨

头部覆盖着骨片——鱼类首次进化出骨骼，起到外部盔甲的作用

椎骨由软骨组成，椎骨形成的长链为脊椎

某些早期鱼类体内仍然存在脊索

软骨鳃弓

脊椎动物——生有内部软骨架和骨质甲胄的无颌鱼

最前端的鳃弓转化为原始的铰链状下颌

由硬骨形成的颅骨

脊椎通过加入含钙矿物质转变为骨骼，进而组成脊柱

鱼鳔之所以会形成，是因为鱼类有了矿化的骨架之后，身体加重，鱼鳔可以增加浮力

现在，鳃是用来从水中提取氧的

脊椎动物——生有内部硬骨骨架的鱼类

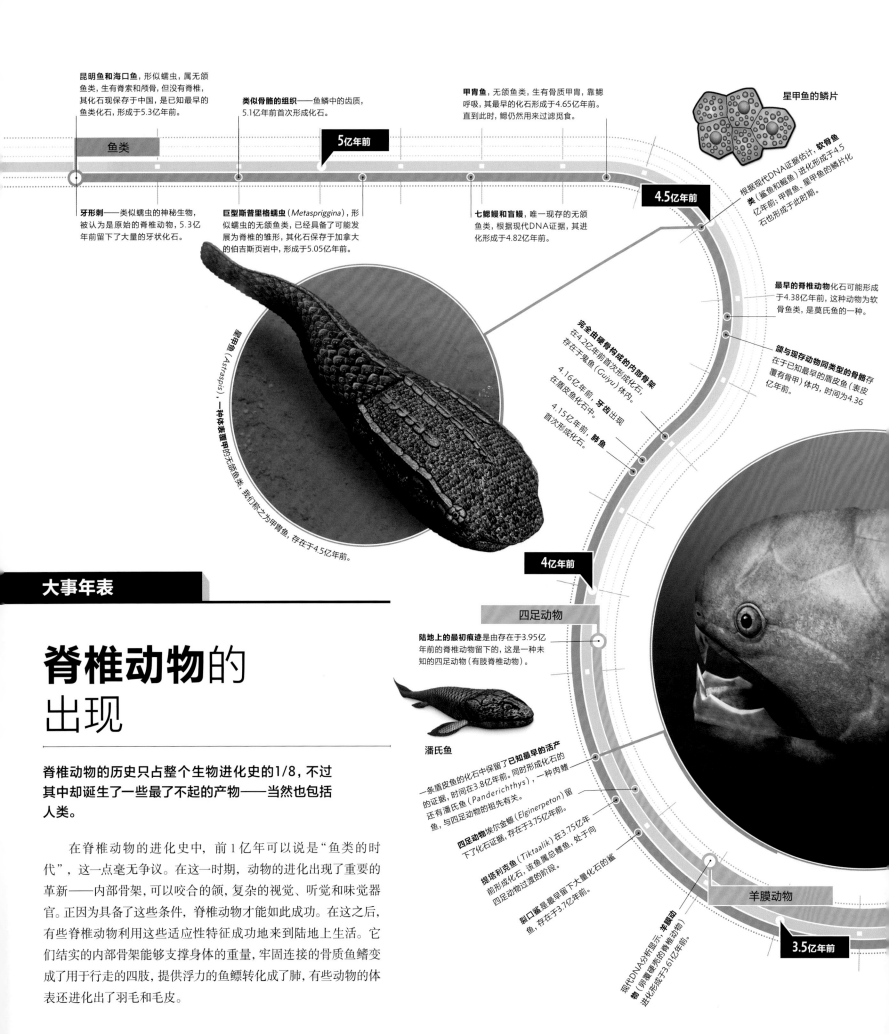

昆明鱼和海口鱼，形似蠕虫，属无颌鱼类，生有脊索和颅骨，但没有脊椎，其化石现保存于中国，是已知最早的鱼类化石，形成于5.3亿年前。

类似骨骼的组织——鱼鳞中的齿质，5.1亿年前首次形成化石。

甲胄鱼，无颌鱼类，生有骨质甲胄，靠鳃呼吸，其最早的化石形成于4.65亿年前。直到此时，鳃仍然用来过滤觅食。

星甲鱼的鳞片

根据现代DNA证据估计，**软骨鱼类**（鲨鱼和鳐鱼）进化形成于4.5亿年前；甲胄鱼、星甲鱼的鳞片化石也形成于此时期。

鱼类

5亿年前

牙形刺——类似蠕虫的神秘生物，被认为是原始的脊椎动物，5.3亿年前留下了大量的牙状化石。

巨型斯普里格蠕虫（*Metaspriggina*），形似蠕虫的无颌鱼类，已经具备了可能发展为脊椎的雏形，其化石保存于加拿大的伯吉斯页岩中，形成于5.05亿年前。

七鳃鳗和盲鳗，唯一现存的无颌鱼类，根据现代DNA证据，其进化形成于4.82亿年前。

4.5亿年前

最早的脊椎动物化石可能形成于4.38亿年前，这种动物为软骨鱼类，是莫氏鱼的一种。

颌与现存动物同类型的骨骼覆有骨甲的盾皮鱼（表皮）体内，时间为4.36亿年前。

星甲鱼（*Astraspis*），一种体表覆甲的无颌鱼类，我们称之为甲胄鱼，存在于4.5亿年前。

完全由硬骨构成的内部骨架在4.2亿年前首次形成化石，存在于鬼鱼（*Guiyu*）体内。

4.16亿年前，**牙齿**出现在盾皮鱼化石中。

4.15亿年前，**肺鱼**首次形成化石。

4亿年前

四足动物

陆地上的最初痕迹是由存在于3.95亿年前的脊椎动物留下的，这是一种未知的四足动物（有肢脊椎动物）。

潘氏鱼

一条盾皮鱼的化石中保留了**已知最早的活产**的证据，时间在3.8亿年前。同时形成化石的还有潘氏鱼（*Panderichthys*），一种肉鳍鱼，与四足动物的祖先有关。

四足动物埃尔金螈（*Elginerpeton*）留下了化石证据，存在于3.75亿年前。

提塔利克鱼（*Tiktaalik*）在3.75亿年前形成化石，该鱼属总鳍鱼，处于向四足动物过渡的阶段。

裂口鲨是最早留下大量化石的鲨鱼，存在于3.7亿年前。

现代DNA分析显示，**羊膜动物**（卵膜包裹的脊椎动物）进化形成于3.61亿年前。

羊膜动物

3.5亿年前

大事年表

脊椎动物的出现

脊椎动物的历史只占整个生物进化史的1/8，不过其中却诞生了一些最了不起的产物——当然也包括人类。

在脊椎动物的进化史中，前1亿年可以说是"鱼类的时代"，这一点毫无争议。在这一时期，动物的进化出现了重要的革新——内部骨架，可以咬合的颌，复杂的视觉、听觉和味觉器官。正因为具备了这些条件，脊椎动物才能如此成功。在这之后，有些脊椎动物利用这些适应性特征成功地来到陆地上生活。它们结实的内部骨架能够支撑身体的重量，牢固连接的骨质鱼鳍变成了用于行走的四肢，提供浮力的鱼鳔转化成了肺，有些动物的体表还进化出了羽毛和毛皮。

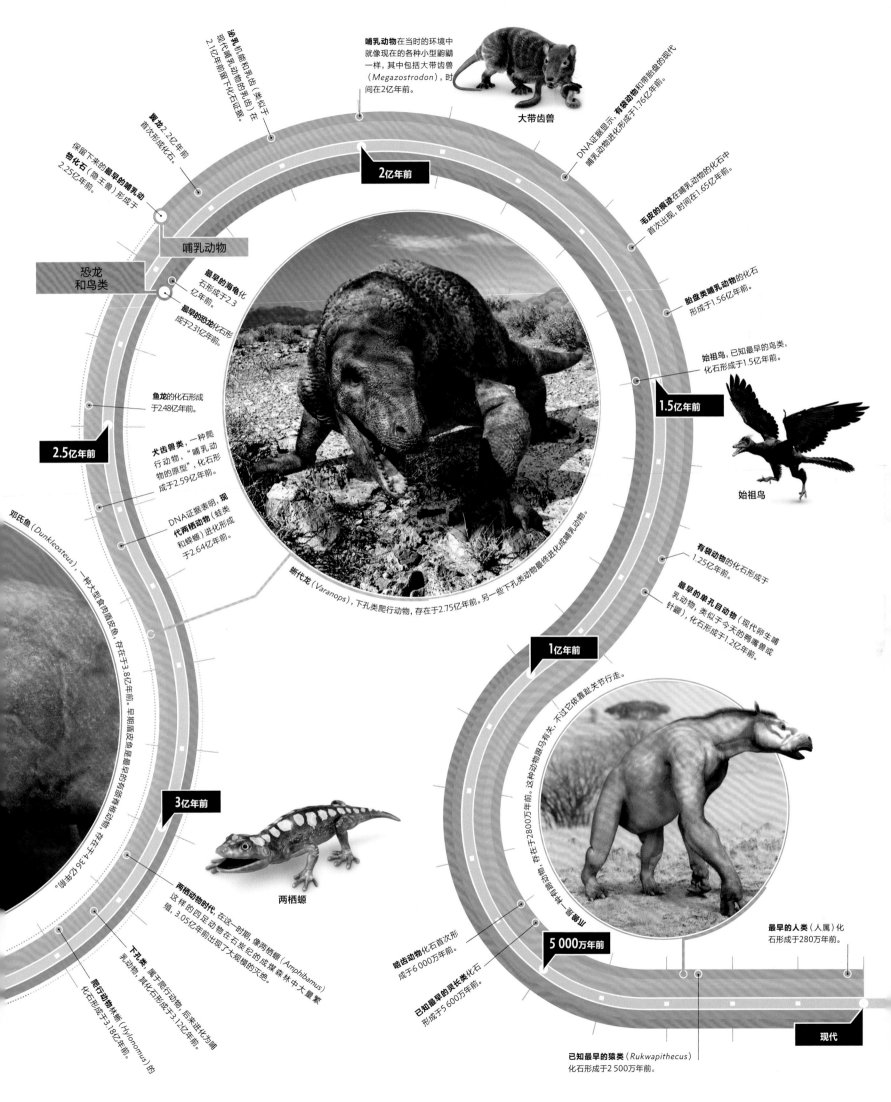

哺乳动物在当时的环境中就像现在的各种小型鼩鼱一样，其中包括大带齿兽（*Megazostrodon*），时间在2亿年前。

大带齿兽

DNA证据显示，**有袋动物**和带胎盘的现代哺乳动物进化形成在1.76亿年前。

毛皮的痕迹在哺乳动物的化石中首次出现，时间在1.65亿年前。

胎盘类哺乳动物的化石形成于1.56亿年前。

始祖鸟，已知最早的鸟类，化石形成于1.5亿年前。

始祖鸟

有袋动物的化石形成于1.25亿年前。

最早的单孔目动物（现代卵生哺乳动物，类似于今天的鸭嘴兽或针鼹），化石形成于1.2亿年前。

最早的人类（人属）化石形成于280万年前。

啮齿动物化石首次形成于6 000万年前。

已知最早的灵长类化石形成于5 600万年前。

这种动物跟马看齐，不过它依靠趾关节行走。

已知最早的猿类（*Rukwapithecus*）化石形成于2 500万年前。

哺乳动物和爬行动物牙齿（类似于现代哺乳动物的乳齿）在2.1亿年前留下牙齿化石证据。

翼龙2.2亿年前首次形成化石。

保留下来的**最早的哺乳动物化石**（隐王兽）形成于2.25亿年前。

哺乳动物

恐龙和鸟类

最早的海龟化石形成于2.3亿年前。

最早的恐龙化石形成于2.31亿年前。

鱼龙的化石形成于2.48亿年前。

犬齿兽类，一种爬行动物，"哺乳动物的原型"，化石形成于2.59亿年前。

DNA证据表明，**现代两栖动物**（蛙类和蝾螈）进化形成于2.64亿年前。

斯代龙（*Varanops*），下孔类爬行动物，存在于2.75亿年前。另一些下孔类动物最终进化成哺乳动物。

邓氏鱼（*Dunkleosteus*），一种大型鲁肉质盾皮鱼，存在于3.8亿年前。早期盾皮鱼是最早的有颌脊椎动物，像鲨鱼一样，骨骼主要由软骨组成，存在于4.36亿年前。

两栖动物时代，在这一时期，像两栖螈（*Amphibamus*）这样的四足动物在石炭纪的成煤森林中大量繁殖，3.05亿年前出现了大规模的灭绝。

两栖螈

下孔类，属于爬行动物，后来进化为哺乳动物，其化石形成于3.12亿年前。

爬行动物林蜥（*Hylonomus*）的化石形成于3.18亿年前。

2亿年前

2.5亿年前

3亿年前

1.5亿年前

1亿年前

5 000万年前

现代

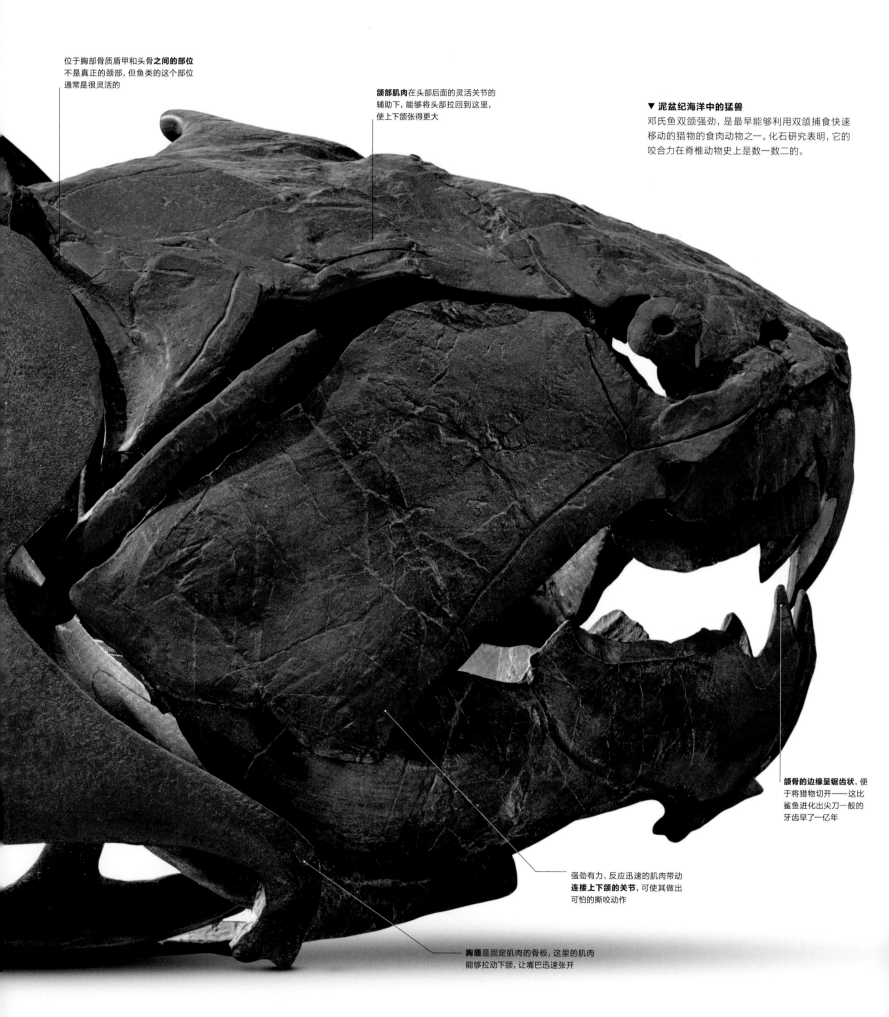

位于胸部骨质盾甲和头骨**之间的部位**不是真正的颈部，但鱼类的这个部位通常是很灵活的

颌部肌肉在头部后面的灵活关节的辅助下，能够将头部拉回到这里，使上下颌张得更大

▼ **泥盆纪海洋中的猛兽**
邓氏鱼双颌强劲，是最早能够利用双颌捕食快速移动的猎物的食肉动物之一。化石研究表明，它的咬合力在脊椎动物史上是数一数二的。

颌骨的边缘呈锯齿状，便于将猎物切开——这比鲨鱼进化出尖刀一般的牙齿早了一亿年

强劲有力、反应迅速的肌肉带动**连接上下颌的关节**，可使其做出可怕的撕咬动作

胸盾是固定肌肉的骨板，这里的肌肉能够拉动下颌，让嘴巴迅速张开

上下两颌，顶级 捕食者**的塑造者**

自从生物进化出捕食能力以来，食肉动物就进入了自然界。然而，脊椎动物是从吸取海底泥浆的滤食性动物发展而来的。它们直到进化出上下颌，才能够处于长长的食物链的顶端。

很多无脊椎动物，比如食肉蠕虫、海蝎子和蜈蚣，都进化出了边缘锋利的颌，便于捕获猎物。但是拥有软骨或硬骨的脊椎动物两颌更大，附着的肌肉也更发达。最早生有颌骨的脊椎动物是通过重新排列支撑鳃的鳃弓完成进化的。后来，前面的鳃弓前移到口部上下两端，与头骨后部相连，形成了一个"铰接点"。

超级捕食者

鳃弓进化成可动的颌骨，或许有助于让更多的氧进入鳃，而肌肉更加强劲有力，又使得颌骨可以做出撕咬的动作。这样一来，鱼类不仅能够捕获猎物，还能将其杀死并咬碎。自然选择更加青睐那些体形庞大、两颌强劲的鱼类，使动物形成了更加强悍的捕食方式。

已知最早的有颌脊椎动物是盾皮鱼。这种鱼多数覆有骨板盾甲，在泥盆纪（4.19亿年前至3.59亿年前）时期极为繁盛。邓氏鱼是已知最大的盾皮鱼之一，化石遍布

世界各地，证明该物种盛极一时。邓氏鱼的身长有汽车的两倍，是当时体形最大的捕食者，上下颌能将其他鱼类的盾甲轻松刺穿。这种体形和身长意味着它们能够捕

食更大的动物，包括其他捕食者。邓氏鱼在泥盆纪海洋的食物链中处于顶级捕食者的位置。

食物多样性

尽管盾皮鱼占据明显的捕食优势，可是好景不长。在泥盆纪晚期的大灭绝中，它们消失了。这次大灭绝可能是氧气水平下降

导致的。不过与此同时，另一些有颌脊椎动物，尤其是鲨鱼，进化形成并存活了下来。鲨鱼的上下颌虽然是柔韧的软骨，但牙齿却十分锋利，而且还能不断更新。这一点盾皮

> **在泥盆纪，有颌鱼**消灭了大部分无颌鱼，成为**盛极一时**的脊椎动物。

科林·塔齐（Colin Tudge，生于1943年），生物学家，作家

鱼或许永远也做不到。但是硬骨脊椎动物的颌骨才最为强劲，其牙齿外覆釉质，坚硬到了前所未有的地步。鳄鱼、恐龙和哺乳动物的牙根很深，能够更好地对付挣扎的猎物。处于食物链中下端的动物，齿列也有所调整。食草哺乳动物进化出磨牙，上下颌的功能由撕咬转变为咀嚼，脊椎动物的生态范围就此得到了前所未有的扩展。

▼ 食物链顶端

体形更大的有颌脊椎动物进化形成后，它们的潜在猎物，包括较小的捕食者的体形范围也随之增大。这样一来，食物链拉长了。在这条食物链中，箭头表示了从猎物到捕食者之间的能量流动。

顶级捕食者 邓氏鱼

捕食者 菊石

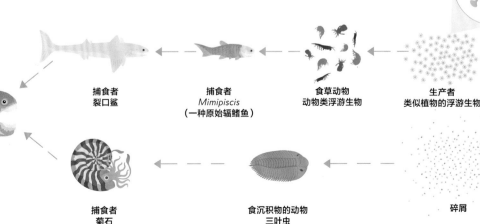

捕食者 裂口鲨

捕食者 *Mimipiscis* （一种原始辐鳍鱼）

食草动物 动物类浮游生物

生产者 类似植物的浮游生物

食沉积物的动物 三叶虫

碎屑

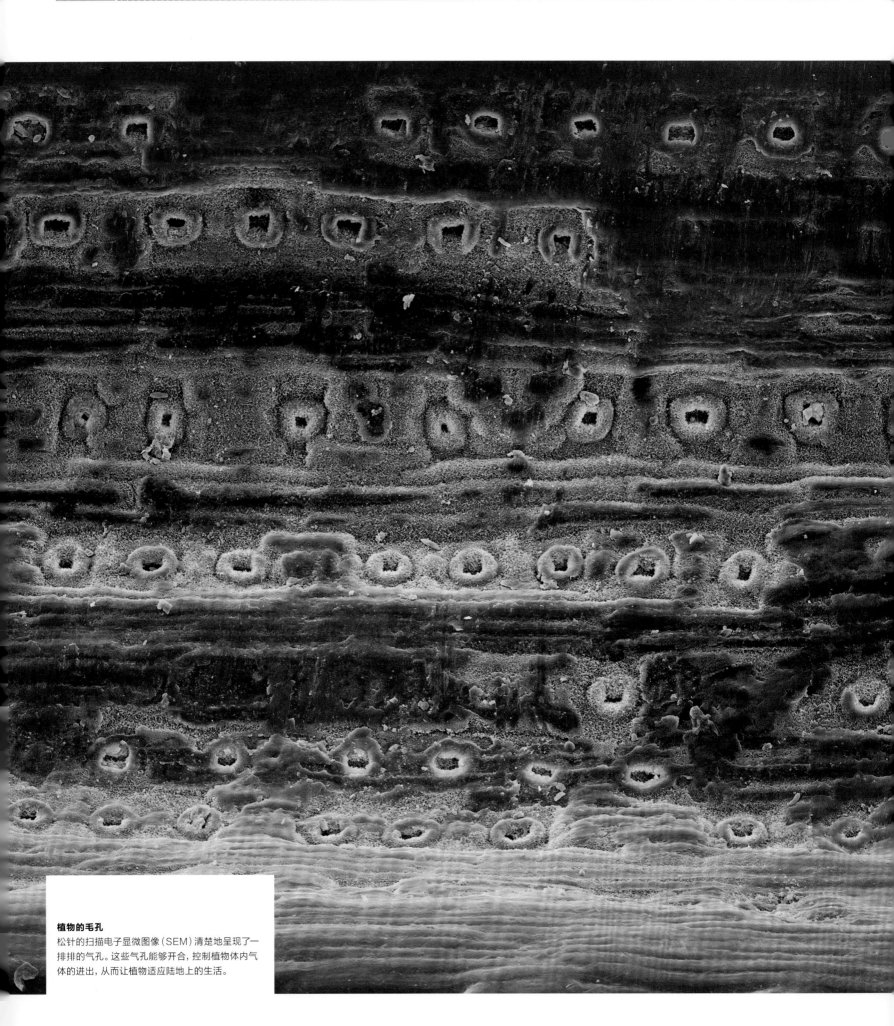

植物的毛孔

松针的扫描电子显微图像（SEM）清楚地呈现了一排排的气孔。这些气孔能够开合，控制植物体内气体的进出，从而让植物适应陆地上的生活。

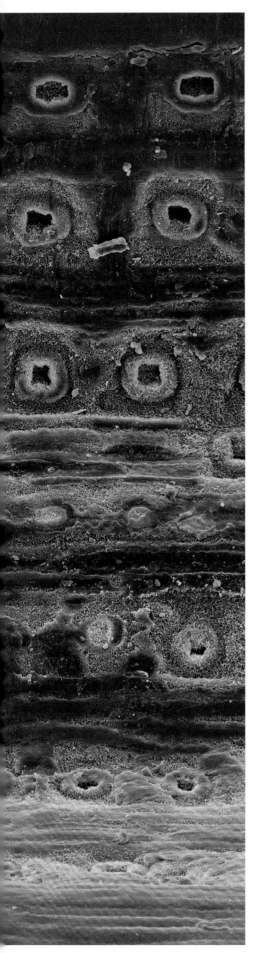

植物
向陆地**迁移**

藻类蔓延到海洋沿岸的潮汐区，这或许是陆地上出现植被的开始。然而，植物要想深入内陆，长期处于干燥的环境当中，就必须有深入土壤的根，以及能生长在干燥空气中的枝叶。

植物最早生长在水里，后来才出现在陆地上。藻类进化出宽大的叶状体和一个"固着器"，前者用来获取阳光的能量，后者将藻类固定在岩石上。这些海藻至今仍然生活在海洋里。大海退潮时，很多海藻会在空气中幸存下来，但是它们非常脆弱，无法在干燥的陆地上存活太久。

具有锁水功能的叶

水会过滤一部分太阳能量。植物在陆地上能够接受更强烈的阳光，却也面临干

植物能长得更高，是因为它们进化出了一种复杂的物质，叫作木质素。植物体内生有细微的导管，导管外的木质素能保证水分不会流失，这样一来，这些导管就能将水和矿物质沿着茎向上输送。而且木质化导管的硬度也会更高，所以这些新的植物才能垂直生长，开枝散叶。坚韧的导管还会向下生成根，这些根的硬度更高，并且分叉生长，深入土壤内部，能起到固定作用，还能吸收溶解的矿物质。这些较高的植物中有很多已经能够产生种子，从而更好地

> ❝ **最早的动物登陆**依赖于绿色植物**对陆地景观的改造**……而不是简单地向陆地扩张。 ❞

卡尔·尼克拉斯（Karl Niklas，生于1945年），植物学教授

枯的风险。陆地植物的表皮，以及细胞的表面"皮肤"，进化出一层光滑的锁水层。表皮上的毛孔叫作气孔，能够控制气体的运动，从而完成某些进程，比如光合作用（见第114~115页）和呼吸作用。最早的陆地植物，像是今天的苔藓和欧龙牙草，只能利用短小的茎附着在陆地上。它们生有极其细微的毛，勉强钻入地下，我们称之为假根。它具备原始根的功能，能让植物附着在地表。

直立

直立是需要力量的。植物细胞外包裹着一层纤维素，加厚这层纤维素能够增强茎的支撑能力。尽管苔藓具备这个条件，但它们也只能高出地面几厘米而已。其他

适应陆地上的生活。继续增厚的木化组织，即我们所说的木质，可以让树干变粗，树木增高。

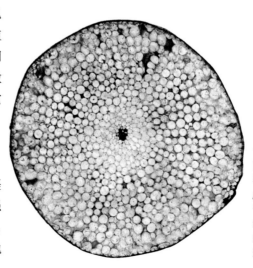

◀ 坚硬的茎

图为植物化石的横截面，这种植物是瑞尼蕨（*Rhynia gwynne-vaughanii*），生存于大约4.1亿年前的泥盆纪。从图中可以看出，植物的导管是不透水的，能够输送水和养分。

文洛克
石灰岩

很少有生物会留下化石痕迹，不过有些地方却意外地保留下了整个群落的化石。它们的化石十分完美，物种丰富，细节清晰，为动植物群体的生存和死亡方式提供了罕见的证据。

文洛克埃奇山（Wenlock Edge）是威尔士与英格兰边境露出地面的石灰岩，此地拥有的典型化石群又称化石宝库（Lagerstätte）。这里集合了4.2亿多年以前生活在热带礁石的各种动物。当时这里是古代巨神海的海岸线，很多动物都在这里进化形成。从这些化石可以看出，珊瑚、海绵、三叶虫和腕足类动物在温暖的浅海地带十分繁盛。

化石群是在特定条件下形成的。文洛克化石群里有很多破碎的或远离栖息地的硬壳动物，这说明巨大的海浪曾经把动物残骸留在海底斜坡的淤泥中。这也意味着，仅仅一块文洛克的石板就能包含很多不同地方的动物。还有些化石群可能会将动物群落完好无损地保存下来。加拿大落基山脉的伯吉斯页岩中保留了5.05亿年前在泥石流中窒息而死的软体动物。尽管它们的朝向各不相同，但是从姿态来看，它们应该是瞬间死亡的。然而，并不是所有化石群都是由这种"暴力屠杀"造成的。人们在北美格林河（Green River）一带发现了拥有5 000万年历史的沉积物，这些沉积物位于湖盆中，里面含有鱼类、树叶、昆虫、甚至还有带羽毛的小鸟。湖底淤泥中的低氧条件减缓了细菌的分解作用，这样一来，一些原本容易腐烂的东西就能形成完整的化石了。德国的梅瑟尔湖（Messel lake）也发生过同样的情况，时间也大致相同。

四射珊瑚单独生长，呈角状，现已灭绝，与今天的珊瑚存在亲缘关系

蛤蜊类似于今天的扇贝，是一种可以自由游动的滤食性动物

识别灭绝的动物

同一时期的**化石数量繁多**，不仅有助于重现史前动物之间的相互影响，也有利于分析动物的多样性。物种的再现要依赖于标本，而化石标本往往并不完整。假如有大量的动植物化石保存在一起，生物学家就能更好地、更有代表性地从解剖学的角度来看待这些物种，并将其区分开来。

色彩斑斓的大型飞蚁，保存十分完整

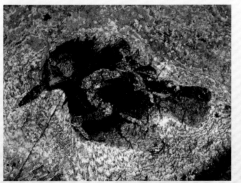

带羽毛的鸟类化石

青蛙，软体部分轮廓清晰

◀ 梅瑟尔化石坑
德国的梅瑟尔湖一带完好地保存了一个4 700万年前的生物群落。这里的地质条件十分特殊，湖内释放出有毒气体，不仅令动物瞬间死亡，而且导致食腐动物无法蚕食落在地面上的动植物残骸，因此这些残骸最终得以矿化。

一块群体珊瑚脱离了原来在礁石上的位置，文洛克地区很多其他附着动物也离开了栖息地

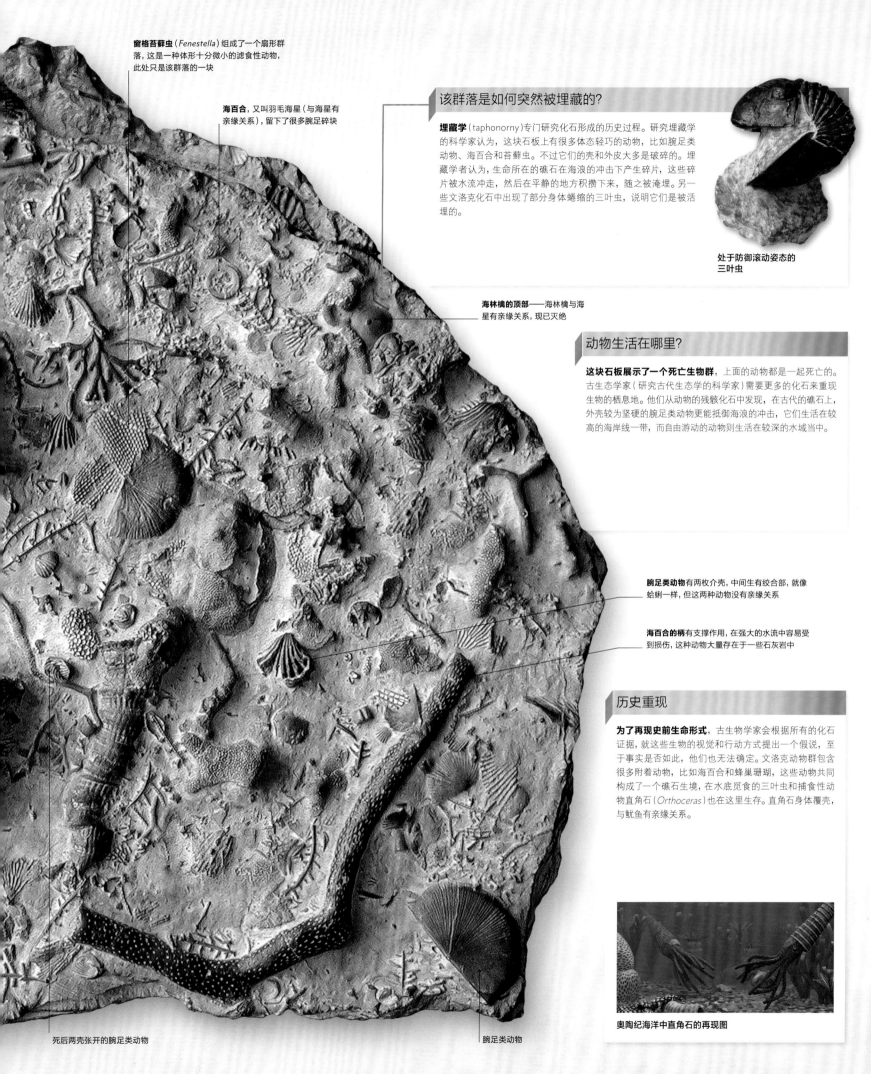

窗格苔藓虫（*Fenestella*）组成了一个扇形群落，这是一种体形十分微小的滤食性动物，此处只是该群落的一块

海百合，又叫羽毛海星（与海星有亲缘关系），留下了很多腕足碎块

海林檎的顶部——海林檎与海星有亲缘关系，现已灭绝

该群落是如何突然被埋藏的?

埋藏学（taphonorny）专门研究化石形成的历史过程。研究埋藏学的科学家认为，这块石板上有很多体态轻巧的动物，比如腕足类动物、海百合和苔藓虫。不过它们的壳和外皮大多是破碎的。埋藏学者认为，生命所在的礁石在海浪的冲击下产生碎片，这些碎片被水流冲走，然后在平静的地方积攒下来，随之被淹埋。另一些文洛克化石中出现了部分身体蜷缩的三叶虫，说明它们是被活埋的。

处于防御滚动姿态的三叶虫

动物生活在哪里?

这块石板展示了一个死亡生物群，上面的动物都是一起死亡的。古生态学家（研究古代生态学的科学家）需要更多的化石来重现生物的栖息地。他们从动物的残骸化石中发现，在古代的礁石上，外壳较为坚硬的腕足类动物更能抵御海浪的冲击，它们生活在较高的海岸线一带，而自由游动的动物则生活在较深的水域当中。

腕足类动物有两枚介壳，中间生有绞合部，就像蛤蜊一样，但这两种动物没有亲缘关系

海百合的柄有支撑作用，在强大的水流中容易受到损伤，这种动物大量存在于一些石灰岩中

历史重现

为了再现史前生命形式，古生物学家会根据所有的化石证据，就这些生物的视觉和行动方式提出一个假说，至于事实是否如此，他们也无法确定。文洛克动物群包含很多附着动物，比如海百合和蜂巢珊瑚，这些动物共同构成了一个礁石生境，在水底觅食的三叶虫和捕食性动物直角石（*Orthoceras*）也在这里生存。直角石身体覆壳，与鱿鱼有亲缘关系。

奥陶纪海洋中直角石的再现图

死后两壳张开的腕足类动物

腕足类动物

动物
登上陆地

几十亿年来，大量生物只能在海洋、湖泊和河流当中生存。这种自古已有的现象意味着最早的复杂生物也只能生活在水里。干燥的陆地提供了很多新的生存机会，生物不是一次性移生陆地的，而是进行了多次尝试。

最早的微生物有可能在生命起源的最初10亿年里就已登上陆地。对这些细菌来说，潮湿的海边岩石和沉积物是海洋和海岸重叠的地方，是天然的海洋环境延伸地。30多亿年前，腐蚀作用和生物残骸形成了最早的土壤，细菌开始在土壤颗粒间生存。最早的掘穴生物搅动沿海的沉积物，增添了有机物质，这些有机物质成了真菌和其他分解者的食物。土壤变得肥沃起来。4.7亿年前，陆地也成了植物理想的生存地。

陆地上的生活

地表的生物移生却要复杂得多。所有的生物，无论是单细胞生物还是多细胞生物，其细胞都离不开水分。陆地植物进化出厚厚的蜡质外层（角质层），用以锁住水分，并且让空气流通（见第136~137页）。

最早的陆地动物也有角质层，同样起到锁水的作用，但是要想四处走动，它们还要面临其他的挑战。在寒武纪（5.41亿年前至4.85亿年前），海洋动物的体形已经进化得很大了，这不利于它们到陆地上生存。

▶ **最早呼吸空气的生物**
这只现代马陆覆甲的肢体类似于呼气虫（*Pneumodesmus*）。呼气虫也是马陆的一种，存在于4.28亿年前。呼气虫是已知最早的在陆地上行走并呼吸空气的动物。从其外骨骼的化石可以看出，呼气虫生有呼吸孔。

水有浮力，能够有效抵消动物的部分体重，而在陆地上，同等体重的动物或许就会因为体重太大而无法移动。早期的陆地动物需要强有力的肌肉和支撑身体的骨架，这势必会额外增加它们的体重，所以它们要通过缩小体形来做出调整。起初，类似蠕虫的陆地动物或许会在地下或岩石裂缝中活下来，这里的微生境十分潮湿，这些小型动物或许会利用皮肤来呼吸空气。

早期的陆地移生动物还包括肢体分节的节肢动物。史前的节肢动物已经在海洋中十分繁盛，它们与今天的螃蟹和蜘蛛有亲缘关系。它们的肢体分节，体表覆有骨甲，因此具备成功登陆的潜力。化石和DNA证据显示，第一批大规模移生陆地的动物可能出现于5亿多年前，其中包括马陆和蜈蚣。它们的肢体分节、覆甲，有助于其在陆地上爬行和保持体内的水分，它们的骨甲上进化出呼吸孔，能够直接从空气中获取氧气。马陆是最早的以陆地植物为食的食草动物，而蜈蚣则是陆地生态系统中最早的食肉动物。

进入森林

化石证据显示，3.8亿年前，陆地上已经有了最早的树木。到石炭纪初期（3.59亿年前），地球上已经有了富饶、潮湿的森林，里面孕育着各种各样的生物。植物可以长得更高，因为它们进化出了硬度更大的支撑材料，比如木质素。森林提升了陆地生

> **四足动物**生有四肢和手指脚趾，**人类也是其中一员**，所以这个**历史久远的泥盆纪事件**对**我们人类**以及**整个星球**都具有极为**深远的意义**。

珍妮弗·克拉克（Jennifer Clack，1947—2020），古生物学家
《勇往直前：四足动物的起源和进化》（*Gaining Ground: the Origin and Evolution of Tetrapods*）

两行脚印之间留下的痕迹说明该生物的腹部是贴在地面上的

这些小而浅的脚印说明该动物至少有八对足

◀ **最早的动物脚印**
这些化石痕迹在5.3亿年前形成于寒武纪早期的沙丘当中，是我们目前发现的陆地上最古老的动物痕迹。它们是一种节肢动物留下来的，这种动物既能在陆地上生活，也能在海洋中生活。

态系统的高度，为树栖和飞行动物提供了新的生境。特别值得一提的是，它们为陆栖动物中最大的群体昆虫的诞生提供了条件。陆地生物在进化过程中产生了全新的物种——织网捕食的蜘蛛、以植物为食的昆虫，以及草食性的蜗牛——也产生了新的生态相互作用。这时，陆生生物不论在多样性上，还是在丰富程度上，都完全可以同海洋中的水生生物一较高下。

我们的祖先登上陆地

当无脊椎动物来到陆地时，脊椎动物仍然被禁锢在水生生境当中。在 3.95 亿年前至 3.75 亿年前的泥盆纪，脊椎动物开始向陆地移动。跟无脊椎动物一样，它们的肢体需要做出改变。

鱼类利用成对的鳍来保持游泳的稳定性，尽管少数鱼类也会用鳍在海底"行走"，但是对大多数鱼类来说，鳍还是太柔软了，无法进化成腿。然而，"肉鳍鱼"却有独特的优势。其中少数古代鱼类至今仍然存在，比如肺鱼和腔棘鱼。但是在泥盆

栖动物，但是这些早已灭绝的生物跟今天的蛙类和蝾螈的亲缘关系却很远。它们是最早生出四肢的脊椎动物，或者叫"四足动物"，是所有爬行动物、鸟类、哺乳动物，以及现代两栖动物的祖先。有非常完整的化石记录表明，在鱼类向四足动物过渡的过程中，还存在一个中间形态，有时我们称之为"鱼足动物"（fishapods）。

这种具备四肢、呼吸空气的身体机制是生物进化史上的重要一步。尽管有些动物的肢体后来退化了，或者转化为前肢或翅膀，但这仍然是今天大部分陆生脊椎动物的基础形态。

▲ 过渡动物化石
提塔利克鱼是进化史上的奇迹。尽管它的外形跟鱼类似，但其颈部比真正的鱼更加灵活；它的鳍虽然很小，但是接合点强劲有力，或许能在陆地上支撑自身的重量。

提塔利克鱼存在于
3.75亿年前，最早的化石于2004年在加拿大境内的北极地区发现

纪时期，还有很多不同形态的鱼。与其他所有鱼不同的是，它们没有坚硬的骨质结构来支撑每一片鱼鳍。它们的身体与鳍的接合点十分灵活，可以利用鱼鳍在水下行走，后来它们又借助鱼鳍浮出水面，爬行登陆。肉鳍鱼或许是在干旱期完成这个过程的，就像今天的肺鱼一样。随着肉鳍鱼向内陆深入，鳍进化成了四肢，生出了手指和脚趾。

鱼类还有很多其他适于陆地生活的特征。很多鱼都有一个充气囊——鱼鳔，用来控制浮力。有些鱼的鱼鳔发生了改进，能够直接在空气中呼吸，因而可以在鳃从水中获取氧的同时，起到补充氧的作用。后来因为早期的肉鳍鱼有了胸腔肌肉，比如横膈，所以这种新式的呼吸机制变得更加强劲有力，进而进化成最早的呼吸空气的肺。

最早生有肺的脊椎动物通常被叫作两

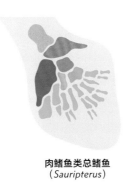

肉鳍鱼类总鳍鱼
（*Sauripterus*）

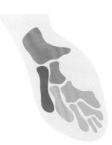

肉鳍鱼类真掌鳍鱼
（*Eusthenopteron*）

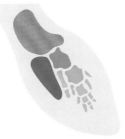

**"鱼足动物"
提塔利克鱼**

◀ 鱼鳍到四肢
多个物种的化石表明了鱼类向四足两栖动物进化的过程。随着时间的推移，相同的骨骼发展成不同的形状，同时也有一些骨骼退化了。

辐射骨现在已经进化成指骨，手指的数量从五到八个不等

尺骨和桡骨的形状原本不同，现在它们长在一起，都是手臂骨骼

手指的数量减少到五个，后来所有的四足动物都是如此

早期的四足动物棘螈
（*Acanthostega*）

后来的四足动物图拉螈
（*Tulerpeton*）

后来的四足动物原水蝎螈
（*Proterogyrinus*）

图例

- 肱骨
- 桡骨
- 尺骨
- 尺腕骨
- 中间腕骨
- 辐射骨
- 化石记录中缺少的骨骼

形成
翅膀

通常情况下，生物之间的相似性是它们拥有共同祖先的结果，但也有例外。比如，至少有四类动物分别在不同的时间独立进化出用于飞行的翅膀，获得飞上天空的能力。

生物会进化出适应性特征来更好地匹配自己的生存方式。自然选择有时会给毫不相关的生物群体带来同样的新形态。这就是趋同进化。

共有特征

所有产生种子的植物都有共同的祖先，它们的关系就像都带刺胞的水母和珊瑚之间的关系那样。可是有些时候，在自然选择的作用下，毫不相关的群体也会产生相似的适应性特征，例如会游泳的鱼龙（爬行动物）和海豚（哺乳动物）都生有鳍肢。

有些不同的生命形式，生存地域相距遥远，甚至不在同一个时期，但是拥有相似的身体结构或行为。这往往是由于它们所处的环境相似，需要某种共同的适应性特征。尽管鱼龙和海豚存在的时间相差了几千万年，但是它们都需要快速游动，来逃避天敌、捕食行动迅速的猎物，因此，它们都进化出了鳍肢。

飞行能力的进化

昆虫是最早具备飞行能力的动物，它们的翅膀不是在原有肢体的基础上发展而来的，而是单独进化形成的，这一点在动物界独一无二。脊椎动物是通过改进原有的四肢，才具备飞行能力的。经过长时间的发展，它们的前肢和爪进化成了不同类型的翅膀。翼龙或许最先做到了这一点，在恐龙灭绝之前，它们是我们最为熟悉的会飞的爬行动物。鸟类则由双足恐龙进化而来，后来发展得更好。或许由于是恒温动物，它们能在同样的灭绝事件中幸存下来，同哺乳动物一起繁盛起来，并且变得十分多样化。后来，哺乳动物中也进化出一种特殊的飞行动物——蝙蝠，它们大多在夜间飞行，利用声呐或者回声定位，在黑暗中识别方向，捕食猎物。

鸟类是最早具备飞行能力的恒温动物。这只地中海隼体现了鸟类展羽减速的本领。

蝙蝠是唯一——真正具备飞行能力的哺乳动物。飞鼠和鼯鼠，实际上只能滑翔。

翼龙，恐龙的近亲，是最早通过拍打翅膀飞行的脊椎动物。喙嘴翼龙（*Rhamphorhynchus*）是翼龙的早期品种，生存于侏罗纪（1.66亿年前至1.45亿年前）。

▼ 飞上天空
动物飞行能力的进化经过了几亿年的历史。不同种群的动物分别在四个不同的时期进化出了动力飞行的能力。

已知最早的会飞昆虫，一种蜉蝣或石蝇，3.14亿年前在北美洲形成化石。

4亿年前　　　　　　　　　　　　　　3亿年前

节肢动物

爬行动物

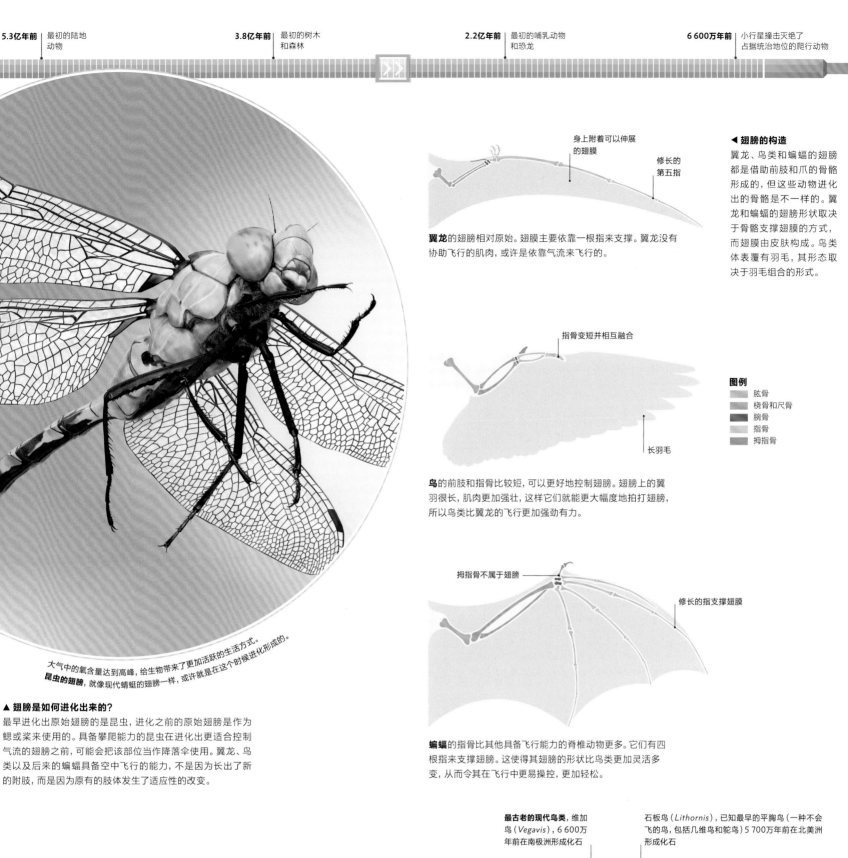

◀ 翅膀的构造

翼龙、鸟类和蝙蝠的翅膀都是借助前肢和爪的骨骼形成的，但这些动物进化出的骨骼是不一样的。翼龙和蝙蝠的翅膀形状取决于骨骼支撑翅膜的方式，而翅膜由皮肤构成。鸟类体表覆有羽毛，其形态取决于羽毛组合的形式。

身上附着可以伸展的翅膜

修长的第五指

翼龙的翅膀相对原始。翅膜主要依靠一根指来支撑。翼龙没有协助飞行的肌肉，或许是依靠气流来飞行的。

指骨变短并相互融合

长羽毛

鸟的前肢和指骨比较短，可以更好地控制翅膀。翅膀上的翼羽很长，肌肉更加强壮，这样它们就能更大幅度地拍打翅膀，所以鸟类比翼龙的飞行更加强劲有力。

图例

- 肱骨
- 桡骨和尺骨
- 腕骨
- 指骨
- 拇指骨

拇指骨不属于翅膀

修长的指支撑翅膜

蝙蝠的指骨比其他具备飞行能力的脊椎动物更多。它们有四根指来支撑翅膀。这使得其翅膀的形状比鸟类更加灵活多变，从而令其在飞行中更易操控，更加轻松。

大气中的氧含量达到高峰，给生物带来了更加活跃的生活方式。
昆虫的翅膀，就像现代蜻蜓的翅膀一样，或许就是在这个时候进化形成的。

▲ 翅膀是如何进化出来的？

最早进化出原始翅膀的是昆虫，进化之前的原始翅膀是作为鳃或桨来使用的。具备攀爬能力的昆虫在进化出更适合控制气流的翅膀之前，可能会把该部位当作降落伞使用。翼龙、鸟类以及后来的蝙蝠具备空中飞行的能力，不是因为长出了新的附肢，而是因为原有的肢体发生了适应性的改变。

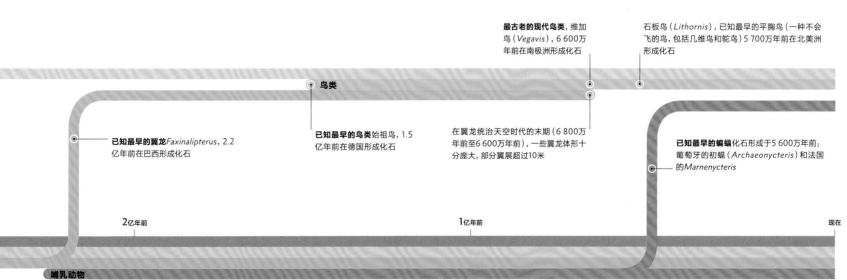

最古老的现代鸟类，维加鸟（*Vegavis*），6 600万年前在南极洲形成化石

石板鸟（*Lithornis*），已知最早的平胸鸟（一种不会飞的鸟，包括几维鸟和鸵鸟）5 700万年前在北美洲形成化石

鸟类

已知最早的翼龙 *Faxinalipterus*，2.2亿年前在巴西形成化石

已知最早的鸟类始祖鸟，1.5亿年前在德国形成化石

在翼龙统治天空时代的末期（6 800万年前至6 600万年前），一些翼龙体形十分庞大，部分翼展超过10米

已知最早的蝙蝠化石形成于5 600万年前：葡萄牙的初蝠（*Archaeonycteris*）和法国的*Marnenycteris*

2亿年前

1亿年前

现在

哺乳动物

66

种子内的胚胎被完全保护起来，这是……
一种极大的**优势**。

99

道格拉斯·霍顿·坎贝尔（Douglas Houghton Campbell, 1859—1953）
美国植物学家

现存的种子化石显示, 这棵树
已经通过授粉成功受精

在形成化石的过程中,
木质球果变成了石质

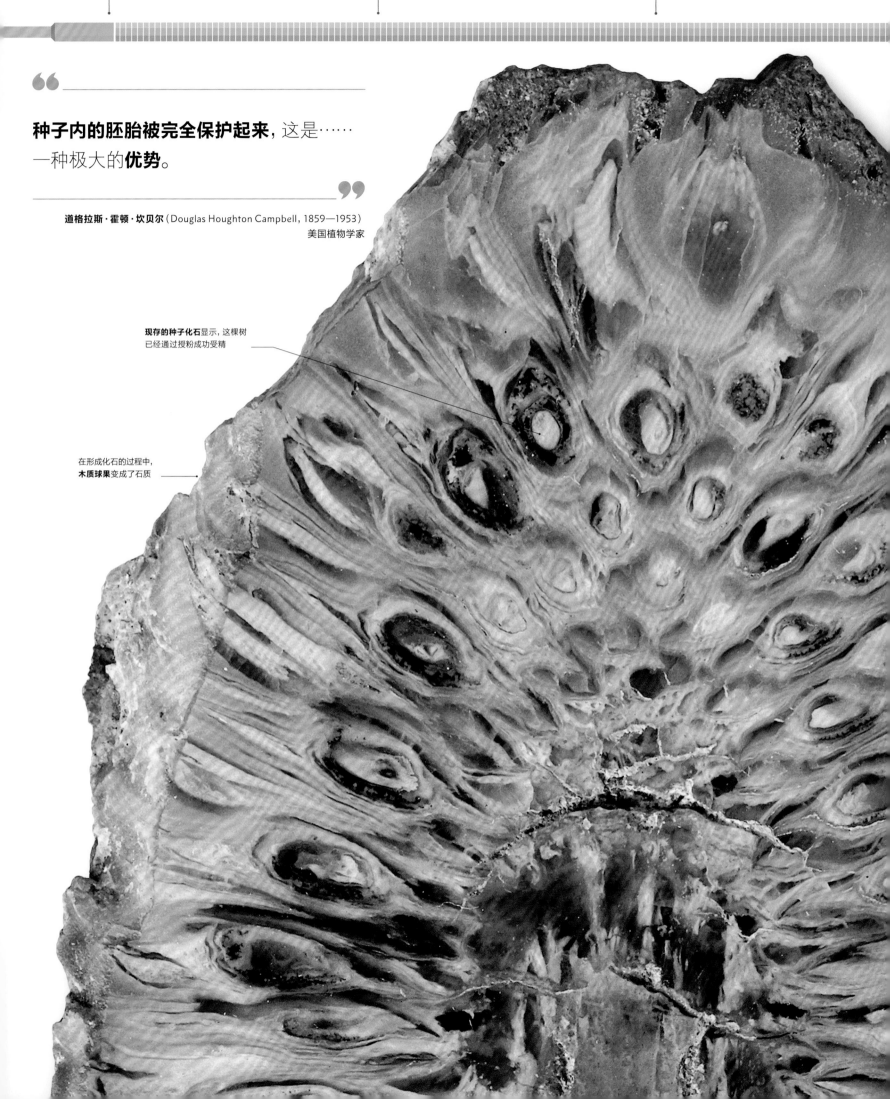

最早的种子

大约3.7亿年前，一类新的植物进化形成了。这类植物能产生富含养分的种子，种子外面有保护壳，这就是胚胎最终赖以生存的温室。种子是生物发展史的塑造者，在远古时代扮演着重要的角色。

◀ **猴谜树**
这个化石球果拥有1.6亿年的历史，跟今天树上的球果极为类似。该物种名为智利南洋杉（*Araucaria araucana*），也就是人们所熟悉的猴谜树，目前在阿根廷和智利仍然十分繁盛。

球果的鳞片是由叶子变化而来的，可以保护种子

最早的藻类植物是在水中完成整个生命周期的，有的产生孢子，有的产生配子（卵子或精子）。它们的后代，苔藓和蕨类，开始向陆地蔓延。这时，适应性较强的孢子也开始扩散到空气当中。然而它们的精子仍然要靠水滴向卵子游动：它们虽然能在干燥的环境中生存，但无论它们的根有多深，叶片有多么坚韧，仍然要靠定期的降水来繁殖。

一种新的植物打破了这种局限于水的生殖过程，它们将传宗接代的任务交给了远离地面的生殖枝。留在雌性生殖枝内的孢

髓木属（*MEDULLOSA*），
生存于3.5亿年前至2.5亿年前的一种**原始种子植物，其种子有鸡蛋那么大**

子长成卵子。雄性生殖枝内的孢子会变成花粉，被风吹向内陆，落到雌性生殖枝上。大部分原始种子植物的精子会从花粉中分裂出来，进入生殖枝并向卵子游动，这种方式在今天的苏铁类植物中仍然存在。但是现今多数种子植物已经不需要精子了，每粒花粉都会伸出一根细管——花粉管，将赤裸的雄性细胞核直接输送给卵子，完全

不需要它们自己游动了。与那些依赖水的植物相比，有花粉的植物更能深入内陆。另外，这些植物还给孕育下一代的胚胎包裹上一个耐旱的外壳——种子，至此完全打破了生殖对水的依赖。

种子如何发挥作用？

卵子内生有一个薄壁囊，叫作胚珠。胚珠授粉后囊壁加厚，变成种子。起初，胚珠生长在叶或球果的鳞片上，球果的生殖枝由根部相互连接的硬质鳞片构成，就像今天苏铁类和松柏类的球果一样。后来，大部分种子植物的胚珠生长在花的下面，也就是生殖枝深处（见第160~161页）。这些胚珠变成种子以后，周围的肉质组织就变成了果实。种子植物现在早已进化出引诱动物帮助其授粉的办法，这是一种独特的复杂生存形式，是这些植物生存策略的一部分（见第164~165页）。

种子的成功，以及它与我们的关系

花粉受精和种子传播都是很成功的生存方式，所以种子植物奠定了如今所有陆地生态系统和世界食物网络——包括处于顶级位置的人类——的基础。非种子植物——苔藓、蕨类和欧龙牙草——尽管到处都有，却不再主宰任何陆地生境。

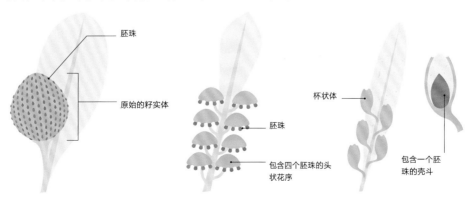

◀ **原始种子植物**
最早的种子植物因为叶的形状，叫作种子蕨类，不过它们与我们今天所熟知的蕨类毫无关系。它们的胚珠外有壳，附着在叶上。种子植物最终进化出了球果和花。

胚珠

原始的籽实体

PLUMSTEDIA

杯状体

胚珠

包含四个胚珠的头状花序

LIDGETTONIA

包含一个胚珠的壳斗

DENKANIA

▼ **壳中的生命**

史前爬行动物，包括恐龙，是产有壳卵的先驱。在壳的包裹下，胚胎可以安全地生长发育，不会脱水。父母会保护自己的卵，使其免遭捕食，就像今天很多爬行动物和鸟类一样。

壳由一层以碳酸钙为主要成分的白垩质组成，硬度较大，可以抵挡外界的伤害。壳能够透气，实现呼吸气体的交换。此外，壳不会太过结实，幼崽孵化后能够破壳而出

白色的壳将绒毛膜隐藏起来，绒毛膜是一层透明的胚膜，能将胚胎、羊膜、卵黄囊和尿囊完全包裹起来

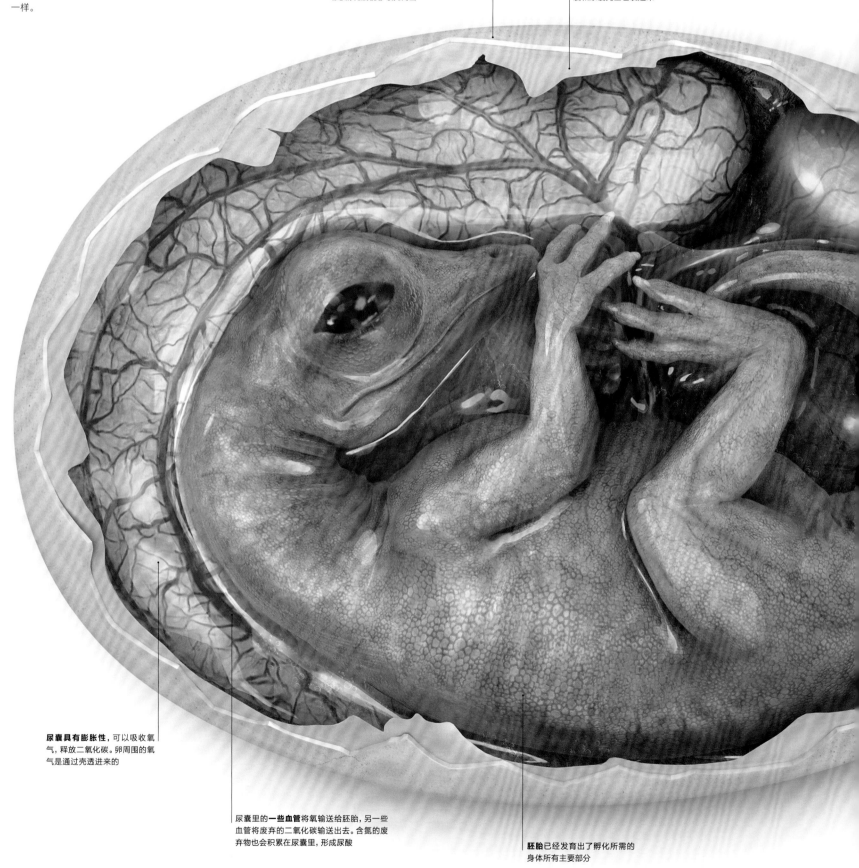

尿囊具有膨胀性，可以吸收氧气，释放二氧化碳。卵周围的氧气是通过壳透进来的

尿囊里的**一些血管**将氧输送给胚胎，另一些血管将废弃的二氧化碳输送出去。含氮的废弃物也会积累在尿囊里，形成尿酸

胚胎已经发育出了孵化所需的身体所有主要部分

有壳卵
产生

最早的陆生脊椎动物有腿,可以行走,可以呼吸空气。然而,早期的两栖动物仍然离不开水,因为它们需要湿润的环境来繁殖。爬行动物进化后,可以产下有硬壳的卵,在干燥的陆地上繁殖,从而打破了这种限制。

脊椎动物最早生活在水中,水里的鱼类和两栖动物产出的卵是软的,外面只包裹着一层保护性的胶膜。爬行动物不但进化出坚硬而防水的有鳞表皮,以防体内失水,而且还改变了生殖习惯。它们的卵壳十分坚硬,可以保护和包裹陆地上的胚胎,同时又能透气,足以保证胚胎正常呼吸。

胚胎的"生存装备"

大多数爬行动物和所有鸟类产下的卵都有硬壳,结构十分精妙,包含胚胎发育所需的所有物质。这种有壳卵出现之前,所有胚胎都是在液体环境中发育的。为了在陆地上创造这种液体环境,它们用一层膜将液体包裹起来,算是完成了进化史上一次小小的飞跃。这层膜叫作羊膜,最先进化出羊膜的动物也因此得名"羊膜动物"(amniotes),不过我们更熟悉的还是它们的另一个名字"爬行动物"。卵内的胚胎有自己的食物柜——卵黄囊,就跟鱼类和两栖动物一样。胚胎还有尿囊——一个处理废物的囊袋,之前的动物都没有。胚胎在发育过程中会吸收氧气,并积累废弃物,这样一来,卵黄囊越来越小,尿囊越来越大。最后一层膜——绒毛膜,会将整个胚胎的"生存装备"包裹起来。

爬行动物在孵化出壳的时候,已经具备了独立生存的能力,而多数雏鸟在一段时间内仍然需要父母照顾。但是,这两种动物都是一出生就可以进食和呼吸了。

为陆地生活做好准备

羊膜动物的卵外有壳,还有为生命提供保障的膜,因而可以在陆地上完成生命周期。它们在陆地上交配,在干燥的巢穴中产卵。还有些爬行动物不再产卵,而是产下活体幼崽。

哺乳动物是羊膜动物中的一个类别,

人们认为,**最早**产下有壳卵的动物是**古窗龙**(*PALEOTHYRIS*),一种羊膜动物,存在于**3.3亿年前**

产育活体是它们的主要生殖方式。它们的胎盘中有两层膜——尿囊和绒毛膜,胚胎可以通过胎盘直接从母体血液中吸收氧和营养。与之前需要孵化幼体的动物相比,哺乳动物的胚胎在母体中发育,后代的存活概率提高了。

卵黄囊里装满了食物,比如蛋白质和脂肪,为胚胎的发育提供了营养;胚胎在长大过程中,会将这里的营养物质全部吸收,卵黄囊则会萎缩

羊膜是一层透明的薄膜,里面有羊水,羊水将胚胎包围起来,可起到缓冲作用,使其免遭外界伤害

◀ 迁居陆地的动物
异齿龙(*Dimetrodon*)是一种爬行动物,存在于2.9亿年前至2.7亿年前,是早期羊膜动物的代表。它产下的卵有壳和羊膜,即使在不易获得水源的干旱生境中,它也可以存活。

煤炭如何形成

最早在地球上形成森林的树是一种类似蕨类的高大植物, 这类植物不会腐败, 死亡后会将碳和能量聚积在地表以下, 形成煤林。3亿年后, 这些积压的残骸引起了一场工业革命。

石炭纪时期（3.59亿年前至2.99亿年前）, 陆地生物出现了前所未有的繁荣景象。类似苔藓的植物进化成了树, 昆虫具备了飞行能力, 无脊椎动物遍布各地, 大型两栖动物正在向爬行动物进化发展。地球历史的这一阶段对我们人类历史有着重大影响。

最早的森林

陆生生物第一次学会在树上生活, 生境变得格外富饶。倍足纲、昆虫纲和蛛形纲等第一批陆生动物已经上陆, 现在这类动物发展出了更多物种, 其中食肉动物包括蜘蛛、蝎子和蜈蚣。石炭纪的树长得很高, 因为它们进化出了一种坚硬的支撑性物质——木质素, 并形成了保护层。保护层含碳量高, 蕴藏能量, 最终形成了煤。这一时期的树木组织中木质素的含量比今天的树高出10多倍, 这不仅有助于防止食草动物吞食, 还能抵御腐败, 因为很少有微生物可以消化木质素。这些树死亡以后, 倒下的树干会保留下来。如果树木腐败的话, 木质素和其中的碳就会转化为二氧化碳, 可是它们落到了沼泽中, 化学能就不会再流失。这时大气中的二氧化碳会减少, 氧气会增加, 因为腐败分解过程通常要消耗氧, 而现在这个过程受到了抑制。空气中的氧越积越多, 所占比例超过了1/3。而今天, 大气中的氧只占所有气体的1/5。这么高的含氧量会带来非常离奇的影响。燃烧现象更容易发生, 从而引发森林火灾。通过皮肤或体表被动呼吸的动物经过石炭纪的进化, 个头变得非常大, 最大的昆虫和两栖动物甚至会

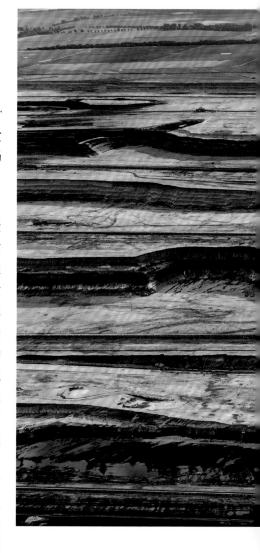

长到鳄鱼一般大小。

▶ 煤炭形成

煤最初是树木死亡之后留下的不可分解的物质。新的植物遗体在表面沉积下来后, 之前的就被埋在下面, 并且在强大的压力之下被压实。几百万年以后, 由于压力增大, 温度升高, 这些物质先变成了褐煤, 然后变成了煤。

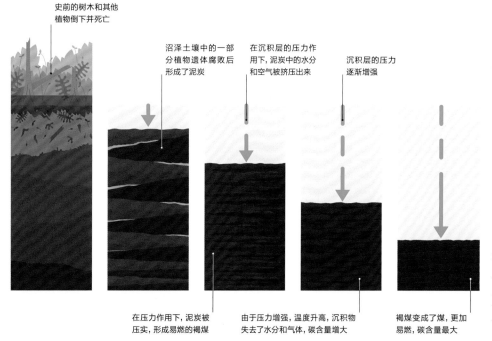

史前的树木和其他植物倒下并死亡

沼泽土壤中的一部分植物遗体腐败后形成了泥炭

在沉积层的压力作用下, 泥炭中的水分和空气被挤压出来

沉积层的压力逐渐增强

在压力作用下, 泥炭被压实, 形成易燃的褐煤

由于压力增强, 温度升高, 沉积物失去了水分和气体, 碳含量增大

褐煤变成了煤, 更加易燃, 碳含量最大

煤的起源

在石炭纪时期, 大量树木完好无损地沉入沼泽水域当中, 形成了多层沉积物, 叫作泥炭。泥炭的氧含量较低, 酸度较高, 富含碳的残骸无法分解, 便聚积起来。泥炭

石炭纪时期的鳞木
（*LEPIDODENDRON*）
高达**40米**

在自身重量的作用下被压实, 在里面的水和气体被挤出后先是形成褐煤, 然后变成硬度更大、密度更高, 尤其是碳含量很高的煤。含煤的岩层可以上溯到陆生植物进化形成

◄ 史前能源
在德国莱茵河下游地区的这个煤矿中，我们能够清楚地看到岩层之间的深色地带，这就是煤层。

之前，这些陆生植物可能从蕨类进化而来。但是从石炭纪时期开始，煤矿才变得格外丰富，因为当时恰好具备煤炭形成的条件。

利用煤炭的历史或许可以追溯到公元前 1000 年。人类发现煤炭跟木炭很像，也许能用作燃料，因为二者都能燃烧，释放出大量热量。亿万年以来保存在煤里的碳，最终以二氧化碳的形式释放出来。大规模

煤炭、石油和天然气都是……**化石燃料**，因为它们主要是由化石残骸形成的……**它们的化学能是一种储存起来的太阳能**，这些太阳能原本是通过**古代的植物积累下来的**。

卡尔·萨根（1934—1996），天文学家和科普作家

的开采（见第 306～307 页）会将地表深处煤层的矿藏挖掘出来。从那时起，由于燃烧化石燃料，短时间内有大量二氧化碳被释放出来，这个问题已经引

起了人类的关注。随着人口的增长，能量的需求也必将增大。然而，燃烧化石燃料会增加温室气体的排放，加剧全球变暖。今天，人类文明造成的环境问题已经在全球范围内产生了影响，必须尽快解决。

► 煤的成分
这是鳞木的树干化石，这种树在石炭纪相当繁盛。高大的树干没有真正的树皮，但是外面有一层坚硬的木质素，因而更加粗大。

每个菱形瘢痕都是一片树叶脱离树干的点

琥珀中的**蜥蜴**

地球的岩层和石头中留下了很多痕迹或者化石，它们都能证明灭绝的物种跟今天存活的物种之间是有差别的。科学家必须搞清楚这些物种当时是如何生活的。

地球上出现过的物种当中，99%以上都已灭绝。这意味着我们只能谨慎地依据化石证据来了解生物的历史。

化石的形成方式多种多样。如果死亡的生物在被吃掉之前就迅速埋入沉积物中，那么这些生物和沉积物就会变成化石。经过千百万年的大陆漂移，包含这些化石的岩层可能会变形或者上升，在这个过程中，周围的岩石遭到侵蚀破坏，有些化石就会暴露出来。

化石的形成过程永远是不完美的，保存的完好程度有很大差异。年代久的、肢体柔软的物种留下的痕迹比较模糊，而年代近的、肢体较硬的物种留下的痕迹就比较清晰。动物身体的坚硬部位，比如骨架，最有可能形成化石。脚印、卵以及粪便也有这个可能。如果条件合适，一些最难保存的特征，比如皮肤、羽毛、树叶，甚至单个细胞，也能变成化石。有些化石还会出现在琥珀中，比如这只蜥蜴。琥珀是树脂凝固变硬形成的，困在其中的动物窒息死亡后就能完好地保存下来。

古生物学家在阐释化石证据时，必须要考虑化石的形成方式。要从多个学科角度来分析化石线索，比如地理学和解剖学，然后才能拼凑出不同种类的生物在过去生活的场景。

尸体的故事

埋藏学关注动物尸体腐败或形成化石的过程。树脂也是有机物，所以也会腐败。这块树脂能够完好地形成化石，是因为其在形成之后不久就被沉积物压了起来。所以，这只 Yantarogekko 保存得十分完好，没有遭到食腐动物蚕食，也没有腐败。

史前蜘蛛
也会被困在琥珀中

植物学线索

这块琥珀来自波罗的海。研究显示，它是一种针叶树产生的，这意味着 Yantarogekko 栖息在针叶林中。这块琥珀化石表明，到这时为止，针叶树已经进化出树脂（可封闭伤口、驱赶食草动物的黏性液滴），可能是为了对付以这些针叶树为食的史前食草动物。

波兰的针叶林

▼ 化石是如何形成的
生物的残骸腐败硬化，形成化石，这一过程需要数百万年的时间。

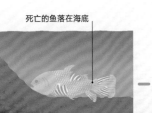

死亡的动物如果没有被吃掉，就会腐败。没有腐败的鱼鳞按照原来的排列顺序保留下来，将来会成为骨架化石的轮廓。

沉积物覆盖鱼体，食腐动物无法靠近，水里的矿物质渗入骨骼，导致骨骼结晶和硬化。

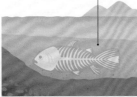

千百万年过去了，来自沉积物和岩层的**压力**越来越大，鱼体的有机部分完全被矿物质代替。

在大陆漂移的作用下，化石所在的岩层上升到表层，由于岩层遭到侵蚀，化石暴露出来，人类才有可能**发现**它。

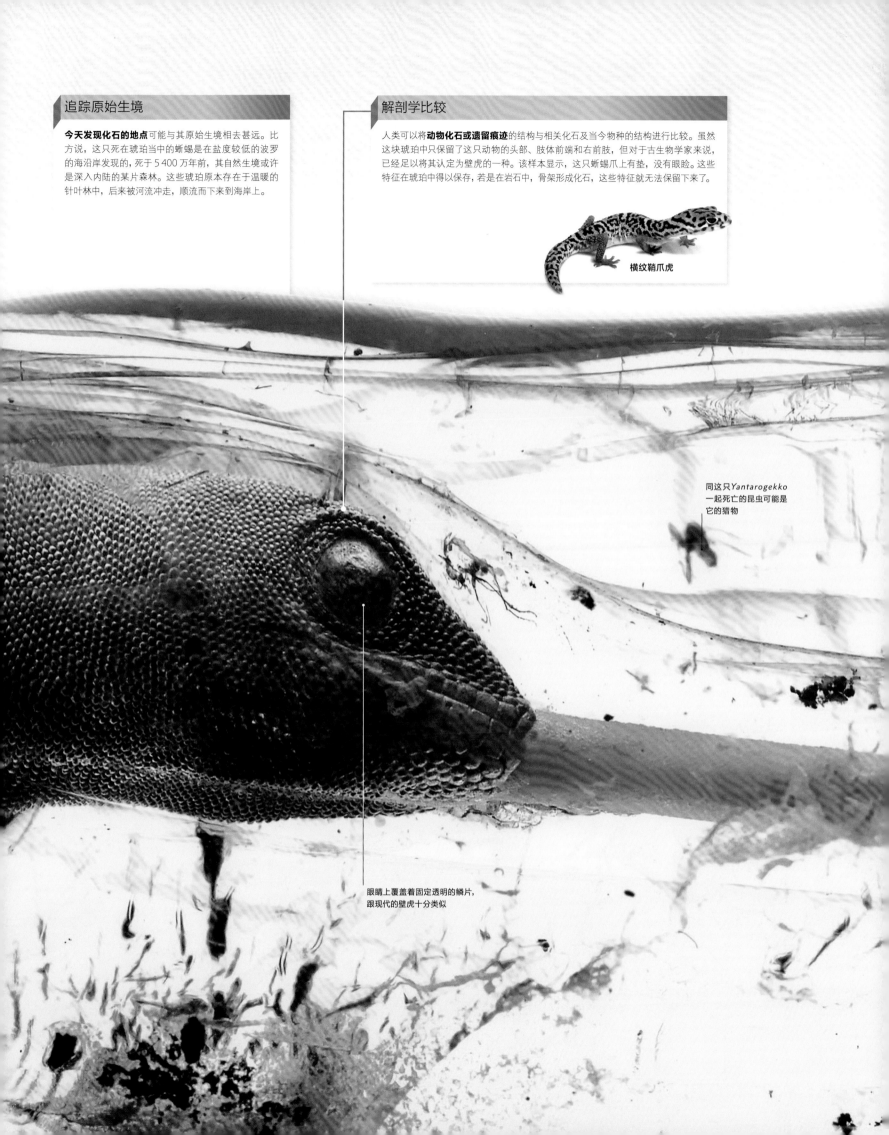

追踪原始生境

今天发现化石的地点可能与其原始生境相去甚远。比方说，这只死在琥珀当中的蜥蜴是在盐度较低的波罗的海沿岸发现的，死于5400万年前，其自然生境或许是深入内陆的某片森林。这些琥珀原本存在于温暖的针叶林中，后来被河流冲走，顺流而下来到海岸上。

解剖学比较

人类可以将**动物化石或遗留痕迹**的结构与相关化石及当今物种的结构进行比较。虽然这块琥珀中只保留了这只动物的头部、肢体前端和右前肢，但对于古生物学家来说，已经足以将其认定为壁虎的一种。该样本显示，这只蜥蜴爪上有垫，没有眼睑。这些特征在琥珀中得以保存，若是在岩石中，骨架形成化石，这些特征就无法保留下来了。

横纹鞘爪虎

同这只*Yantarogekko*一起死亡的昆虫可能是它的猎物

眼睛上覆盖着固定透明的鳞片，跟现代的壁虎十分类似

▶ 泛大陆

3亿年前至1.75亿年前,南半球的大陆拼合到了一起。内陆的森林变成了荒漠,海岸线范围缩小,大量水生物种灭绝。

浅海包围了泛大陆的海岸线

在二叠纪时期(2.99亿年前至2.52亿年前),**干燥的陆地大规模扩展,**形成了北美和欧洲大陆

陆地拼合之处,海岸线消失,有可能导致了水生生物的灭绝

泛大陆的气候炎热而干燥,因为位于中心位置的陆地不会受到温带气候的影响,这种影响通常只有靠海的地方才会有

南极地区的**冰川**形成于石炭纪(3.59亿年前至2.99亿年前),但在二叠纪时期(2.99亿年前至2.52亿年前),气温升高,气候干燥,冰川面积逐渐缩小

陆地变得
干燥

沿海地区属湿润的热带气候，在石炭纪，这里或许是沼泽森林最后的避难所，因为泛大陆的其他地方都已变得干燥

后来形成煤炭的沼泽森林曾繁盛一时，但此后持续了5 000万年的全球干旱改变了生物进化的方向。植物的叶片更加坚硬，沼泽干涸消失，一些皮肤湿润的两栖动物进化成了最早的有鳞爬行动物。

大约3亿年前，地球上所有的陆块相互碰撞，形成了一整块超级大陆，叫作泛大陆（Pangaea）。这给陆生生物带来了巨大的变化。由于气候变化，石炭纪时期（见第148～149页）的大片沼泽森林已经消失，而到了二叠纪初期，新生的超大陆的很多地方将变为荒漠。

另一些动物则成了最早的大型食草动物。后来的下孔类中还包含了哺乳动物的小型爬行动物祖先。

二叠纪末期，地球上发生了大灭绝，这次严重的灾难导致70%的动物消失殆尽。这次史上最大规模的灭绝事件是由于火山喷发释放出了有毒气体，大量爬行动物从

> 很多二叠纪的**爬行动物化石**所具备的**特征**都能显示出**哺乳动物**头部和牙齿**的雏形**。

R. 威尔·伯内特（R. Will Burnett, 生于1945年），生物学家

新皮肤，大块头

爬行动物是在森林中进化形成的，而此时它们已在新的干旱世界中随处可见。这些新的脊椎动物对陆地的适应性要强于它们的两栖动物祖先。它们进化出坚硬的鳞片，可以减少水分流失。鳞片的主要成分是一种坚韧的纤维蛋白，叫作角蛋白。后来，哺乳动物和鸟类分别用角蛋白生出了毛发和羽毛。而且，最早产下有壳卵（见第146～147页）的爬行动物不需要依靠水来繁殖，这也异于其两栖动物祖先。由于上述原因，脊椎动物移生陆地达到了前所未有的规模。

脊椎动物盛行之初，分化出两大爬行动物类别。一个是双孔类，后来发展成恐龙、鸟类和现代的蜥蜴；另一个是下孔类，在二叠纪的干旱陆地上占据统治地位，有些进化成当时最大的陆生动物。其中食肉动物异齿龙生有背帆，体形可达汽车大小，而

此消失。但是很多下孔类和双孔类的后代幸存下来，重新在陆地上繁衍生息，先是恐龙和哺乳动物，然后是鸟类。

◀ 麝足兽（*Moschops*）
身体矮壮，以坚韧的荒漠植被为食，生活在干旱的二叠纪时期。它属于下孔类——颌部强劲有力的爬行动物，哺乳动物的祖先。

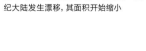

古特提斯洋（Palaeo-Tethys Ocean）的面积在泥盆纪和石炭纪时期（4.19亿年前至3亿年前）达到顶峰，不过随着二叠纪大陆发生漂移，其面积开始缩小

无齿翼龙（*Pteranodon*）

爬行动物**多样化**

物种的出现和消失将生命的历史划分成不同的阶段。干燥的超大陆形成初期是爬行动物的时代，地球上出现了一些最奇妙的动物。当大型爬行动物占据了天空、陆地和海洋时，爬行动物的多样性达到了顶峰。

伟大的爬行动物时代持续了两亿多年。这个时代始于炎热干燥的泛大陆的形成（见前页），终于一次小行星撞击事件。恐龙灭绝之后，爬行动物再度盛行，只不过体形较小。今天，在陆栖脊椎动物当中，蜥蜴和蛇占了将近1/3。

中生代怪物

中生代可分为三叠纪、侏罗纪和白垩纪，在这一时期，一批类似蜥蜴的小型爬

（*Brachiosaurus*），体形几乎已经达到了陆地动物的极限。食草动物越长越大，食肉动物也随之变大。恐龙家族中的双足短跑运动员——兽脚类，几乎都是食肉动物。其中体形最大的，比如暴龙（*Tyrannosaurus*），是史上最强悍的陆生食肉动物。恐龙家族中也不乏小型动物：一部分小型兽脚类恐龙生出羽毛，成了恒温动物，并最终进化成鸟类。

伶盗龙（*Velociraptor*）

> **这些动物远远超过现有的最大爬行动物**……恐龙完全可以成为**独立的一类动物**。

理查德·欧文（Richard Owen, 1804—1892），古生物学家

行动物——双孔类，展现了令人惊叹的多样性。它们的远古祖先鱼龙和蛇颈龙都生活在海洋中。有些双孔类动物，比如薄板龙（*Albertonectes*），又回到海洋当中，四肢进化为鳍足，善于游泳和捕食鱼类。

最有名的双孔类动物拥有前所未有的体形。这些爬行动物——主龙，变成了鳄类、翼龙、恐龙，以及后来的鸟类。它们的四肢肌肉强健，行走时身体可以离开地面，改善了以往爬行动物腹部着地、缓慢笨拙的步态。

巨兽和小型动物

当时主龙类中最具优势，种类最为繁多的是恐龙，它们进化成了大批的食肉动物、食草动物和食腐动物。体形庞大、颈部修长的草食性蜥脚类动物，比如腕龙

大灭绝

大型爬行动物的繁盛时代以白垩纪时期的大灭绝告终。这次大灭绝基本可以确定是由一颗小行星或彗星撞击地球造成的。撞击发生后，地球上出现了灾难性的现象，包括森林大火、酸雨，以及全球性的尘屑云，尘屑云遮住了阳光，原本为生物提供食物的光合作用，很多都因此而暂停。

所有的大型爬行动物，包括蛇颈龙、翼龙、恐龙、沧龙，以及体形庞大的鳄类祖先，都无法迅速适应骤变的环境，因此都灭绝了。但是蜥蜴、蛇、海龟和现代鳄鱼存活了下来。它们的后代，即鸟类和哺乳动物，最终将接替爬行动物，在地球上占据统治地位。

埃德蒙顿龙（*Edmontosaurus*）

恐鳄 (*Deinosuchus*)

布拉塞龙 (*Placerias*)

楔齿蜥 (*Diphydontosaurus*)

泰坦巨蟒 (*Titanoboa*)

肋空鸟龙 (*Rahonavis*)

鹦鹉嘴龙 (*Psittacosaurus*)

三角龙 (*Triceratops*)

暴龙

剑龙 (*Stegosaurus*)

沧龙 (*Mosasaurus*)

薄板龙

 ◀ 多样化

爬行动物的种类有很多，恐龙是其中一类，它们曾在地球上占据统治地位，时间长达上亿年。与它们同时存在的还有在空中飞翔的翼龙，在海洋中畅游的蛇颈龙和沧龙。另外，这时还首次出现了海龟、蜥蜴、蛇，以及鳄类。

葬火龙 (*Citipati*)

禽龙 (*Iguanodon*)

板龙 (*Plateosaurus*)

副栉龙 (*Parasaurolophus*)

包头龙 (*Euoplocephalus*)

古海龟 (*Archelon*)

鸟类
飞上天空

具备飞行能力的脊椎动物中，鸟类物种最为繁多，当今世界上有一万多种鸟。鸟类起源于恐龙。为了更好地了解这个进化演变的过程，科学家进行了长达150年的化石研究。

爬行动物进化成鸟类的过程，让生物学家对于进化有了更深刻的理解。一种生命形式由另一种差别巨大的生物演变而来，一眼看去，二者之间似乎没有任何联系。通过进一步的解剖学探查、化石记录研究和基因分子分析，科学家发现，两个看上去毫无关联的物种之间存在惊人的联系。

从表面上看，爬行动物和鸟类相去甚远。尽管现代鸟类的祖先是爬行动物——以食肉恐龙为主的双足动物，我们称之为兽脚类——但它们和现存的爬行动物之间存在显著差异。然而，当时兽脚类进化出的形态，已经与我们现在所了解的爬行动物完全不同了。有些不仅生出了羽毛，或许还成了恒温动物。

做好飞行准备

兽脚类动物已经在某些方面做好了飞行的准备，不过其中原因尚不清楚。它们利用后肢直立行走，这样一来，前肢就空了出来，可以变成翅膀。有些小型物种的骨骼

是空心的，减轻了身体的重量。有些物种可以滑翔，它们的爪很宽，覆有羽毛，长长的指对爪有支撑作用，可以帮助它们在地面上，或者在树枝间进行短距离的飞行。然而，真正的振翼飞行需要至少再进行两方面的改进：一方面是用于飞行的羽毛要组合成硬挺的叶片状，另一方面是肌肉要更加有力，能够保证翅膀连续拍打。

经过一段时间的进化，鸟类的胸骨上形成了一块骨质凸起，称为龙骨突，可供大量飞行肌着生。龙骨突较大的鸟类，胸部肌肉更多，可以为翅膀提供更强的动力。恐龙灭绝以后，这些飞行动物在森林、草原和湿地中繁盛起来，进化出更新更好的取食方式，比如抓捕昆虫、破壳取种，或者吸食花蜜。还有一些则像其祖先一样，恢复了肉食性的生活习惯。还有少数鸟类，比如鸵鸟，完全没有飞行能力，而是成了地面上的短跑健将。

孔子鸟的羽毛修长且不对称，导致其翅膀长而狭窄

1.5亿年前　　　　　　　1.25亿年前至1.2亿年前　　　　　　　现在

始祖鸟
该物种保留了许多爬行动物的特征，包括生有骨质长尾和牙齿，翅膀被覆羽毛，上面有爪。它没有适合强力飞行的肌肉系统，所以只能滑翔。

孔子鸟（Confuciusornis）
已知最早生有无齿喙的鸟类，尾巴更像鸟类，胸骨上有龙骨突。就像始祖鸟一样，与现代鸟类相比，孔子鸟的肩关节活动角度较小，因此限制了其振翼的幅度。

欧亚鸲（Erithacus）
现代鸟类的胸骨上生有龙骨突，比如欧洲的欧亚鸲，这种结构可供大量飞行肌（可达鸟类体重的10%）着生，为其飞行提供更强的动力。

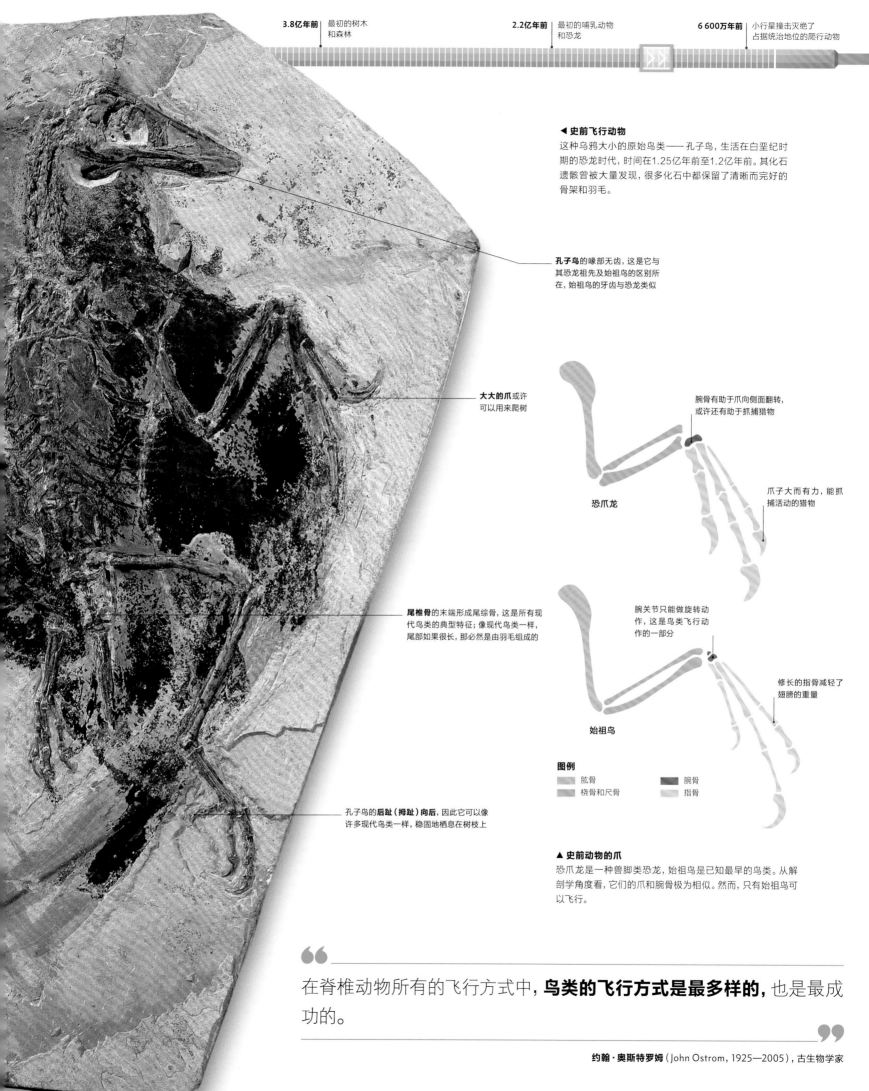

◄ 史前飞行动物

这种乌鸦大小的原始鸟类——孔子鸟，生活在白垩纪时期的恐龙时代，时间在1.25亿年前至1.2亿年前。其化石遗骸曾被大量发现，很多化石中都保留了清晰而完好的骨架和羽毛。

孔子鸟的喙部无齿，这是它与其恐龙祖先及始祖鸟的区别所在，始祖鸟的牙齿与恐龙类似

大大的爪或许可以用来爬树

尾椎骨的末端形成尾综骨，这是所有现代鸟类的典型特征；像现代鸟类一样，尾部如果很长，那必然是由羽毛组成的

孔子鸟的**后趾（拇趾）向后**，因此它可以像许多现代鸟类一样，稳固地栖息在树枝上

腕骨有助于爪向侧面翻转，或许还有助于抓捕猎物

爪子大而有力，能抓捕活动的猎物

恐爪龙

腕关节只能做旋转动作，这是鸟类飞行动作的一部分

修长的指骨减轻了翅膀的重量

始祖鸟

图例

肱骨		腕骨
桡骨和尺骨		指骨

▲ 史前动物的爪

恐爪龙是一种兽脚类恐龙，始祖鸟是已知最早的鸟类。从解剖学角度看，它们的爪和腕骨极为相似。然而，只有始祖鸟可以飞行。

> 在脊椎动物所有的飞行方式中，**鸟类的飞行方式是最多样的**，也是最成功的。

约翰·奥斯特罗姆（John Ostrom, 1925—2005），古生物学家

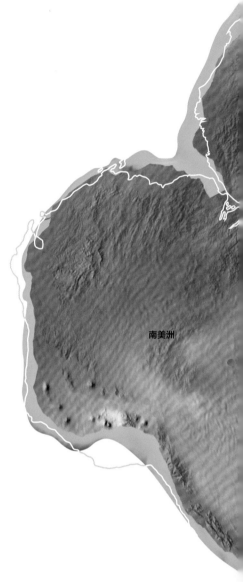

大陆漂移和**物种分化**

大陆发生漂移，上面历经几千万年进化的生物种群也随之移动。大陆出现分裂或碰撞，从而使得某些物种分离，另一些物种聚到一起。陆地在两极和赤道之间运动，气候发生变化，这同样也对物种产生了影响。

有些地方的地壳陷入地球内部，另一些地方的地壳则发生了变形（见第 92～93 页），在这个过程中，大陆板块因受到推力或拉力而发生漂移，上面的陆栖生物则随之移动。与此同时，板块之间的海洋会扩大或缩小，沿海生物和水生生物也会来回转移。地表的移动有助于解释我们当今发现的化石为什么会出现在奇怪的地方，比如有些海底动物的化石会出现在地势高耸的喜马拉雅山上。

陆地上的生命摇篮

在地球历史较早阶段的寒武纪（5.41 亿年前至 4.85 亿年前），大陆形成并分裂，使物种在海洋中产生分化。植物和无脊椎动物登上陆地并发生分化以后，大陆就成了生

物进化的中心。这些事件发生的年代过于久远，在现存无脊椎动物和植物的分布情况中几乎没有留下任何踪迹。但是在 3 亿多年前，有些两栖动物进化成爬行动物，有些孢子植物进化成种子植物（见第 144～145 页），在这个过程中，大陆板块的移动产生了更加持久的影响。

陆地生物发生分离

在石炭纪时期（3.59 亿年前至 2.99 亿年前），地球北部和南部的大陆发生碰撞，形成一个巨大的超大陆，我们称之为泛大陆（见第 152～153 页）。泛大陆跨越赤道，涵盖地球上的大部分陆地。这给气候带来了极大的影响——内陆干旱，两极严寒，再加上很多沿海生境消失，导致大量物种灭绝，不过也

> **地球科学**提供了多方面的**证据**……揭示了我们这个星球的早期状态。

阿尔弗雷德·韦格纳（1880—1930），地质学家和气象学家

▶ 当今的线索
银山龙眼（*Banksia marginata*）是一种发现于澳大利亚的山龙眼科植物。南非的海神花和智利火焰树（*Embothrium coccineum*）也属于这个科。

促进了种子植物、爬行动物（见第 154～155 页）和其他一些物种的分化。

在一亿年后的中生代时期，泛大陆开始分裂。分裂处形成海洋，变成了陆栖生物的一道屏障，两块超大陆上的植物和动物因此而分离；北方形成劳亚古陆，南方形成冈瓦纳古陆。今天，五大洲之间分隔遥远，而在当时，陆栖生物可以在上面自由移动。后来，超大陆进一步分裂成了几个明显的板块：劳亚古陆分裂成北美板块和欧亚板块，冈瓦纳古陆分裂成南美板块、非洲板块、印度板块、南极洲板块和澳大利亚板块。

现在，我们已经知道，冈瓦纳古陆上

覆盖着富饶的雨林，有利于物种分化。很多现存的种群，比如现代的有袋类哺乳动物，最早都是在那里进化形成的，然后扩展到整个冈瓦纳古陆，不过没有到达劳亚古陆。今天，有袋动物只分布在南美洲和澳大利亚，化石可在南极洲发现。那些在劳亚古陆进化形成的动物，比如蝾螈，则存在于北半球的大陆上。山龙眼科的物种，例如澳大利亚坚果（夏威夷果）树，也被发现分布于冈瓦纳古陆的遗迹。

这些物种化石的分布就是大陆漂移的证据（见第 90～91 页）。当然，大陆的形状和移动对之后所有生物的分布都产生了深远的影响。

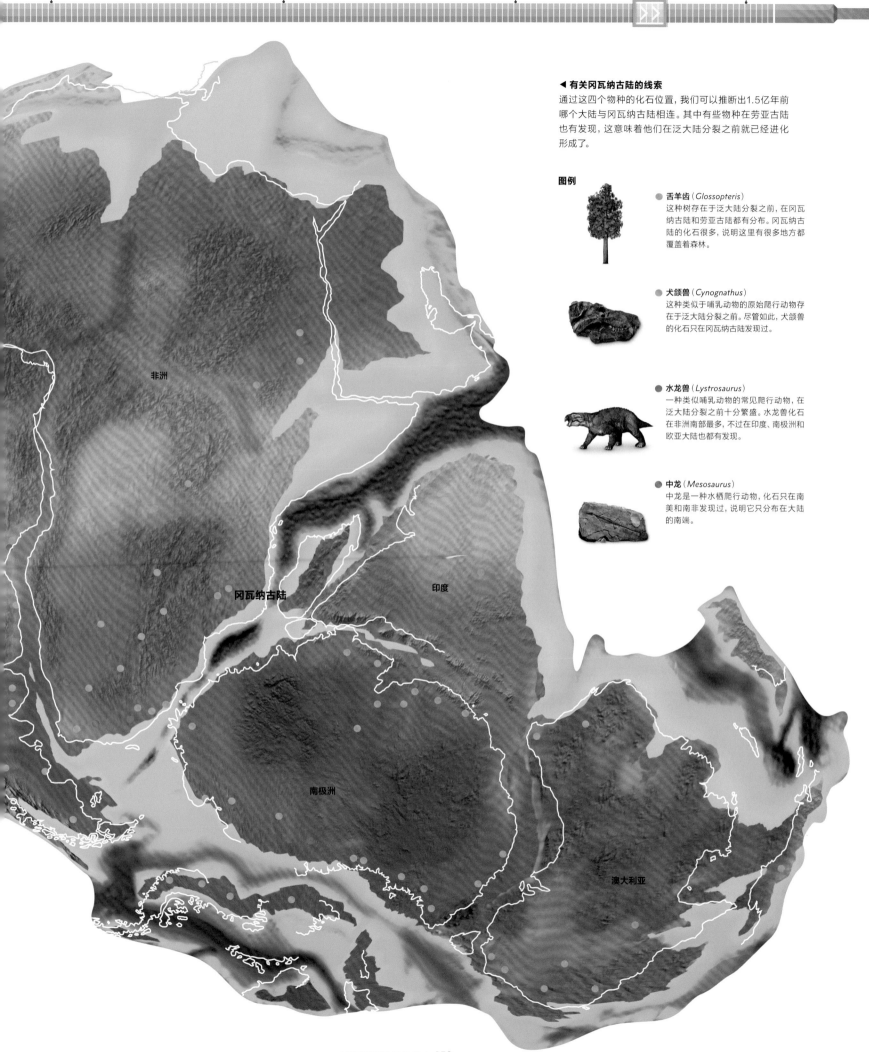

◀ **有关冈瓦纳古陆的线索**

通过这四个物种的化石位置,我们可以推断出1.5亿年前哪个大陆与冈瓦纳古陆相连。其中有些物种在劳亚古陆也有发现,这意味着他们在泛大陆分裂之前就已经进化形成了。

图例

● **舌羊齿**(*Glossopteris*)
这种树存在于泛大陆分裂之前,在冈瓦纳古陆和劳亚古陆都有分布。冈瓦纳古陆的化石很多,说明这里有很多地方都覆盖着森林。

● **犬颌兽**(*Cynognathus*)
这种类似于哺乳动物的原始爬行动物存在于泛大陆分裂之前。尽管如此,犬颌兽的化石只在冈瓦纳古陆发现过。

● **水龙兽**(*Lystrosaurus*)
一种类似哺乳动物的常见爬行动物,在泛大陆分裂之前十分繁盛。水龙兽化石在非洲南部最多,不过在印度、南极洲和欧亚大陆也都有发现。

● **中龙**(*Mesosaurus*)
中龙是一种水栖爬行动物,化石只在南美和南非发现过,说明它只分布在大陆的南端。

绚丽多彩的
地球

一些种子植物给地球带来了色彩。花朵可以让植物以更有效的方式授粉和传播种子。在恐龙灭绝之前，森林和其他生境里就已经花团锦簇、蜂蝶飞舞了。

在所有已知的植物当中，90%都是有花植物，其中包括乔木、灌木和攀缘植物，也包括各种草本植物，前者主导了雨林，后者则覆盖了大地。有花植物能生长在荒漠中最干旱的地方，爬上高山地带的岩石，蔓延到北极地区的冻原。其中一些，比如红树林，甚至在咸水潮汐冲刷的沿海地带生长。有些植物能够产生剧毒，另一些则是人类食物的主要来源。所有植物都以这样那样的方式为动物提供了栖息地。植物种类繁多，令人惊叹，这都是因为它们拥有独特而成功的生殖枝：花。

最早的花

最早的有花植物或者说被子植物是在大约1.2亿年前进化形成的。蒙特塞克藻是

放出成熟的花粉，此时传粉昆虫往往十分活跃，花的雌性部分也做好了受粉的准备。花的雌性部分叫作雌蕊。雌蕊的特殊凸起——柱头——会接受花粉。很多植物会靠风来传播花粉，但是在它们进化的早期阶段，有些物种会利用动物来完成这个步骤。随着昆虫种类的增多，花也变得多样化了（见第164~165页）。

传播种子

与植物的花同步进化的动物不只是昆虫。有花植物进化过程中的另一大创造是果实。果实会将种子包裹起来，成熟的时候会发出香气，且具有鲜艳的颜色。这样就能吸引那些能够嗅到香味的哺乳动物和能够感知色彩的鸟类。种子不易被消化，因此，

星辰花
（*Limonium sinuatum*）

星花凤梨
（*Guzmania lingulata*）

> **大片的植物**……大片的**花朵**……尤其是洁白的兰花……把树干装点得像雪一样，简直超乎想象。

约瑟夫·道尔顿·胡克（Joseph Dalton Hooker, 1817—1911），植物学家，《喜马拉雅山日记》（*Himalayan journals*）

一种水生植物，会开很小的花朵。它被认为是在水中授粉的，与其祖先相似（见第144~145页）。3 000万年以后，被子植物开始分化，进化出完整的花的结构，从而迅速发展起来。睡莲和木兰都是最原始的物种，几百万年都没有任何变化。

传播花粉

花的形成，改善了植物花粉从雄性部分向雌性部分传播的方式。花的雄性部分叫作雄蕊。雄蕊会在恰当的时机裂开，释

它们可以通过动物的粪便传播，同时粪便还能做它们的肥料。

植物最早利用花来繁殖的时候，就找到了一种进化的途径，这种途径给它们带来了深远的影响。几千万年以后，随着更多种子撒落在地，更多幼苗茁壮生长，能够感知甜味的动物，包括人类，就能吃到更加香甜的水果这样的食物。

▶ **五彩斑斓**
今天，有超过36.5万种有花植物装点着我们的星球。其中一些要依靠特定的授粉动物，没有这些动物，它们的花粉就无法传播。

睡莲
（*Nymphaea*）

白头翁
（*Anemone pulsatilla*）

香杨梅
（*Myrica gale*）

南欧球花
（*Globularia alypum*）

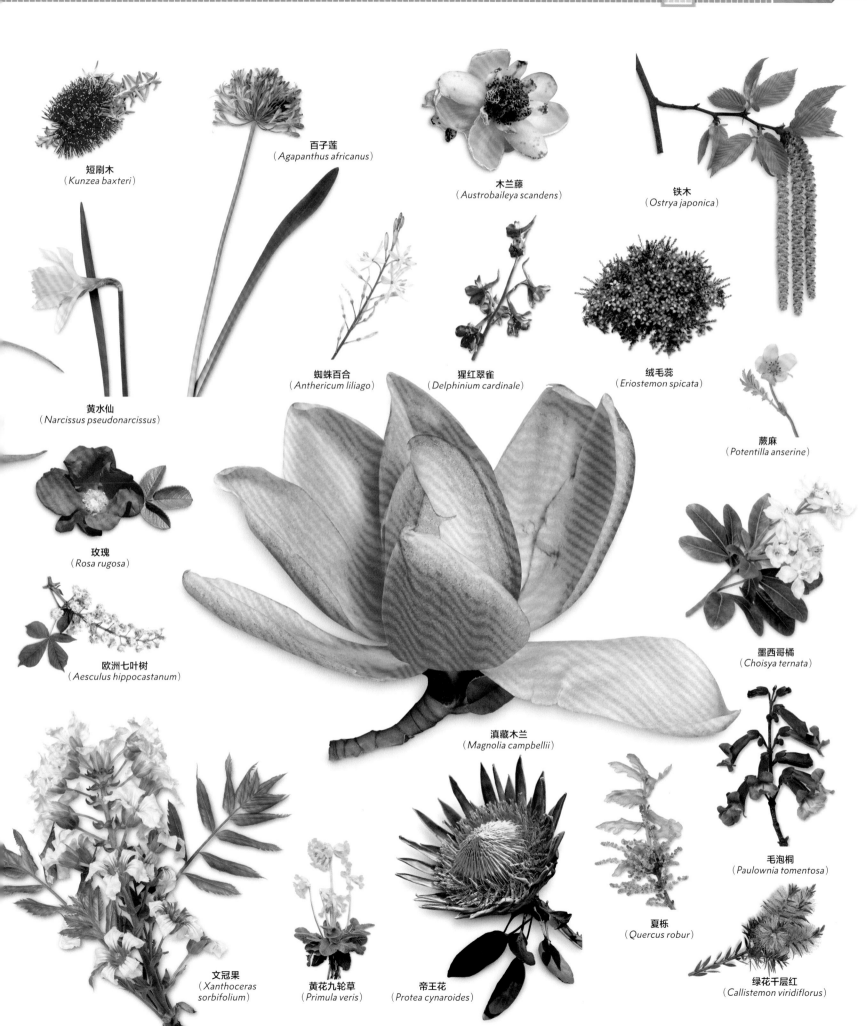

短刷木
（*Kunzea baxteri*）

百子莲
（*Agapanthus africanus*）

木兰藤
（*Austrobaileya scandens*）

铁木
（*Ostrya japonica*）

黄水仙
（*Narcissus pseudonarcissus*）

蜘蛛百合
（*Anthericum liliago*）

猩红翠雀
（*Delphinium cardinale*）

绒毛蕊
（*Eriostemon spicata*）

蕨麻
（*Potentilla anserine*）

玫瑰
（*Rosa rugosa*）

墨西哥橘
（*Choisya ternata*）

欧洲七叶树
（*Aesculus hippocastanum*）

滇藏木兰
（*Magnolia campbellii*）

毛泡桐
（*Paulownia tomentosa*）

文冠果
（*Xanthoceras sorbifolium*）

黄花九轮草
（*Primula veris*）

帝王花
（*Protea cynaroides*）

夏栎
（*Quercus robur*）

绿花千层红
（*Callistemon viridiflorus*）

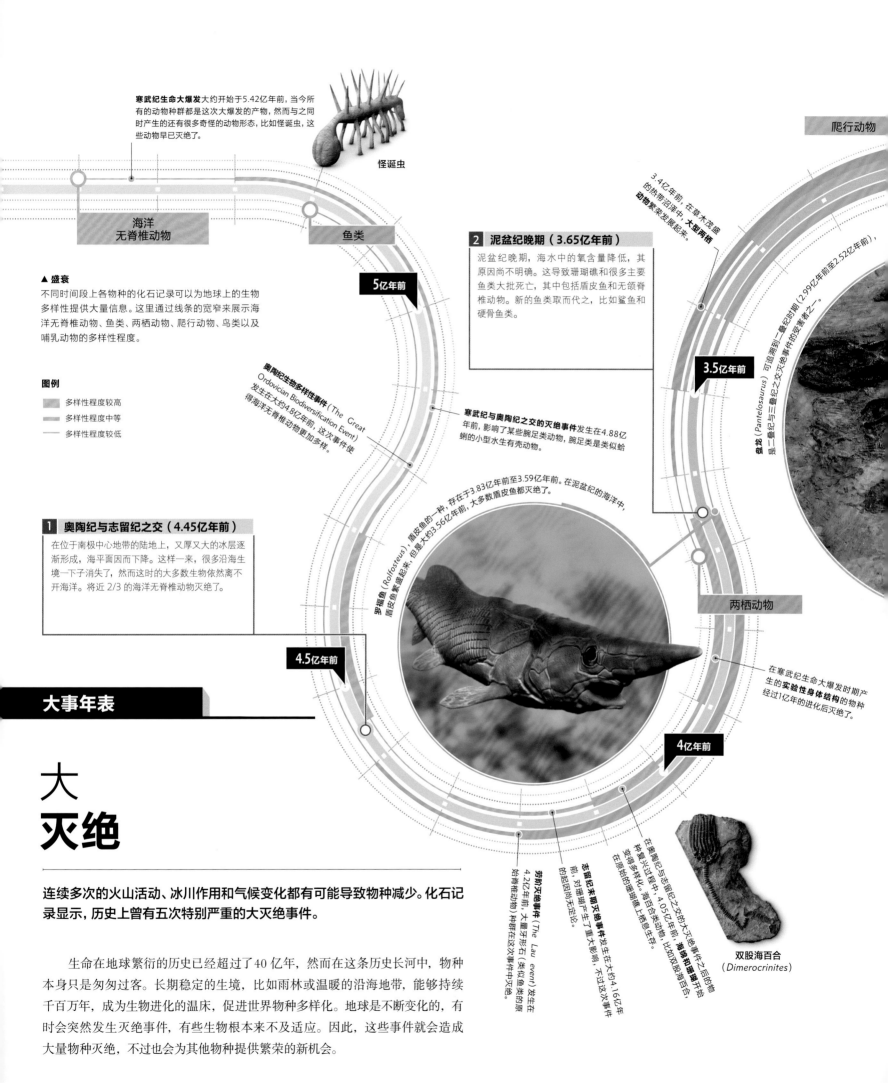

寒武纪生命大爆发大约开始于5.42亿年前，当今所有的动物种群都是这次大爆发的产物，然而与之同时产生的还有很多奇怪的动物形态，比如怪诞虫，这些动物早已灭绝了。

怪诞虫

爬行动物

海洋
无脊椎动物

鱼类

3.4亿年前，在草木茂盛的热带沼泽中，大型两栖动物繁荣发展起来。

2 泥盆纪晚期（3.65亿年前）

泥盆纪晚期，海水中的氧含量降低，其原因尚不明确。这导致珊瑚礁和很多主要鱼类大批死亡，其中包括盾皮鱼和无颌脊椎动物。新的鱼类取而代之，比如鲨鱼和硬骨鱼类。

5亿年前

▲ 盛衰

不同时间段上各物种的化石记录可以为地球上的生物多样性提供大量信息。这里通过线条的宽窄来展示海洋无脊椎动物、鱼类、两栖动物、爬行动物、鸟类以及哺乳动物的多样性程度。

图例

■ 多样性程度较高
■ 多样性程度中等
— 多样性程度较低

奥陶纪生物多样性事件（The Great Ordovician Biodiversification Event）发生在大约4.8亿年前，这次事件使得海洋无脊椎动物更加多样。

盘龙（Pantelosaurus）司是源到二叠纪灭绝事件的受害者之一。

3.5亿年前

二叠纪与三叠纪之交灭绝时期（2.99亿年前至2.52亿年前），

寒武纪与奥陶纪之交的灭绝事件发生在4.88亿年前，影响了某些腕足类动物，腕足类是类似蛤蜊的小型水生有壳动物。

1 奥陶纪与志留纪之交（4.45亿年前）

在位于南极中心地带的陆地上，又厚又大的冰层逐渐形成，海平面因而下降。这样一来，很多沿海生境一下子消失了，然而这时的大多数生物依然离不开海洋。将近 2/3 的海洋无脊椎动物灭绝了。

罗福鱼（Rolfosteus），盾皮鱼的一种，存在于3.83亿年前至3.59亿年前。在泥盆纪的海洋中，盾皮鱼数盛起来，但是大约3.56亿年前，大多数盾皮鱼都灭绝了。

两栖动物

4.5亿年前

在寒武纪生命大爆发时期产生的实验性身体结构的物种经过1亿年的进化后灭绝了。

大事年表

4亿年前

大
灭绝

连续多次的火山活动、冰川作用和气候变化都有可能导致物种减少。化石记录显示，历史上曾有五次特别严重的大灭绝事件。

劳阶灭绝事件（The Lau event）发生在4.2亿年前，大量牙形石（类似鱼类的原始脊椎动物）种类在这次事件中灭绝。

志留纪与泥盆纪之交的大灭绝事件发生在大约4.16亿年前，对珊瑚和海百合类动物，海百合类动物产生了重大影响，在原始的珊瑚礁上栖息生存。

在奥陶纪与志留纪之交的大灭绝事件之后的物种复兴过程中，海百合类动物获得多样化，比如双股海百合。

双股海百合
（Dimerocrinites）

生命在地球繁衍的历史已经超过了40亿年，然而在这条历史长河中，物种本身只是匆匆过客。长期稳定的生境，比如雨林或温暖的沿海地带，能够持续千百万年，成为生物进化的温床，促进世界物种多样化。地球是不断变化的，有时会突然发生灭绝事件，有些生物根本来不及适应。因此，这些事件就会造成大量物种灭绝，不过也会为其他物种提供繁荣的新机会。

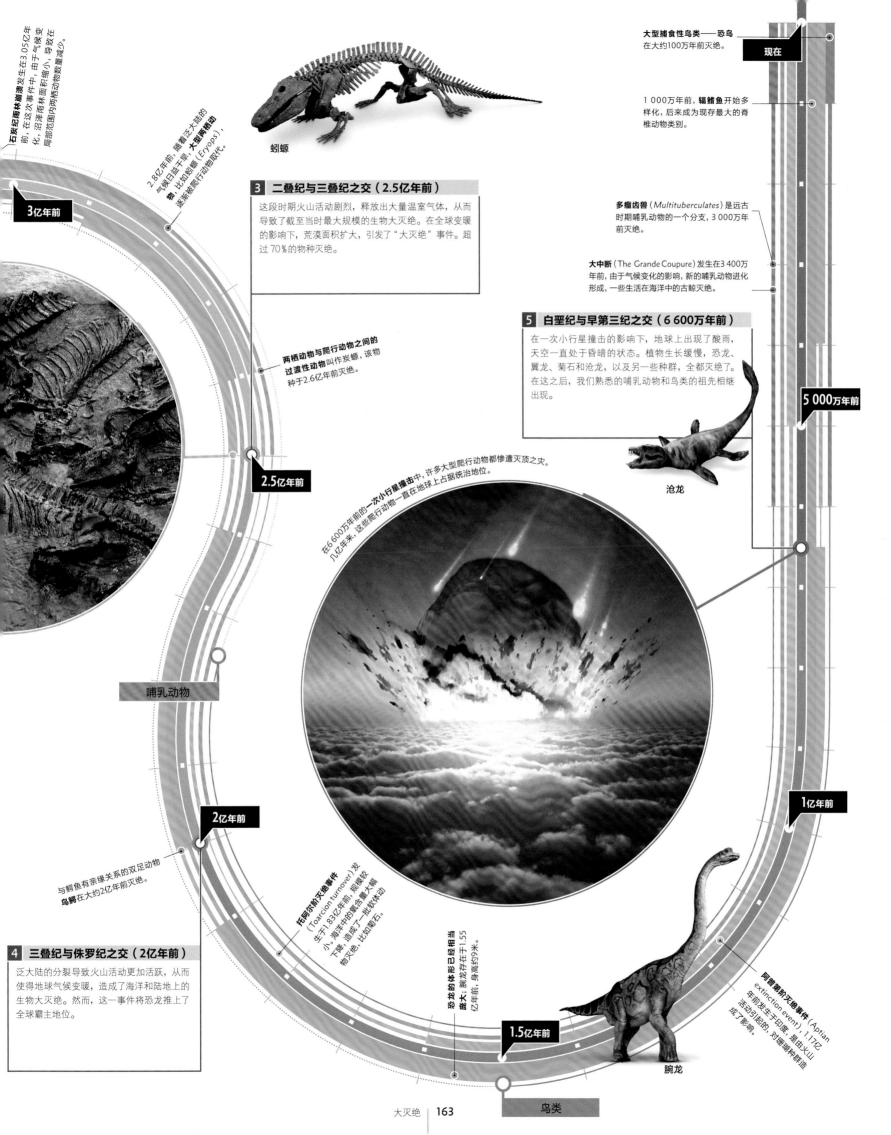

石炭纪雨林崩溃发生在3.05亿年前，在这次事件中，由于气候变化，沼泽雨林面积缩小，导致在局部范围内两栖动物数量减少。

2.8亿年前，随着泛大陆的气候日益干旱，大型两栖动物，比如刻螈（Eryops），逐渐被爬行动物取代。

蚓螈

3亿年前

大型捕食性鸟类——恐鸟 在大约100万年前灭绝。

现在

1 000万年前，**辐鳍鱼**开始多样化，后来成为现存最大的脊椎动物类别。

多瘤齿兽（Multituberculates）是远古时期哺乳动物的一个分支，3 000万年前灭绝。

大中断（The Grande Coupure）发生在3 400万年前，由于气候变化的影响，新的哺乳动物进化形成，一些生活在海洋中的古鲸灭绝。

3 二叠纪与三叠纪之交（2.5亿年前）

这段时期火山活动剧烈，释放出大量温室气体，从而导致了截至当时最大规模的生物大灭绝。在全球变暖的影响下，荒漠面积扩大，引发了"大灭绝"事件。超过70％的物种灭绝。

5 白垩纪与早第三纪之交（6 600万年前）

在一次小行星撞击的影响下，地球上出现了酸雨，天空一直处于昏暗的状态。植物生长缓慢，恐龙、翼龙、菊石和沧龙，以及另一些种群，全都灭绝了。在这之后，我们熟悉的哺乳动物和鸟类的祖先相继出现。

两栖动物与爬行动物之间的过渡性动物叫作炭螈，该物种于2.6亿年前灭绝。

沧龙

5 000万年前

2.5亿年前

在6 600万年前的一次小行星撞击中，许多大型爬行动物都惨遭灭顶之灾。几亿年来，这些爬行动物一直在地球上占据统治地位。

哺乳动物

1亿年前

2亿年前

与鳄鱼有亲缘关系的双足动物**鸟鳄**在大约2亿年前灭绝。

托阿尔阶灭绝事件（Toarcion turnover）发生于1.83亿年前，规模较小。海洋中的氧含量大幅下降，造成了一批软体动物灭绝，比如菊石。

恐龙的体形已经相当庞大；腕龙存在于1.55亿年前，身高约9米。

4 三叠纪与侏罗纪之交（2亿年前）

泛大陆的分裂导致火山活动更加活跃，从而使得地球气候变暖，造成了海洋和陆地上的生物大灭绝。然而，这一事件将恐龙推上了全球霸主地位。

阿普第阶灭绝事件（Aptian extinction event），1.17亿年前发生于印度，是由火山活动引起的，对珊瑚礁种群造成了影响。

腕龙

1.5亿年前

鸟类

授粉代理者

蜂鸟鹰蛾生有长长的喙，能够伸进茉莉花和忍冬花等管状花内吸食花蜜。花粉很容易粘到它们的喙上，所以它们是非常棒的传粉者。

植物
对昆虫的利用

物种是进化的产物，在周围环境的影响下，通过自然选择发展成形，但是物种的进化并不是在封闭的状态下完成的。它们相互作用，有些物种在争抢食物的过程中会发生冲突，而另一些物种最终则发展出了相互协作的关系。

每一个繁荣发展的物种，其成员都必须想尽一切办法进行繁殖。为了适应这个瞬息万变的世界，很多物种之间都产生了相互协作的关系，形成了有趣的生存方式。

生物之间的相互影响

有花植物和传粉昆虫之间的关系标志着生物进化史上重要的里程碑。有花植物和昆虫分别是植物和动物中最多样化的种群，这并非巧合。有花植物包括 25 万个物种，而昆虫包括大约 100 万个物种。在每一个生物群落当中，植物和昆虫都是一起分化的，因为植物为昆虫提供营养丰富的花蜜，昆虫则为植物提供授粉服务。植物的花进化出颜色和香味来吸引传粉昆虫，昆虫也进化出口器来享用这份犒赏。

1964 年，美国生物学家保罗·埃利希（Paul Ehrlich）和彼得·雷文（Peter Raven）提出了"协同进化"这一概念来解释生物相互适应的情况。他们在相关文献中称，蝴蝶的进化步骤跟有花植物的进化步骤具有一定程度的关联性，这意味着二者的进化路径是相互对应的。两个物种相互发挥选择性影响时，就会产生协同进化。二者的进化都是自然选择的结果，但双方也是彼此自然选择的一个因素。这种伙伴关系的发展会使二者独立生存的途径越来越少，最终使得两个物种完全依赖对方。很多植物都只能通过一种昆虫成功授粉。有一种马达加斯加兰花，其"刺管"（空心管状结构）特别长，只能通过一种天蛾授粉，这种天蛾的喙（舌状物）很长，能够伸到里面。

互利共生是两个物种之间相互受益的关系，花朵通过昆虫授粉便是生物互利共生的重要实例。单边受益，比如食肉动物或食草动物获取食物的现象，也会导致协同进化。协同进化也能让这种关系做出适应性改变，就像它对互利共生的生物所产生的作用一样。

> **传粉昆虫**……是**拱心石一般的物种**。你知道拱心石对拱门的作用吧。**移走拱心石，整个拱门就会倒塌。**

梅·贝伦鲍姆（May Berenbaum，生于1953年），动物学家

◀ **花粉采集者**
众所周知，蜜蜂酷爱花蜜，是很多植物重要的花粉传播者。

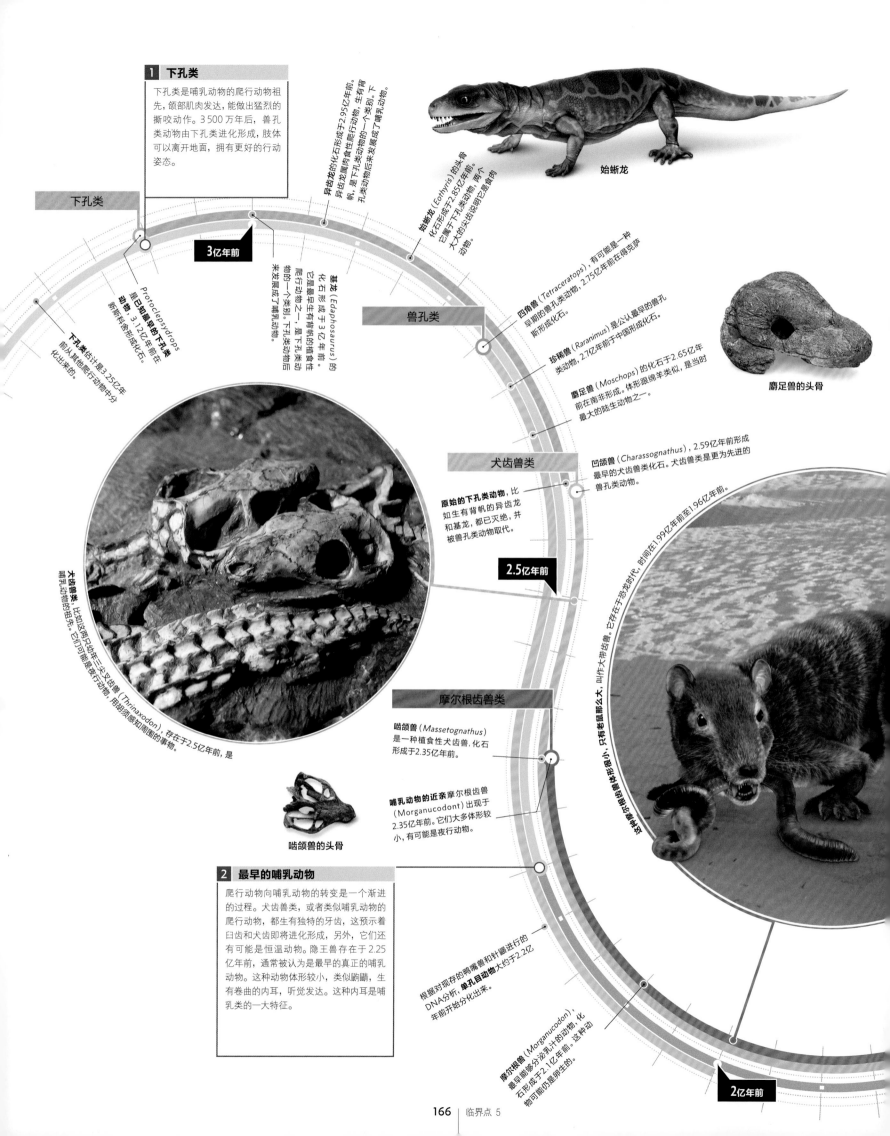

1 下孔类

下孔类是哺乳动物的爬行动物祖先，颌部肌肉发达，能做出猛烈的撕咬动作。3 500万年后，兽孔类动物由下孔类进化形成，肢体可以离开地面，拥有更好的行动姿态。

下孔类

始蜥龙

3亿年前

Protoclepsydrops **动物**，3.12亿年前，是新斯科舍省形成化石。

是已知最早的下孔类，曾认为其他爬行动物中分来发展成为下孔类。

基龙 (*Edaphosaurus*) 的化石形成于3亿年前。它是最早生有背帆的植食性爬行动物之一，是下孔类动物中的一个类别，下孔类动物后来发展成了哺乳动物。

异齿龙的化石形成于2.95亿年前，生有背帆，是下孔类动物的一个类别。下孔类动物后来发展成了哺乳动物。

始蜥龙 (*Eothyris*) 的头骨化石形成于2.85亿年前，它属于下孔类动物，两个大大的尖齿说明它是食肉动物。

兽孔类

四角兽 (*Tetraceratops*)，有可能是一种早期的兽孔类动物，2.75亿年前在得克萨斯形成化石。

珍稀兽 (*Raranimus*) 是公认最早的兽孔类动物，2.7亿年前于中国形成化石。

麝足兽 (*Moschops*) 的化石于2.65亿年前在南非形成。体形跟绵羊类似，是当时最大的陆生动物之一。

麝足兽的头骨

犬齿兽类

原始的下孔类动物，比如生有背帆的异齿龙和基龙，都已灭绝，并被兽孔类动物取代。

凹颌兽 (*Charassognathus*)，2.59亿年前形成最早的犬齿兽类化石。犬齿兽类是更为先进的兽孔类动物。

犬齿兽类，比如这两只幼生三叉犬齿兽 (*Thrinaxodon*)，存在于2.5亿年前，是哺乳动物的祖先。它们可能是夜行动物，用胡须感知周围的事物。

2.5亿年前

这种摩尔根齿兽体形很小，只有老鼠那么大，叫作大带齿兽。它存在于恐龙时代，时间在1.99亿年前至1.96亿年前。

摩尔根齿兽类

啮颌兽 (*Massetognathus*) 是一种植食性犬齿兽，化石形成于2.35亿年前。

啮颌兽的头骨

哺乳动物的近亲摩尔根齿兽 (*Morganucodont*) 出现于2.35亿年前。它们大多体形较小，有可能是夜行动物。

2 最早的哺乳动物

爬行动物向哺乳动物的转变是一个渐进的过程。犬齿兽类，或者类似哺乳动物的爬行动物，都生有独特的牙齿，这预示着臼齿和犬齿即将进化形成，另外，它们还有可能是恒温动物。隐王兽存在于2.25亿年前，通常被认为是最早的真正的哺乳动物。这种动物体形较小，类似鼩鼱，生有卷曲的内耳，听觉发达。这种内耳是哺乳类的一大特征。

根据对现存的鸭嘴兽和针鼹进行的DNA分析，**单孔目动物**大约于2.2亿年前开始分化出来。

摩尔根兽 (*Morganucodon*)，最早能够分泌乳汁的动物，化石形成于2.1亿年前。这种动物可能也是卵生的。

2亿年前

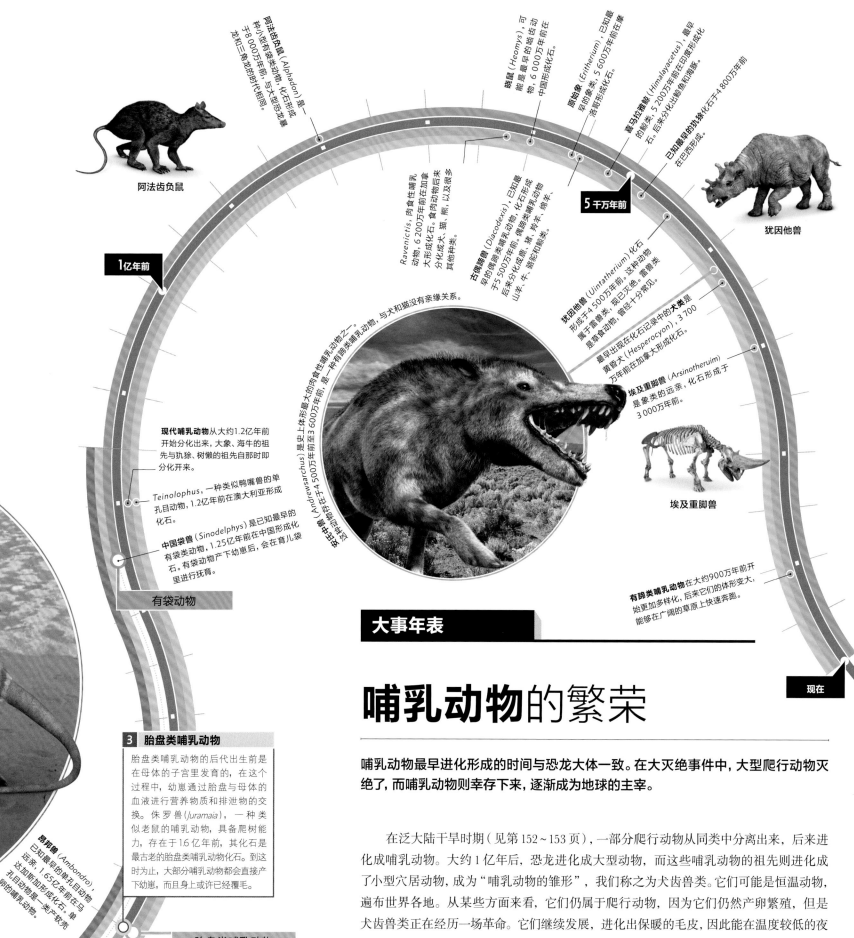

阿法齿负鼠（Alphadon）是一种小型有袋类动物，化石形成于8 000万年前，与大型恐龙暴龙和三角龙的时代相间。

阿法齿负鼠

Ravenictis，肉食性哺乳动物，6 200万年前在加拿大形成化石。食肉动物后来分化成犬、猫、熊，以及很多其他种类。

鼷鼠（Heomys），可能是最早的啮齿动物，6 000万年前在中国形成化石。

原始象（Eritherium），最早的象类，5 600万年前在摩洛哥形成化石。

喜马拉雅鲸（Himalayacetus），最早的鲸类，5 200万年前在印度形成化石。后来鲸分化出海豚和海豚。

已知最早的犀牛化石于4 800万年前在巴西而形成。

古偶蹄兽（Diacodexis），已知最早的偶蹄动物，化石形成于5 500万年前。偶蹄类哺乳动物后来分化成鹿、猪、羚羊、绵羊、山羊、牛、骆驼和鲸类。

5千万年前

犹因他兽

1亿年前

犹因他兽（Uintatherium）化石形成于4 500万年前。这种动物属于雷兽类，现已灭绝。雷兽类是草食动物，曾经十分常见。

最早出现在化石记录中的犬类是黄昏犬（Hesperocyon），3 700万年前在加拿大形成化石。

埃及重脚兽（Arsinotheruim）是象类的远亲，化石形成于3 000万年前。

现代哺乳动物从大约1.2亿年前开始分化出来，大象、海牛的祖先与犰狳、树懒的祖先自那时即分化开来。

Teinolophus，一种类似鸭嘴兽的单孔目动物，1.2亿年前在澳大利亚形成化石。

中国袋兽（Sinodelphys）是已知最早的有袋类动物，1.25亿年前在中国形成化石。有袋动物产下幼崽后，会在育儿袋里进行抚育。

有袋动物

安氏中兽（Andrewsarchus）是历史上体形最大的肉食性哺乳动物之一。这种动物生存在于4 500万年前至3 600万年前，是一种有蹄类哺乳动物，与犬和猫没有亲缘关系。

埃及重脚兽

大事年表

有蹄类哺乳动物在大约900万年前开始更加多样化，后来它们的体形变大，能够在广阔的草原上快速奔跑。

现在

哺乳动物的繁荣

哺乳动物最早进化形成的时间与恐龙大体一致。在大灭绝事件中，大型爬行动物灭绝了，而哺乳动物则幸存下来，逐渐成为地球的主宰。

在泛大陆干旱时期（见第152~153页），一部分爬行动物从同类中分离出来，后来进化成哺乳动物。大约1亿年后，恐龙进化成大型动物，而这些哺乳动物的祖先则进化成了小型穴居动物，成为"哺乳动物的雏形"，我们称之为犬齿兽类。它们可能是恒温动物，遍布世界各地。从某些方面来看，它们仍属于爬行动物，因为它们仍然产卵繁殖，但是犬齿兽类正在经历一场革命。它们继续发展，进化出保暖的毛皮，因此能在温度较低的夜间活动。它们覆毛的皮肤上还有能够分泌油脂和乳汁的腺体，有了油脂，毛就能够防水，而乳汁则可以用来哺育幼崽。最后，有些哺乳动物开始直接产下幼崽。在恐龙繁盛的同一时期，许多哺乳动物的种群出现分化，然后灭绝。只有三个种群存活至今。超过90%的哺乳动物，包括我们人类，都是胎盘类哺乳动物。这类动物会通过长期妊娠来孕育后代，在这个过程中，母体是通过胎盘为幼体提供营养的，故而得名胎盘类哺乳动物。

3 胎盘类哺乳动物

胎盘类哺乳动物的后代出生前是在母体的子宫里发育的，在这个过程中，幼崽通过胎盘与母体的血液进行营养物质和排泄物的交换。侏罗兽（Juramaia），一种类似老鼠的哺乳动物，具备爬树能力，存在于1.6亿年前，其化石是最古老的胎盘类哺乳动物化石。到这时为止，大部分哺乳动物都会直接产下幼崽，而且身上或许已经覆毛。

马达兽（Ambondro），已知最早的单孔目动物，生活在1.65亿年前，其化石在马达加斯加形成。单孔目动物是一类产卵的哺乳动物。

胎盘类哺乳动物

单孔目动物

对现存物种的DNA分析表明，**有袋动物**从大约1.76亿年前开始分化出来。

> **草原**在很大程度上是**一笔未经发现的财富**，是一份**重要的国家遗产**。

弗朗西斯·莫尔（Francis Moul，生于1940年），环境史学家

金合欢遍布非洲的热带草原，但并未连片成群，而是较为分散，为草原带来些许阴凉

狮子是草原上非常成功的捕食者，它们成群狩猎，能够捕获速度较快的大型猎物

角马基本只吃矮草，数量众多，为狮子这样的草原食肉动物提供了充足的食物

恐象（*Deinotherium*）是一种史前象类，象牙向下倾斜，十分特别

白蚁丘能产生氮，氮能促进青草生长

土豚会在白天挖掘洞穴，躲避捕食者的攻击

▲ 热带稀树草原上的生命
100万年以前，东非热带稀树草原上的食物链令人惊叹，食肉动物猎捕一群群植食性有蹄哺乳动物，这跟现在的情形是一样的。

热带稀树草原上的青草
被大片啃食之后，很快就能重新生长起来

鬣狗会躲在疣猪以前住的洞穴里养育幼崽，这样能够降低在空旷的草原上吸引捕食者的风险

恐猫（*Dinofelis*），一种史前猫科动物，或许会躲避在浓密的矮树丛中伏击猎物

瞪羚速度很快，动作敏捷，能够依靠奔跑躲避捕食者的攻击

草原发生演变

从环境和生态的角度讲，草可能是地球上最重要的植物。在人类种植的作物当中，有3/4都是禾草植物。值得注意的是，这些植物出现的时间相对较晚，只有5 500万年左右的历史。

尽管禾草植物大约在5 500万年前就已经进化形成，但草原生境直到1 500万年前至1 000万年前才出现。只要条件合适，禾草会抓住一切时机在开阔的地方生长，生出地下茎，迅速蔓延开来。有些禾草植物，比如竹子，会长得很高，茎为木质，但大多数禾草在开花和传播种子之前都长得很矮。这些物种生长在我们现在熟悉的开阔生境中，成了辽阔的平原和草原上的主导物种。现在，地球上1/5的植被都由草组成。

在食草动物的夹缝中生存

尽管禾草植物看上去鲜美可口，但其实大多数禾草都会利用二氧化硅颗粒来强化叶片边缘。有些禾草的二氧化硅含量很大，叶片十分粗糙，甚至相当锋利，能划破皮肤。这种适应性特征是为了阻止食草动物啃食，不过相应地，食草动物也进化出了更加有力的双颌，或者适应性更强的消化系统。于是，禾草又进化出另一种策略：叶片不从顶端生长，而是从根基处生长，这样一来，就算动物靠近地面吃草，草叶也可以再生。禾草的匍匐茎甚至在被动物沉重的蹄子踏过以后，还能再生出新芽。大自然中的食草动物数量繁多，而有了这些特点，禾草的生存能力就远远胜过了其他植物。

食草动物的体形增大

随着世界上草原面积的扩大，生物也相应地进化发展。禾草大规模生长，食草动物便有充足的食物，因而体形逐渐增大，而较大的体形又能更好地消化草类。大型植食性哺乳动物的消化系统就像大大的发酵桶，依靠消化道微生物来分解植物纤维。动物享用丰盛的禾草也是有代价的：没有遮挡物来躲避捕食者的攻击。能够快速奔跑的植食性哺乳动物因此进化形成。为了安全，它们往往是群居生活的。

如今，地球上最大的几个野生动物栖息地都是草原。200万年以前，最早的人类加入了草原食物链。在各种陆地生境中，草原对于哺乳动物和人类进化的影响（见第186~187页）是最大的。

斑马非常适合在草原生活，为了寻找食物和水，它们可以穿越广阔的平原

草原上的**水洼**很少，且有可能距离较远，大型哺乳动物必须长途跋涉才能来到水边

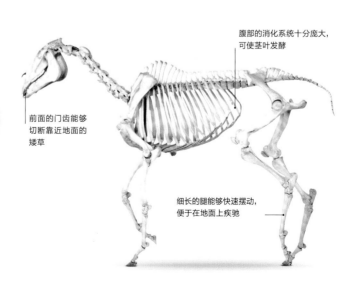

腹部的消化系统十分庞大，可使茎叶发酵

前面的门齿能够切断靠近地面的矮草

细长的腿能够快速摆动，便于在地面上疾驰

◀ 为草原而生

马这样的食草动物主要以开阔区域的矮草为食。腿部肌肉发达，主要集中于腿的上部，细长的小腿没有大块肌肉，轻巧灵活，适合快速逃跑。

生命
因进化而改变

基因中出现微小的变化，就会发生进化。这些变化代代遗传，千百万年后，差异可能会非常明显。在这漫长的过程当中，可能会诞生新的物种和新的生存方式。

有些生物繁殖速度很快，我们可以直接观察它们在进化过程中的变化。例如细菌，每隔半小时数量就会翻倍，抵御抗生素的能力很快就能传播开来。但是，有些生物的繁衍速度很慢，进化需要的时间就更长，要想研究它们的变化，科学家必须从多重角度来获取依据，比如基因、解剖学，以及化石，这样才能搞清楚长期以来进化是如何在地球上塑造各种生命的。

变化和趋异

在自然选择的过程中，物种通过变异而产生多样性，以此来适应环境（见第108~109页）。生物在经历几代进化之后，结构和行为都会发生很大变化，以至于我们甚至会认不出来。地形会变动，栖息地形成又消失，这时种群就会分化——不同类别的动物会走上不同的发展道路，最终进化为不同的物种。对于脊椎动物来说，这个过程需要千百万年的时间，但是对于快速繁殖的微生物来说，这个过程可能也就几十年。

追踪亲缘关系

分析基因序列有助于发现物种之间的亲缘关系（见第172~173页）。例如，这种分析表明，黑猩猩与人类关系最近，是人类的"近亲"，而我们与长臂猿关系较远，因为它们的基因与我们的相似之处较少。通过基因，我们可以知道，包括鲸鱼、海豚和

河马在水下生产和哺育后代，现存的与它们关系**最近**的动物（**鲸鱼和海豚**），也是这样的

鼠海豚在内的鲸类与河马的祖先相同，它们都是从有蹄类哺乳动物中衍生出来的。科学家能够估计出基因随机突变的比率，这种突变是通过长期以来的变异积累形成的。科学家还能据此制定出一个"分子钟"，大致计算出物种分化的时间。他们利用分子钟得出这样的结论：鲸鱼和河马的祖先是在6000万年前到5000万年前出现分化的。单靠基因，科学家无法了解整个过程。他

▼ 从陆地到海洋
鲸鱼是从陆栖祖先进化而来的，这说明经过千百万年的发展，这种生物的基因发生了巨大的改变。

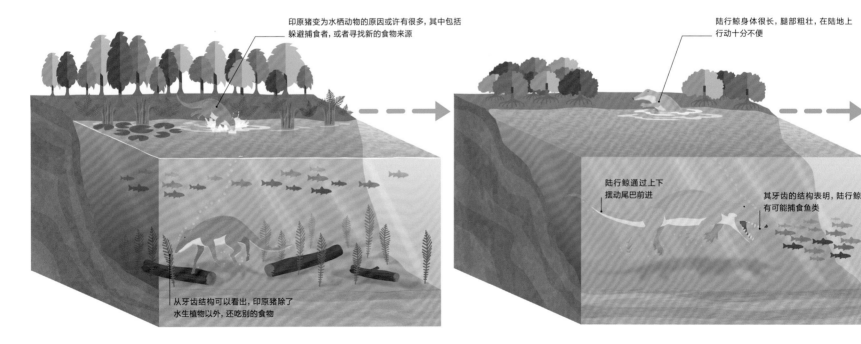

印原猪变为水栖动物的原因或许有很多，其中包括躲避捕食者，或者寻找新的食物来源

从牙齿结构可以看出，印原猪除了水生植物以外，还吃别的食物

陆行鲸身体很长，腿部粗壮，在陆地上行动十分不便

陆行鲸通过上下摆动尾巴前进

其牙齿的结构表明，陆行鲸有可能捕食鱼类

印原猪（*Indohyus*）是一种小型有蹄动物，是鲸鱼和海豚一类动物的先驱。化石分析表明，这种动物有时会待在淡水里。而头骨上的耳道部分较厚则说明它有敏锐的听觉，这或许有利于它在水下寻找食物。

陆行鲸（*Ambulocetus*）是一种半水生动物，名字的含义为"行走的鲸鱼"，不过它最适合的生境还是在淡水和咸水当中。这种动物并不完全适应在陆地上行走，更适合在水里游泳，尾部可以上下摆动，就像现代鲸鱼在水中拍打尾巴一样。

们无法通过基因来还原这些祖先的形态，因此，他们还要依靠化石。

化石能够告诉我们，史前生物的身体结构与当今存活物种有何相似或相异之处。尽管 DNA 消失了，但它们的身体结构能揭示出重要的联系，即使残缺不全也不要紧。追溯化石的历史有助于我们了解关键事件发生的时间，从而制定分子钟。科学家永远无法确定这些已成化石的生物是否就是现存物种的直接祖先，但是我们可以通过这些化石证据，清晰地看到它们在进化树中的相对位置。在鲸类进化树的底端，有很多已经变成化石的动物，几千万年后现代鲸鱼才进化形成。从这些化石中，我们不仅能够看到用于行走的四肢如何进化为用于游泳的鳍足，甚至还可以通过化学分析，搞清楚这些动物到底生活在淡水里还是咸水里。

经过 40 亿年的进化之后，地球上现有几百万个物种，而过去还有很多其他物种存在过、灭绝过。伟大的生命之树上的每一种生物都与过去、与其他生物有着千丝万缕的联系。

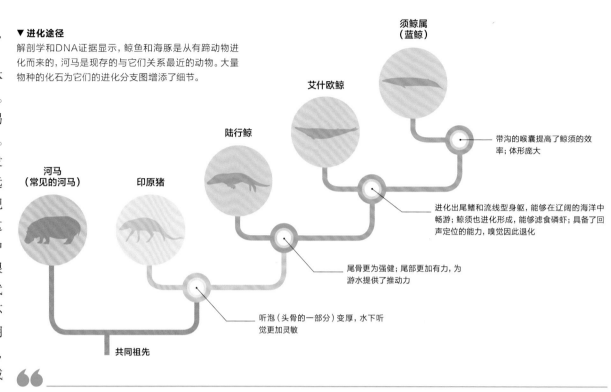

▼ 进化途径

解剖学和DNA证据显示，鲸鱼和海豚是从有蹄动物进化而来的，河马是现存的与它们关系最近的动物。大量物种的化石为它们的进化分支图增添了细节。

须鲸属（蓝鲸）

艾什欧鲸

陆行鲸

河马（常见的河马）

印原猪

带沟的喉囊提高了鲸须的效率；体形庞大

进化出尾鳍和流线型身躯，能够在辽阔的海洋中畅游；鲸也进化形成，能够滤食磷虾；具备了回声定位的能力，嗅觉因此退化

尾骨更为强健；尾部更加有力，为游水提供了推动力

听泡（头骨的一部分）变厚，水下听觉更加灵敏

共同祖先

> 在庞大的**生命进化树**上，**人类**只是……一根**细小的枝杈**……如果把这棵树的种子**重新种下**，那几乎可以肯定，这根**枝杈不会再长出来了**。

斯蒂芬·杰伊·古尔德（1941—2002），古生物学家

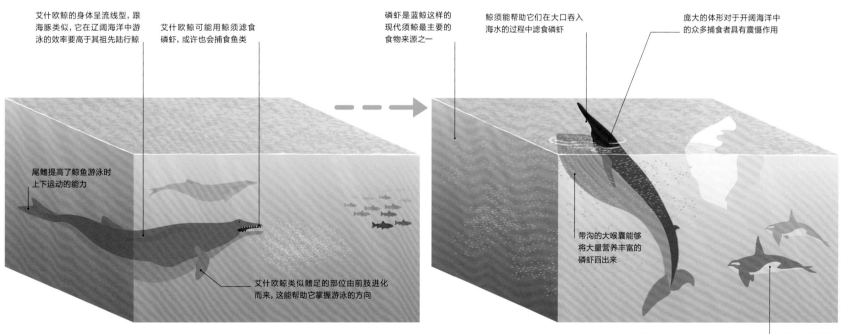

艾什欧鲸的身体呈流线型，跟海豚类似，它在辽阔海洋中游泳的效率要高于其祖先陆行鲸

艾什欧鲸可能用鲸须滤食磷虾，或许也会捕食鱼类

磷虾是蓝鲸这样的现代须鲸最主要的食物来源之一

鲸须能帮助它们在大口吞入海水的过程中滤食磷虾

庞大的体形对于开阔海洋中的众多捕食者具有震慑作用

尾鳍提高了鲸鱼游泳时上下运动的能力

艾什欧鲸类似鳍足的部位由前肢进化而来，这能帮助它掌握游泳的方向

带沟的大喉囊能够将大量营养丰富的磷虾舀出来

成群的虎鲸能够捕食蓝鲸

艾什欧鲸（Aetiocetus）是一种容易认出来的鲸——它们不再具备陆地行走的能力，颈部变短，嗅觉退化，生有类似鳍足的部位和尾鳍，没有外耳。它们有吻，但跟任何一种现存鲸类的吻都有所不同。它们的吻包含牙齿和鲸须（用来滤食浮游生物的角质薄片），这意味着它们是一种真正的过渡性动物。

蓝鲸是现存最大的哺乳动物，没有牙齿，完全依靠鲸须来滤食浮游生物，主要是磷虾。咽喉处的沟纹能够扩大喉囊容量，从而使它能够在一次吞咽中获取大量食物。鲸类进化出庞大的体形，或许是为了最大限度地吸入食物，也可能是为了避免被巨大的史前鲨鱼捕食。

博物学家从尝试了解生物的那一天开始，就对它们进行了分类。最初的分类法完全是为了满足特定的需要。例如，药剂师会按照药物特性划分植物。古希腊哲学家亚里士多德会依据其"自然阶梯"，或者叫"生命阶梯"来给动植物分类，给每一种生物认定一个"完善程度"，其中最低的是矿物，最高的是神。有些亚里士多德做的分类，比如脊椎动物和无脊椎动物，至今还在使用。但是他认为，每一种生物都有一个理想的形式，即英语中的"essense"，这种想法曾经在生物学思想中十分盛行，直到查尔斯·达尔文时期才逐渐消退。这种想法阻碍了基于自然变异（见第110～111页）的进化理论的发展。

早期的博物学家

从16世纪起，研究人员获取了新的第一手考察资料，不再沿袭古代哲学家的见解，植物学和动物学开始发展。文艺复兴时期的解剖学者，例如安德烈亚斯·维萨里（Andreas Vesalius），通过解剖标本来探究人体；100年后，新发明的显微镜又开启了一个细胞和微生物的世界。博物学家开始制定自己的分类体系，并且在准确的解剖学知识的基础上，做了一些意义重大的比较研究。例如，英国博物学家约翰·雷（John Ray）发现了鲸类属哺乳动物而不是鱼类。他对植物和动物进行了彻底的研究，是提出生物学物种（Species）概念的第一人。在繁殖过程中总是产生相同形态后代的生物便是同一个物种的生物。渐渐地，人们发现的物种越来越多，却没有标准的命名体系。后来，一位瑞典植物学家开始改变这

1837年，**达尔文**就已经形成了**"进化树"**的概念，100年之后**这种观念才普及**

如何
给生物分类

生物分类不仅仅是梳理自然界的等级次序。现代生物学家依据生物祖先的关系划分物种，为此，200年来，他们研究了多种学科，包括解剖学、古生物学和基因学。

▶ **收集标本**
我们通过保存下来的标本描述一个新的物种，这种标本被称作"模式标本"，作为科学收藏品保存在博物馆里。

达尔文……解释了自然界的生物为什么会有**类别之分**，以及它们**为什么会有共同的"本质"特征。**

 恩斯特·迈尔（1904—2005），
生物学家

种局面。

为生物命名

有一位植物学家名叫卡尔·冯·林奈（瑞典文原名 Carl von Linné，后改拉丁名 Carolus Linnaeus），他致力于研究花的结构，发现了花的生殖器官，并对其多样性进行了分类。1735 年，他出版了《自然系统》（*Systema Naturae*）一书。林奈在这本书中首次创立了一个生物的等级分类体系，对所有已知生物按照等级进行了划分。生物分为纲——比如爬行纲、鸟纲和哺乳纲，纲之下分为目——比如鸽形目、鸦形目和鹦形目，目之下分为属。属被定义为生物的基本分类，比如熊属、猫属、玫瑰属。按照当时的惯例，每一个特定的种（相当于约翰·雷的物种）都会使用复杂冗长的拉丁文名称。

支序分析（Cladistic analysis）表明**鸟类与恐龙的亲缘关系最近**

1753 年，林奈在《植物种志》一书中改变了这种情况，为植物使用了新的命名法，并在 1758 年《自然系统》第十版中用同样的方法为动物命名。例如，他在 1735 年的分类中列为熊属（*Ursus*）的棕熊，现在的名称为熊属棕熊（*Ursus arctos*）。林奈 1753 年和 1758 年的著作分别标志着为植物和动物科学命名的开端。这种双名法在生物学中得到了广泛应用：第一个名字（*Ursus*）指代动物的属，而第二个名字（*arctos*）则指代其种。林奈的生物分类体系沿用至今，不过有些地方做了修改，还额外增加了几个等级。随着我们对物种关系了解的加深，很多物种的属发生了改变，其学名也不一样了。

为生物分类

即使到了 19 世纪，很多生物的个体形式仍然会发生变异，这是理想形式的一种不完美的偏离。查尔斯·达尔文发现了这些变异对于进化的重要性，背离了亚里士多德的观点。到了 20 世纪初，人们发现物种是由不同种群组成的，同时人们对这种多样性的基因基础也有了更好的了解（见第 108～109 页）。

20 世纪 60 年代，德国生物学家维利·亨尼希（Willi Hennig）依据更加严谨的进化规则对生物进行了分类。任何等级类别都要包含由一个共同祖先进化而来的所有物种。这些类别叫作进化枝，展示这些类别的图表叫作支序图，这种新方法叫作支序分类学。从那时起，支序分类学被视为是一种合理的生物分类方法，得以广泛采用，因为这种方法能够清楚地展示一种动物与另一种动物基因关系的亲疏程度。等级分类体现了进化关系，我们用分类学重新界定生物类别的依据就是共同祖先的血统。了解物种的亲缘关系要比仅仅了解它们之间的相似性要有用得多。如果我们知道一种植物能够产出一种救命的药物，也知道哪些植物与它有密切的亲缘关系，我们就能集中寻找这种药物的新来源。

支序分类学改变了分类学者对林奈分类法的看法。分类学者曾经认为哺乳动物和鸟类跟爬行动物属同一级别（纲），支序分类学改变了这一观念。我们现在知道，哺乳动物和鸟类是由爬行动物进化来的，爬行动物是由两栖动物进化来的，等等。因此，支序分类学将哺乳动物和鸟类划分为两个不同的进化枝，这两个进化枝同属于一个更大的进化枝，这个更大的进化枝下也包括爬行动物，因为它们都有一个共同祖先。

今天，分类学者研究进化关系时，有了比解剖学更好的方法。生物学家自从发现 DNA 能够储存遗传基因以后，就把 DNA 视作信息来源。DNA 内包含基因密码——DNA 链上的化学成分序列。近缘物种拥有相似的序列。现代分析技术，以及强大的电脑程序，能够将多个物种进行 DNA 比对，从统计学角度得出两个物种之间关系的似然性。生物学家甚至还能利用 DNA 信息计算出两种生物产生分化的时间（见第 170～171 页）。然后他们就能画出进化分支图，标出每个分支产生的时间。有了这些生物"时间树"，我们就可以描绘千百万年甚至几十亿年来的进化历程。这意味着生物的类别不但可以依据祖先血统来定义，还可以按照起源和分化的大致时间来划分。

植物分类显示了它们在各方面的**关系**……就像地图上各个国家间的关系一样。

卡尔·冯·林奈（1707—1778），植物学家

冰芯

地球的气候条件曾经发生过剧烈的反复变化，这些变化主要是自然发生的，而冰芯在这方面提供了大量线索。就像琥珀能困住动物一样，冰芯里也能留下地球历史的点点滴滴。

地球上的冰盖是巨大的气候证据宝藏。这三根冰芯，每根长1米，是一段长冰芯的样本，这段长冰芯取自格陵兰冰盖，冰盖的厚度超过2000米。由于冰盖形成于降雪，因此里面包含了大气中的气体和悬浮粒子，二者被封入冰层，记录了当时的气候条件。冰层是逐年积累的，所以科学家越往下钻探，接触到的记录年代越久远。这段不同寻常的冰芯记录了11.1万年的气候历史。

气候学家通过分析冰芯，寻找有关地球过去气候的线索。如果封存在冰层里的尘埃含有放射性元素，我们就可以利用放射性定年法（见第88~89页）来确定样本的年代。冰芯能够告诉我们过去的平均温度，以及大气中各种气体的比例。因此我们

可以从中了解到近几十年来大气中的二氧化碳含量上升的长期背景。位于极地的考察站，比如南极的东方站等，已经获得了过去超过40万年的大气二氧化碳水平记录。科考队员在南极冰穹C提取了更长的冰芯。该冰芯长达3270米，包含了过去65万年的信息，比如甲烷和二氧化碳的水平。冰芯还能封存火山灰、尘埃、沙子，甚至花粉。通过这些线索，我们可以了解过去的火山活动、沙漠范围，以及不同植被的扩展区域。

导致气候自然变化的原因包括地球轨道周期性的变化，以及地球自转轴的改变，也就是我们所说的米兰科维奇循环。其他的自然因素还包括太阳本身、板块构造和火山作用的变动。科学家通过研究冰芯，了解到影响气候的自然因素，并预测它们与当前人类活动的相互作用——人类活动似乎正在促使气候发生急剧变化（见第352~353页）。

大气气体

落在格陵兰冰盖上的**每一层雪**都包含来自大气的气体，这些气体在雪向冰层压实的过程中一起封存了进去。气候学家比较了冰芯不同深度的气体水平，得出了地球气候变化历史的时间轴。以19世纪早期为界，之前的一千年中，大气中的二氧化碳水平是稳定的，之后开始上升。现在大气中的二氧化碳水平要比工业革命（见第304~305页）之前高出40%。

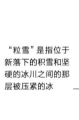

"粒雪"是指位于新落下的积雪和坚硬的冰川之间的那层被压紧的冰

这是冰芯最上端，取自一块53~54米厚的冰，大约有173年的历史

最上面的冰芯

提取冰芯

冰芯——一种长柱型冰块，从20世纪50年代起开始被提取出来，主要来自格陵兰和南极的冰盖。要想到冰盖上进行钻探，提取出一根独立的冰芯，就需要一支由多名科学家组成的队伍。这些冰芯要保存在-15℃的气温条件下，以防破裂。

▼ 米兰科维奇循环

地球轨道和自转轴的长期变化叫作米兰科维奇循环。这种循环改变了四季的时间和长度，而且似乎与气候变化的周期相符，大冰期（见第176~177页）就是这些气候变化之一。

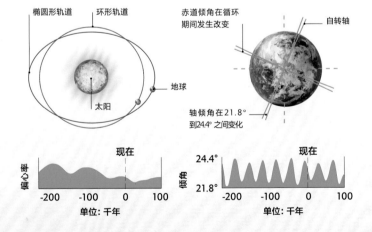

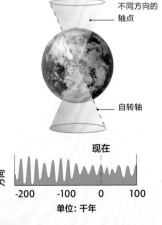

在木星和土星引力的影响下，地球轨道的形状由环形向椭圆形转变（"偏心率"增大）。这种情况改变了我们四季的长度，以及我们的气候模式。

地球自转轴的角度也发生了几度的变化。自转轴倾角变大，北半球或南半球进一步向太阳倾斜，从而导致我们的四季对比更加强烈。

地球会发生摆动，因为它不是一个正球体。地球自转轴的轨迹因此每2.6万年左右会构成一个圆形。这改变了仲夏、仲冬和二至点的时间。

科学家在南极冰盖钻取冰芯

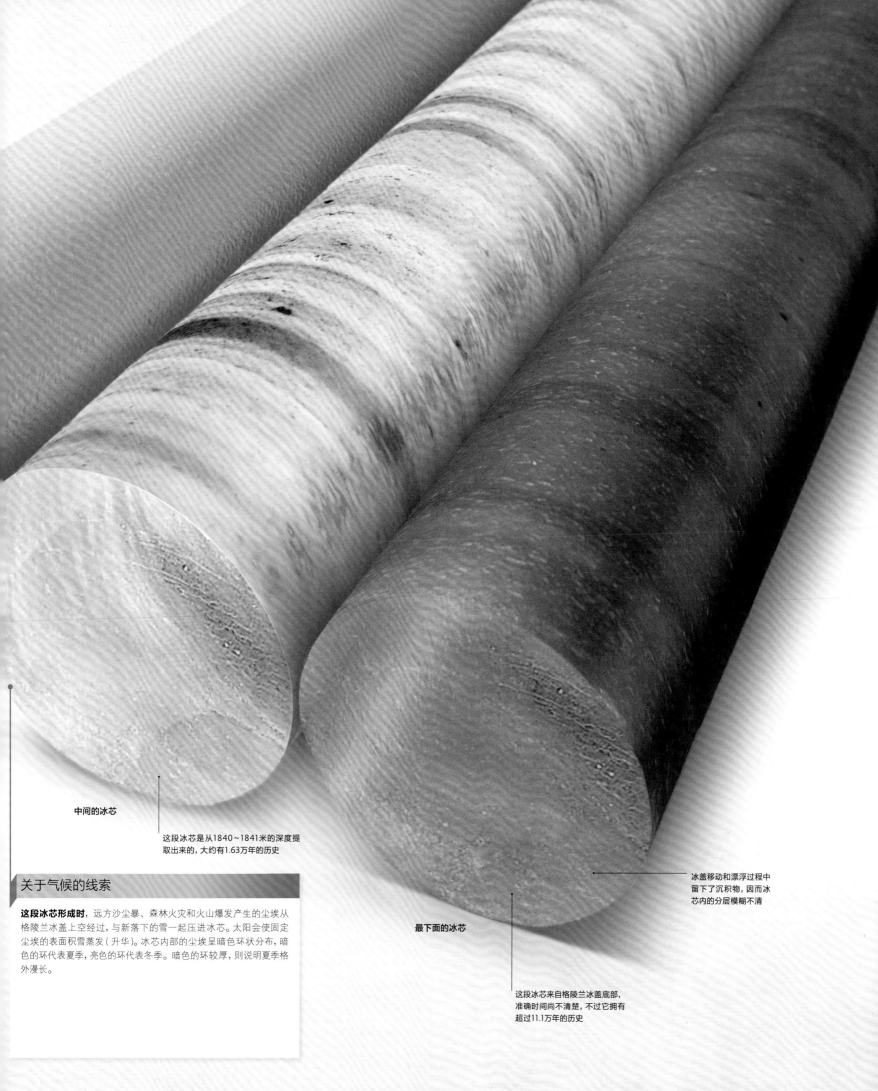

中间的冰芯

这段冰芯是从1840~1841米的深度提取出来的，大约有1.63万年的历史

关于气候的线索

这段冰芯形成时，远方沙尘暴、森林火灾和火山爆发产生的尘埃从格陵兰冰盖上空经过，与新落下的雪一起压进冰芯。太阳会使固定尘埃的表面积雪蒸发（升华）。冰芯内部的尘埃呈暗色环状分布，暗色的环代表夏季，亮色的环代表冬季。暗色的环较厚，则说明夏季格外漫长。

最下面的冰芯

冰盖移动和漂浮过程中留下了沉积物，因而冰芯内的分层模糊不清

这段冰芯来自格陵兰冰盖底部，准确时间尚不清楚，不过它拥有超过11.1万年的历史

冰封地球

广袤的北美冰盖最远延伸到北美大陆中心

自从地球诞生以来，气候变化就是地球历史的自然组成部分。地球上曾多次出现大冰期，当冰期达到顶峰，地球温度降到最低的时候，整个世界都覆盖着广袤的冰盖，这给生物带来了重大的影响——有些物种走向灭绝，而另一些物种则得以进化。

当地球表面温度骤降，冰原面积急剧扩大，冰期就会出现。原因可能是多方面的：地球轨道的改变，以及大气的变化，都会产生一定影响。冰期改变的不只是气候。极低的温度将海水冻结为固定的

历史上，地球有两次完全被冰覆盖，
冰盖差不多有 **1 000米**厚

巨大冰块——冰盖和冰川，海平面下降，曾经分离的陆地重新连接起来。适应热带气候的生物会向赤道集中，甚至会全部消失，而适应寒冷的物种则会进化发展。

冰期事件

寒武纪生命大爆发发生在 5.2 亿年前，在这之前至少出现过两次大冰期。在这两次大冰期中，我们的星球都变成了"雪球"，几乎完全被冰川覆盖。第三次大冰期出现在 4.6 亿年前至 4.2 亿年前，这时的海洋中鱼类众多。第四次大冰期出现在 3.6 亿年前至 2.6 亿年前，这时森林刚刚出现，冈瓦纳古陆向南极漂移，极地冰川开始延伸。最近一次大冰期开始于 250 多万年前，至今尚未结束，因此我们对它也更加了解。这次大冰期的冰川目前集中在北半球的格陵兰岛和南半球的南极洲，其面积在冰期和间冰期分别有所扩大和缩小。由于冰盖尚未消失，地球仍然处于这段大冰期内，只不过属于相对温暖的间冰期。近期的冰川侵蚀了山谷，留下了冰川沉积物，而不断变化的温度和海平面使得现代生物都成了冰期的产物。

▶ 冰期
最近一次冰期出现在2万年前至1.5万年前，冰川范围达到顶峰。地球上大量的水都结冰了，从而导致海平面下降，整体气候较为干燥。

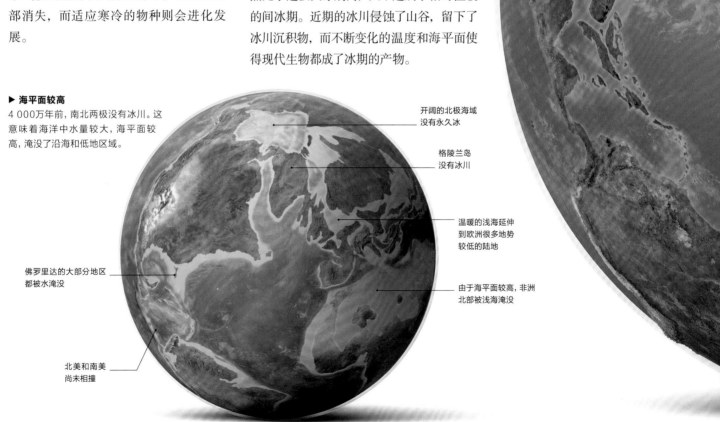

▶ 海平面较高
4 000万年前，南北两极没有冰川。这意味着海洋中水量较大，海平面较高，淹没了沿海和低地区域。

佛罗里达的大部分地区都被水淹没

北美和南美尚未相撞

开阔的北极海域没有永久冰

格陵兰岛没有冰川

温暖的浅海延伸到欧洲很多地势较低的陆地

由于海平面较高，非洲北部被浅海淹没

4 000万年前

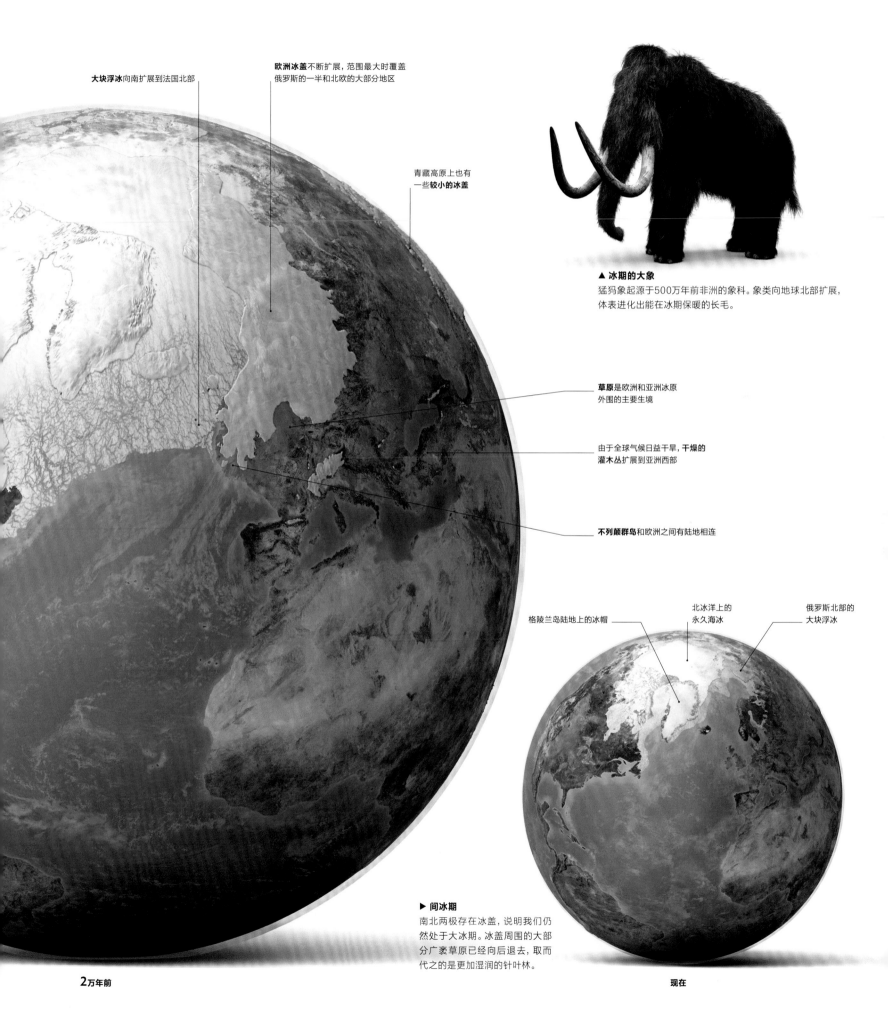

大块浮冰向南扩展到法国北部

欧洲冰盖不断扩展,范围最大时覆盖俄罗斯的一半和北欧的大部分地区

青藏高原上也有一些**较小的冰盖**

▲ 冰期的大象

猛犸象起源于500万年前非洲的象科。象类向地球北部扩展,体表进化出能在冰期保暖的长毛。

草原是欧洲和亚洲冰原外围的主要生境

由于全球气候日益干旱,**干燥的灌木丛**扩展到亚洲西部

不列颠群岛和欧洲之间有陆地相连

格陵兰岛陆地上的冰帽

北冰洋上的永久海冰

俄罗斯北部的大块浮冰

▶ 间冰期

南北两极存在冰盖,说明我们仍然处于大冰期。冰盖周围的大部分广袤草原已经向后退去,取而代之的是更加湿润的针叶林。

2万年前

现在

临界点

人类**进化**

跟所有生物一样，人类起源于星际，与其他猿类拥有共同祖先，那人类的独特之处何在？人类具备创新、学习和分享经验的能力，这是其他物种做不到的。通过使用符号语言，分享和运用共同的知识，我们人类的祖先开始在地球上占据主导地位。

适当条件

现代人类进化形成的时间较近，大约在 20 万年前。智人能够利用符号进行沟通、交流思想，学习前辈的知识，从而达到了前所未有的复杂程度，成了地球上最强大、最具影响力的独特物种。

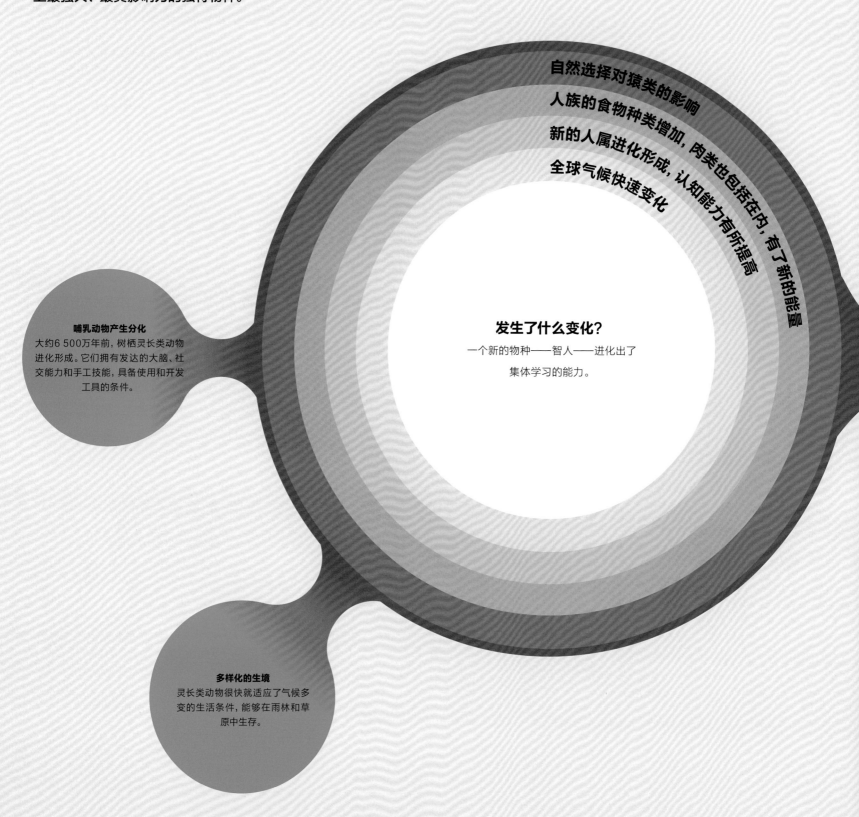

自然选择对猿类的影响

人族的食物种类增加，肉类也包括在内，有了新的能量

新的人属进化形成，认知能力有所提高

全球气候快速变化

发生了什么变化？

一个新的物种——智人——进化出了
集体学习的能力。

哺乳动物产生分化
大约6 500万年前，树栖灵长类动物进化形成。它们拥有发达的大脑、社交能力和手工技能，具备使用和开发工具的条件。

多样化的生境
灵长类动物很快就适应了气候多变的生活条件，能够在雨林和草原中生存。

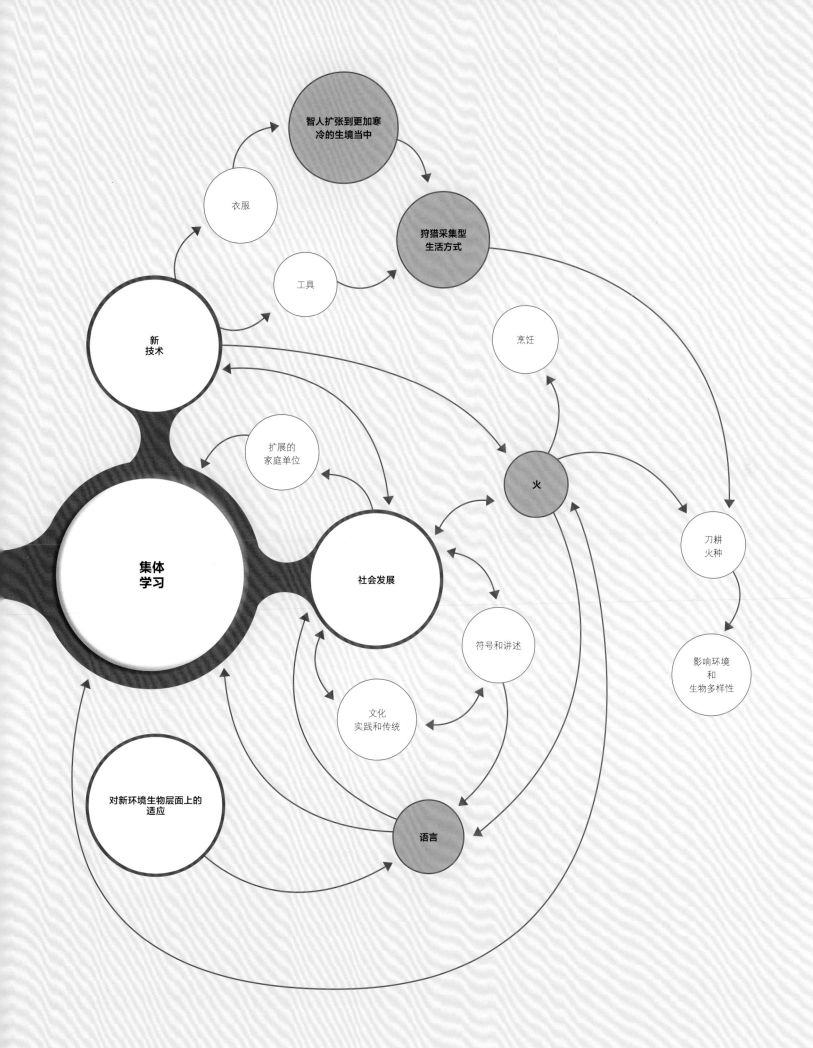

智人扩张到更加寒冷的生境当中

衣服

狩猎采集型生活方式

工具

烹饪

新技术

扩展的家庭单位

火

集体学习

社会发展

刀耕火种

符号和讲述

影响环境和生物多样性

文化实践和传统

对新环境生物层面上的适应

语言

家族联系

很多人类行为在其他灵长类动物中也有表现，比如幼小的猩猩会得到父母的照顾。小猩猩出生后的前十年中完全依赖母亲生活。

灵长类
家族

我们拥有发达的大脑、灵巧的手指，以及高度复杂的社会结构，这似乎可以说明我们是灵长目动物。然而，灵长目动物多种多样，虽然很多物种具备相同的特点，但它们没有一个决定性的共同生理特征。

目前我们发现了大约 400 个灵长目物种，从小巧的眼镜猴到令人惊叹的大猩猩。从生理和遗传角度来看，智人显然是从灵长目发展而来的，具体地说属于猿类，然而即使猿类也只是近期才进化出来的一个分支。体形极小、类似老鼠的原始灵长目动物普尔加托里猴（*Purgatorius*），进化成类似狐猴的灵长目动物达尔文猴，花了 2 000 万年的时间。到那时为止，灵长目发展的两条主线已经十分兴旺——一条指向懒猴和狐猴，另一条指向眼镜猴。到了 4 000 万年前，类人猿分支出现了，该分支后来进化成猴子、猿类，以及最终的人类。这些类人猿有可能起源于亚洲，而化石显示，灵长目动物面部的吻已经变短了。

接近人类

到了 2 500 万年前，森林里到处都是各种各样的猴子。无尾的原康修尔猿（*Proconsul*）2 500 万年前至 2 300 万年前生活在东非一带，这种动物集合了多种猿类和猴子的特征。不久之后，很多真正的猿类开始向欧洲和亚洲发展。它们都是最早的现代灵长目物种。DNA 研究显示，红毛猩猩和大猩猩分别在大约 1 600 万年前和 900 万年前进化形成，当时还有其他动物与它们存在亲缘关系，例如亚洲的西瓦古猿（*Sivapithecus*），以及埃塞俄比亚的脉络猿（*Chororapithecus*）。大约 900 万年前，一群体形庞大的亚洲猿类进化形成，名为巨猿（*Gigantopithecus*），其中一些或许一直存续到近期。我们认为，人族分支最早是由非洲的乍得沙赫人（*Sahelanthropus tchadensis*，生存于 700 万年前至 600 万年前）开启的，其存在时间与我们推测的人类祖先从黑猩猩分化形成的时间一致。

从行为上看，早期猿类的手指灵巧程度、智力和灵活性都很高，可能类似于现代灵长目动物，而且其生活的群体可能也各不相同，骨骼强壮，交流内容复杂。另外，这些物种当中，有些还可能会使用工具，就像今天的各种猿类和卷尾猴一样。

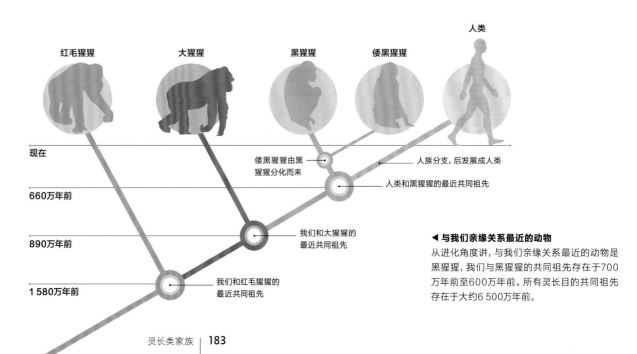

红毛猩猩　大猩猩　黑猩猩　倭黑猩猩　人类

现在

倭黑猩猩由黑猩猩分化而来 ── 人族分支，后发展成人类

660万年前

人类和黑猩猩的最近共同祖先

890万年前

我们和大猩猩的最近共同祖先

1 580万年前

我们和红毛猩猩的最近共同祖先

◀ 与我们亲缘关系最近的动物

从进化角度讲，与我们亲缘关系最近的动物是黑猩猩，我们与黑猩猩的共同祖先存在于 700 万年前至 600 万年前。所有灵长目的共同祖先存在于大约 6 500 万年前。

人族
进化形成

人类属于灵长类家族中的人族分支。该分支发展了700多万年时间，包含所有的现代人类、已灭绝的人属物种，以及所有我们近期的祖先。

追溯自身的起源时，我们很容易认为人类是由某种单一的生物进化而来的，而我们会具备一些"先进"特征，比如能够双脚行走和使用工具，是因为这一种生物越来越复杂。但事实上，早期人族有很多种，最早的人属物种能人（*Homo habilis*）具备这些特征，更早的人族物种南方古猿（*Australopithecus*）也具备这些特征，而且这些特征或许是独立进化出来的。

这方面的化石记录十分充分。从中我们可以看出，体形修长的南方古猿（阿法南方古猿和湖畔南方古猿）出现在400万年前至300万年前，后来进化得更加强壮，牙齿十分坚固。然而，最早的能人是240万年前出现的，因此两个物种之间相距的时间跨度很大。2015年我们在埃塞俄比亚发现了两者之间可能存在联系的证据——一块颌骨化石，时间可追溯到280万年前至275万年前。这块化石所属的时期很关键，而且呈现了一些重要的人属特征，但是由于没有找到颅骨的其他部分，也没有任何显示脑容量的证据，所以我们不可能确定这块颌骨化石的主人到底属于哪一科。

从进化角度讲，人属的一个重要标志，是为了适应不同的环境，可以吃不同的食物。它们更倾向于食用肉类，这一点很关键，因为这让它们更加依赖工具来狩猎，这反过来又促进了大脑的发展（见第188~189页）。这发生在200万年前，其结果就是，人属物种的社会结构和分布模式发生了变化，最终进化形成直立人（*Homo erectus*）——或许是最早在全球范围内进行探索的人，尼安德特人（*Homo neanderthalis*）——与我们亲缘关系最近的人属物种，以及最后的智人。

▶ 人族进化树
迄今为止，我们已经发现了七个人族种群，也就是七个属，有些属还包括几个种。例如地猿（*Ardipithecus*）属下分卡达巴地猿和拉密达地猿两个种。

图例
- 乍得沙赫人
- 图根原人
- 地猿
- 肯尼亚人
- 傍人
- 南方古猿
- 人属

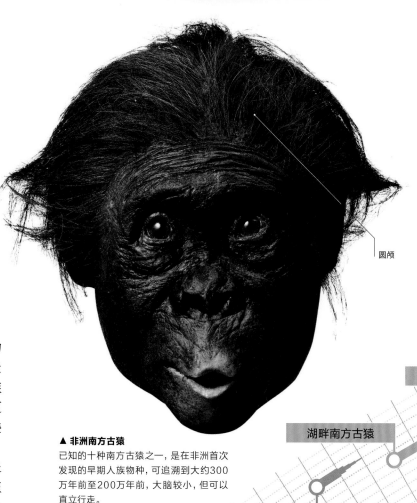

圆颅

▲ 非洲南方古猿
已知的十种南方古猿之一，是在非洲首次发现的早期人族物种，可追溯到大约300万年前至200万年前，大脑较小，但可以直立行走。

阿法南方古猿

湖畔南方古猿

拉密达地猿

400万年前

卡达巴地猿

图根原人

600万年前

乍得沙赫人

700万年前

▶ 乍得沙赫人
我们最早的人族祖先乍得沙赫人生活在700万年前至600万年前，我们与其他猿类的最近共同祖先也存在于这个时间段。乍得沙赫人身高大约1米，或许可以两脚行走。

面部偏平，类似猿类，肤色较深，或许是为了抵御紫外线

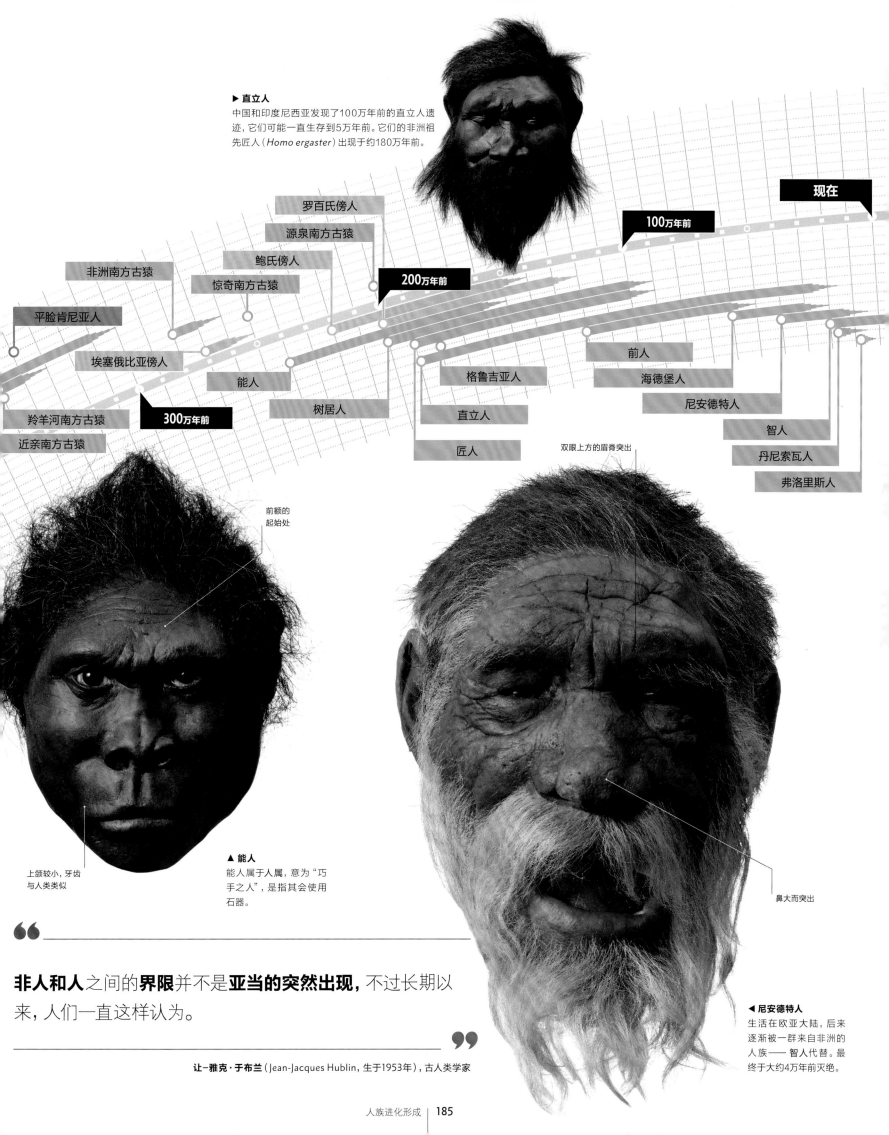

▶ 直立人
中国和印度尼西亚发现了100万年前的直立人遗迹，它们可能一直生存到5万年前。它们的非洲祖先匠人（*Homo ergaster*）出现于约180万年前。

现在

罗百氏傍人

源泉南方古猿

100万年前

非洲南方古猿

鲍氏傍人

惊奇南方古猿

200万年前

平脸肯尼亚人

前人

埃塞俄比亚傍人

格鲁吉亚人

海德堡人

能人

尼安德特人

羚羊河南方古猿

300万年前

树居人

直立人

智人

近亲南方古猿

匠人

丹尼索瓦人

弗洛里斯人

前额的起始处

双眼上方的眉脊突出

上颌较小，牙齿与人类类似

▲ 能人
能人属于人属，意为"巧手之人"，是指其会使用石器。

鼻大而突出

"

非人和人之间的**界限**并不是**亚当的突然出现，**不过长期以来，人们一直这样认为。

"

让－雅克·于布兰（Jean-Jacques Hublin，生于1953年），古人类学家

◀ 尼安德特人
生活在欧亚大陆，后来逐渐被一群来自非洲的人族——智人代替。最终于大约4万年前灭绝。

猿类开始
直立行走

爬树的猿类在向地面行走的人类进化的过程中，骨架结构发生了巨大的变化。从古代的脚印可以看出，我们的祖先在370万年前就已经像人类一样行走了，但是它们仍需要经过200万年的进步才能学会奔跑。

从3 500万年前开始，气候逐渐变得干燥寒冷，森林以及物种更加多样化的生境，比如开阔的草原，都起了变化。长期以来，人们一直认为，在大约700万年前至400万年前，这些变化是一些爬树的猿类向主要靠双腿在地面行走的"双足"动物发展的原因。而事实没有这么简单，因为一些最古老的双足动物化石是在密林地带发现的。然而，不管原因如何，我们从很多化石中都发现了动物栖息地从树向地面转变的痕迹。

适应地面生活

早期猿科动物原康修尔猿是从树栖到地栖转变的一个典型例子。它们要么在树枝间快速移动，要么用手和脚抓住树枝往上攀缘。

从700万年前开始，一些化石显示出了明显的对比。这些是人族的化石（见第184～185页），人类就属于该种群。其中最古老的乍得沙赫人，有证据显示，已经具备直立的脊柱，因为其脊髓是与头骨底部而不是与后部相接，就跟今天的猿类一样。不久，另一人族物种进化出了更加明显的地栖特征，这就是拉密达地猿，它们生活在现在的埃塞俄比亚，时间在450万年前至430万年前。它基本可以直立行走，但并不完全属于双足动物，因为其脚上有对生趾。

要想彻底成为双足动物，人族需要能够在地面行走的双脚，这就要求脚趾够大且成排分布，而且要有相应的骨骼和肌腱来形成一个有弹性的拱形结构。我们在非洲发现的一些可能是匠人（*Homo ergaster*）留下的脚印表明，这些特征在著名的莱托利脚印（见左下）出现之后又历经了150万年至200万年的时间才进化形成。此时，匠人和其他人属物种都具备了奔跑能力。它们的骨盆较短且宽，躯干集中在臀部以上，S形的脊柱有利于减缓垂直方向的冲击，股骨向膝盖内倾，有利于改善平衡和步态。到100万年前，人族已经遍及非洲、亚洲和欧洲的大部分地区。

▶ **从树栖转为地栖**
向地面行走的双足动物转变的过程可以概括为以下三个关键阶段。

密林生境

四足状态适合树栖生活

▶ **古代的足迹**
这些化石足迹，也就是我们现在所说的坦桑尼亚莱托利（*Laetoli*）脚印，是370万年前由成年和幼年南方古猿留下来的。我们把这些印记的三维轮廓同现代人的脚印做了比较，发现南方古猿的步态并不像猿类那样膝盖弯曲、摇摇晃晃，而是跟人类相似。

原康修尔猿是我们在非洲发现的最早的猿类之一，存在于2 300万年前，生活在热带密林中，靠四足（四条腿）行动，擅长攀缘。不过它没有尾巴，说明它已经不太依赖树栖环境了。

大而有力的对生趾

手指长而弯曲，适合抓握

足骨较小，因较为灵活

手　　　　足

▶ 地球更加寒冷，未来不可预测

我们对冰盖（见第174~175页）上提取的冰芯样本和深海沉积物进行了分析，发现在过去的600多万年时间里，地球的气候不仅变得更加寒冷，而且更加多变。新的人族物种的出现似乎跟气候的日益多变是同步发生的，这表明它们在环境变化的压力下产生了分化。为了适应环境，人族的骨架发生了改变，这样它们或许就能在多种生境中生存，不管是开阔的草原，还是多树的森林，是潮湿的环境，还是干燥的环境。

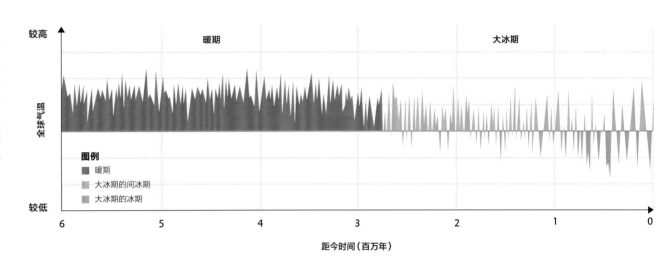

古老的 **乍得沙赫人**
或许在700万年以前
就能直立行走了

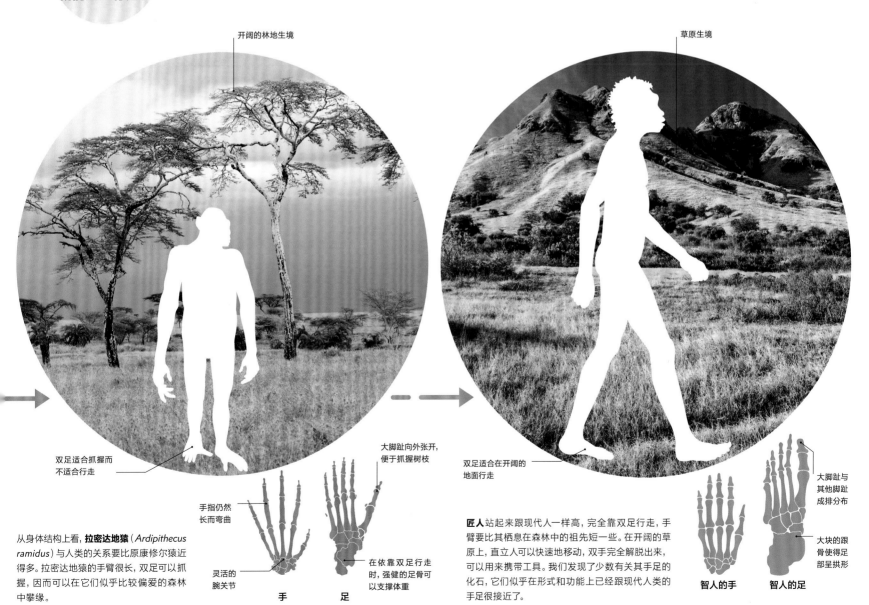

开阔的林地生境

草原生境

双足适合抓握而不适合行走

大脚趾向外张开，便于抓握树枝

手指仍然长而弯曲

双足适合在开阔的地面行走

从身体结构上看，**拉密达地猿**（*Ardipithecus ramidus*）与人类的关系要比原康修尔猿近得多。拉密达地猿的手臂很长，双足可以抓握，因而可以在它们似乎比较偏爱的森林中攀缘。

灵活的腕关节

手 **足**

在依靠双足行走时，强健的足骨可以支撑体重

匠人 站起来跟现代人一样高，完全靠双足行走，手臂要比其栖息在森林中的祖先短一些。在开阔的草原上，直立人可以快速地移动，双手完全解脱出来，可以用来携带工具。我们发现了少数有关其手足的化石，它们似乎在形式和功能上已经跟现代人类的手足很接近了。

大脚趾与其他脚趾成排分布

大块的跟骨使得足部呈拱形

智人的手 **智人的足**

▲ 食肉促进头脑生长？
人们在西班牙的阿尔塔米拉山洞发现了旧石器时代的一幅野牛壁画。有些理论认为，开始食用肉类，是人族脑容量增大的催化剂。

脑容量增大

一个多世纪以来，生物学家研究了各种动物的脑容量和智力上的差别。灵长目的脑化指数（脑的大小相对于身体大小的比值）呈现上升趋势，其中智人最为明显，这显然是一种适应性特征。

大脑的生长与维持需要大量能量，要想了解我们的大脑是为什么以及如何发展成这么大的，我们需要考虑很多进化方面的因素。脑容量与体形大小有关，这似乎很重要。跟其他灵长目动物和哺乳动物相比，人类的球状头骨明显偏大，里面包裹的大脑相较体形来说非常庞大。

促进思考的食物

有一种理论认为，人族脑容量比例增大跟食物变化有关。少数灵长目物种，包括黑猩猩，经常会吃肉，但食肉量往往很小。相比之下，有关人族的考古记录显示，随着食肉现象越来越普遍，人族肠道逐渐萎缩，这说明它们很少再吃不易消化的植物了。是不是肉类和熟食产生的额外热量和脂肪满足了大脑对能量的需求，甚至促进了大脑的进化？毫无疑问，这确实有些影响，但时间对不大上。石器制造技术出现在300万年以前，有了这种技术，人族就能更好地从动物尸体上获取高能量的食物。但是，最早制造工具的南方古猿和早期的人属之间相距几百万年。在这几百万年里，脑容量的增长幅度很小，只有大约100cm^3。直到50万年前海德堡人出现，脑容量才有了成倍的增长。

社会性大脑

最近的理论不仅考虑大脑的整体大小，而且还考虑到不同部分随着时间的推移所发生的变化，其中包括一些重要区域，这些区域会影响交流、视觉处理、制订计划，以及某些高级功能，比如解决问题。我们尤其感兴趣的是新皮质（大脑的外层）的大小和社交能力之间的关系。新皮质涉及很

与体形相近的其他哺乳动物相比，
灵长类的脑容量
接近前者的两倍

多大脑功能，从运动控制到感知、意识和语言，都包含在内。灵长目动物新皮质相对较厚，社会群体也更大，这表明新皮质能够提供额外的"处理能力"，而大脑需要依靠这种能力来记录众多个体之间的关系。但这不只是个体数量的问题：灵长目动物的社会生活还包括预测，甚至控制其他个体的行为。人族的社会规模扩大后，就更需要加大对大脑的投资。

脑容量与其他方面的关系可通过不同物种观察到。例如，动物的眼睛越大，大脑就有可能越大，因为更好的视力需要更强的大脑处理能力。对于社会生活更加复杂的人族来说，高度发达的视觉不仅能够帮助其寻找食物，察觉天敌，而且还能使其准确判断其他生物的注视方向，观察到一些细微的举动。

从哺乳动物到鸟类，脑容量较大的物种，自控能力往往也比较强。它们能够抑制冲动，延迟获得满足感，而且还能在先前经验的基础上，反思其他行动过程。灵长目动物自控水平的提高跟社会群体的规模没有必然联系，不过人族的自控能力越强，就越有可能遵循一定规则下的社会策略，从而获得有利地位，在社会群体当中遥遥领先。

复杂的答案

归根结底，脑容量的增大是人族存在多种竞争压力的结果，因为它们的大脑需要具备更高的处理能力。有关食物的问题很重要，但是人族的食物种类逐渐增多，可能比开始摄入肉食更加关键。除了植物和肉类以外，大约200万年以前，早期人属开始吃一些"特殊"食物，比如鱼类，肯尼亚的科比弗拉（Koobi Fora）就曾发现人属食用鲇鱼和海龟的证据。食谱更加广泛，工具使用频繁，就要有一个更大的大脑来提供运动技能、记忆力，以及更好的整体灵活性。很多时候，它们会采取合作性的集体活动，这就要求它们具备学习能力、自控能力，以及频繁社交的能力。

在过去的2万年里，我们的脑容量增大了，这背后的原因可能是多种多样的，而实际上，现在人类的大脑又开始缩小了。如果我们能够更好地了解智人的大脑功能，或许就会发现智力不仅取决于脑容量，而且也依赖于更精妙的脑部构造。

▲ **社会性大脑**
今天，卡拉哈里（Kalahari）土著居民桑人（San）的社会群体之间联系十分紧密，就像其他狩猎采集部落成员一样。这个相互作用的机制十分复杂，只有在群体成员的脑容量增大之后，才有可能实现。

 大脑是一团奇妙而美好的东西。里面有无数神经细胞……**错综复杂地**排列在一起，**大脑蕴含的认知能力远远超出了**任何我们制造出来模仿它的硅基**机器。**

威廉·F. 奥尔曼（William F. Allman，生于1955年），记者

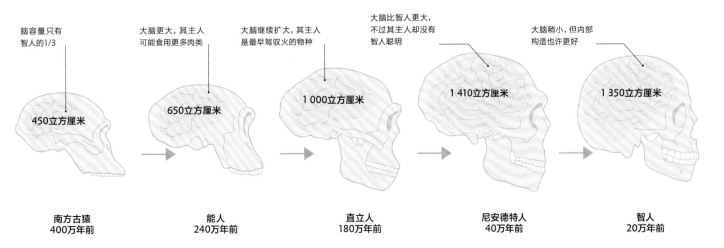

脑容量只有智人的1/3
450立方厘米
南方古猿
400万年前

大脑更大，其主人可能食用更多肉类
650立方厘米
能人
240万年前

大脑继续扩大，其主人是最早驾驭火的物种
1 000立方厘米
直立人
180万年前

大脑比智人更大，不过其主人却没有智人聪明
1 410立方厘米
尼安德特人
40万年前

大脑稍小，但内部构造也许更好
1 350立方厘米
智人
20万年前

◀ **人族大脑的进化**
在过去的700多万年时间里，人族的大脑增大了三倍，增大过程主要集中在最近200万年里。古代动物的大脑是依据头骨遗骸的大小测量的，其中一些我们保留了头骨内部的铸模。

尼安德特人

尼安德特人只是我们的人族近亲之一，但是几个世纪以来，他们在我们所了解的人类历史当中占据了特殊的地位。尼安德特人曾经长期占据统治地位，研究尼安德特人改变了我们对于自己的看法。

在人族当中，发展为尼安德特人和智人的这一分支大约在60万年前出现，最早具备"类似尼安德特人"特征的样本则出现在将近40万年前。这些信息是从大量的尼安德特人化石中获得的。尼安德特人是化石最丰富的人族物种之一，拥有超过275具躯体遗骸，有些骨架还相当完整。它们的身体结构与我们有细微差别，头骨略大，下巴不那么突出，不过眉脊要厚一些。牙齿的形状也不一样。尼安德特人通常比智人要矮小一些，胸部要更圆一些，手臂和腿部的比例也不同，指尖更大。不过，只要穿上衣服，它们看起来就会跟我们很像。

大范围的狩猎者

尼安德特人经常被描述为冰期的生物，然而它们存在的时间远不止如此。它们经历了几个冰期和间冰期（有时气候甚至比现在还要温暖），生活在阔叶林中就像生活在开阔的苔原上一样自在。我们发现了几百个尼安德特人遗址，地点位于威尔士、以色列、

西伯利亚和乌兹别克斯坦等。由于年代测定十分复杂，我们很难确定哪些遗址年代最近，但是最后一批尼安德特人似乎生活在大约4万年前。

至于它们的命运，我们不再认为它们已经"灭绝"，因为核基因组分析显示，智人和尼安德特人多次在不同的时间地点杂交繁殖。与尼安德特人尚未消失的时候相

> **尼安德特人骨架**上的伤痕形状
> 与**今天的牛仔骑手**身上的伤痕很像

比，目前世界上的尼安德特人基因可能更多，只不过是存于人类体内。

另外，我们对于尼安德特人文化和认知能力的看法也发生了转变。它们的石器并不粗糙，样式多变，能够体现出区域多样性和长期以来的发展。它们制作出了刀具、

▲ 鹰爪装饰
在克罗地亚一个尼安德特人生活过的山洞里，人们发现了八个有12万年历史的鹰爪。尚不清楚它们是否曾被串在一起，其中一个上面带有混合的矿物颜料。

最早的多部件工具、最早的合成材料（桦树皮胶），以及各种木制器皿。毫无疑问，它们还是绝佳的猎手，能根据不同的生活地点选择不同的食物，包括众多植物和像乌龟这样的小动物。

智人多次与尼安德特人杂交繁殖，后代也存活了下来，这说明从认知层面上看，尼安德特人并不认为我们属于另一物种。他们会使用红色和黑色颜料，收集贝壳，并对鸟类，尤其是猛禽的羽毛和爪子情有独钟。另外，尼安德特人没有任何艺术作品能与亚洲和非洲早期智人的作品相比，这说明二者的认知能力存在差异。至于它们的消失，原因可能很复杂，而且是多方面的，包括食物竞争、气候威胁和疾病等。

▶ 尼安德谷
尼安德特人由其发现地尼安德谷而得名。尼安德谷位于德国的杜塞尔多夫附近。1856年，尼安德特人最早的化石遗骸在这里的山洞中被发现。

▶ 另一种人
尼安德特人跟智人十分相似，它们与智人杂交繁殖有几千年的时间。它们的DNA当中可能有50%留存于现代人体内。

缺少的部分是头骨，而不是下颌。
没有发现碎片，这说明它有可能是
被侵蚀掉的

尼安德特人的身体结构

摩西的**胸腔**呈桶状，肺部很大。欧洲尼安德特人的肺部较
大，是为了适应寒冷的气候。在寒冷气候下生活，需要消耗
大量的能量，这就需要更多的氧来完成体内释放能量的化学
反应，肺部较大还有助于将吸入的空气变得温暖和湿润。不
过由于摩西也在气候更加温和的地中海东部地区生活过，一
些科学家现在对该理论产生了怀疑。他们认为，肺部较大是
一种已有的身体特征，这种特征是从之前的非洲人族继承
而来的，尼安德特人具备这一特征，因此才能过高度消耗体
能的狩猎生活。不过这或许确实有助于它们在欧洲寒冷地带
生活下来。

骨骼较粗，关节较
大，说明胳膊和双手
肌肉发达，强劲有力

牙齿磨损严重；尼安德特
人在劳作时或许会用牙齿
像钳子一样固定动物皮或
其他物体

由于胸廓相对完整，科学
家可通过肋骨的弯曲度重
现胸腔（胸部）的形状

年代测定技术

考古学家采用了多种技术来测定遗骸的年代。其
中，热释光（TL）和电子顺磁共振（ESR）两种技
术可以利用电子的状态来测定辐射损伤的程度，这些
电子是物质长期在环境介质和宇宙射线的照射中积
累下来的。TL用于石器，ESR用于人类和动物。科学
家对发现于喀巴拉的燧石和瞪羚牙齿做了检测，发
现这副骨架大约有6万年的历史。

技术人员对样本进行TL分析

喀巴拉2号
舌骨

安息

有些骨架上的骨骼是连在一起的，并且发掘地点十分特殊，比如
在深坑当中，说明当时是有人故意将其埋在这里的。就像摩西，
身体的各个部分几乎仍然毫无差错地连在一起，而且那些比较
脆弱的骨骼，比如舌骨，依然完好无损。摩西身上没有食肉动物
咬过的痕迹，所以不是被动物丢弃或拖到这里的。其身体的姿
态，以及肉体似乎是就地分解的事实，也同样说明摩西死后是
被人有意安置在深坑里。由于没有找到殉葬品，我们无法推
定下葬时是否举行过任何仪式（见第218~219页）。

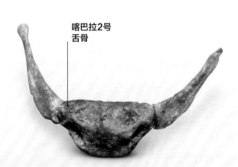

▲ 独特的舌骨
摩西的舌骨跟智人的舌骨差不多。现代人的这块骨
头连着咽喉周围的软骨，对用于说话的喉部肌肉有
固定作用。喀巴拉舌骨表明，尼安德特人很可能也具
备语言能力（见第202~203页）。

喀巴拉
尼安德特人

1983年，科学家在以色列卡尔迈勒山的喀巴拉洞穴中发掘出一副保存完好的成年尼安德特人骨架。这种尸体遗骸，不管是否变成化石，都是有关我们人族近亲的信息宝藏。

科学家在喀巴拉洞穴中一共发现了17具遗骸。其中包括一个被命名为KMH1或者叫喀巴拉1号的婴儿，这个婴儿是在墙边被人发现的，周围可能是垃圾堆。这具成人遗骸叫作KMH2，或者喀巴拉2号，位于后面的一个深坑里，一只胳膊放在胸前，另一只胳膊放在腹部。从骨骼的生长、牙齿的磨损，以及骨盆的形状来看，这是一个25~35岁的男性。科学家称其为"摩西"。摩西身高大约1.7米，比尼安德特人的平均身高略高。尽管没有头骨和大部分腿部肢体，这副骨架还是提供了第一套尼安德特人的全部肋骨和脊椎，第一个完整的骨盆，以及唯一一个尼安德特人的舌骨——有了舌骨，现代人才具备语言功能。

科学家通过对其骨骼中碳和氮的比例进行化学分析，得到了有关其食物的线索。尼安德特人骨骼中的氮含量较高，说明它们会食用大量肉类，和鬣狗和狼等食肉动物相似。在喀巴拉发现的很多瞪羚和鹿的骨骼上都有切割的印痕，以及被烧过的迹象，这足以为上述结论提供佐证。

通过放射性同位素分析和对尼安德特人牙齿的研究，科学家发现尼安德特人食用植物或许比曾经认为的更多。喀巴拉洞穴中发现的植物残骸，包括火塘里烧焦的豌豆，表明这些尼安德特人会食用多种野生豆科植物、草类、种子、水果和坚果，不过食用量尚不确定。

虽然摩西的骨骼上没有任何伤痕，但很多尼安德特人身上都有骨骼愈合的痕迹，有可能是在跟大型动物正面交锋的过程中受伤留下的。疾病和受伤的痕迹不仅是健康状况的表现，有时也能说明群体成员之间相互关照的程度。山尼达尔1号是在伊拉克山尼达尔（Shanidar）洞穴中发现的一具男性尼安德特人遗骸，其头骨曾遭重击，这名男性可能因此而失明，并出现脑损伤。另外，此人的一只胳膊发生萎缩，另一只胳膊的前臂完全遗失。据推测，在其他群体成员的帮助下，此人只能活到40~45岁。

埋葬地

摩西的尸体埋葬在洞穴的主要居住区，这里集中的火塘和动物骨骼最多。科学家在厚厚的黑色火塘沉积物中发现了一个较浅的墓穴开口。墓穴中含有一种黄色沉积物，与周围火塘的沉积物有所不同。这说明墓坑是在尸体放进去之后填起来的。

喀巴拉洞穴，摩西发掘地

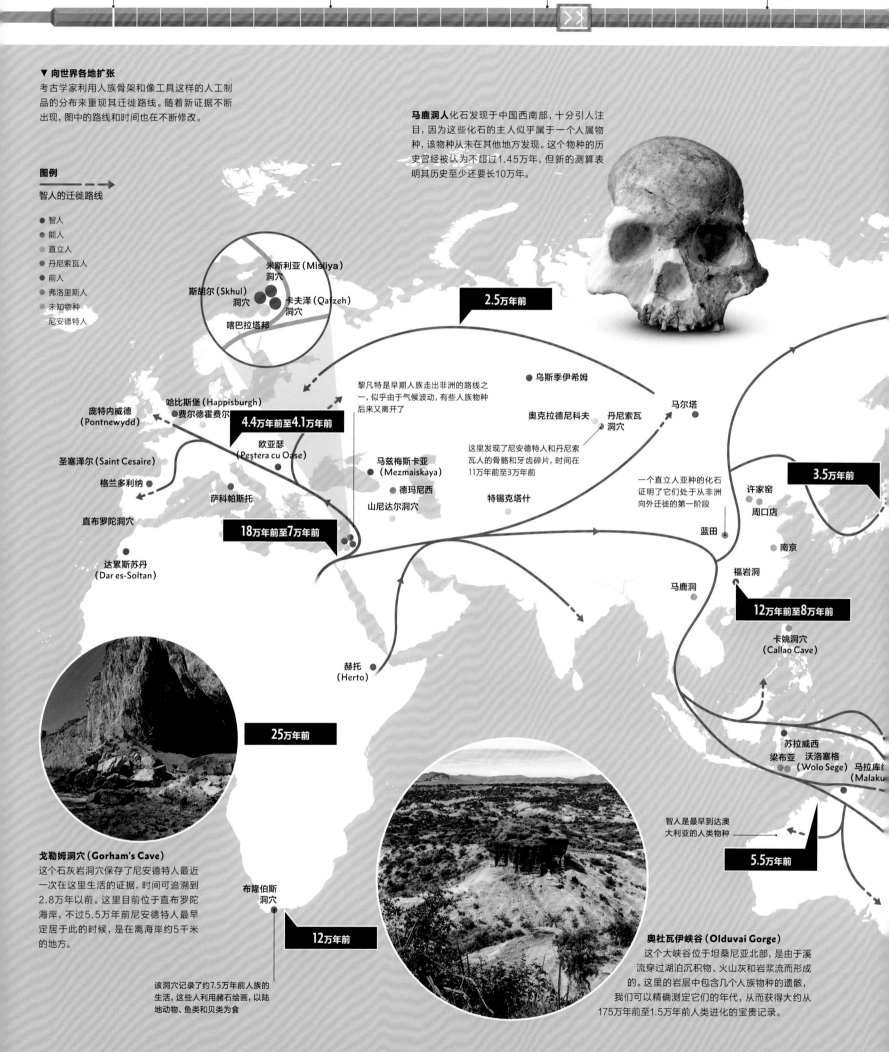

▼ 向世界各地扩张

考古学家利用人族骨架和像工具这样的人工制品的分布来重现其迁徙路线。随着新证据不断出现，图中的路线和时间也在不断修改。

图例

智人的迁徙路线

● 智人
● 能人
● 直立人
● 丹尼索瓦人
● 前人
● 弗洛里斯人
● 未知物种
尼安德特人

马鹿洞人化石发现于中国西南部，十分引人注目，因为这些化石的主人似乎属于一个人属物种，该物种从未在其他地方发现。这个物种的历史曾经被认为不超过1.45万年，但新的测算表明其历史至少还要长10万年。

米斯利亚（Misliya）洞穴
斯胡尔（Skhul）洞穴
卡夫泽（Qafzeh）洞穴
喀巴拉塔邦

2.5万年前

乌斯季伊希姆

哈比斯堡（Happisburgh）
费尔德霍费尔

庞特内威德（Pontnewydd）

黎凡特是早期人族走出非洲的路线之一，似乎由于气候波动，有些人族物种后来又离开了

奥克拉德尼科夫
丹尼索瓦洞穴
马尔塔

4.4万年前至4.1万年前

欧亚瑟（Peştera cu Oase）

圣塞泽尔（Saint Cesaire）

这里发现了尼安德特人和丹尼索瓦人的骨骼和牙齿碎片，时间在11万年前至3万年前

3.5万年前

许家窑
周口店

格兰多利纳

萨科帕斯托

马兹梅斯卡亚（Mezmaiskaya）
德玛尼西
山尼达尔洞穴

特锡克塔什

一个直立人亚种的化石证明了它们处于从非洲向外迁徙的第一阶段

蓝田

直布罗陀洞穴

南京

18万年前至7万年前

达累斯苏丹（Dar es-Soltan）

福岩洞

马鹿洞

12万年前至8万年前

赫托（Herto）

卡姚洞穴（Callao Cave）

25万年前

苏拉威西
梁布亚　沃洛塞格（Wolo Sege）　马拉库（Malaku）

智人是最早到达澳大利亚的人类物种

5.5万年前

戈勒姆洞穴（Gorham's Cave）
这个石灰岩洞穴保存了尼安德特人最近一次在这里生活的证据，时间可追溯到2.8万年以前。这里目前位于直布罗陀海岸，不过5.5万年前尼安德特人最早定居于此的时候，是在离海岸约5千米的地方。

布隆伯斯洞穴

12万年前

该洞穴记录了约7.5万年前人族的生活，这些人利用赭石绘画，以陆地动物、鱼类和贝类为食

奥杜瓦伊峡谷（Olduvai Gorge）
这个大峡谷位于坦桑尼亚北部，是由于溪流穿过湖泊沉积物、火山灰和岩浆流而形成的。这里的岩层中包含几个人族物种的遗骸，我们可以精确测定它们的年代，从而获得大约从175万年前至1.5万年前人类进化的宝贵记录。

迄今发现的最小人族物种**身高约1米**，发现于**印度尼西亚佛罗雷斯岛**的梁布亚洞穴（Liang Bua Cave）

白令海峡在过去的200万年里曾经长期是白令陆桥，将美洲和亚洲连在一起。不过，当时这里往往被冰盖覆盖。

2.2万年前

早期人类
迁徙

科学家只在非洲发现过最早的人族。人属的各个物种由于具备适应新环境的能力，所以能够向世界各地迁徙，几乎所有陆地都有人属生活过的痕迹。

早期人类有可能至少分两个阶段从非洲热带草原生境向外迁徙。第一阶段可能开始于大约200万年以前，科学家从该时期保留下来的化石中发现了一个类似于能人的物种，地点位于格鲁吉亚的德玛尼西（Dmanisi），时间在180万年前。科学家在中国和印度尼西亚也发现了可能是同一次人类迁徙留下的化石，时间在160万年前至110万年前，不过这些化石更接近直立人。接着是第二阶段。在这一阶段，至少是90万年以前，前人（Homo antecessor）来到了欧洲的西班牙和英国。

在这两个阶段中，非洲、亚洲和欧洲都有了人族物种。人族种群发生了分化，新的物种发展形成。例如，在40万年前至30万年前这个时间段中，尼安德特人诞生于欧洲，与此同时，其他的物种，比如丹尼索瓦人（Denisovans），在亚洲出现了。

在18万年前的某个时期，现代人（智人）的群落离开非洲，先是来到亚洲，然后又来到欧洲。到了5.5万年前，人类漂洋过海来到新几内亚和澳大利亚，这在当时难度是相当大的。尽管人类似乎是在2.1万年前迁徙美洲的，但也有可能发生于2.3万年前，当时冰盖封住了白令海峡。

与更早的人族相比，现代人的迁徙速度相对较快。为了在新环境中生存，他们需要寻找新的食物来源，适应更加寒冷、季节更加分明的气候，并且承受气候的种种变化。发明新技术、学习新技能、交换资源和信息，这些能力对于他们的生存都是至关重要的。

马尼斯（Manis）

卡尔加里

安吉克小孩（Anzick Child）

佩斯利5英里点（Paisley 5-Mile Point）

梅多克罗夫特

1.55万年前

巴特米尔克溪遗址（Buttermilk Creek Complex）

尤卡坦洞穴

发现于美国新墨西哥州白沙国家公园的**脚印化石**，提供了北美洲最早的智人证据

瓦卡普列塔

佩德拉富拉达

昆凯查（Cuncaicha）

奎瓦包蒂斯塔（Cueva Bautista）

该遗址内的遗存十分完整，其中包括木框、具有一定隐蔽性的房顶、药用植物，以及最早的人类食用土豆的证据

蒙特贝尔德（Monte Verde）

1.48万年前

古代 **DNA**

过去十年里，古代DNA分析不断取得进展，改变了我们对于人类进化的理解，带来了一些惊人的发现。

DNA 是一个很长的分子，上面有很多小小的个体单元。所有生物的细胞中都有DNA。这些小单元的顺序就像一组编码指令，这就是基因，而基因决定了生物个体的特征。

科学家迄今得到的最古老的 DNA 来自 40 万年前的尼安德特人，遗址位于西班牙的西玛德罗斯赫索斯（Sima de Los Huesos），DNA 分析表明智人是从其他古代人族中分化出来的，这些古代人族存在于76 万年前至 55 万年前。这类样本显示，一直以来，欧亚大陆就是一个大熔炉，在全球范围内，古代种群和智人之间的相互作用和繁殖要比我们之前基于化石和考古学证据所猜测到的更多。

在罗马尼亚欧亚瑟发现的具有 4 万年历史的人类，与尼安德特人祖先只相距四代人而已。我们人类家族的其他分支都是遗传的"死胡同"：在西伯利亚乌斯伊辛（Ust'-Ishim）发现的人类个体，时间可追溯至 4.5 万年前，祖先为尼安德特人，但是其基因并没有遗传给后来的智人种群。同样，在欧洲，从智人最早来到这里一直到现代，至少发生了四次大规模的种群更替。

我们刚刚开始破译这些古代DNA 的细节，了解物种之间的基因差异如何对他们和我们的成功繁衍产生影响。随着技术不断进步，我们对早期 DNA，尤其是来自非洲和亚洲遗骸中的 DNA 进行了解码，希望能够更多地了解我们人类的起源、迁徙，以及独特的适应性基因变异，并且进一步发掘人族不同分支之间的联系。

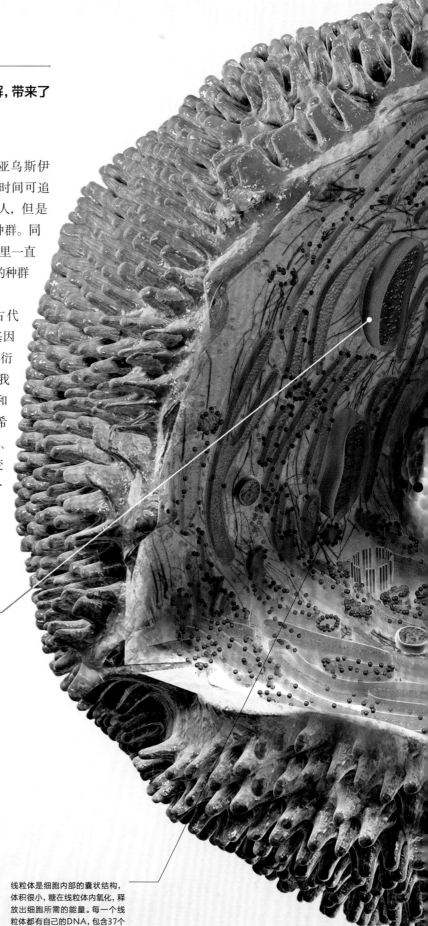

线粒体是细胞内部的囊状结构，体积很小，糖在线粒体内氧化，释放出细胞所需的能量。每一个线粒体都有自己的DNA，包含37个功能性基因

线粒体DNA

我们的线粒体DNA（mtDNA）来自母亲。这种DNA并不在细胞核里，而是在一种叫作线粒体的细胞结构中。由于mtDNA只能用来追踪母系血统，科学家通过从成千上万的人当中抽取样本，建立基因"家族树"，发现当今现存的所有个体都有一个共同的母系祖先。与这位"线粒体夏娃"同时存在的还有很多其他人，不过这些人都与我们的mtDNA无关。她生活在20万年前至10万年前，可能是非洲人，也可能是最早在欧亚大陆生活的智人之一。

mtDNA的母系血统

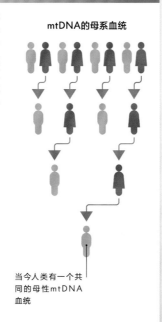

当今人类有一个共同的母性mtDNA血统

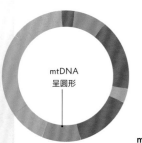

mtDNA
呈圆形

mtDNA

核DNA

核DNA血统

大部分DNA都在细胞核里。父母双方将核DNA遗传给他们的代，所以这种DNA更能体现物种之间的亲缘关系、基因差异，以及适应性特征。最近的研究显示，在早期人类从非洲向外迁徙的时候，智人同当时已经在欧亚大陆生活的人族种群有过杂交，不过在不同的时间和地点，他们的后代遗传的DNA数量各不相同。来自尼安德特人和其他人族的基因或许对我们的存续以及最终遍及全球都起到了一定的帮助作用，比如增强了我们的免疫力和新陈代谢机能。

父母两系的DNA都能在今人身上找到

双螺旋结构

核DNA

提取DNA

考古学家从牙齿、骨骼和皱缩的组织中提取DNA。mtDNA最容易完整恢复，因为每个细胞中有1 000个线粒体，每个线粒体有5~10个mtDNA短链复制分子。而细胞中只有一个细胞核，细胞核里的DNA链要长得多，这些DNA长链更有可能随着时间的流逝和土壤温度的改变而降解。通常情况下，从牙根外层矿化的牙骨质着手恢复DNA最有可能成功，因为坚硬的矿化基质有利于保存细胞内部的各种物质。

发现丹尼索瓦人

2010年，科学家对西伯利亚丹尼索瓦洞穴中发现的一个女孩的指骨碎片进行了**DNA分析**；这块碎片有5万年至7万年的历史，它揭示了一个神秘人族群体的存在。"丹尼索瓦人"有棕色的眼睛、头发和皮肤，是欧亚大陆上尼安德特人的近亲。随后，在丹尼索瓦洞中的更多个体被确认，其中一些比另一些要年长几万岁。2016年，科学家有了一个了不起的发现：一个女孩的父亲是丹尼索瓦人，母亲是尼安德特人。除非洲人外，现代人都有不同比例的丹尼索瓦人DNA，在美拉尼西亚最高，达4%。可能只有一些早期智人种群与丹尼索瓦人交配，大概就发生在亚洲。

骨骼碎片

丹尼索瓦人骨骼碎片的大小

细胞核，细胞的控制中心，包含2万到2.5万个基因

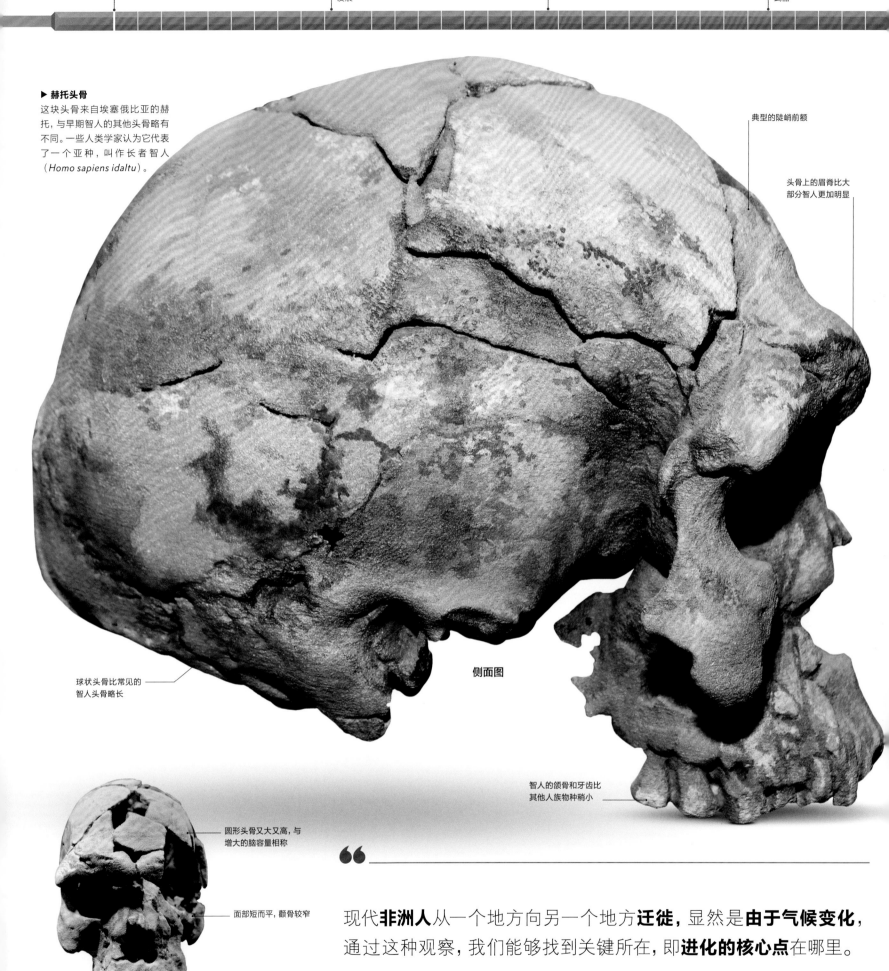

▶ 赫托头骨
这块头骨来自埃塞俄比亚的赫托，与早期智人的其他头骨略有不同。一些人类学家认为它代表了一个亚种，叫作长者智人（*Homo sapiens idaltu*）。

典型的陡峭前额

头骨上的眉脊比大部分智人更加明显

侧面图

球状头骨比常见的智人头骨略长

智人的颌骨和牙齿比其他人族物种稍小

圆形头骨又大又高，与增大的脑容量相称

面部短而平，颧骨较窄

正面图

> 现代**非洲人**从一个地方向另一个地方**迁徙**，显然是**由于气候变化**，通过这种观察，我们能够找到关键所在，即**进化的核心点**在哪里。

克里斯·斯特林格（Chris Stringer，生于1947年），人类学家

最早的
智人

在所有的人族和人属物种当中，只有智人挺过了最近一次冰期，存续至今。这要归功于智人独特的生理结构，这种结构大约在20万年前形成，当时他们生活在非洲。

我们之所以将现存的人类定义为智人，是因为他们具有一系列独特的结构特征，这些特征是从大约 50 万年前开始逐渐形成的。其中一些关键特征包括：头骨呈球形、脑容量极大、面部较短、下巴内收、牙齿较小、骨架更细更轻、上肢和下肢的比例更小，以及肋骨更窄。这些变化的出现十分复杂，可能是在不同的时间和地点产生的，可能以不同的组合方式进行，不过不管在哪里，智人的脑容量都是一直在增大的。

最古老的智人化石来自埃塞俄比亚的奥莫基比什（Omo Kibish）。这些头骨和骨架碎片来自两个人，可以追溯到大约 19.5 万年前，我们发现他们具有现代形态（形式和结构），不过其中一个人身上的现代特征比另一个人要少。另一些早期现代化石发现于埃塞俄比亚的赫托、苏丹的辛加（Singa）、坦桑尼亚的莱托利、摩洛哥的吉拜尔伊古德（Jebel Irhoud），以及南非的边界洞和克莱西斯河河口（Border Cave and Klasies River Mouth）。所有这些都可以追溯到 20 万年前至 10 万年前，都体现了一些现代特征，只不过形态有所不同。

开始远足

12 万年前至 8 万年前，早期智人已经迁移到中东和西亚地区。以色列的斯胡尔和卡夫泽发现的 20 多具遗骸仍然有些形态上的不同。然而，在以色列以东几千千米的中国道县福岩洞发现的 47 颗牙齿，牙冠较平、牙根较薄，显然属于现代人。很明显，这中间缺少了一些证据。在智人向亚洲大批长途迁徙的中途，例如印度，并没有发现其化石，也缺少这一时期由具备现代特征的智人制造的石器。同样，5.5 万年前澳大利亚最早的石器也很有可能是智人制造的，因为他们早就到达亚洲了。

我们无法确定是什么刺激了智人从非洲向外迁徙，并最终发展成为全球唯一的人种。肯定不可能是技术进步，因为他们的石器与 10 万年前基本没有差别。扩大的种群可能是个因素，气候变化也有一定的影响，不过当时他们的认知能力和社会也发生了重要的变化。15 万年前，他们开始更频繁地用符号来进行表达，当时智人的脑容量可能刚好增长到与今人持平的地步。

▶ **非洲起源**
我们在非洲的很多地方都发现了早期智人化石。基因和骨骼证据显示，到12万年以前，非洲种群已经出现了区域性的差异。

地图标注：
吉拜尔伊古德
斯胡尔–卡夫泽
辛加　赫托
奥莫基比什
莱托利
边界洞/
克莱西斯河河口

▶ **唯一的幸存者**
智人是最后出现的人族物种，不过长期与其他人类共存，包括直立人、弗洛里斯人，以及尼安德特人。

家族事务

与其他灵长目动物的孩子不同，人类的孩子需要家中的父母、祖父母及亲友照顾数十年时间。这种延长的童年为他们学习如何在这个世界生存提供了充足的时间。

养育婴儿

人类生殖周期的变化对智人的成功繁衍发挥了重要作用。脑容量不断增加，可能会使分娩更加困难，但同时也会使我们逐步形成一种特有的文化，帮助我们养育孩子。

智人的分娩耗时长、痛苦且有风险。我们的婴儿个头和脑袋都大，却无力保护自己，出生时的脑容量只有成年人的30%。要想让人类婴儿发育得跟初生的黑猩猩一样，就需要16个月的妊娠。人类的童年发育过程也延长了，因而不仅是父母，其他家庭成员和朋友也要给幼儿无微不至的照顾。

普遍看法认为，出现这种复杂的情况是由于更大的脑容量（见第188～189页）和导致人类骨盆变窄的双足行走造成了一种生物上的取舍。缩短孕期、迫使婴儿提前出生，可以避免潜在的致命分娩。在大约50万年前，人类无疑已经开始经历棘手的生育过程，而且妇女在生育过程中可能会得到一定程度的帮助，或至少是陪伴。倭黑猩猩等其他社会性灵长目动物也有类似的行为。然而，非双足行走的灵长目动物产道也很紧，卷尾猴和黑猩猩的幼崽大脑发育得相对也不那么充分，而且考虑到我们的体型，人类的妊娠期实际上比预期的要长。

可能妊娠期的上限其实是由新陈代谢控制的——到了某个时刻，母亲在生理上无法再维持婴儿的成长，婴儿便会出生。

合作哺育

身体结构的变化也会影响我们养育幼儿的方式。南方古猿失去爬树用的"大脚趾"后，幼崽不太能抓紧母亲，因此需要更多的照顾。人类剥下动物的毛皮，可能主要是为了制作婴儿背带和包裹，而非制作暖和的衣服。

虽然人类母乳喂养的时长可能与猿类相差无几——跟今天一样，会持续几年时间——但人类婴儿的更多需求或许促进了合作哺育的发展，使几个大人同时养育一个孩子。无亲属关系的成年人和长辈在照顾儿童方面也可能发挥了重要的作用，他们经验丰富，可以示范如何寻找食物及制作工具，让这些重要的技能代代相传。

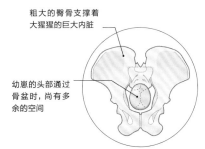

粗大的髋骨支撑着大猩猩的巨大内脏

幼崽的头部通过骨盆时，尚有多余的空间

▲ 大猩猩分娩
由于大脑较小，大猩猩幼崽的头部通过母亲的产道时有多余的空间，因此分娩时间较短，风险较小。

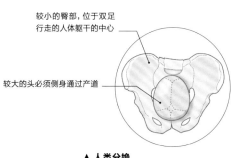

较小的臀部，位于双足行走的人体躯干的中心

较大的头必须侧身通过产道

▲ 人类分娩
人类婴儿的头部必须转一下才能通过母亲的产道，因此分娩时间较长，且较为痛苦。

语言的演变发展

许多动物用代表"危险"、"食物"或"在这里"声音呼唤彼此,但只有人类才能进行抽象的思考,比如谈论食物或危险的性质。因此,语言一定会演变发展。在此过程中,我们开始讲述故事、分享信息,初次尝试了解世界。

从进化层面来说,语言能力是人类喉头在喉部降低的结果,这使我们的祖先能发出比其他所有灵长目动物更多的声音。我们为此付出的生物学代价也很高,因为较高的喉头能使我们同时呼吸和吞咽。而喉头降低后,我们吃饭时便有窒息的风险。同时,连接喉头与舌根的舌骨也改变了位置,有助于发声。从化石记录来看,这发生在70万年前至60万年前,那时尼安德特人和我们的共同祖先或许都有一根"现代的"舌骨。我们特殊的呼吸控制能力似乎也起源于此时,这种能力在说话时至关重要。

化石颅骨的模型表明,尼安德特人有相当于我们的布罗卡区(Broca's ares)的大脑构造。这个区域对于说话、理解语言,以及感知有意义的手势至关重要。事实上,手势可能是关键的一环:研究表明,黑猩

> 现今世界上有近
> **7 000种语言**,但每种语言
> 只使用**少量人类**可以发出的声音

猩在发声时会反复使用手语,这表示早期语言可能不是只有声音。然而,大脑不同部位执行的功能可能会随时间而变化,所以即使其他人族拥有与我们相似的脑结构,也可能未将其用于语言。

符号证据

我们祖先留下的手工艺品是更好的证据。其中最令人关注的是10万年前至5万

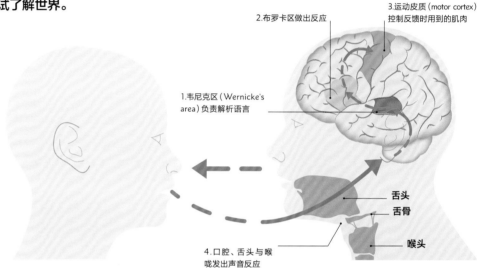

图中标注:
- 2.布罗卡区做出反应
- 3.运动皮质(motor cortex)控制反馈时用到的肌肉
- 1.韦尼克区(Wernicke's area)负责解析语言
- 舌头
- 舌骨
- 喉头
- 4.口腔、舌头与喉咙发出声音反应

▲ 人类如何处理语言
语言的出现需要喉咙和大脑中几个关键结构的演化,其中包括舌骨。舌骨对于发出各种声音至关重要。

年前南非早期智人创造的手工艺品。例如,在布隆伯斯洞穴,人们把赭石块敲打成型,并在其表面小心刻画精巧的交叉影线图案(见第207页)。令人印象更为深刻的是同样位于南非的迪克鲁夫岩窟(Diepkloof Cave)里的鸵鸟蛋壳(见第208页)。鸵鸟蛋壳上刻有复杂的几何图案,且在不同时间有所修改,表明意义发生过改变。然而还有更为古老的。一块来自印度尼西亚特里尼尔(Trinil)的贝壳上面有直立人(生活在大约54万年前至43万年前)刻出的锯齿状曲形纹理(见第206页)。这表明一些人族的共同祖先曾使用图形符号,所以可能也发明了语言——这一事实得到了身体构造方面证据的支持。

另一种符号证据来自个人饰品,它们通常会传达社会意义——比如个人身份或群体归属——而这些只有通过语言才能建立起来。例如,在珍珠最初得到使用的时期,雕刻也变得更为常见:摩洛哥比兹穆内(Bizmoune)洞

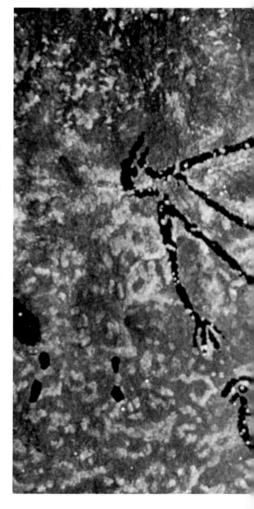

穴中发现的贝壳珠是 14.2 万年前的，而来自以色列斯胡尔洞穴的贝壳珠可追溯到 13.5 万年前至 10 万年前。在布隆伯斯洞穴，从地层中挖掘出来的成串的珠子也可追溯到约 8 万年前，许多珠子上有抛光部位，表明它们曾串在一起，有可能是用作项链。上面的纹理还表明，珠子的排列会随时间的推移而改变，这说明它们不仅有象征意义，而且其意义在不断发展，就像迪克鲁夫的蛋壳一样。

从符号到故事

综上所述，证据表明：在 7 万年前智人已经形成了符号文化和语言，而尼安德特人也独立做到了这一点。然而，语言用于叙述的证据出现时间较晚，用于讲故事就更晚了。目前发现最早的场景绘画在苏拉威西岛的特东尼洞（Leang Tedongnge），它描绘了一只经过仔细观察的疣猪的特征，还有镂空的手印，其历史超过 4.5 万年。在欧洲，德国霍伦施泰因–施塔德（Hohlenstein-Stadel）

发现的著名狮人牙雕（见第 208 页）雕刻于约 4 万年前。它将狮子的头部与人的身体结合起来，既展现了艺术家想象力的飞跃，又是赋予其意义的一种叙述方式。

旧石器时代叙事一个引人注目的例子来自苏拉威西岛的布卢西蓬（Bulu'Sipong）4 号洞遗址，那里的岩画展现了猎人遇到了一头矮小的野牛和疣猪的场景。这幅岩画的历史可以追溯到 4.39 万年前，比法国著名的拉斯科野牛岩画要古老一倍多。拉斯科岩画描绘了一头冲锋的野牛、一个人和一只鸟，只有在讲故事的情况下，这些元

◀ 接近于说话
象牙海岸的坎贝尔猴几乎能够说话。它们有一套由警报组成的"原始语法"，用来传达详细信息，例如有什么类型的捕食者即将到来，以及它们是如何发现捕食者的。

素同时出现才有意义。所有这些例子都表明，充满意义与象征的丰富口头传统，是旧石器时代生活的一部分。

> **"**
>
> 没有**词汇**，一连串复杂的**思想**便无法**形成**，正如没有数字，便无法**计算**一样。
>
> **"**
>
> 查尔斯·达尔文，《人类的由来》，1871年

◀ 拉斯科的鸟人
这个奇怪的男人形象可以追溯到约 1.7 万年前，他似乎装扮成了一只鸟，而且被野牛撞倒了，这可能是人类开始讲故事的证据。它表现的也可能是施行巫术的场景。

集体学习

语言的出现使智人与其他物种区分开来：语言使其有了世代分享和存储信息的能力。这确保了下一代人比上一代人懂得更多，能在世界上更好地生存。

共享和存储信息的做法被称作"集体学习"。简单来说，这意味着我们只需发明一次车轮，关于制造车轮的知识即可被存储和共享。也可以想象我们是一组联网的电脑。若没有网络，无法互联，人类历史将如何发展？

合作生存

与其他动物相比，人类似乎倾向于更高程度的合作。我们可以在灵长目动物中看到这种趋势的根源，它们多数生活在社会群体中，拥有牢固的亲属关系和友谊。然而，人类生活在异常多元的社会中，我们的高度合作是统一的特征。例如，狩猎采集群体通常包含 25 到 50 个人，通常是广大的社会网络的一部分，其中的成员可能有血缘关系，也可能有其他亲属关系。在这些群体间及其内部，人们共享食物，共同劳动，照顾儿童，同时也分享关于水、天敌和食物的重要信息。

我们可以在考古记录中看到这种合作能力的演变。石制工具自大约 20 万年前开始运输距离越来越长，这表明当时的社会网络在不断扩大。那时的工具已经由多个部件组成，比如矛，这些工具可能是由人们合作制成的。更复杂的工具如飞镖和弓箭，可能在 6 万年前被制造出来；而最古老的梭标投射器——很多都被装饰得很夸张——还要过一段时间才会出现。例如，勒马斯–达济勒（Le Mas d'Azil）的梭镖投射器是在比利牛斯山脉不同地点发现的五个几乎相同的物体之一。这五个投射器每个都被雕刻成野山羊的形状，表现出一种共同的艺术传统，可能都是学徒水平的人制作而成。此外，梭镖投射器跟弓一样，是"辅助其他工具的工具"，是用来推动矛的，其复杂程度前所未有。这表明，到 1.7 万年前，在所有生物中，只有我们在通过文化而非遗传变化，更加巧妙地适应环境。由于集体学习，人类历史才得以开始。

▶ 信息共享
今天，卡拉哈里沙漠的桑人利用几万年前祖先传下来的知识取火。

这只野山羊似乎正在分娩，也可能在排泄。这块突出的部分可以将矛牢牢地固定在上面

猎人在发射前，用钩子将矛固定住

▲ 勒马斯–达济勒的梭镖投射器
由驯鹿角制成的精美梭镖投射器，发现于法国比利牛斯山脉的勒马斯–达济勒，是大量制作的艺术品的早期例子。它具有神秘的象征意义，这在该地区十分常见，证明当地人都认可这些东西所代表的含义。

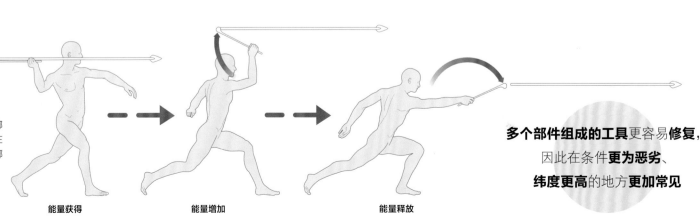

▶ 投掷力
梭镖投射器，也称投矛器，是利用杠杆作用增强投掷力的装置。钩子将矛固定在梭镖投射器尾部，猎人投掷矛时，矛便获得了动能。

能量获得 → 能量增加 → 能量释放

多个部件组成的工具更容易**修复**，因此在条件**更为恶劣、纬度更高**的地方**更加常见**

> 一个群体可以汇集其成员当前及过去的发现，这些发现都来之不易，最终这个群体会比与世隔绝者聪明得多。

史蒂文·平克（Steven Pinker，生于1954年），认知科学家

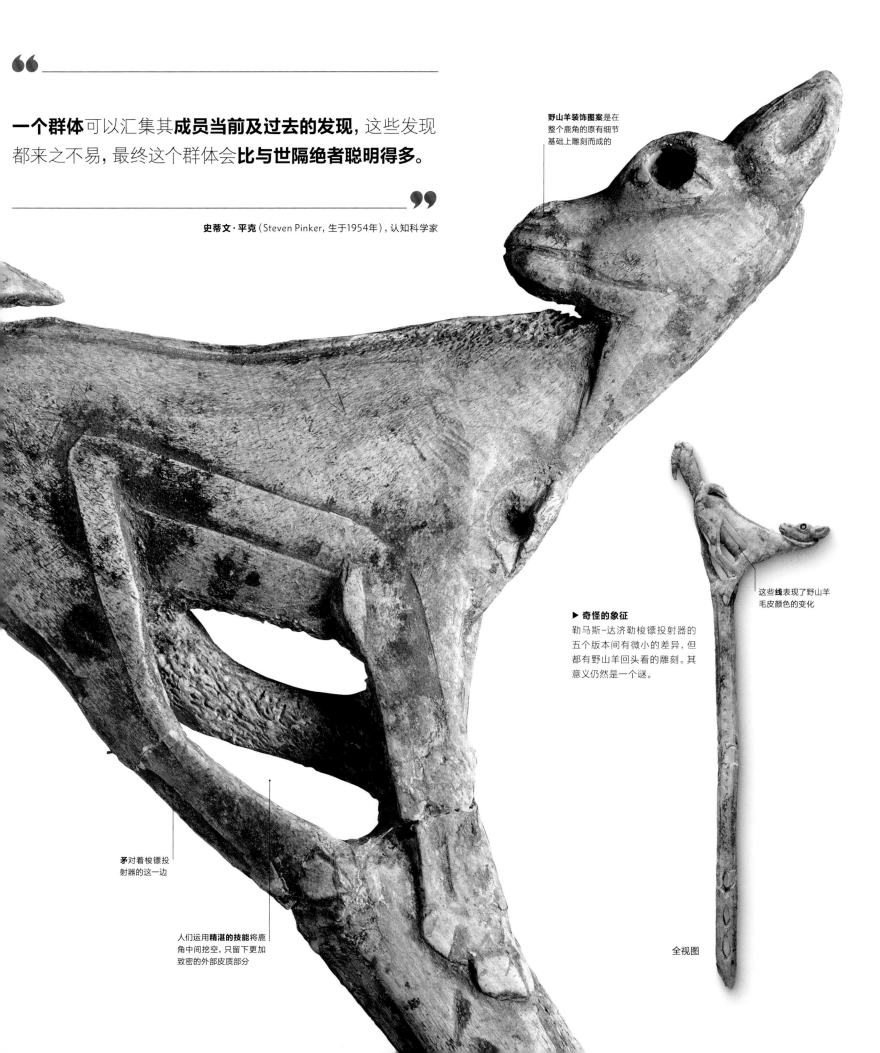

野山羊装饰图案是在整个鹿角的原有细节基础上雕刻而成的

这些线表现了野山羊毛皮颜色的变化

▶ 奇怪的象征

勒马斯-达济勒梭镖投射器的五个版本间有微小的差异，但都有野山羊回头看的雕刻。其意义仍然是一个谜。

矛对着梭镖投射器的这一边

人们运用精湛的技能将鹿角中间挖空，只留下更加致密的外部皮质部分

全视图

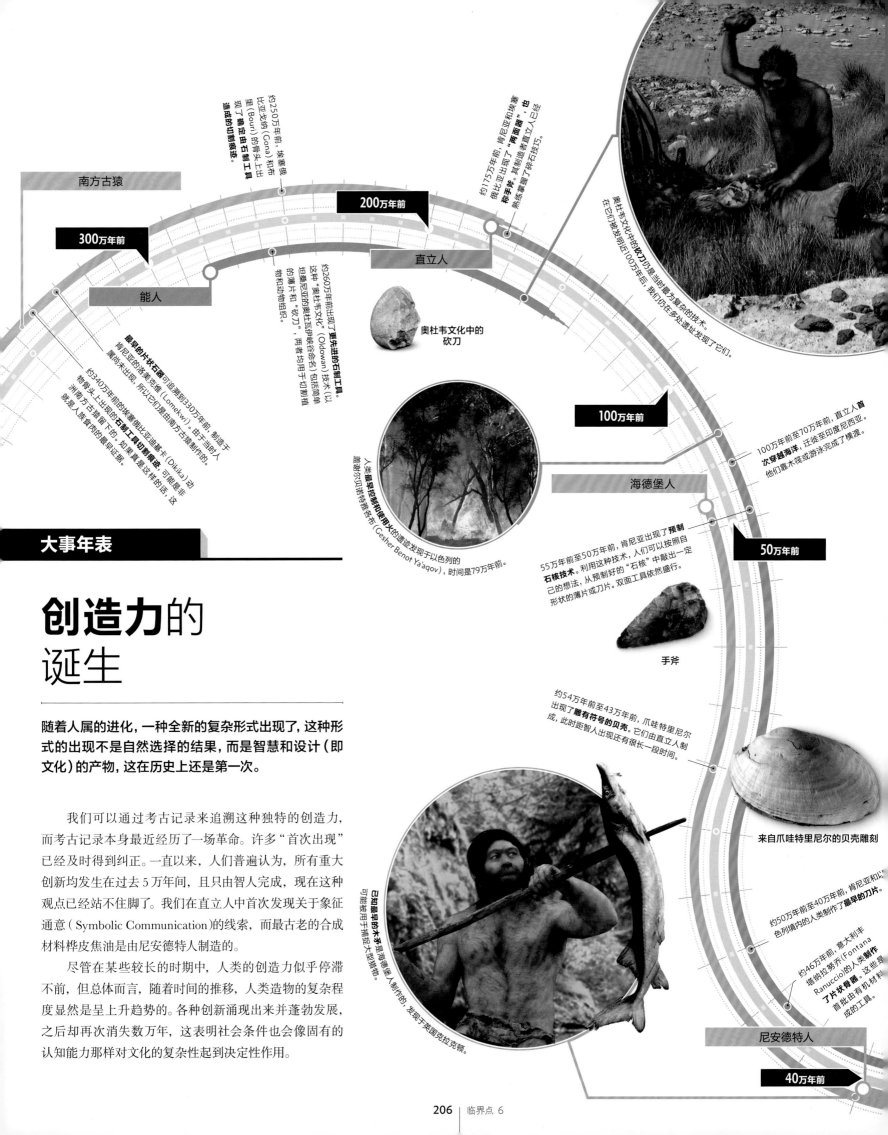

大事年表

创造力的诞生

随着人属的进化，一种全新的复杂形式出现了，这种形式的出现不是自然选择的结果，而是智慧和设计（即文化）的产物，这在历史上还是第一次。

我们可以通过考古记录来追溯这种独特的创造力，而考古记录本身最近经历了一场革命。许多"首次出现"已经及时得到纠正。一直以来，人们普遍认为，所有重大创新均发生在过去 5 万年间，且只由智人完成，现在这种观点已经站不住脚了。我们在直立人中首次发现关于象征通意（Symbolic Communication）的线索，而最古老的合成材料桦皮焦油是由尼安德特人制造的。

尽管在某些较长的时期中，人类的创造力似乎停滞不前，但总体而言，随着时间的推移，人类造物的复杂程度显然是呈上升趋势的。各种创新涌现出来并蓬勃发展，之后却再次消失数万年，这表明社会条件也会像固有的认知能力那样对文化的复杂性起到决定性作用。

南方古猿

300万年前

能人

200万年前

直立人

100万年前

海德堡人

50万年前

尼安德特人

40万年前

约250万年前，埃塞俄比亚发纳（Gona）的骨头和布里（Bouri）的羚羊上出现了确定的由石制工具造成的切割痕迹。

最早的片状石器可追溯到330万年前，制造于肯尼亚的洛美奎（Lomekwi）。由于当时人属尚未出现，所以它们是由南方古猿制作的。

约340万年前出现的埃塞俄比亚迪基卡（Dikika）动物骨头上的**石制工具切割痕迹**，可能是非洲南方古猿留下的。如果真是这样的话，这就是人族食肉的最早证据。

约260万年前出现了更先进的石制工具。这种"奥杜韦文化"（Oldowan）技术（以坦桑尼亚的奥杜韦峡谷命名）包括简单的薄片和"砍刀"，两者均用于切割植物和动物组织。

约175万年前，肯尼亚和埃塞俄比亚出现了**"两面器"**，也称**手斧**。其制造者更少在石技巧。

奥杜韦文化中的**砍刀**仍是当时最为复杂的技术。在它们被发明近100万年后，我们仍在多处遗址中发现了它们。

奥杜韦文化中的砍刀

人类最早控制和使用火的遗迹发现于以色列的盖谢尔贝诺特雅各布（Gesher Benot Ya'aqov），时间是79万年前。

100万年前至70万年前，直立人首次穿越海洋，迁徙至印度尼西亚。他们靠木筏或游泳完成了横渡。

55万年前至50万年前，肯尼亚出现了**预制石核技术**。利用这种技术，人们可以按照自己的想法，从预制好的"石核"中敲出一定形状的薄片或刀片。双面工具依然盛行。

手斧

约54万年前至43万年前，爪哇特里尼尔出现了**雕有符号的贝壳**。它们由直立人制成，此时距智人出现还有很长一段时间。

来自爪哇特里尼尔的贝壳雕刻

约50万年前至40万年前，肯尼亚和以色列境内的人类制作了**最早的刀片**。

已知最早的木矛是海德堡人制作的，可能被用于捕猎大型猎物。发现于英国克拉克顿。

约46万年前，意大利丰塔纳拉努奇奥（Fontana Ranuccio）的人类**制作了片状骨器**。这些是首批由有机材料制成的工具。

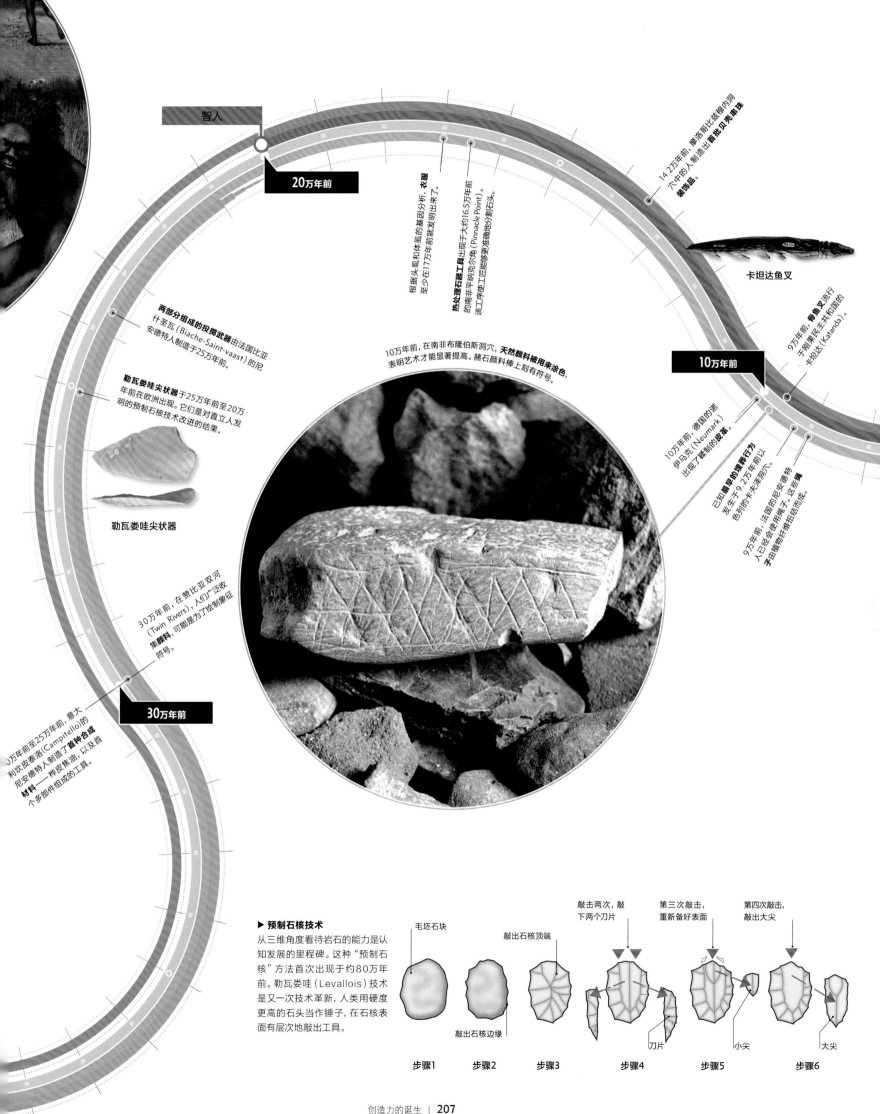

20万年前

14.2万年前，摩洛哥比兹鸣内洞穴中的人制造出首批贝壳串珠**装饰品**。

根据头虱和体虱的基因分析，**衣服**至少在17万年前就发明出来了。

热处理石器工具出现于大约16.5万年前的南非平纳克尔角（Pinnacle Point）。该工序使工匠能够更准确地分割石头。

卡坦达鱼叉

9万年前，**骨鱼叉**流行于刚果果民主共和国的卡坦达（Katanda）。

两部分组成的投掷武器由法国比亚什圣瓦（Biache-Saint-vaast）的尼安德特人制造于25万年前。

勒瓦娄哇尖状器于25万年前至20万年前在欧洲出现。它们是对直立人发明的预制石核技术改进的结果。

勒瓦娄哇尖状器

10万年前，在南非布隆伯斯洞穴，表明艺术才能显著提高。赭石颜料被用来涂色，**天然颜料**被用来涂色，赭石颜料棒上刻有符号。

10万年前

10万年前，德国的诺伊马克（Neumark）出现了鞣制的**皮革**。

已知最早的**埋藏行为**发生于9.2万年前以色列的卡夫泽洞穴。

9万年前，法国的尼安德特人已经会使用绳子。这些绳子由植物纤维扭结而成。

30万年前，在赞比亚双河（Twin Rivers），人们广泛收集**颜料**，可能是为了绘制象征符号。

30万年前

27万年前至25万年前，意大利坎皮泰洛（Campitello）的尼安德特人制造了**首种合成材料**——桦皮焦油，以及首个多部件组成的工具。

▶ 预制石核技术

从三维角度看待岩石的能力是认知发展的里程碑。这种"预制石核"方法首次出现于约80万年前。勒瓦娄哇（Levallois）技术是又一次技术革新，人类用硬度更高的石头当作锤子，在石核表面有层次地敲出工具。

毛坯石块

敲出石核顶端

敲击两次，敲下两个刀片

第三次敲击，重新备好表面

第四次敲击，敲出大尖

敲出石核边缘

刀片

小尖

大尖

步骤1 　步骤2 　步骤3 　步骤4 　步骤5 　步骤6

7.5万年前，布隆伯斯洞穴里的人开始采用**石器的加压削片技术**。他们不再用敲打的方法，而是从石头上切下薄片，使工匠能够更好地控制工具的最终形状。

8.4万年前至7.6万年前，南非布隆伯斯洞穴里的人按照**固定的程序**制作出**骨质工具**，有可能是矛尖。

8.2万年前至7.5万年前，南非布隆伯斯洞穴和摩洛哥鸽子洞里的人制作出了**串珠项链**。

经过装饰的鸵鸟蛋壳

10万年前至6万年前，南非迪克鲁夫岩窟的蛋壳上刻有**符号**。

7万年前

雕塑和岩画
出现于**约4万年前**，
说明当时人类已经会用**符号**表达**想法**

7.7万年前，人类在南非西比迪（Sibidu）洞穴用**植物**铺成床。

5.5万年前有人**移居到澳大利亚**，他们凭靠独木舟横渡海洋。

7.1万年前至6.4万年前，南非的平纳克尔角中还出现了**抛射和细石叶技术**。西比迪洞穴出现了呈几何图形的点。

8万年前

4.3万年前至4.2万年前，由鸟骨和猛犸象牙制成的**长笛**在德国的盖森克洛斯特勒（Geissenklösterle）被制作出来。这是已知最古老的乐器。

6万年前

4万年前

4万年前欧洲出现了**具象雕塑**。霍伦施泰因-施塔德的狮人是已知最古老的作品，同时代的费尔斯洞穴（Hohle Fels）的维纳斯（见第213页）是最古老的人物雕像。

4.2万年前至3.8万年前东帝汶杰里马莱（Jerimalai）一带的人开始在**海洋中捕鱼**。他们可能使用了远洋独木舟。

欧洲最古老的岩画——一个红点，约4万年前在西班牙的苏拉德尔城堡洞（Cave of EL Castillo）产生。印度尼西亚的苏拉威西山洞壁上的岩画甚至比这还要早5 000年。

狮人雕塑

约3.5万年前，澳大利亚贾文（Jawoyn）出现了**石器磨制技术**。人类不再对石器进行敲打，而是将其表面打磨成型。

约3.4万年前至3.2万年前，希腊克里索拉（Klissoura）的人建造了**壁炉**。这是最早的"**家具**"。

约3.4万年前至3万年前，俄罗斯的人制成了**最早的缝纫针**。

约3.2万年前，意大利格罗塔帕利奇（Grotta Paglicci）的**燕麦**被磨碎并**加热**。这是最早的植物食品加工行为。

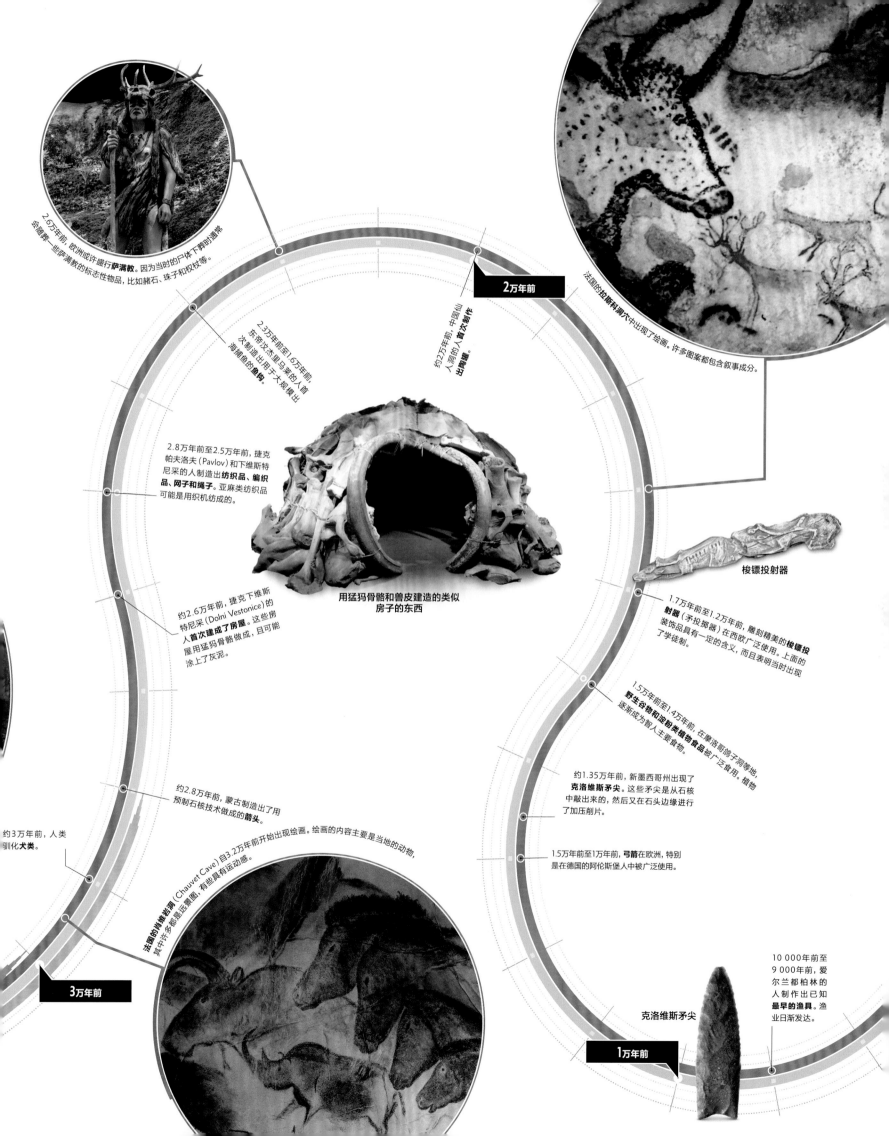

2.6万年前，欧洲或许盛行**萨满教**。因为当时的尸体下葬时周常会随葬一些萨满教的标志性物品，比如赭石、珠子和权杖等。

2.3万年前至1.6万年前，东帝汶杰里马莱的人首次制造出用于大规模出海捕鱼的**鱼钩**。

约2万年前，中国仙人洞的人首次制作**出陶罐**。

法国拉斯科洞穴中出现了绘画。许多图案都包含叙事成分。

2.8万年前至2.5万年前，捷克帕夫洛夫（Pavlov）和下维斯特尼采的人制造出**纺织品、编织品、网子和绳子**。亚麻类纺织品可能是用织机纺成的。

用猛犸骨骼和兽皮建造的类似房子的东西

约2.6万年前，捷克下维斯特尼采（Dolni Vestonice）的**人首次建成了房屋**。这些房屋用猛犸骨骼做成，且可能涂上了灰泥。

梭镖投射器

1.7万年前至1.2万年前，雕刻精美的**梭镖投射器**（矛投掷器）装饰品具有一定的含义，而且表明当时出现了学徒制。

约2.8万年前，蒙古制造出了用预制石核技术做成的**箭头**。

1.5万年前至1.4万年前，在蒙洛哥鸽子洞等地，**野生谷物和淀粉类植物食品**逐渐成为智人主要食物。植物较广泛食用。

约1.35万年前，新墨西哥州出现了**克洛维斯矛尖**。这些矛尖是从石核中敲出来的，然后又在石头边缘进行了加压削片。

约3万年前，人类驯化**犬类**。

法国的肖维岩洞（Chauvet Cave）自3.2万年前开始出现绘画。绘画的内容主要是当地的动物，其中许多都具逼真景图，有些具有运动感。

1.5万年前至1万年前，**弓箭**在欧洲，特别是在德国的阿伦斯堡人中被广泛使用。

10 000年前至9 000年前，爱尔兰都柏林的人制作出已知**最早的渔具**。渔业日渐发达。

克洛维斯矛尖

古老的行为方式

数千年来，桑人一直在卡拉哈里沙漠狩猎。他们的食物当中大约有20%是通过大规模狩猎获得的，另外他们也食用植物，还会布置陷阱捕捉一些小动物。

狩猎采集者
出现

一开始的时候，大多数人族通过从周围的环境采集食物为生，并不生产自己的食物。食物的种类和获取方式因环境而异，且这种生存方式需要较高的社会组织程度。

人族早期成员的食物多种多样，主要是水果、树叶和昆虫。像今天的灵长目动物一样，有些人族可能会用鹅卵石砸开坚果。最早的石制工具产生以后，食品加工就容易了，而石制工具至少 330 万年前就由早于智人的物种制成了。约 100 万年后，人族使用石器的最早证据出现了。对肯尼亚坎杰拉（Kanjera）南部发现的工具表面的分析表明，有些人（可能是能人）会利用这种工具加工植物和肉类。约 200 万年前，人族会利用奥杜韦技术制造工具，这是一种早期技术。在同一个地点，还存在人族狩猎的证据，或至少是捡拾其他动物猎物的证据。小瞪羚的尸体是被整个带到这里进行切割的，由于它们上面有很多重叠的食肉动物的牙痕，显然第一手处理它们的是人族。

约 180 万年前，随着直立人的出现和手斧制作方法的改进（阿舍利技术），狩猎活动似乎有所增加。肯尼亚伊莱雷特（Ileret）的数百个 150 万年前的脚印显示，成年人族三五成群，将湖岸包围——就像食肉动物的做法一样。这至少说明人类已开始合作觅食。

约 70 万年前，人类的食物变得多元化。以色列的盖谢尔贝诺特雅各布有人族砸开坚果和食用大型动物（包括大象）的证据，但不清楚大象是被猎杀的还是人类遇到的尸体。在欧洲的冰期当中，对于尼安德特人及后来的智人来说，各种植物资源固然十分重要，但大量的脂肪和肉类对生存依然必不可少。

学习适应能力

要想充分利用不同环境的不同食物资源，人族需要开发复杂的技术，并且要把相关知识保留下来。它们具备追捕大型动物的能力，这说明由直立人发展而来的人族可能从幼儿时期便开始学习如何追踪猎物。20 万年前，尼安德特人能够猎鸟；至少 12 万年前，智人就会食用贝类。人类逐渐移居到包括北极等最恶劣的环境中，这表明我们具有特别灵活的技能。

觅食者通常都是群居的，住所并不固定，获取的食物基本平均分配。然而，有些资源十分丰富，并且容易预知，比如鱼类，这些资源会促使人们留在同一地点，甚至采用半定居的生活方式——最终，将出现代替狩猎采集的生活方式。

▼ 不断发展的技术
智人能够遍布全球，靠的是不断发明新工具，如因纽特人在北极捕鱼时使用的三管矛。

> ❝ 他们能在**一分钟**之内将**所有东西**收拾起来，裹上**毯子**，抬在**肩上**，继续他们**一千里**的旅程。❞

劳伦斯·范·德·波斯特（Laurens van der Post, 1906—1996），作家和环保主义者，论及卡拉哈里的布希曼人

旧石器时代的**艺术**

对于许多人而言，"艺术"一词是指具象派艺术，"旧石器时代的艺术"则是欧洲传统绘画的原型。然而，旧石器时代的艺术其实要更加多样化，可以追溯到10万年前产生的符号图形创作。

我们可以从南非迪克鲁夫岩窟（见208页）的蛋壳雕刻中看到艺术表现的萌芽，其年代可追溯到10万多年前。但是，我们还没有发现确定早于5万年前的可识别形象。目前，世界上最古老的两幅绘画都在印度尼西亚苏拉威西岛：距今4.5万年以上的特东尼洞的疣猪，以及布卢西蓬4号洞中带有小野牛的狩猎场景。这两处都有镂空的手印图案，尽管它们可能是在不同的时间制作的。这证明欧洲以外存

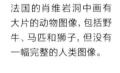

▼ 岩画
法国的肖维岩洞中画有大片的动物图像，包括野牛、马匹和狮子，但没有一幅完整的人类图像。

在一种古老的绘画传统，它们甚至可能代表早期智人在欧亚大陆传承或发展的古老传统的后代。至少5 000年之后，欧洲的肖维岩洞出现了许多当时绝妙的绘画，其中包括近450只动物的图像。保存至今的岩画绘制于两个阶段，第一阶段始于近3.7万年前，第二阶段则在2 000多年后。艺术家预先精心处理了洞穴的墙壁，这些图像显示了他们对运动和透视的深刻理解。

大约2万年前，世界各地开始出现多

种艺术风格，同时还产生了"便携式"艺术品，其中包括在德国费尔斯洞穴发现的女性吊坠雕刻（约4万年前）。它被称为"费尔斯的维纳斯"，是已知对人类最古老的刻画。其他艺术品包括用象牙、骨头和鹿角雕刻的物品，以及在东欧通过烧制黏土制作的动物和人类小雕像。这些作品的意义我们只能猜测，但它们在当时无疑是越来越重要了。

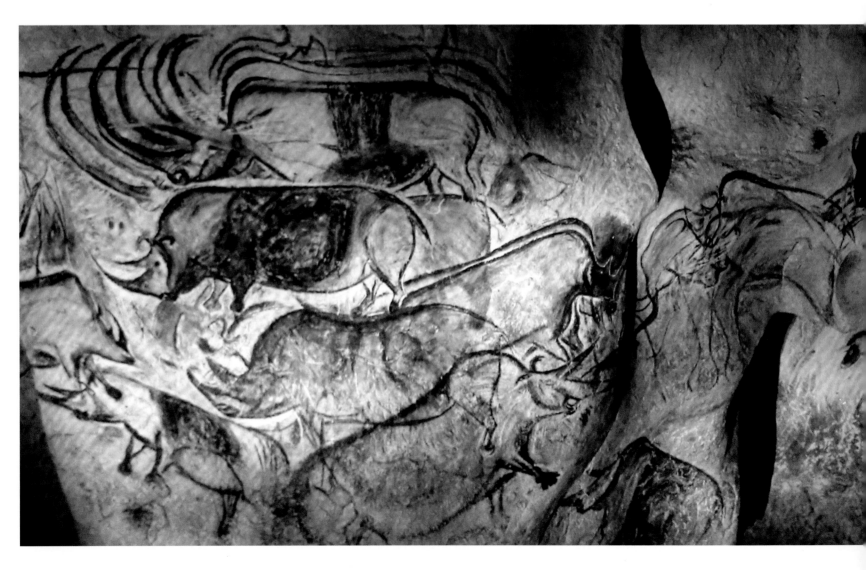

◀ 扎赖斯克野牛（Zaraysk bison）

这个经过修复的雕像是写实雕刻的杰作，发现于俄罗斯。它用象牙制成，且用红色颜料涂抹过，被粉碎后埋进了坑里。

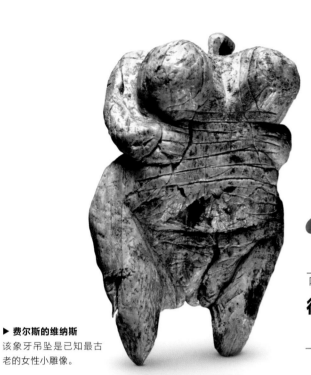

▶ 费尔斯的维纳斯

该象牙吊坠是已知最古老的女性小雕像。

> 古代艺术可能是**一种突破的尝试**……靠的是**人类的智慧**，以及**沉浸在往往异于自然现实的虚幻领域的能力**。

吉尔·库克（Jill Cook，生于1960年），考古学家

服装的发明

服装使我们免受寒冷、日晒、昆虫叮咬甚至某些武器的伤害。简单来说，使我们适应能力更强。在旧石器时代，服装让我们能在众多恶劣环境中生存，并开始向全球迁徙。

我们从物证可知，早期的智人和尼安德特人会使用颜料，并可能已穿戴珠宝，但最早的服装证据多是间接的，因为服装不易在地下保存。生物研究表明，在非常寒冷的冰期，北半球的人族需要专门的东西来遮盖身体。即使那些被认为身体已适应寒冷的尼安德特人，全身上下也至少有80%的部位需要遮盖起来，尤其是手脚。另一线索来自寄生虫研究。体虱适于生活在衣服上，我们根据DNA研究估计，它们从头虱分化出来的时间至少在17万年前。很久以前，人类物种繁多——包括尼安德特人、丹尼索瓦人、弗洛里斯人及我们自己——不同人种之间通过交流形成穿衣习惯，寄生虫也由此得以传播。

最早的织物

最早的衣服可能是由动物皮毛制成的。

> ❝
>
> **人类频繁着装后，头虱和体虱**之间的差别就出现了。
>
> ❞

马克·斯托金（Mark Stoneking，生于1956年），美国遗传学家

在德国诺伊马克-诺德的一个石制工具上，我们发现了经过鞣料浸泡的有机材料碎片，这表明十多万年前，尼安德特人已经会鞣制兽皮。那时它们没有针，但可以使用专门为刺扎和穿线设计的工具缝制皮革和毛皮。在有4万年历史的尼安德特人遗址中，我们发现了具有圆形末端的骨制工具，这些工具可能是"抛光石"，即皮革软化工具，跟我们今天还在使用的工具很像。最早的骨针可追溯到3万年前，但这些骨针可能同时用于缝制珠绣与其他材料。

最先用植物生产织物的大概是智人。我们在格鲁吉亚的朱朱阿纳（Dzudzuana）洞穴发现了3万年前的染色植物纤维。其他遗址的发现表明，至少2.8万年前，人类已经学会了纺织。

我们在捷克的帕夫洛夫和下维斯特尼采遗址发现了一些烧制的黏土碎片，上面的模糊印记显示，类似于亚麻布的精美纺织品可能由亚麻或荨麻制成，旁边还有网和篮子。我们无法肯定这些织物用于服装，但是同一地区和时期的一些人类小雕像似乎表明，当时人们会穿戴编织的帽子和腰带。数千年后，西伯利亚马尔塔（Mal'ta）地区的另一些雕刻品上出现了全身服装，衣服上还带着兜帽，可能由毛皮制成。

中石器时代，人们继续生产植物纤维纺织品，利用韧皮（树内皮）纺成衣服。但在农业出现前，没有证据表明人们用羊毛等较软的动物纤维作为代替品。

▶ **被埋葬的王子**
意大利阿伦内坎迪德（Arene Candide）洞穴中，"年轻王子"的衣服只剩外层残存。他被埋葬于2.3万多年前。

▶ **史前服装**

我们根据在法国阿基坦帕托岩洞（Abri Pataud）遗址发现的遗迹，重现了一个史前人物。该遗址包含4.7万年前至1.7万年前的人类遗骸、小雕像、工具及岩画，考古学家认为，该时期的服装已变得相当复杂。

为了便于清洁，避免因为**头发**蓬乱引发疾病，人类或许已经开始扎辫子了。同时有证据表明，人们已经开始戴简易的帽子，并且会束发带，即用来固定头发的细条纤维

证据表明**人类**可能早在**7.5万年前**就穿戴**珠宝首饰**

毛皮制成的**颈围**在冬天及夜晚会给人们提供温暖

长袍可能是由荨麻和大麻纤维编织而成的

人类可能会从浆果、根以及植物叶子中获得**染料，给衣服染色**

人类将石头、贝壳、骨头、象牙和鹿角制成**精致的珠宝**，戴在手腕和脖子上，或缝在衣服上

长裙和简易腰带可能已很常见，动物毛皮缝合在一起制成了靴子

人类
驾驭火

人类使用火的能力是独一无二的, 这可能是人属进化的重要催化剂。但或许直到人类进化的较晚时期, 我们才学会完全掌控火。

我们在南非奇迹洞 (Wonderwerk Cave)发现了有关火的最早证据, 对其中近 100 万年前沉积物的仔细分析表明, 洞穴深处有人为燃烧骨头和植物的迹象。然而, 早期人类可能是通过雷击等自然事件开始利用火的。最早对火的重复可控使用, 可追溯到 80 万年前以色列的盖谢尔贝诺特雅各布, 那里在 10 多万年的时间里反复出现烧过的东西, 表明直立人会生火及维持火种。

技术和社会生活

40 万年前, 越来越多的遗址中出现灰层、木炭及烧过的骨头, 表明人类已惯于用火。在欧洲, 这与尼安德特人的出现时间相吻合, 似乎也是尼安德特人率先用火烧制物品。意大利坎皮泰洛遗址中有 30 万年前的石器, 上面涂了用于制作多部件工具的桦皮焦油。

我们熟悉火以后, 社会生活也改变了。20 万年前出现了以火为中心的家庭空间, 这可能对语言发展起了关键作用。篝火增加了人类劳作时的光亮, 但又不足以让人执行艰巨的任务, 因而为人类谈话和讲故事创造了机会。人类最早的烹饪尝试也发生于此地, 时间为近 80 万年前。

约 3.5 万年前, 在东欧, 人们用火和黏土实验了约 5 000 年, 制造出了动物和人类小雕像; 2 万年前, 最早的陶器在中国产出。从那时起, 特别是人们放弃狩猎采集的生活方式以来, 火促进了许多新技术的产生。

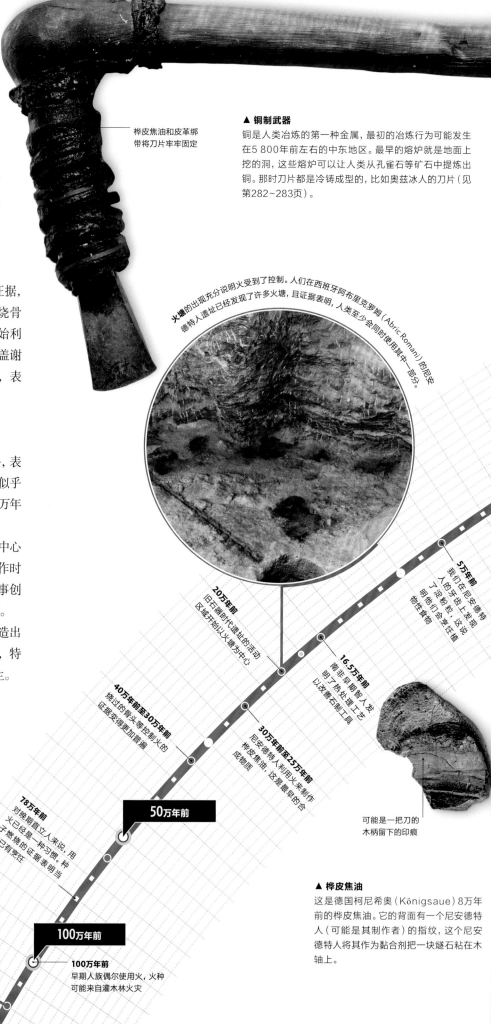

桦皮焦油和皮革绑带将刀片牢牢固定

▲ 铜制武器
铜是人类冶炼的第一种金属, 最初的冶炼行为可能发生在 5 800 年前左右的中东地区。最早的熔炉就是地面上挖的洞, 这些熔炉可以让人类从孔雀石等矿石中提炼出铜。那时刀片都是冷铸成型的, 比如奥兹冰人的刀片(见第282~283页)。

火塘的出现充分说明火受到了控制。人们在西班牙阿布里克罗姆尼(Abric Romani)的尼安德特人遗址已经发现了许多火塘, 且证据表明, 人类至少会同时使用其中一部分。

5万年前
我们在尼安德特人的牙齿上发现了淀粉粒, 这说明他们会烹饪植物性食物

16.5万年前
南非早期智人发明了热处理工艺以改善石制工具

20万年前
旧石器时代遗址的活动区域开始以火塘为中心

40万年前至30万年前
烧过的骨头等控制火的证据变得更加普遍

30万年前至25万年前
尼安德特人利用火来制作桦皮焦油, 这是最早的合成物质

可能是一把刀的木柄留下的印痕

78万年前
对晚期直立人来说, 用火已经是一种习惯。用于燃烧的证据表明当时已有篝火

50万年前

100万年前

100万年前
早期人族偶尔使用火, 火种可能来自灌木林火灾

最早的篝火可能源于自然产生的丛林火灾。火种通常被保存在洞穴中, 这样可以躲避风雨。

▲ 桦皮焦油
这是德国柯尼希奥(Königsaue)8万年前的桦皮焦油。它的背面有一个尼安德特人(可能是其制作者)的指纹, 这个尼安德特人将其作为黏合剂把一块燧石粘在木轴上。

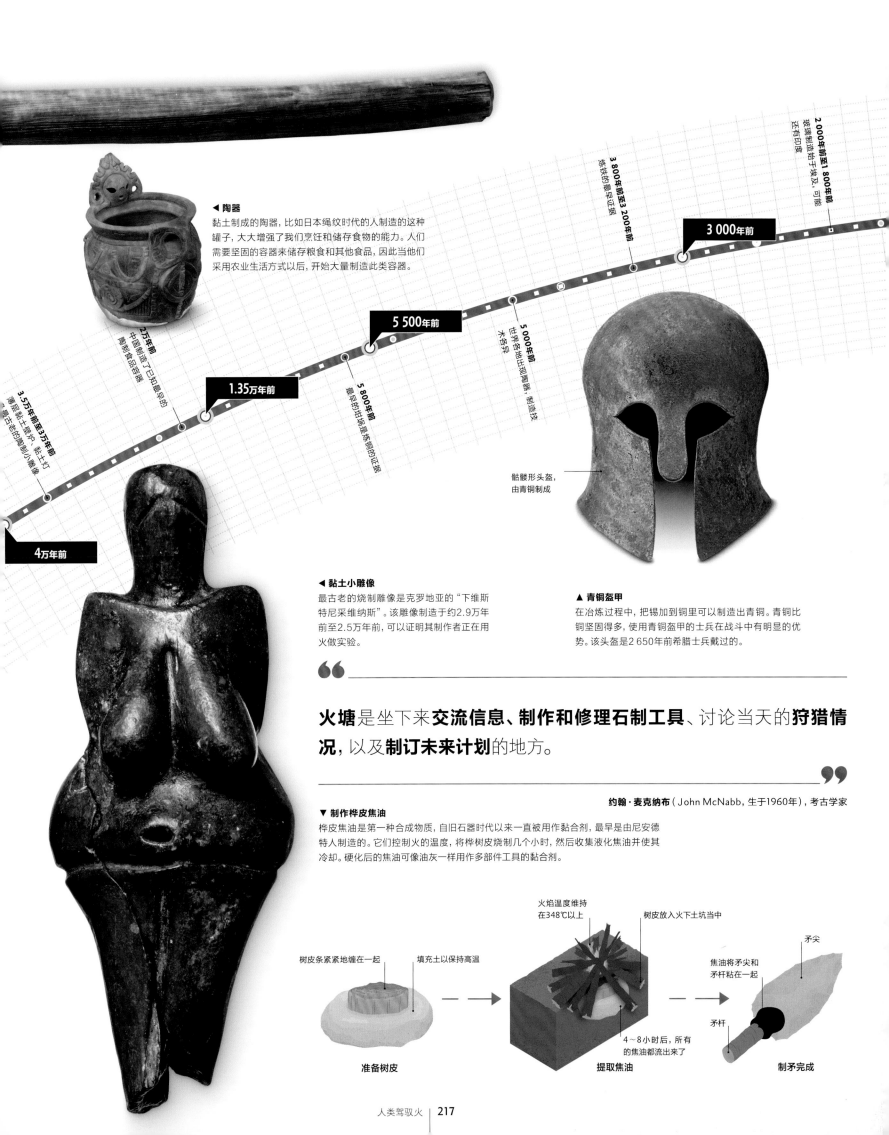

◀ 陶器

黏土制成的陶器，比如日本绳纹时代的人制造的这种罐子，大大增强了我们烹饪和储存食物的能力。人们需要坚固的容器来储存粮食和其他食品，因此当他们采用农业生活方式以后，开始大量制造此类容器。

2 000年前至1 800年前
玻璃制造始于埃及，可能还有印度

3 800年前至3 200年前
炼铁的最早证据

3 000年前

5 500年前

1.35万年前

5 000年前
世界各地出现陶器，制造技术各异

5 800年前
最早的灶坑是炼铜的证据

2.5万年前
中国制造了已知最早的陶制膳食容器

3.5万年前至3万年前
薄层黏土是烤炉，黏土灯与考古最古老是3万年前的陶制小雕像

4万年前

骷髅形头盔，
由青铜制成

◀ 黏土小雕像

最古老的烧制雕像是克罗地亚的"下维斯特尼采维纳斯"。该雕像制造于约2.9万年前至2.5万年前，可以证明其制作者正在用火做实验。

▲ 青铜盔甲

在冶炼过程中，把锡加到铜里可以制造出青铜。青铜比铜坚固得多，使用青铜盔甲的士兵在战斗中有明显的优势。该头盔是2 650年前希腊士兵戴过的。

" ————————————

火塘是坐下来**交流信息、制作和修理石制工具**、讨论当天的**狩猎情况**，以及**制订未来计划**的地方。

————————————— "

约翰·麦克纳布（John McNabb，生于1960年），考古学家

▼ 制作桦皮焦油

桦皮焦油是第一种合成物质，自旧石器时代以来一直被用作黏合剂，最早是由尼安德特人制造的。它们控制火的温度，将桦树皮烧制几个小时，然后收集液化焦油并使其冷却。硬化后的焦油可像油灰一样用作多部件工具的黏合剂。

火焰温度维持
在348℃以上

树皮放入火下土坑当中

矛尖

树皮条紧紧地缠在一起

填充土以保持高温

焦油将矛尖和
矛杆粘在一起

矛杆

准备树皮

提取焦油

4～8小时后，所有
的焦油都流出来了

制矛完成

埋葬习俗

旧石器时期出现了人类最典型的特征——对死者表示尊重甚至关怀。丧葬仪式很简单，但这预示着人们总有一天会给所有祖先建墓。

与死亡有关的习俗很重要，因为这代表了人类的智力水平，比如对时间的理解。理解个体从生存状态变为死亡状态似乎是人类特有的能力，但另一些物种似乎也对此有所理解。例如，大象可能不愿意离开死亡同伴的尸体；黑猩猩会有一系列不同寻常的反应，从刚开始的极度激动，到后来静静地守住尸体数个小时，有时甚至会携带婴儿的尸体长达数周。而这些反应只是困惑、痛苦带来的影响，还是失去、悲伤的真实表达，我们便不得而知了。

最早的**露天墓葬**出现于约**4万年前**。在那之前，**所有的墓葬**均在**洞穴**里完成

最早的丧葬

人族认识到死亡的最早证据体现为"贮藏"或收殓尸体的行为。约43万年前，在西班牙的白骨之坑（Sima de Los Huesos），至少有28人被故意放置在一个深坑中，旁边还放着色彩鲜艳的石制工具。尸体的完整埋葬是很久以后才开始的。约9.2万年前，许多智人被埋葬在以色列的卡夫泽和斯胡尔。其中，一个年轻的成年人和一个小孩埋葬在了一起，还有一个十几岁的孩子在下葬时胸前放有鹿角。

从4万年前开始，埋葬行为渐增，带有陪葬品的尸体也越来越多。约2.5万年前，在俄罗斯松希尔（Sungir），两个孩子头对头地埋在一起，陪葬品有长矛、数千颗珠子和一根涂满了红色颜料的成人股骨。然而，这么奢侈的墓葬十分罕见。更常见的墓葬还是比较简单的，有时还会出现某些身体部位单独埋葬的情况。

啃食尸体

尼安德特人和智人遗骸上的石制工具切痕，表明了旧石器时代的另一种丧葬习俗。当时的人类故意去除尸体上的肉或将身体切割成碎片，在各种骨头上留下了痕迹。这可能是与死者进行互动或表示敬意的一种方式，但也可能表明，为了获得营养，人们不得不同类相食。1898年，英国高夫洞（Gough Cave）中发现了一些这样的骨头。根据这些证据，我们几乎可以确定同类相食现象是存在的。这些骨头可追溯至1.4万年前，其中包括几个经过雕刻的"头骨杯"，这是人的头骨被用作酒器的最早例子。

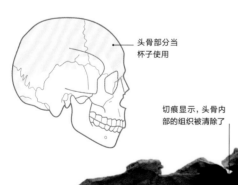

头骨部分当杯子使用

切痕显示，头骨内部的组织被清除了

▶ **头骨杯**
高夫洞的头骨体现了当时人类加工制造的所有技能。人们对这块头骨进行了细致的切割及清洁，这说明他们要将其用于仪式性目的。

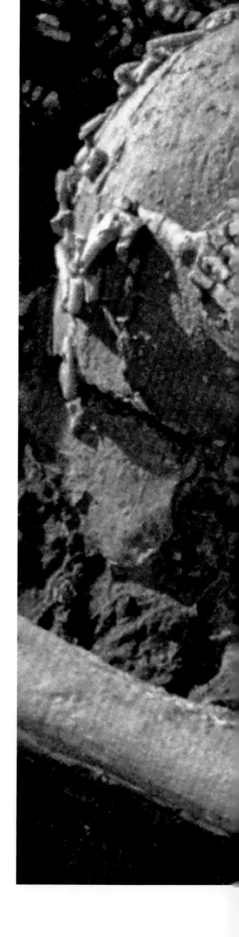

冰期的丧葬

1955年，我们在俄罗斯的松希尔发现了一座坟墓，两个旧石器时代的孩子头对头地埋在里面。尸体埋葬于至少2.5万年前。这里是欧洲最古老的智人墓葬之一。

人类占据
主导地位

近1.2万年前最近一次冰期的结束,标志着全新世,也就是我们当前的地质时代的开始。气候变化对于人族来说已经司空见惯了。然而,有两点不一样了:一是现在只有一个幸存的人属物种,二是我们已经开始改变周围的生境和景观。

▼ 刀耕火种

人类通过燃烧植被创造出草原生境,该生境适合人类狩猎的动物生存,这一做法可能已在澳大利亚采用5万年了。这能彻底改变景观,甚至改变一个地区的气候。

更新世末期,地球上大部分地区气候更加温暖湿润。很多草原变成了阔叶混交林,沙漠地带也越来越湿润。数万年间,智人分散开来,从南非海岸,扩张到欧亚大陆,再到澳大利亚以及南美最南端,遍布世界各地。他们所到的陌生环境往往条件恶劣,气候也有所不同,所以需要他们开辟新的生存策略。人类利用他们的能力解决问题、学习技能——包括与动植物建立新的关系。这些新的关系反过来又促进了智人所在环境的形成。

对动物的影响

已知人族利用海洋资源的最早例子,是约16万年前南非平纳克尔角的智人以及约15万年前西班牙巴洪迪约(Bajondillo)洞穴的尼安德特人对贝类的采集。少量的捕捞对贝类种群几乎没有影响,但随着时间的推移,贝类捕捞的规模逐渐扩大,负面影响便开始产生。在南非,约5万年前,一些贝类的平均大小开始萎缩,这表明捕捞规模已经很大了。原因可能有两种,一种是人类定居地的变化,更多的人类迁移到沿海地区,另一种则可能是当地人口的增加。在3万年前与1万年前,人类分别移居到巴布亚新几内亚与南加利福尼亚,同样,这两个地方的贝类大小也出现了萎缩。

毫无疑问,大多数动物种群会从人类临时施加的局部压力中恢复过来,但人类可能很早就开始对生物多样性产生更长久的灾难性影响了。所谓的巨型动物"过度杀戮"的假说,认为大型动物物种多样性的下降与最近一次冰期末期智人生活范围的扩大有关。这在澳大利亚和北美最为明显,人类分别于5.5万年前和1.5万年前来到两地,大量动物物种也随之消失,其中包括令人惊叹的巨型地懒。然而,当时的气候变化或许也起了一定的作用,而且4万年前智人已经在欧洲出现了,而那时却没有明显与智人有关的大灭绝。或许在极为恶劣的环境条件下,技术纯熟的外来捕食者智人才

在**全新世**初期,
融化的冰川使世界**海平面**
上升了35米

刚好会导致某些物种走向灭绝。支持过度杀戮假说最强有力的一个例子是加勒比地懒，人类到来后不到5 000年，它们就灭绝了；但即便如此，灭绝过程似乎也持续了大约1 000年时间。

虽然目前没有证据表明智人在当时对

不仅存在于洞穴里，同时也出现在人类一直居住的露天场所，它们能够表明当时的人们如何生活。例如，一些贝丘遗址（垃圾堆）可能具有象征意义。某些遗址中出现了人类遗骸，还有丢弃的软体动物壳。南非克莱西斯河河口便是这样一个地方，我们在其所

植物群落产生了灭绝性的影响，但我们可能已显著改变了某些环境。从沉积岩芯中提取的木炭可以证明，在约5万年前的东南亚，以及6万年前至5万年前的澳大利亚，人们会燃烧树木。虽然不能完全不考虑森林火灾的自然原因，但"刀耕火种"这一烧毁森林以提高生态生产力及吸引动物的做法，在北美和澳大利亚已有悠久的历史，而且有证据表明，中石器时代一些地区的人类群落可能也有类似的做法。

文化景观

如今，我们从太空中很容易看到智人遍及全球的文明；我们的无人飞行器已经探索了太阳系，甚至太阳系以外的地方。然而，就在不久以前——从地质角度看只是一瞬间——人类数量很少，且较为分散，能找到或捕获什么食物，就靠什么生存下去。可是，即使在我们历史的早期阶段，我们的日常生活也在影响周围的世界。

生物长期在特定的地方活动，逐渐改变周围环境。就人族来说，这可以从洞穴内堆积的碎屑中看出来。世界各地的洞穴数以千计，我们从中发现，无数代人的废弃物形成了厚厚的沉积物。这些无意间的"创作"

在区域很少发现墓葬。

人族也以其他方式与文化遗存相互作用，比如在尼安德特人和智人留下的居住场所挖坑埋葬。人们通常会发现文化遗存是有用的资源，经常会回收利用几个世纪前的石制工具。

数百万年来，人类使用大量岩石制造石器，对自然景观造成的整体影响难以估量，但我们在有些遗址中发现，当地人会有一些大规模的改造行为。例如50多万年前人类在以色列对火石进行过开采，这是一种相当系统的开采，因此我们有理由称之为采石。尽管这发生在一段很长的时间内，废物堆积而成的土丘还是大大改变了当地的景观。

约4万年前，更为精致的露天艺术风格开始出现，有时会将整个山谷变为具有象征意义的户外场地，例如葡萄牙科阿（Côa）的5 000幅雕刻图案。既然当时已能如此大规模地改造岩石，那么后来人类在土耳其建造最古老的巨石结构哥贝克力石阵（Göbekli Tepe）也就不足为奇了。它们是一群狩猎采集者建造的，时间在约1.1万年前，也就是早期农业开始的几个世纪内。

臨界点

文明**发展**

人类是一个适应能力强，且富有智慧的物种，当我们开始改造自然以维持自身的生存，我们就从狩猎采集者变成了农民。这是人类历史的重大转折点。农业使我们走上了扩张的道路。随着人口增长，小型游牧群体转变为长期固定的城市和邦国，并最终发展为权力结构复杂的帝国。

适当条件

经过多年的集体学习，农业得以发展，人类因而能够从环境中获取更多的资源。创新和操纵自然的能力改变了生物圈和社会本身：人口的增加需要靠社会组织实现有效运作，因此更复杂的新型权力结构开始出现。

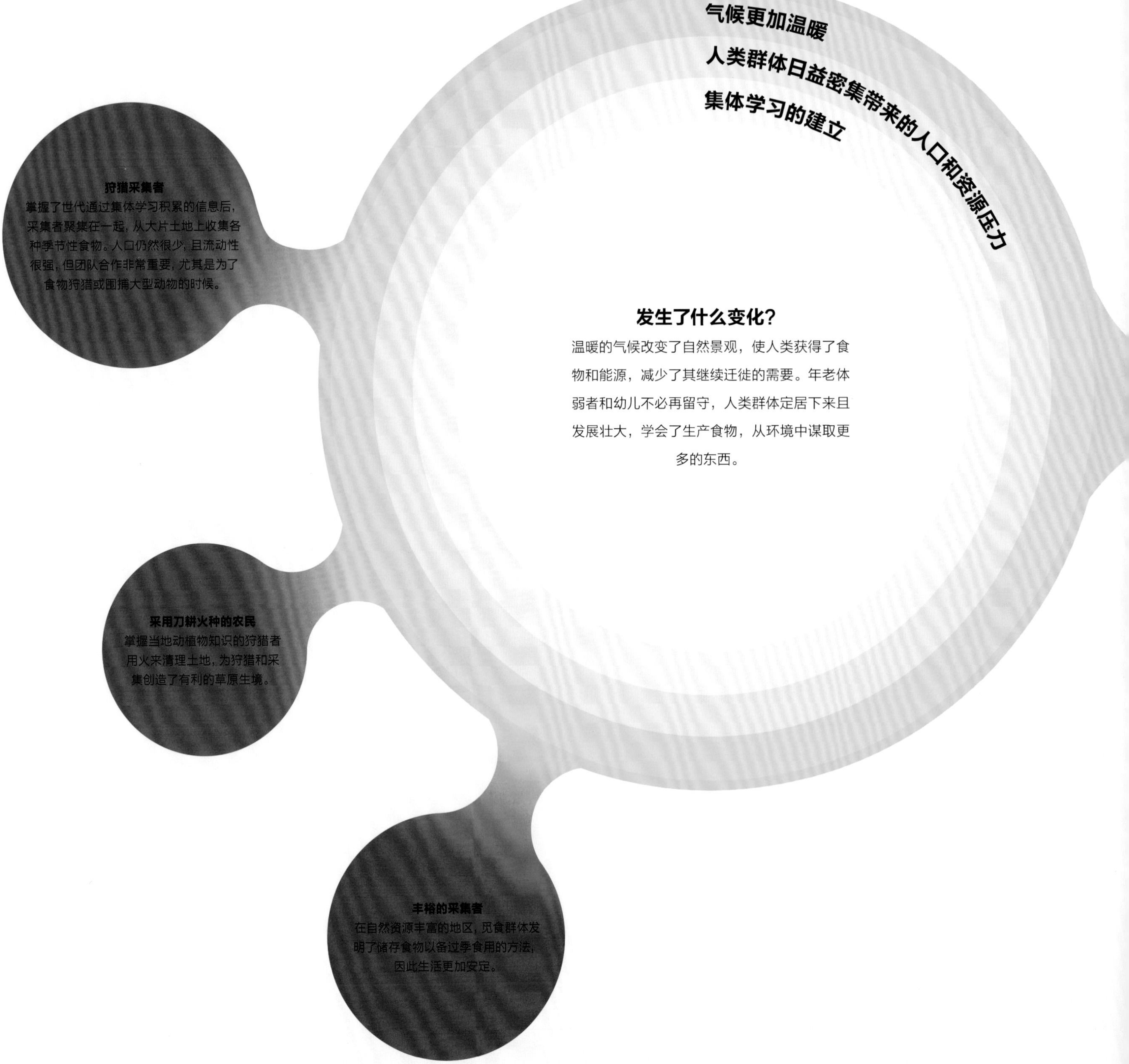

气候更加温暖

人类群体日益密集带来的人口和资源压力

集体学习的建立

狩猎采集者
掌握了世代通过集体学习积累的信息后，采集者聚集在一起，从大片土地上收集各种季节性食物。人口仍然很少，且流动性很强，但团队合作非常重要，尤其是为了食物狩猎或围捕大型动物的时候。

发生了什么变化？

温暖的气候改变了自然景观，使人类获得了食物和能源，减少了其继续迁徙的需要。年老体弱者和幼儿不必再留守，人类群体定居下来且发展壮大，学会了生产食物，从环境中谋取更多的东西。

采用刀耕火种的农民
掌握当地动植物知识的狩猎者用火来清理土地，为狩猎和采集创造了有利的草原生境。

丰裕的采集者
在自然资源丰富的地区，觅食群体发明了储存食物以备过季食用的方法，因此生活更加安定。

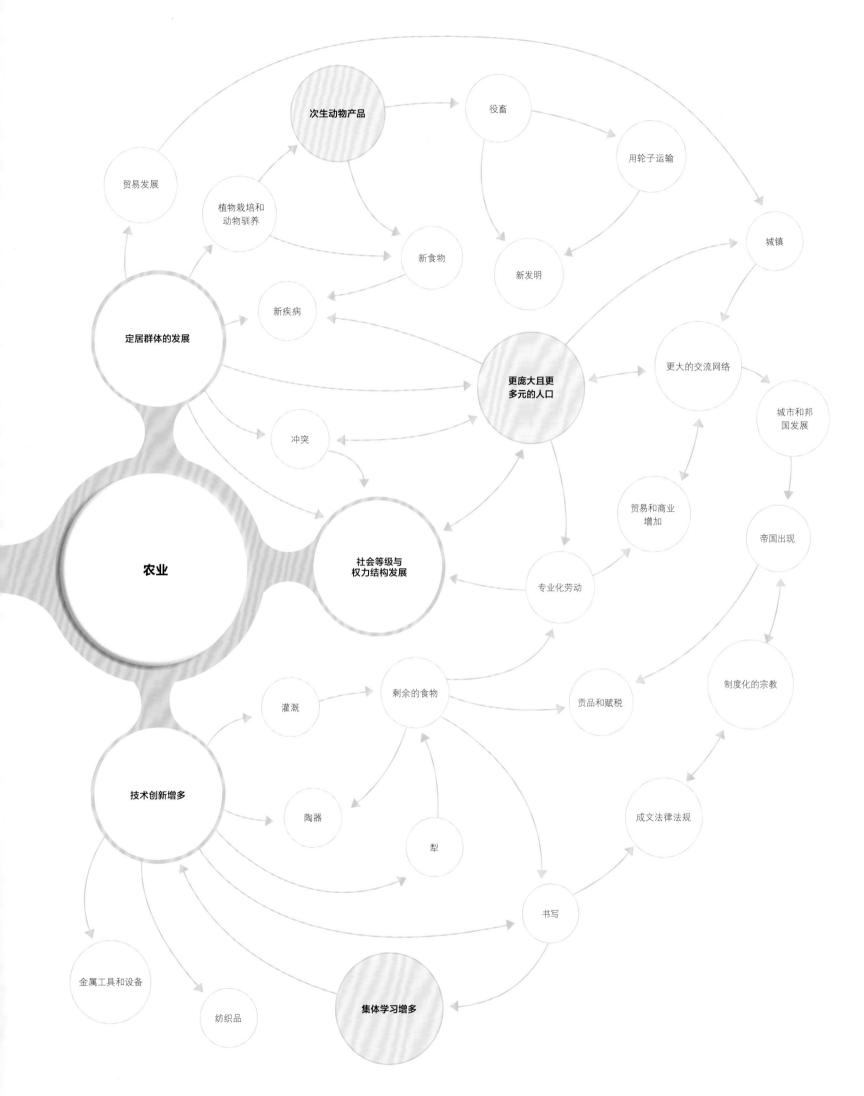

次生动物产品

役畜

用轮子运输

贸易发展

植物栽培和
动物驯养

城镇

新食物

新发明

定居群体的发展

新疾病

更庞大且更
多元的人口

更大的交流网络

城市和邦
国发展

冲突

农业

社会等级与
权力结构发展

贸易和商业
增加

帝国出现

专业化劳动

剩余的食物

制度化的宗教

灌溉

贡品和赋税

技术创新增多

陶器

成文法律法规

犁

书写

金属工具和设备

纺织品

集体学习增多

气候改变了 自然景观

自约公元前9600年以来，全球气温迅速上升，开启了目前的全新世地质时期。人们被迫寻找新的狩猎和采集方法。最终，他们发现了一种截然不同的生存方式，那便是基于农业的生存方式。

随着气候变暖，冰盖开始融化。海平面上升，大气中的水增多，降雨量加大。亚洲与美洲隔绝开来，不列颠和日本变成了岛屿。气候变得更加湿润，新的森林、草原、湖泊和河流产生。这一时期出现了大灭绝现象，灭绝的动物包括猛犸象、披毛犀和大角鹿等。

中石器时代的丰富资源

中石器时代，又称细石器时代（公元前28万年至公元前 2.5 万年），是一个过渡阶段，其间人们使用弓箭这种适于林地狩猎的新武器来猎捕小动物（如鹿），以此来适应新的环境。他们还捕获了更多的鱼，并学会食用更多的植物性食物，包括需要加工或烹饪的草和橡子。通过反复试错，人们知道了哪些植物是有毒的，以及哪些植物可以食用。事实上，许多沿海地区的食物资源非常丰富，因此狩猎采集者得以首次在村庄永久定居。

在该时期，人们积累并分享了关于动植物的知识，这有助于他们形成新的生存方式。

与此同时，人口急剧增多，至今已蔓延到世界上每一个宜居的角落。海平面上升则意味着曾是富饶狩猎场的大片土地如今已消失于水下。对于狩猎采集者的生活方式，地球可能已达到了其承载能力的上限。气候变化及资源竞争的压力，最终导致世界不同地区的人开始不约而同地耕作。

> 在这个宜居星球的很多地方，**气候变化**都十分**显著**，甚至在**人的一生**中就能体会到。

杰弗里·布莱内（Geoffrey Blainey，生于1930年），澳大利亚历史学家，著有《世界简史》（2000）

▶ **气候波动**

虽然全新世整体比较温暖，但其间也有气候波动，如图所示。当野生食用植物的数量有所减少时，最早的农民可能已经开始种植庄稼以应对寒冷干燥的时期。

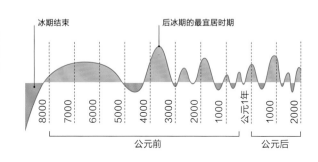

冰期结束 ｜ 后冰期的最宜居时期

8000 7000 6000 5000 4000 3000 2000 1000 公元1年 1000 2000

公元前 ｜ 公元后

图例 ■ 较热　■ 较冷

狩猎的好日子
这幅非洲岩画展示了猎人用弓箭杀死鹿的场景。现在是沙漠的非洲撒哈拉在中石器时代曾是一片草原，提供了充足的猎物。

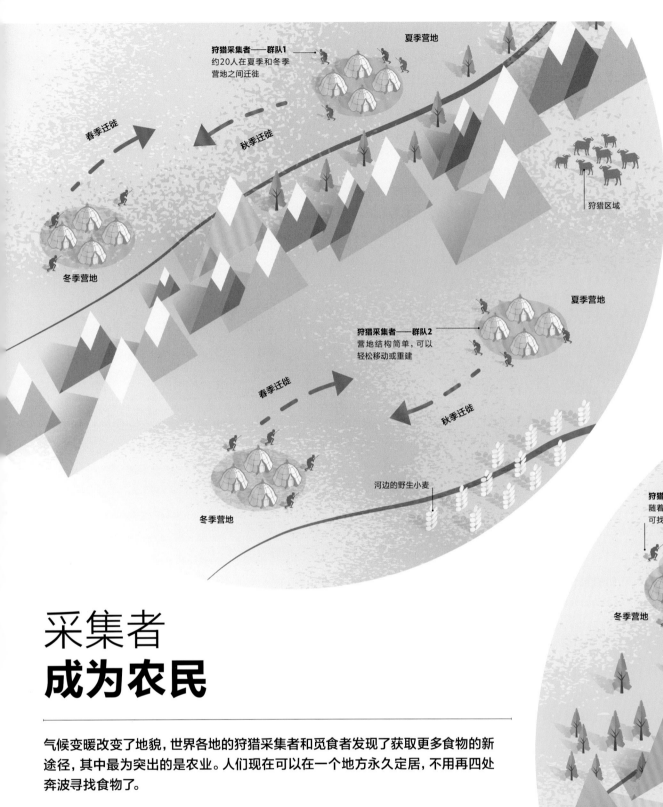

狩猎采集者——群队1
约20人在夏季和冬季营地之间迁徙

夏季营地

春季迁徙

秋季迁徙

冬季营地

狩猎区域

狩猎采集者——群队2
营地结构简单,可以轻松移动或重建

夏季营地

春季迁徙

秋季迁徙

冬季营地

河边的野生小麦

游牧民——第一阶段

◀ 游牧民

公元前2.3万年至公元前1.3万年

人们组织成靠狩猎和采集获取食物的小家庭团体(群队),以游猎的方式生活,随着季节和资源的变化而迁徙。游牧生活方式对人口增长有自然限制作用。

▼ 早期定居者和丰裕的采集者

公元前1.3万年

气候越来越温暖潮湿。河水增多,草原和森林蔓延,产生了更丰富的景观。部分群体继续采取游猎的生活方式,而另一些群体则选择优越的环境定居。

狩猎采集者——群队1
随着气候变暖,冬季营地可找到的食物资源增多

春季迁徙

秋季迁徙

冬季营地

定居者——群队2
该群队不需要在冬季和夏季营地之间来回迁移,他们开始在水源充足、土地肥沃的地方定居下来

定居营地

采集者
成为农民

气候变暖改变了地貌,世界各地的狩猎采集者和觅食者发现了获取更多食物的新途径,其中最为突出的是农业。人们现在可以在一个地方永久定居,不用再四处奔波寻找食物了。

定居有许多意想不到的好处。人们不必再继续奔波,因此发明了更多更为复杂的技术。织机、陶器和研磨谷物的石磨都诞生了。人们的居住地更为固定,这意味着,儿童不必在一年一度的迁徙时长途跋涉,年老体弱者不必再原地留守,等待群体归来。这样一来,出生率上升了,人们的寿命延长了,不过也有更多的人要养活了。

渐渐地,这些定居人口开始依赖于自己可种植的有限作物,不再寻觅野生食物了,这些野生食物虽然种类繁多,但并不是一年四季都有的。从诸多方面来看,定居生活就像个陷阱一样:虽然与四处觅食相比,农业可以养活更多人口,但人们为了生产食物必须更加操劳。

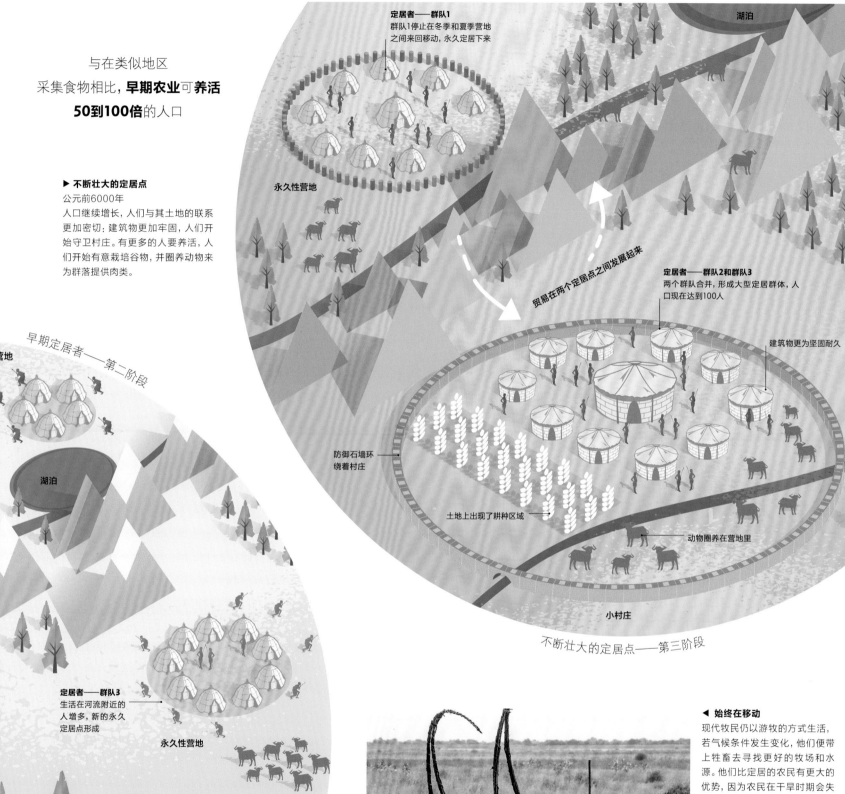

定居者——群队1
群队1停止在冬季和夏季营地之间来回移动，永久定居下来

湖泊

永久性营地

与在类似地区采集食物相比，**早期农业**可**养活50到100倍**的人口

▶ **不断壮大的定居点**
公元前6000年
人口继续增长，人们与其土地的联系更加密切；建筑物更加牢固，人们开始守卫村庄。有更多的人要养活，人们开始有意栽培谷物，并圈养动物来为群落提供肉类。

贸易在两个定居点之间发展起来

定居者——群队2和群队3
两个群队合并，形成大型定居群体，人口现在达到100人

建筑物更为坚固耐久

防御石墙环绕着村庄

土地上出现了耕种区域

动物圈养在营地里

小村庄

不断壮大的定居点——第三阶段

早期定居者——第二阶段

季营地

湖泊

定居者——群队3
生活在河流附近的人增多，新的永久定居点形成

永久性营地

人类收获野生小麦，并将其播种到其他地方

◀ **始终在移动**
现代牧民仍以游牧的方式生活，若气候条件发生变化，他们便带上牲畜去寻找更好的牧场和水源。他们比定居的农民有更大的优势，因为农民在干旱时期会失去作物和牲畜。

绳纹时代的猎人使用陷阱和弓箭，
捕猎野猪、鹿和熊等动物

绳纹时代的房屋通常宽3~4米

我们从这个横截面可以看出当时的房屋是如何修建的。
主要考古依据来自下陷的地面和桩洞

冬天新鲜的植物性
食物很少，肉类是
重要的食物来源

排烟口

地面下陷，其土壤
边缘是与外界天气
隔绝的天然屏障

锅底埋在房屋内的土里

绳纹时代的妇女可能会在房屋内生火
做饭，**地下烟囱**可以用来将烟排出屋外

烟雾通过地下
通道排出

有了锅以后，绳纹时代的人
就能煮食贝类和坚果

人们点火给锅加热，
以此来烹饪食物

屋顶和两侧很可能是茅草做的，这样有助于室内通风

森林里有丰富的植物性食物，如浆果、核桃、栗子和橡子，妇女们会在秋天采集它们

村落生活

这是约公元前1.3万年，一个典型的日本绳纹时代的村庄。当时的村庄很小，由大约五个坑屋组成。在这里生活的人越来越多，到公元前9000年，这里的房屋可多达50到60所。

鲑鱼挂在木架上晒干。该过程需要很多人，说明当时存在群体合作

绳纹时代的人们用专门的工具捕鱼：矛、网、鱼笼和线

由中空原木制成的小船

河流和湖泊出产鲑鱼和其他淡水鱼，而金枪鱼、鲭鱼、海龟和贝类需从海上捕获

橡子和其他植物性食物保存在罐子和储藏坑中

研磨从野生植物中收集的谷物

丰裕的
采集者

在最近一个冰期末段，气候变得更加温暖湿润，人类群落仍然采用狩猎采集的生活方式，但会在同一地点待更长时间。我们称之为"丰裕的采集者"（affluent foragers）。

丰裕的采集者定居在自然资源丰富的地区，能够以陆地上的果实为生。日本绳纹时代的人便是其中的佼佼者，早在约公元前1.4万年便在村庄定居。他们生活的群落不大，不进行农耕，持续时间超过1.3万年。绳纹时代的人生活在森林旁边，同时也靠近海岸、河口或湖泊。他们居住的混合环境提供了丰富多样的季节性植物食物、鱼类及野生动物，再加上其生活方式较为固定，丰裕的采集者将更多精力投入到开发更大的专用工具和技术上，不再满足于那些便于携带的物品了。绳纹时代的人是最早发明陶器的群落之一，时间大约在公元前1.3万年，他们用陶器煮鱼，并储存食物以备过季食用。

▶ 用火烧制的容器

绳纹时代的陶器在露天的篝火中烧制而成。一开始，这些陶器非常简单，后来变得越发精致了。这个装饰复杂的容器可追溯到绳纹时代晚期。

狩猎者开始
种植食物

最早的农民用木铲、石锄和扁斧耕种土地。这就是园艺，只够人们填饱肚子而已。这是一种自给自足的农业，人们只种植足够养活自己家庭的作物。

最简单的农具是挖土棒，这是一种结实、笔直的尖头棍，人们通常会把它放在火上烧硬。农民清除杂草用的锄头，刀片由石头或鹿角制成，与锄柄成一定角度。没有犁或役畜，人们只能在容易耕作的土壤中种植作物，比如黄土，这是一种由风吹来的尘土堆积形成的肥沃表土。

刀耕火种

早在农业诞生之前，狩猎采集者就已经采用烧毁森林的办法，创造可以捕猎食草动物的开阔区域，并且开始种植榛树、柳树等有用的植物来制作篮筐。最早的农民也会以类似的方式用火。在用石刃扁斧砍掉一片森林后，他们会将植物晒干烧掉。灰烬使土壤变得肥沃，从而利于播种。但两年后，农田的肥力下降，农民只能重新开辟。

这种用火来开辟农田的做法叫作刀耕火种，或者刀耕火耨，名字来源于古老的北欧词语"烧地"。全球仍有2亿至5亿人在使用此方法，他们主要生活在南美洲、东南亚和美拉尼西亚的热带雨林。刀耕火种在这些地区是可持续性的，因为这些地区雨量充沛、气候温暖，全年都是生长季节。

但只有在人口相对较少且森林面积足以支撑其人口规模的地方，这才切实可行。

实践证明，在欧亚大陆寒冷、干燥的高纬度地区——农业起源的地方，刀耕火种是不可持续的。这里植物的生长季短，意味着植被在烧光后需要更长的时间才能恢复。随着人口的增长，人们被迫发明新方法来增加田地产量。他们面临的问题是如何找到比锄头和挖土棒更好的工具，以及使土壤肥沃的新方法。

尽管如此，我们知道，在欧亚大陆的很多地方，人们都使用过刀耕火种。我们对北欧古代的泥炭沼泽进行的研究显示，橡树上花粉的消失，谷物花粉和木炭粉层的增加，都是人们采用刀耕火种耕作方式的明显证据。

森林园艺

人类与森林的互动并不总是毁灭性的。生活在雨林河流附近及季风区湿润山麓的人们开始适应周围的环境，了解哪些物种对于可食用植物的生长是有利的，哪些是不利的。他们保护有用的植物，除去不必要的物种。后来，他们把有益的植物从别处引入了这些"森林花园"。

▲ 木制扁斧
以燧石为刃的工具非常结实。人们使用扁斧在几个小时内就能砍倒一棵硬木大树。

> **骄傲的盖塔人** (Getae) 在土地上随意种植食物，生活十分幸福，而这块土地他们无意耕作一年以上。

贺拉斯（Horace），公元前1世纪的罗马诗人

破坏性农业

老挝地区仍然使用刀耕火种的传统做法。然而，这对雨林的破坏性很大——作物只能生长一年，土壤很快就变得贫瘠，且收成不佳。然后，这块地必须休耕4~6年才能再生。

北美洲东部 公元前2000年至前1000年
葵花、菊草和灰菜都是美洲的土生食物，尽管这些植物没什么营养，人类后来还是开始培育它们。该地区没有适宜驯养的动物

美洲

美洲中部 公元前3000年至前2000年
美洲中部的农民将玉米和豆子种在一起，这是一种理想的混合耕作模式。火鸡和狗是唯一可驯养的动物，人们饲养它们是为了获取肉食

玉米是美洲中部最重要的作物。由于玉米可以长期储存，人们很快就开始种植它们。

农业的诞生

当人类开始存储、种植种子和块茎，农业就诞生了。考古学发现，仅仅在数千年的时间内，农业就在世界上不同区域各自发展起来，而这些区域之间没有任何联系。

　　人们选择农耕的理由可能各不相同。某些地域的人是为了应对气候变化或人口增长带来的野生食物短缺。而在另一些地域，人们选择农耕可能仅仅因为对某类作物有所偏爱。成为农民并非深思熟虑之后的决定——因为他们根本不知道这种新生活会是什么模样。然而，人们要自主生产食物，就必须找到一块动植物资源丰富的地域，且该地域中的动植物要易于驯化。各地的情况大不相同，导致农耕对世界不同地域产生了不同的影响。与其他农耕区域的作物相比，北美洲东部和新几内亚的作物营养成分低得多。因此，当地居民仍要靠野生食物为生，一部分居民从事农耕，另一部分则外出狩猎和采集。而肥沃新月和中国的情况则非常不同。这两个地区的农业提供了足够的食物，因此农民的生活比靠狩猎采集为生的人好得多。

安第斯山脉的居民驯养**美洲驼**。美洲驼不仅为人类提供肉食和驼毛，也是一种役畜。

> **当时，世界上的四个地区之间互无往来。**
>
> 辛西娅·斯托克斯·布朗（Cynthia Stokes Brown，生于1938年），美国历史学家

安第斯山脉 公元前3000年至前2000年
安第斯山区的主要作物有藜麦、土豆和苋菜——这些作物都非常有营养。整个美洲地区适宜驯养的大型动物只有两种：美洲驼和羊驼。二者都有种群生活在安第斯山区。

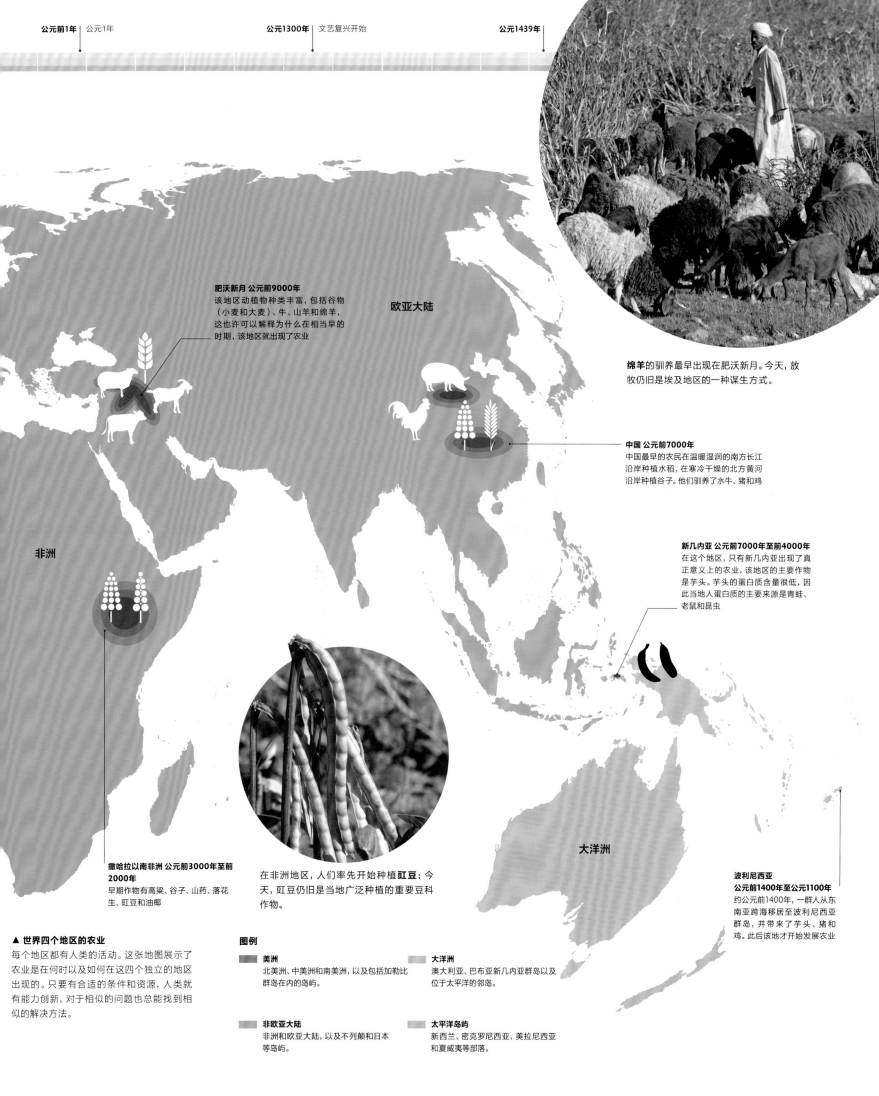

肥沃新月 公元前9000年
该地区动植物种类丰富,包括谷物(小麦和大麦)、牛、山羊和绵羊,这也许可以解释为什么在相当早的时期,该地区就出现了农业

欧亚大陆

绵羊的驯养最早出现在肥沃新月。今天,放牧仍旧是埃及地区的一种谋生方式。

非洲

中国 公元前7000年
中国最早的农民在温暖湿润的南方长江沿岸种植水稻,在寒冷干燥的北方黄河沿岸种植谷子。他们驯养了水牛、猪和鸡

新几内亚 公元前7000年至前4000年
在这个地区,只有新几内亚出现了真正意义上的农业,该地区的主要作物是芋头。芋头的蛋白质含量很低,因此当地人蛋白质的主要来源是青蛙、老鼠和昆虫

撒哈拉以南非洲 公元前3000年至前2000年
早期作物有高粱、谷子、山药、落花生、豇豆和油椰

在非洲地区,人们率先开始种植**豇豆**;今天,豇豆仍旧是当地广泛种植的重要豆科作物。

大洋洲

波利尼西亚
公元前1400年至公元1100年
约公元前1400年,一群人从东南亚跨海移居至波利尼西亚群岛,并带来了芋头、猪和鸡。此后该地才开始发展农业

▲ 世界四个地区的农业
每个地区都有人类的活动。这张地图展示了农业是在何时以及如何在这四个独立的地区出现的。只要有合适的条件和资源,人类就有能力创新,对于相似的问题也总能找到相似的解决方法。

图例

美洲
北美洲、中美洲和南美洲,以及包括加勒比群岛在内的岛屿。

大洋洲
澳大利亚、巴布亚新几内亚群岛以及位于太平洋的邻岛。

非欧亚大陆
非洲和欧亚大陆,以及不列颠和日本等岛屿。

太平洋岛屿
新西兰、密克罗尼西亚、美拉尼西亚和夏威夷等部落。

从野生植物
到农作物

作物种植意味着人类可以控制植物。人工选择使植物不停地发生变化，最终导致植物无法成功在野外繁殖。作物种植是一个双向的过程，对植物和人类都有好处。

最重要的人工种植的植物是草本粮食作物。每一株粮食作物所含的营养成分非常少，但是总量可以很大。成熟后，野生作物的籽实外壳会破裂，以便其中的籽实随风散播出去。然而，对于早期的采集者来说，成熟后在植物上停留时间更久的籽实更易于采集。最终，一种籽实外壳不会破裂的新型植物出现了，它的籽实需要人工采收。

种植行为也改变了作物的生长季节。野生种子通常会在相当长的一段时间内分批发芽，这可以保证即使气候变化，也会有一些植株存活下来；人工种植的植物则同时发芽。此外，人工种植的植物高度通常差不多，便于人类采收；而籽实则更为饱满，更容易脱壳。

上述这些变化并非农民们有意为之，而是自然发生的，是人类从最好的植株上采集种子并在来年播种的结果。然而，随着人类可以掌控的植物种类越来越多，作物种植的需求渐渐成为人类生活的中心。人们认识到，农业发展起来后，他们不得

▲ 重要的商品
如今，人类所需热量的1/5是由水稻提供的。水稻甚至可以种植在山腰陡坡的梯田中。

不耗费大量的时间种植小麦、水稻和玉米。

第一批作物

小麦种植最早出现于中东的肥沃新月。公元前 11000 年至公元前 9000 年，当地的农民种植了两种小麦——野生的二粒小麦和一粒小麦。随后，公元前 7000 年，伊朗人工种植的二粒小麦与野生山羊草杂交后出现了普通小麦。普通小麦的籽实更大，因而更容易脱壳；谷蛋白含量更高，因此可以制作成有弹性的面团并发酵成松软的面包。

与其他谷物不同，水稻是沼泽植物，因此适宜在水中生长。公元前 4900 年至公元前 4600 年，中国南方地区，即长江以南的地区，开始种植水稻。野生水稻芒较长、外壳坚硬、籽实极小、稻梗结实，因而容易再生。而人工种植的水稻籽实饱满，芒、

坚硬的外壳和再生的能力都退化了。

公元前五千纪，墨西哥西南部的农民将野生大刍草培育成为玉米。一个大刍草果实产出的籽实最多 12 颗，而一根玉米则可以产出多达 600 颗籽实。大刍草的籽实有坚硬的外壳保护，而玉米的籽实则裸露在外。这两类植物的外观差异如之大，以至于直到 20 世纪，人们才发现它们的关系。

公元前 4000 年，美洲中部和安第斯山区开始种植豆类。经农民挑选后的植株，豆粒更大或产量更高，因而易于收获。在安第斯山脉，豆类植株形态从原有的高大藤蔓变成了更高产的矮丛。

▼ 为了收割
野生小麦与人工种植的小麦区别甚大，却不易察觉。从花序轴极易折断的野生小麦变成需要打谷脱粒的人工种植的小麦，这意味着人类可以收集到更多的籽实——但是也得花更多的力气。

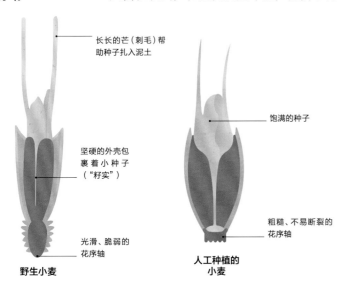

长长的芒（刺毛）帮助种子扎入泥土

坚硬的外壳包裹着小种子（"籽实"）

光滑、脆弱的花序轴

野生小麦

饱满的种子

粗糙、不易断裂的花序轴

人工种植的小麦

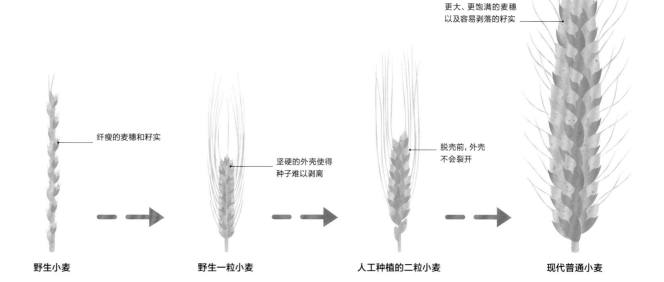

▶ 更易于采集的小麦

随着时间推移,小麦从种子外壳破裂、籽实较小的野生品种进化成了种子外壳不会破裂、籽实较大的品种。农民们也会根据麦穗大小、植株高度、生长季节以及是否易于脱壳来选种。最近,科学家开始让现代品种与野品种杂交,希望杂交后得到的新品种能够恢复野品种的一些原有性状,如耐干旱、耐高温和抗虫害等。

更大、更饱满的麦穗以及容易剥落的籽实

纤瘦的麦穗和籽实

坚硬的外壳使得种子难以剥离

脱壳前,外壳不会裂开

野生小麦　　　野生一粒小麦　　　人工种植的二粒小麦　　　现代普通小麦

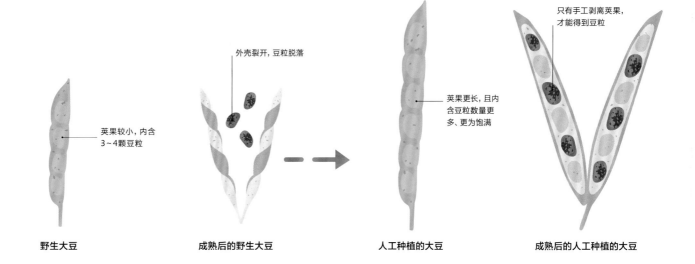

▶ 更饱满的豆粒

野生大豆是美洲中部居民的主食,因为野生大豆中含有玉米所缺乏的氨基酸成分。野生大豆成熟后,荚果颗粒较小且扭曲,后期荚果会裂开,种子(豆粒)脱落。人工种植的大豆荚果颗粒更大,豆粒数量更多,并且荚果不会裂开,人工剥离后才能取出豆粒。在美洲中部地区,大豆往往与玉米种植在一起,互为支撑,旁边再种上南瓜以抑制杂草,此三者被称作"三姊妹"种植法。

外壳裂开,豆粒脱落

只有手工剥离荚果,才能得到豆粒

荚果较小,内含3~4颗豆粒

荚果更长,且内含豆粒数量更多、更为饱满

野生大豆　　　成熟后的野生大豆　　　人工种植的大豆　　　成熟后的人工种植的大豆

> 可以说,是**植物培育了智人**,而**非智人培育了植物**。

尤瓦尔·诺亚·赫拉利(Yuval Noah Harari,生于1976年),以色列历史学家,《人类简史》

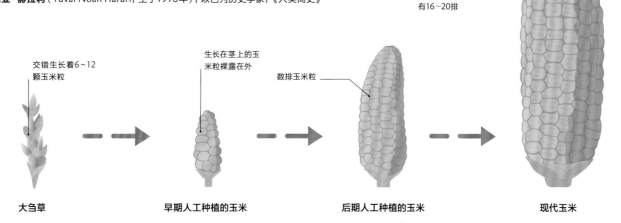

▶ 巨大的进步

大刍草是一种野生玉米。其穗轴长度最长不超过2.5厘米,上面仅有几颗玉米粒。现代种植的玉米果实,每根长度都在30厘米以上,且玉米粒饱满。植硅石(一种植物微体化石)的发现,以及在墨西哥许多地区发现的淀粉粒,证明人工种植玉米的时间比我们原来预想的要早许多。

交错生长着6~12颗玉米粒

生长在茎上的玉米粒裸露在外

数排玉米粒

现代玉米每根可结出400~600颗玉米粒,有16~20排

大刍草　　　早期人工种植的玉米　　　后期人工种植的玉米　　　现代玉米

花粉粒

借助花粉分析法这一鉴定技术，我们可以从少量的植物残渣中获取大量关于古代气候状况、农业发展以及我们祖先生活状态的信息。

孢粉学（palynology）是研究植物孢子、花粉以及植物微小组织的科学。花粉粒是有花植物所产生的雄性生殖细胞，每株植物会产生大量的花粉粒。由于其外壳坚硬，在理想环境中，花粉粒可以保存数百万年。不同植物的花粉粒形状差异极大，因此，可以通过花粉粒来识别出产生它们的植物。

花粉粒在泥炭、湖床以及洞穴沉积物中保存得最好。泥砖、储藏坑、船、陶器、陵墓、保存完好的遗体以及粪化石中也可发现与人类有关的早期花粉。研磨石器和石器工具的表面也能找到花粉。

孢粉学家们利用电子显微镜能够识别单个花粉粒，因此可以数出每种花粉粒的数量。利用这一数据，他们就能够重建某地在某一特定时期所发生的气候和环境变化。用不同深度的泥土沉积物重复同样的实验，就可以建立一个花粉的年代图谱，从图谱上可以清晰地看出不同时期植物种类的变化。将收集到的花粉种类与已知的年代进行匹配，就可以测算出考古遗址的年代了。

孢粉学也揭示出了早期农业对环境的巨大影响。在农业发展的区域，都有一个标志性特征，即树木的花粉数量会减少，而谷物以及一些"投机取巧"的野草的花粉数量会增加——毒麦就是这样一种野草，它们往往和谷物生长在一起。

牵牛花（番薯属植物）的花粉粒表面布满刺毛，这有助于它粘在可以为它传粉的昆虫身上

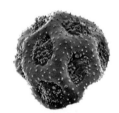

甜橙
（*Citrus sinensis*）

报春花
（*Primula sp.*）

天竺葵
（*Geranium sp.*）

欧洲赤松
（*Pinus sylvestris*）

玉米
（*Zea mays*）

油菜
（*Brassica napus*）

欧洲桦
（*Betula pendula*）

屋根草
（*Crepis tectorum*）

小麦
（*Triticum spp.*）

▲ **花粉图集**
通过这些花粉粒的实例，可以看出不同植物花粉形态的巨大差异。不同植物花粉粒的大小也各不相同，从5微米至500微米（1微米等于0.001毫米）不等。

航海与贸易

通过沉船陶器中的**花粉粒**，科学家可以知道船上装载过哪些货物；加固船身的树脂中的花粉，可以告诉我们这艘船是在哪里制造的。在法国沿海地区，科学家们发现了一艘具有2 000年历史的小型沉船。根据沉船中的花粉，科学家们发现这艘小船是在意大利东部制造的——这就意味着，这艘小船对外贸易的范围比人们预想的要大。

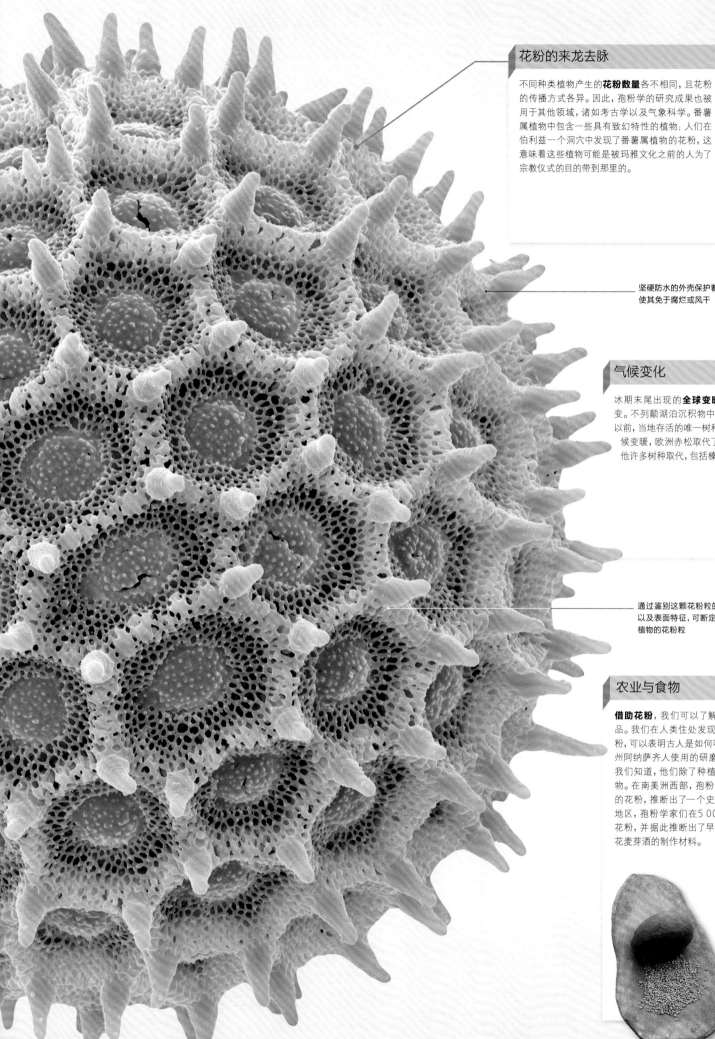

花粉的来龙去脉

不同种类植物产生的**花粉数量**各不相同，且花粉的传播方式各异。因此，孢粉学的研究成果也被用于其他领域，诸如考古学以及气象科学。番薯属植物中包含一些具有致幻特性的植物；人们在伯利兹一个洞穴中发现了番薯属植物的花粉，这意味着这些植物可能是被玛雅文化之前的人为了宗教仪式的目的带到那里的。

牵牛花

坚硬防水的外壳保护着花粉粒，使其免于腐烂或风干

气候变化

冰期末尾出现的**全球变暖**导致北半球的植被发生巨变。不列颠湖泊沉积物中的花粉表明，公元前9600年以前，当地存活的唯一树种是矮小耐寒的桦树。随着气候变暖，欧洲赤松取代了桦树，后来欧洲赤松又被其他许多树种取代，包括榛树、榆树和栎树。

通过鉴别这颗花粉粒的尺寸、形状以及表面特征，可断定这是番薯属植物的花粉粒

农业与食物

借助花粉，我们可以了解古人种什么植物、吃什么食品。我们在人类住处发现的草以及其他饲料植物的花粉，可以表明古人是如何喂养牲畜的。同样，新墨西哥州阿纳萨齐人使用的研磨石器上残留的花粉，可以让我们知道，他们除了种植玉米，还会采集多种野生植物。在南美洲西部，孢粉学家们依据在粪化石中发现的花粉，推断出了一个史前人的饮食结构。在苏格兰地区，孢粉学家们在5 000年前的陶器碎片上发现了花粉，并据此推断出了早期凯尔特农民所饮用的石楠花麦芽酒的制作材料。

石磨盘和砂岩

农民
驯化动物

动植物的驯化大致发生于相同的时期与区域。这一过程可能始于人类在狗的协助下对当地动物群的看守。最终，人类将动物圈养起来，喂养并保护它们。

人类驯化的动物是指在人类的管理下繁殖，由其野生祖先改造而来的动物。像大象和熊这类动物也可以被人类驯服，但驯服与驯化不同。驯服后的大象仍旧是野生动物，因为它们并不能完全适应新的生活状态。

适宜驯化的动物有一些共同特征。它们体形适中，便于人类管理；性情相对温和，有一定的社会性；性成熟早且繁殖率高。食草动物比食肉动物更适宜驯化，因为前者可以靠吃当地的植物生存。满足上述所有条件的大型哺乳动物只有 14 种，它们绝大部分都生存在欧亚大陆。

人类尝试过驯化其他动物，但是都失败了。比如野牛，虽然属于牛类，但是更具攻击性，移动速度也更快，弹跳高度可达 1.8 米。同样，斑马比普通的马更具有攻击性，周边视觉更灵敏，因此人们无法用绳子抓捕它们。瞪羚易于恐慌，一旦被圈养起来，就会把自己撞死。

动物的演变历程

农民开始按照自己的需求培育物种，动物离开了野生环境并开始发生变化。人类选择饲养体形较小的动物，因为这类动物易于管理；因此，人类驯化的牛就比其野生祖先西欧野牛身形更小。自然选择导致的物种进化也是一个因素——智力和长角等利于在野生环境中生存的特征不再是必要的了。人类驯化的动物不再需要畏惧捕食者，也不再需要去寻找新的食物源，因此它们的大脑也缩小了。

在野外，雄性哺乳动物比雌性哺乳动物体形更大，因为雄性往往要互相争夺雌性。而随着人类圈养的出现，这种争夺结束了，因为动物的繁殖开始由人类掌握。因此，雄性牛、绵羊和山羊的体形变得与雌性一致，长长的角也消失了。

这些动物对人类驯化的服从最终保证了它们在进化中取得成功。如今，地球上约有 14 亿头牛，而它们的野生祖先西欧野牛在 17 世纪就灭绝了。

> **适宜驯化**的动物**非常相似**，而**不宜驯化**的动物**各有不同**。

贾雷德·戴蒙德（Jared Diamond，生于1937年），美国科学家，《枪炮、病菌与钢铁》

▶ 野性难消

蜜蜂是半驯化的动物。通过人工选择，人类改变了蜜蜂的行为方式，使蜜蜂不再像野蜂那样倾向于蜇人和群体行动。人类饲养的蜜蜂仍旧会自主觅食，因此仍然具备在野外生存的能力。

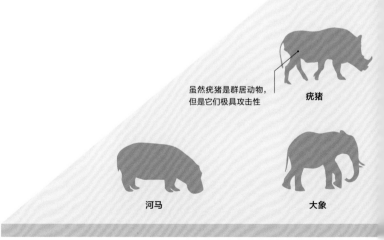

虽然疣猪是群居动物，但是它们极具攻击性

疣猪

河马

大象

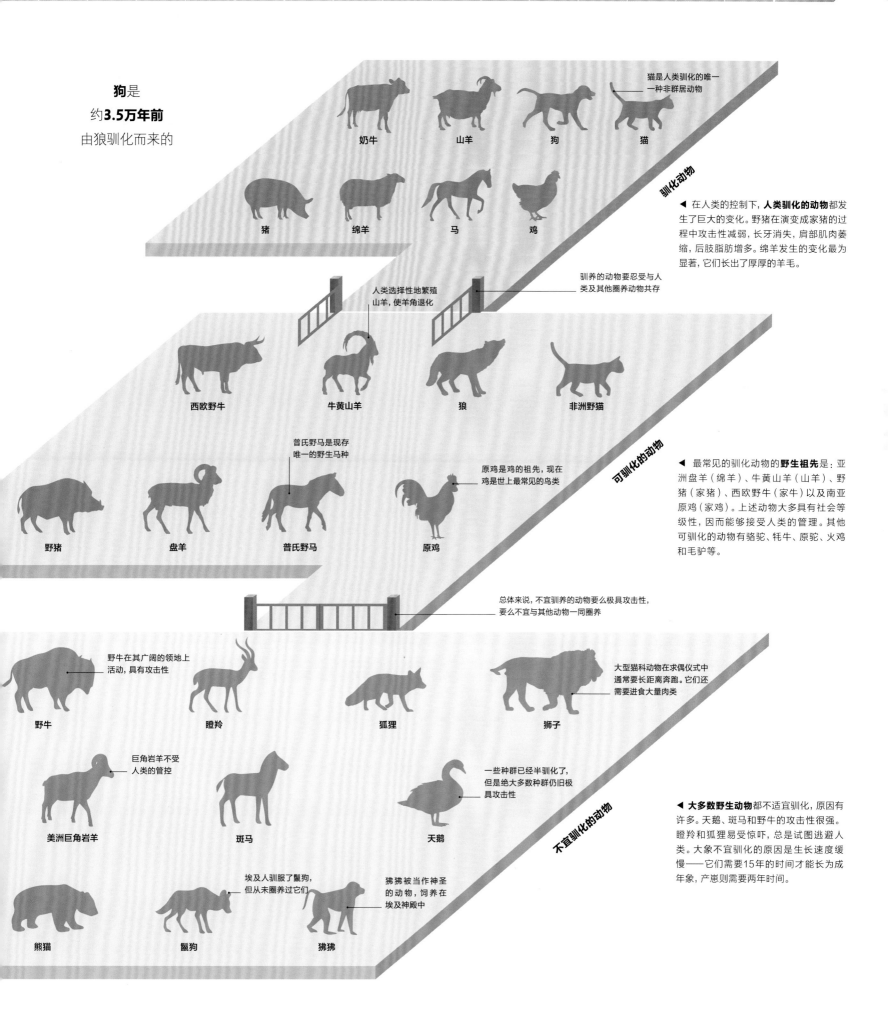

狗是
约**3.5万年前**
由狼驯化而来的

猫是人类驯化的唯一
一种非群居动物

奶牛　山羊　狗　猫

猪　绵羊　马　鸡

驯化动物

◀ 在人类的控制下，**人类驯化的动物**都发生了巨大的变化。野猪在演变成家猪的过程中攻击性减弱，长牙消失，肩部肌肉萎缩，后肢脂肪增多。绵羊发生的变化最为显著，它们长出了厚厚的羊毛。

人类选择性地繁殖山羊，使羊角退化

驯养的动物要忍受与人类及其他圈养动物共存

西欧野牛　牛黄山羊　狼　非洲野猫

普氏野马是现存唯一的野生马种

原鸡是鸡的祖先，现在鸡是世上最常见的鸟类

野猪　盘羊　普氏野马　原鸡

可驯化的动物

◀ 最常见的驯化动物的**野生祖先**是：亚洲盘羊（绵羊）、牛黄山羊（山羊）、野猪（家猪）、西欧野牛（家牛）以及南亚原鸡（家鸡）。上述动物大多具有社会等级性，因而能够接受人类的管理。其他可驯化的动物有骆驼、牦牛、原驼、火鸡和毛驴等。

总体来说，不宜驯养的动物要么极具攻击性，要么不宜与其他动物一同圈养

野牛在其广阔的领地上活动，具有攻击性

大型猫科动物在求偶仪式中通常要长距离奔跑。它们还需要进食大量肉类

野牛　瞪羚　狐狸　狮子

巨角岩羊不受人类的管控

一些种群已经半驯化了，但是绝大多数种群仍旧极具攻击性

美洲巨角岩羊　斑马　天鹅

不宜驯化的动物

◀ **大多数野生动物**都不适宜驯化，原因有许多。天鹅、斑马和野牛的攻击性很强。瞪羚和狐狸易受惊吓，总是试图逃避人类。大象不宜驯化的原因是生长速度缓慢——它们需要15年的时间才能长为成年象，产崽则需要两年时间。

埃及人驯服了鬣狗，但从未圈养过它们

狒狒被当作神圣的动物，饲养在埃及神殿中

熊猫　鬣狗　狒狒

公元前2000年，**玉米**从美洲中部传到了北美洲东部地区，改变了当地的农耕结构。

农业的
传播

农业在最初几个区域发展起来之后，开始向各个地区传播。这种新的生存方式在欧亚大陆的传播速度比在美洲更快，这是两块大陆的地理差异导致的。

　　农业的传播有两种方式。最常见的方式是，在人口增加、土地争夺的压力下，农民被迫离开家园，带着家畜和作物一路前行。第二种方式比较少见，狩猎采集部族会开始适应一部分新的生存方式。通过与农民交流，他们学会了驯养牛、绵羊和山羊，并开始放牧。

　　农业传播的速度不同，这是由不同大陆的轴线方向决定的。欧亚大陆东西向延伸，美洲大陆南北向延伸。对于农民来说，在相同纬度的区域内迁移作物和家畜更容易一些，因为这些区域的气候条件、季节、白昼长度、害虫以及疾病等方面都相似。然而，如果要跨纬度移植作物——就像美洲的玉米——作物就必须进化以适应不同的环境。

" 既然有那么多**野生蒙刚果**，我们为什么还要种植呢？ "

非洲卡拉哈里的布希曼人，引自理查德·李（Richard Lee，生于1937年），
《猎人以何为生》（*What Hunters Do for a Living*）

随着营养价值较高的玉米和豆类从美洲中部传播至此，农业在北美洲继续传播

北美洲东部
公元前2000年至前1000年

在玉米和豆类传播到北美洲东部之前，当地主要种植**西葫芦**、**南瓜**以及其他葫芦科植物。

美洲中部
公元前3000年至前2000年

美洲

安第斯山区
公元前3000年至前2000年

安第斯山区的农民种植土豆和藜麦

亚马孙河流域
公元前3000年至前2000年

亚马孙河流域的农耕可能发源于本地，也可能是从安第斯山区传播而来

西非，公元前3000年至前2000年

非洲的农耕可能开始于撒哈拉以南的三个区域之一

▲ **公元前9000年至前1000年的农业传播**
由这幅图展示的农业传播路径可见，农业在欧亚大陆沿东西向迅速传播；而在美洲和非洲地区，则是南北向传播，且传播速度相对较慢。目前，科学家仍旧无法确定撒哈拉以南的非洲农业是在哪个地区首先出现的。

图例

→ 农业的传播
→ 大陆轴线方向
▨ 最早的农耕地区，美洲
▨ 最早的农耕地区，欧亚大陆
▨ 最早的农耕地区，非洲
▨ 最早的农耕地区，中国
▨ 最早的农耕地区，大洋洲

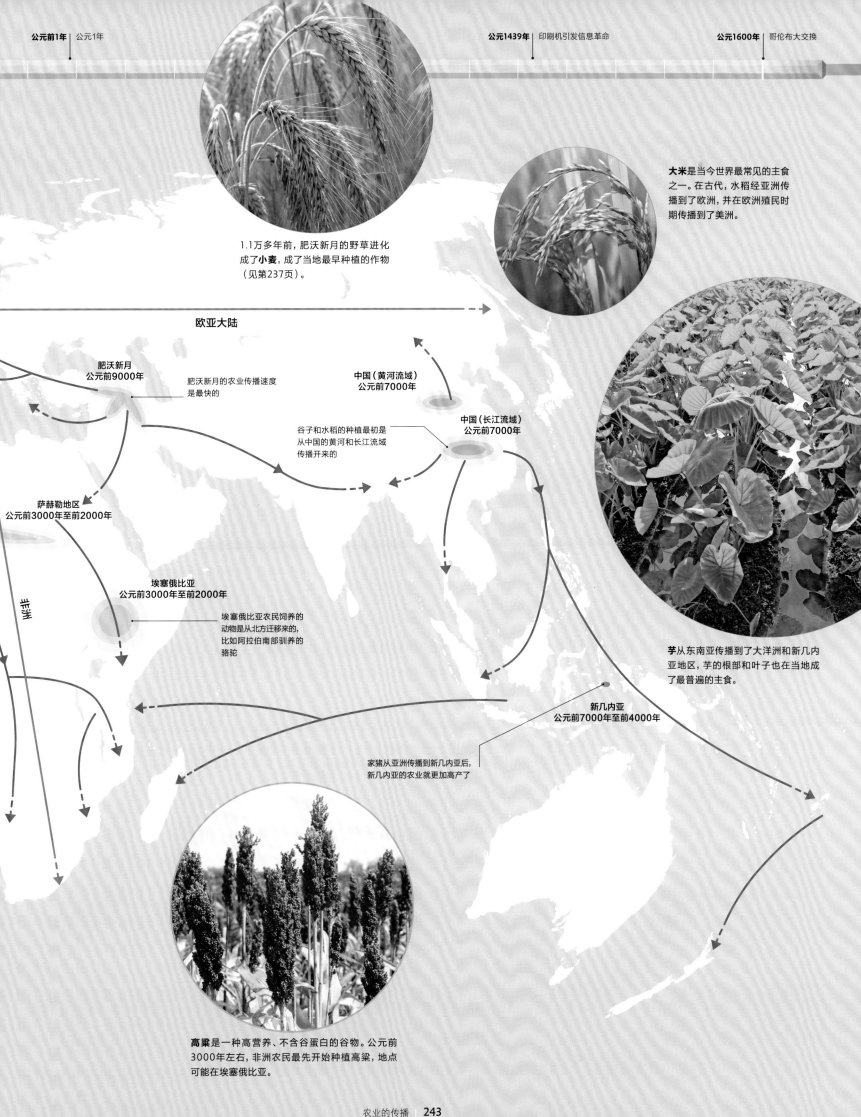

1.1万多年前，肥沃新月的野草进化成了**小麦**，成了当地最早种植的作物（见第237页）。

大米是当今世界最常见的主食之一。在古代，水稻经亚洲传播到了欧洲，并在欧洲殖民时期传播到了美洲。

欧亚大陆

肥沃新月
公元前9000年

肥沃新月的农业传播速度是最快的

中国（黄河流域）
公元前7000年

谷子和水稻的种植最初是从中国的黄河和长江流域传播开来的

中国（长江流域）
公元前7000年

萨赫勒地区
公元前3000年至前2000年

埃塞俄比亚
公元前3000年至前2000年

埃塞俄比亚农民饲养的动物是从北方迁移来的，比如阿拉伯南部驯养的骆驼

芋从东南亚传播到了大洋洲和新几内亚地区，芋的根部和叶子也在当地成了最普遍的主食。

新几内亚
公元前7000年至前4000年

家猪从亚洲传播到新几内亚后，新几内亚的农业就更加高产了

高粱是一种高营养、不含谷蛋白的谷物。公元前3000年左右，非洲农民最先开始种植高粱，地点可能在埃塞俄比亚。

时间测量

农业的发展使得时间测量越发重要。因为农民需要知道何时犁地播种，何时收割。随着国家的出现，历法成了社会管理的一种方法。历法规定了工作时间，可以协调社会群体的活动。

狩猎采集部落通过季节性变化感知时间的变化，比如动物的迁徙以及水果和坚果的表皮在秋天所发生的变化。他们也通过天象来感知时间的流动，例如月亮的盈亏，太阳一日的运动以及星座规律性的重现，比如昴星团和猎户座一年内的变化。

历法之下的统治

农业需要进行长期规划，因此早期农民依据他们掌握的天文学知识，编写了最初的历法。在北半球，人们对地球的季节性运动尤为敏感，用立起的石头来记录一年中太阳升起和落下的轨迹。英国的巨石阵就是根据冬至日的太阳位置排列的。

历法的编写也有宗教目的。这项工作通常是祭司来做的，因为祭司既有时间，也有进行天文观测的能力。他们编写历法的目的是制定节期和占卜。预测日食和月食的能力尤其重要，因为这能够在关键时期将民众聚集在一起。历法后来有了更普通的用处——确定征税与征战的时间，安排商船的航期。

工作周

不同文化对时间的流逝有不同的理解。美洲中部居民，比如阿兹特克人，将时间视为事件重复发生的周期性规律，在这个规律中，世界被不断地毁灭和重建。

早期社会设计出了工作日和休息日的循环。在中国和埃及，一周是10天，在美索不达米亚地区，一周是7天。一天被分成若干小时，用时钟记录。最早的时钟有水钟和日晷。随着社会日益复杂，历法和时间对人类生活的影响也越来越大，而历法也不再限于度量自然周期，更多的是度量由人类和社会所规定的时间。

▶ 阿兹特克历法石
这块刻石可追溯至15世纪晚期或16世纪早期，上面刻画了墨西哥的阿兹特克人所理解的宇宙历史。

日轮周围有花纹和图案装饰

这个模型由青铜制成，只有一面镀金

▼ 太阳战车
这个发现于丹麦的模型制作于公元前1400年左右，反映了当时的人对太阳在天空中由马和战车拉动的想象。一位考古学家依据太阳战车上的图案，认为太阳战车可能有历书的功能。

刻石边缘的**符号**代表了宇宙的组成部分，包括各种天体、光线和金星

▲ 宇宙观测

这个拱形的构造建于15世纪20年代，是苏丹兀鲁伯建造的撒马尔罕天文台的一部分。借助这个构造，天文学家可以计算出每天日出和日落的时间，以及一年的长度。

中心是第五纪元太阳神托纳蒂乌（Tonatiuh）的面孔

围绕着面孔四周的**每个正方形**代表了此前的一个纪元和太阳，分别被命名为美洲豹、风、雨和水

包围着中心图案的结构代表了**第五纪元**太阳，也就是当时的纪元

这个**环形**上面雕刻了20种当时被阿兹特克人用来命名日期的符号

> 神灵让最先发现**如何辨认时间的人**感到困惑。

奥卢斯·格利乌斯（Aulus Gellius，约125—185），罗马作家，《雅典之夜》（*Attic Nights*）

动物的新用途

人类最初驯化动物的目的是获得肉食和皮毛。后来，农民发现动物也是一种可再生的资源，可以提供牛奶、羊毛和动力。这种使用动物的新方法被称为副产品革命。

副产品革命的第一件产品是牛奶。最早的证据可追溯至公元前七千纪，当时土耳其的陶器内部有储存过牛奶的痕迹。当时，成年人与婴儿不同，体内缺乏用于分解乳糖（牛奶中所含的主要糖类）的酶。但早期农民通过发酵加热过的牛奶来减少其中的乳糖含量，制成了酸奶和奶酪。发酵也是牛奶保鲜和储存的最佳方法。公元前5500年左右，中欧地区的人具备了耐乳糖的体质，能够消化牛奶，从而有了新的丰富蛋白质来源。乳糖耐受性在欧洲人当中非常广泛，后来也出现在了西非和亚洲的部分人群中。今天，大约有1/3的人可以饮用牛奶。

这个时期人类利用的另一个新产品是绵羊毛。人们将羊毛纺纱，制成纺织品。亚洲西部的农民选择毛发质量最好的动物饲养。因此，公元前7000年至公元前5000年间，绵羊逐渐进化出越来越厚的羊毛。

动力

动物提供的动力是最重要的副产品。自学会用火以来，动物动力是人类掌握的第一种动力源。公元前4500年左右，人们开始将毛驴作为驮畜饲养。后来，亚洲西部的农民利用牛来拉重物，一开始是用简单的橇板来拉的。随后，公元前3500年左右，人们发明了犁和车轮——轮子最初是设计用来制造陶器的——车轮与橇板拼接在一起就是拉货车了。在这一时期，人们也开始养马。

马为人提供了第一种快速的运输方式。马车使人类可以带着放牧的动物迁移，并得以在草木旺盛的欧亚大陆草原上生存下来——该地区不适宜种植作物。

▶ 拉力
双轮马车在欧亚大陆上快速传播开来，速度之快使后人很难辨别其发源地。这个具有4 000年历史的陶制牛车模型来自印度河文明。

> 这场……革命将**家养动物变成了高效的机器**，有了这种机器，人类能将**草转变为可利用的能量**。

大卫·克里斯蒂安（生于1946年），"大历史"历史学家，《时间地图》（*Maps of Time*）

挤奶时间

早期的挤奶场景中会出现小牛。在乳业发展早期，人们需要利用小牛让奶牛产奶。这块公元7世纪的石刻是在印度泰米尔纳德邦的一个石窟中发现的。

革新
提高产量

随着定居部落的人口数量增加，人们必须生产更多的食物。农民开始革新和创造新的农耕方式，比如使用犁和肥料。这些新技术能使农民提高生产率并增加产量。

借助两头耕牛和一把犁，一个农民耕一块田所用的时间比一队农民用挖掘棒所花的时间少得多。借助犁，农民才得以在坚硬的土壤上耕种，可耕地也大大增多。此外，犁地也可以快速有效地去除杂草。

犁是由挖掘棒改进而成的。农民可以拖着犁在土地上连续耕作。犁可能是在美索不达米亚地区发明的。我们在当地发现了一些画有犁的图像，时间可追溯到公元前四千纪。最早的犁是原始犁，犁头是木制的，因此犁沟很浅。为了提高效率，农民在使用原始犁的时候往往采取交叉犁地的方式，也就是犁地两次，第二次犁地的方向与第一次垂直。后来，农民对犁做了改进，将金属犁铧装在犁头处，用于切碎土壤。

公元前1世纪，中国人进一步改造了犁，在犁上安装了犁壁。犁壁是块弯刀片，作用是翻土，把杂草埋在下面并将营养成分翻到土壤表面。这种犁从欧亚大陆向西传播，公元7世纪传播到了欧洲。有了犁壁后，农民不用再交叉犁地，犁地的效率提高了一倍。

犁必须与役畜结合才能使用，役畜包括黄牛、水牛、马、驴和骆驼。美洲居民没有发明犁，因为这里驯化的动物不够强壮，不足以拉动这一装置。

改良土壤

使用役畜带来的一大好处是，它们的粪便使土壤变得肥沃了。美洲的农民虽然没有役畜，但他们发现了其他提高肥力的方式。秘鲁的印加人收集了大量的海鸟粪并将其撒入农田。海鸟粪是一种很好的肥料，因为它富含氮、钾和磷酸盐——这些都是农作物必需的养分。中国古代农民会在夜间收集人粪（因此被称为 nightsoil），将其用作肥料。

意想不到的后果

集约式农业有利有弊。虽然它可以提高收成，进而促进人口增长，但对于大多数人来说，食物仍旧短缺。没有休耕的集约式灌溉和农耕，最终会导致土壤变得贫瘠。人们经常会面临食物短缺和不时出现的饥荒问题，因而会营养不良、生病和夭亡。食物短缺还会造成社会混乱乃至战争，以及大规模的人口迁移和文化中断。

农民用**木柄**来控制犁的方向

▶ **早期的犁**

这个模型展示的是一位农民使用原始犁的样子，出土于埃及的一个坟墓，年代可追溯至公元前2000年左右。尼罗河的洪水在地表沉积了营养物质，因此不需要深翻土壤，只要松土播种就可以了。

木制犁头只会在土壤上留下浅浅的犁沟

牛拉犁的耕作方式不适用于**撒哈拉以南的非洲**。因为那里的牛容易感染**锥虫病**。锥虫病是一种致死的疾病，由**舌蝇**传播

▲ 尖端技术

埃及人利用装有石齿的木制镰刀来收割。他们割下作物的穗，将茎留在田里喂养牲畜。要获得更高的农业产量，就需要更多的人力，在有些地区，这就意味着需要奴隶。

> 买了两头耕牛，九岁的公牛。它们的力气用不完，最适合干活。它们不会打架，也不会破坏犁。

赫西俄德（Hesiod，约公元前700年），希腊诗人，《工作与时日》（*Works and Days*）

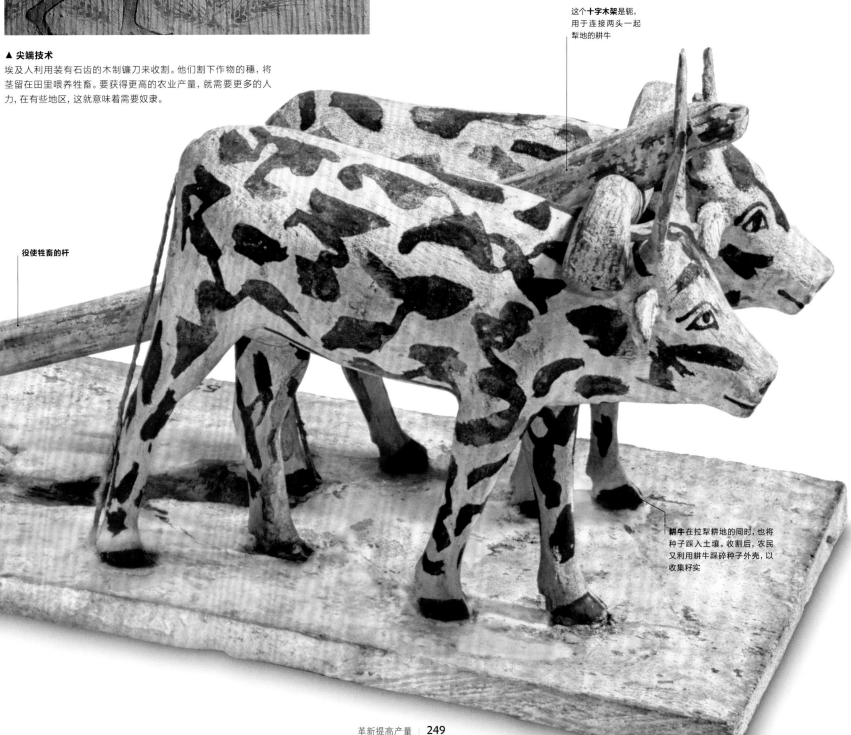

这个十字木架是轭，用于连接两头一起犁地的耕牛

役使牲畜的杆

耕牛在拉犁耕地的同时，也将种子踩入土壤。收割后，农民又利用耕牛踩碎种子外壳，以收集籽实

余粮
成为**动力**

农民的粮食有了盈余，就要找到合适的方式储存以备将来使用。早期城邦建立时，最重要的一件事就是搭建粮仓以储存余粮。这些余粮是一种财富：统治者会对其征税，将其用于贸易或奖赏忠心的臣民。

储存粮食的关键在于防鼠、防虫和保持干燥，这样可以避免粮食腐烂或发芽。非洲和欧亚大陆的许多部族在搭建粮仓时都会让地板高于地面，目的在于防鼠以及保证粮仓下方空气流通。埃及气候干旱，因此无须提升地板的高度。秘鲁的印加人将粮仓建在陡峭的山坡上，借助山风保持干燥。

大城镇需要测量和记录粮食的供应量，这就要求人们具备前所未有的组织和集中控制的能力。在埃及，人们利用容积4.8升的小桶赫卡特（hekat）来测量粮食的体积。从公元前1500年至公元前700年，赫卡特都是地中海东部广泛使用的标准计量单位。

中国人会测量粮食的重量。基本单位是一个成年男性可以用一个肩膀挑起的粮食重量（担）。在中国，考古学家发现了数百座大型储粮地窖，这些地窖可以追溯至隋唐时期（公元581年至907年）。这些粮仓墙壁上刻的文字记载了其中储藏的粮食的种类、数量、来源以及储存日期。

粮食与国力

有了国家粮仓，统治者不仅可以养活自己的军队，也可以养活工人，开展大规模的建筑工程，比如埃及的金字塔和中国的长城。在歉收的年份，粮仓则可以缓解饥荒。统治者意识到，持续的粮食供给对稳定民心至关重要。罗马皇帝每个月会免费向都城居民提供一定量的粮食，通常在谷神殿外分发。粮食是用大型船只从西西里岛和埃及运回来的，这两个地区在当时是罗马皇帝的私人领地。

工人们正在使用测量的桶

▶ 称量粮食
这个模型出土于一座埃及坟墓，展示了人们将一袋一袋的粮食搬进粮仓的场面。在模型的右半部分，工人正在用桶测量粮食的数量，另外有两个光头书吏正在往账本上记录收成。

> 我在粮仓中**为子民**储存了**成堆的粮食**。如果连续七年歉收，**子民们就可以吃这些粮食**。

《吉尔伽美什》，约公元前2000年

传统的粮仓

马里的多贡人（Dogon）现在仍旧生活在农业社会中。他们将谷子储存在高高的粮仓中。粮仓用黏土建成，底部由岩石垫高，茅草屋顶在雨季可以起到保护作用。

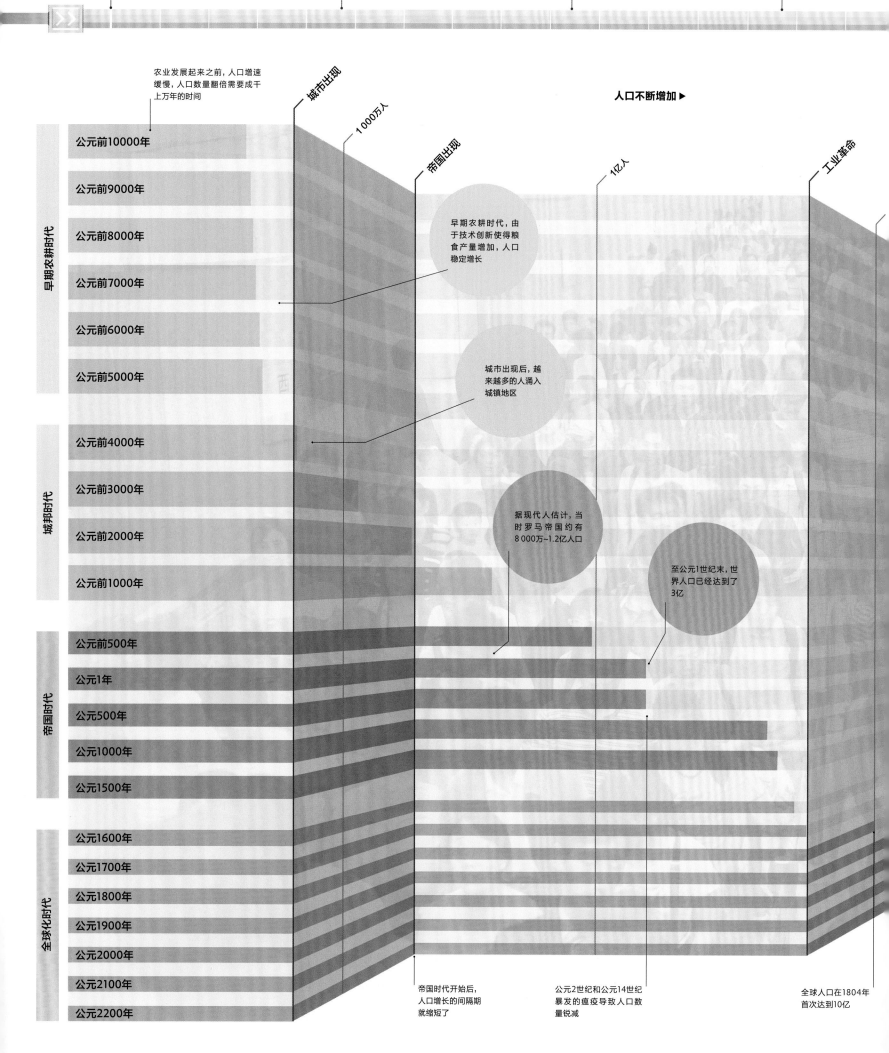

农业发展起来之前，人口增速缓慢，人口数量翻倍需要成千上万年的时间

城市出现

1 000万人

人口不断增加 ▶

公元前10000年

公元前9000年

公元前8000年

公元前7000年

帝国出现

公元前6000年

公元前5000年

1亿人

工业革命

早期农耕时代

早期农耕时代，由于技术创新使得粮食产量增加，人口稳定增长

城市出现后，越来越多的人涌入城镇地区

公元前4000年

公元前3000年

城邦时代

公元前2000年

公元前1000年

据现代人估计，当时罗马帝国约有8 000万~1.2亿人口

至公元1世纪末，世界人口已经达到了3亿

公元前500年

公元1年

帝国时代

公元500年

公元1000年

公元1500年

公元1600年

公元1700年

全球化时代

公元1800年

公元1900年

公元2000年

公元2100年

公元2200年

帝国时代开始后，人口增长的间隔期就缩短了

公元2世纪和公元14世纪暴发的瘟疫导致人口数量锐减

全球人口在1804年首次达到10亿

2015年, 全球人口的
出生率
是**死亡率的两倍多**

人口
增长

农业社会的兴起以及粮食的盈余导致了人口数量的增加。与狩猎和采集的生存方式相比, 即使是早期农业也可以养活其50倍至100倍的人口。农业革新, 比如犁和灌溉技术的出现, 更加速了人口的增长。

对于世界早期人口的数量, 目前有许多不同的推测: 公元前10000年, 世界人口数量为200万到1 000万之间; 公元前1000年, 世界人口数量为5 000万到1.15亿之间。且不论哪些数字是正确的, 人们就下列说法达成了共识: 该时期, 由于农业的发展, 世界人口数量激增。聚居地越来越多, 聚居地人口密度越来越大, 因此极易受到疾病和不时出现的饥荒威胁。曾有两个时期, 人口数量因为饥荒和瘟疫锐减: 一次发生在公元2世纪的罗马帝国统治时期, 另一次发生在14世纪的欧亚大陆。

"马尔萨斯周期"指的是人口增长的变化规律。18世纪, 经济学家托马斯·马尔萨斯提出, 食物供应永远跟不上人口的增长, 因此会导致饥荒和人口减少。马尔萨斯周期总是开始于某次革新: 比如说, 欧洲人改进了轭, 此后役畜能够拉出更深的犁沟, 因此可以提高生产率。随着农业技术的发展, 人口数量也增长了, 人口的增长导致耕地面积扩大。在人口数量增长的时期, 商业活动繁荣起来并带来了城镇的扩张, 于是城镇人口就需要更多的食物供给。人口数量越大, 新的想法和革新就越多, 然而最终, 在农业时代, 人口的增速会超过革新的速度, 随之而来的就是"马尔萨斯陷阱"。

新的食物

新的粮食作物的种植和传播也刺激了人口的增长。公元11世纪, 中国人开始种植一种新的早熟稻。这种水稻源自越南林邑国, 可以一年三熟。这种新型作物较耐干旱, 因此可以种植在高原地区, 扩大了稻的种植范围。这使得中国人口在10世纪至11世纪翻了一番。16世纪时, 中国从美洲引入了可在更高纬度生长的玉米和土豆, 进一步促进了人口的增长。

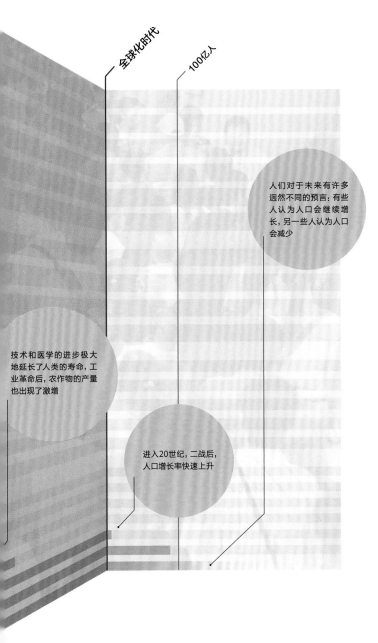

人们对于未来有许多迥然不同的预言; 有些人认为人口会继续增长, 另一些人认为人口会减少

技术和医学的进步极大地延长了人类的寿命, 工业革命后, 农作物的产量也出现了激增

进入20世纪, 二战后, 人口增长率快速上升

全球化时代

100亿人

▲ **人口增长**
公元1700年以前, 人口数量增长缓慢。自1750年左右至今, 人口一直保持快速增长。这要归功于农业革新、工业制造以及高产农作物——比如哥伦布大交换后的木薯和玉米——的广泛种植(见第296~297页)。

◄ 世界上大约**每五个人中就有一个中国人**。如今, 中国的人口数量与150年前的世界人口数量相当。据预测, 到2050年左右, 印度的人口数量会超过中国, 成为人口第一大国。

> **土地上叫嚣着的野兽**就是**增长的人口**。

E.O. 威尔逊(E.O. Wilson, 生于1929年), 美国生物学家, 《缤纷的生命》

芬顿的**花瓶**

陶器是考古学最重要的资源之一。有机物会腐烂，而陶器可以在地下长期保存。陶器为考古学家们研究古代文明的文化和技术提供了宝贵的线索。

这件装饰精美的陶罐 1904 年出土于危地马拉，展示了玛雅人的生活（玛雅文明存在于前哥伦布时期的美洲中部）。玛雅人曾经占据现在墨西哥东南部的大部分地区以及中美洲的北部地区。这只花瓶的年代可以追溯至公元 600 年至 800 年。许多玛雅时期的花瓶被用作贵族的陪葬品，这只也是。花瓶上描绘了宫廷生活的场景（这只花瓶描绘的是进贡），这为研究当时贵族的礼仪、信仰以及日常生活提供了宝贵的依据。

确定陶器年代的方法越来越精细了。19 世纪末，考古学家弗林德斯·皮特里（Flinders Petrie）利用不同风格的埃及陶器，发明了序列断代法。他记录了那些陶器的不同风格，并按照出土时它们埋藏的深度进行排序。如今，考古学家们在确定遗址年代时仍然会使用序列断代法。

目前，考古学家可以利用一项技术检测出制作陶器的黏土吸收电子的量，并据此对陶器的年代进行科学测定。在实验室中加热黏土，电子就会以光的形式释放出来。通过测算释放的光量，就可以推测出陶器是什么时候烧制的。当时的玛雅人制作陶器的黏土可能是从河谷中挖来的。今天他们的后人也是这么做的。人们对黏土的化学分析可以呈现出"化学足迹"。借助"化学足迹"，考古学家就可以查明黏土的来源。

特定风格陶器的分布也可以为研究贸易和迁徙提供线索。新石器时代的一个部族在公元前 2800 年至公元前 1800 年间迁移到了欧洲西部。他们制作的钟形杯风格独特，因此考古学家称他们为"大杯族"（Beaker，又称贝尔陶器文化）。人们在欧洲的多处墓葬里都发现了钟形杯，可见"大杯族"曾经四处跋涉。

雕纹刻着领主的
名字和称号

远古文字

玛雅花瓶上的象形文字往往包含了极其重要的信息。玛雅象形文字是美洲中部地区特有的一种复杂的文字系统。花瓶上每个场景通常都配有一组符号，记载了其所刻画的重要人物的名字和头衔。有些陶器的边缘部分也有文字，内容是给这些陶器的题词，以及对里面存放物的记录。

这位跪地的贵族呈上的
是一只海菊蛤贝壳

篮子中堆满了
玉米饼

领主精细复杂的头饰
是地位的象征

方格中的雕纹用于标明
场景中人物的身份

芬顿的花瓶上的这幅画描绘的是一位领主端坐于殿内的王座上，接受玛雅贵族的贡奉。他们佩戴的华丽头巾是各自地位的象征。人物旁边方格中的符号记录的是五个人物的姓名。领主的手指向一个装满玉米饼的篮子，篮子下方是许多布。在他身后，一名书吏正在对贡品进行记录。

书吏在一本折叠账本上
记录下这次交流

画上的人物都身着华
服，佩戴珠宝和鲜花
装饰的头巾

红色黏土条用于刻画细节

这只花瓶是怎么做的?

早期的陶器是用一圈圈黏土黏合而成的,或是用捶打成板状的黏土拼接而成的。到了公元前3400年,在美索不达米亚地区,人们发明了用于制作陶器的陶轮。早期的陶轮是用手转动的,速度较慢;后来出现了脚动陶轮,陶器就可以飞速旋转了,这使得陶工可以大批量地制作陶器。从那以后,制陶成了一项专业的工艺,陶工通常是男性。芬顿的花瓶很可能是手工制作的,可能使用了线圈技术。因为当时美洲仍旧处于前哥伦布时代,还没有出现陶轮。

正在使用陶轮的
古埃及人

做标记

玛雅人用有色的黏土条来装饰陶器。这种有色黏土条是由黏土和矿物混合而成的,烧制时可以与陶器融合。芬顿的花瓶上用了红色和黑色的黏土条。就像这只欧洲钟形杯一样,最初陶器上的图案是嵌进去的。

钟形杯

来自古代的食物

陶器中往往含有曾经存放的食物的残渣,它们极其微小,只能通过显微镜观察,为我们了解古代人的饮食提供了线索。芬顿的花瓶等玛雅陶器中的碎屑表明,它们曾存放过巧克力。下面图片上的这个盛着面条的碗是2005年在中国出土的,已有4 000年的历史了。通过对面条中所含的淀粉进行分析,人们发现这些面条是用谷子做的。

世界上最古老的面条

早期
村落

随着农业生产力日益提高，人类开始长久地聚居一地，就此形成了村落。除了农耕之外，手工业也蓬勃发展起来，地区性的贸易网络由此形成。

早期村落中最古老、面积最大的是位于土耳其中部的加泰土丘（Catal Höyük），这个村落存在的时期为公元前 7300 年至公元前 5600 年之间。该村落面积有 13 公顷，有数千人居住。加泰土丘是世界上第一座真正意义上的城镇。另一座早期城镇是位于约旦的艾因加扎勒（Ain Ghazal）。这座城镇大约建于公元前 7200 年，面积略小于加泰土丘。

早期城镇居民的生活

这些早期城镇中的居民都是农民，他们还会饲养成群的家畜——加泰土丘的农民养绵羊，艾因加扎勒的农民养山羊。两个城镇的农民都种植了小麦、大麦、豌豆和小扁豆。此外，他们还捕猎野生动物，比如野牛、鹿和瞪羚。

这些早期的城镇相互之间可能没有太多联系，唯一的联系或许来自贸易路线。我们无从得知他们是否与周边的狩猎采集部族互相来往，如果周边存在这种部族的话。贸易的发展推动了新的手工业和新技术的进步。城镇的专业工匠后来创造了这些重要的新发明：犁、轮子、青铜工具。

这些城镇是城市生活的早期实验，发展方式各不相同。两个城镇的建筑都是矩形的，密集地建造在一起。艾因加扎勒的房子带有庭院，房子之间有狭窄的过道，通过门廊可以进入建筑。而加泰土丘的房屋则是相连的，中间没有过道，要借助梯子从屋顶的天窗进出。

艾因加扎勒的房屋大小差异巨大，这意味着居民之间存在贫富差距。然而，没有证据表明加泰土丘的社会存在等级：住宅、公共建筑甚至公共露天场所的高度都是一致的。这里的人们似乎非常平等。

> 这里制作的几乎每样东西的**品质和精细度**都是同时代的近东地区**所不及**的。

詹姆斯·梅拉特（James Mellaart, 1925—2012），英国考古学家

这尊16厘米高的黏土人像出土于加泰土丘，描绘了一位女性，她的两侧各有一只豹子

考古学家认为，这尊人像代表的是一位主宰世界生育的母亲女神

女神石像

织布机织出了结实耐穿、色彩丰富的纺织品

果树等野生树木为人类提供了额外的食物来源

房屋地板下面是坟墓。尸体被秃鹫吃掉后，骨架会埋在这里

装饰精美的内壁

墙壁先抹上白色的黏土，然后绘上几何图案或是狩猎场景

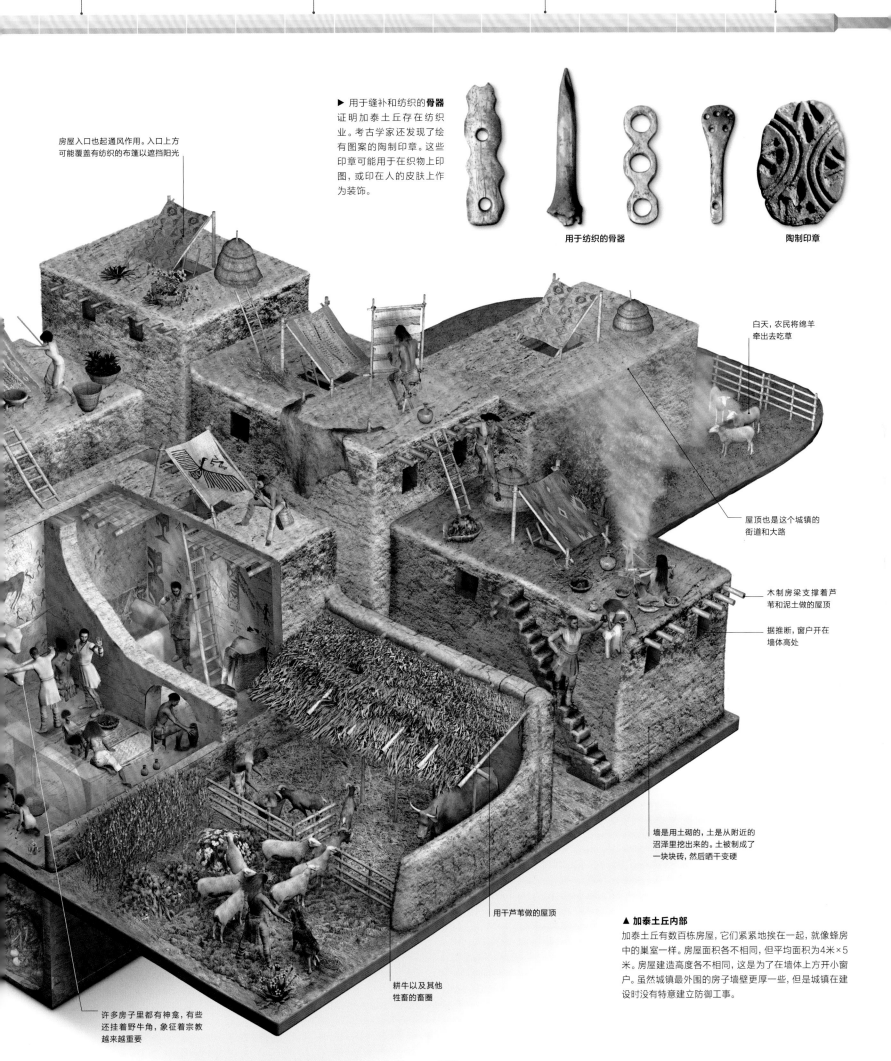

▶ 用于缝补和纺织的**骨器**证明加泰土丘存在纺织业。考古学家还发现了绘有图案的陶制印章。这些印章可能用于在织物上印图，或印在人的皮肤上作为装饰。

用于纺织的骨器

陶制印章

房屋入口也起通风作用。入口上方可能覆盖有纺织的布篷以遮挡阳光

白天，农民将绵羊牵出去吃草

屋顶也是这个城镇的街道和大路

木制房梁支撑着芦苇和泥土做的屋顶

据推断，窗户开在墙体高处

墙是用土砌的，土是从附近的沼泽里挖出来的。土被制成了一块块砖，然后晒干变硬

用干芦苇做的屋顶

▲ 加泰土丘内部

加泰土丘有数百栋房屋，它们紧紧地挨在一起，就像蜂房中的巢室一样。房屋面积各不相同，但平均面积为4米×5米。房屋建造高度各不相同，这是为了在墙体上方开小窗户。虽然城镇最外围的房子墙壁更厚一些，但是城镇在建设时没有特意建立防御工事。

耕牛以及其他牲畜的畜圈

许多房子里都有神龛，有些还挂着野牛角，象征着宗教越来越重要

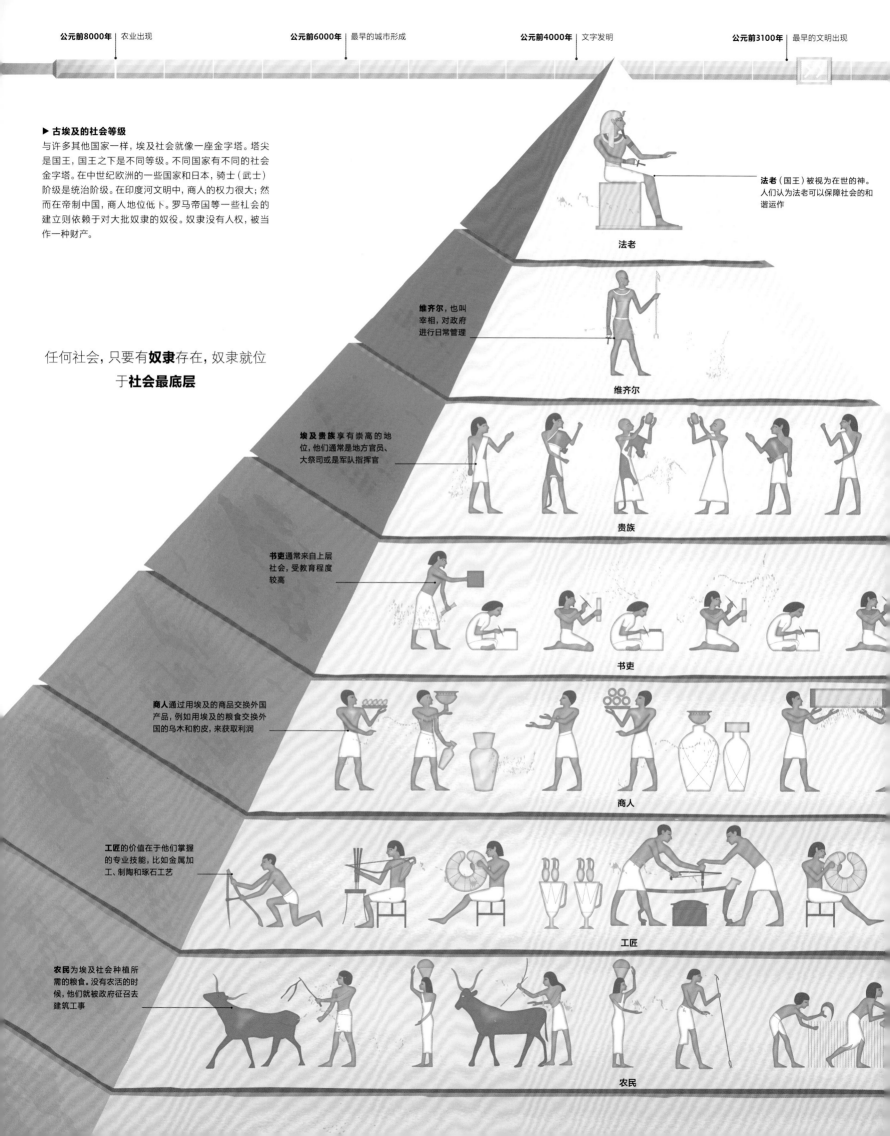

▶ 古埃及的社会等级

与许多其他国家一样，埃及社会就像一座金字塔。塔尖是国王，国王之下是不同等级。不同国家有不同的社会金字塔。在中世纪欧洲的一些国家和日本，骑士（武士）阶级是统治阶级。在印度河文明中，商人的权力很大；然而在帝制中国，商人地位低下。罗马帝国等一些社会的建立则依赖于对大批奴隶的奴役。奴隶没有人权，被当作一种财产。

任何社会，只要有**奴隶**存在，奴隶就位
于社会最底层

法老（国王）被视为在世的神。人们认为法老可以保障社会的和谐运作

法老

维齐尔，也叫宰相，对政府进行日常管理

维齐尔

埃及贵族享有崇高的地位，他们通常是地方官员、大祭司或是军队指挥官

贵族

书吏通常来自上层社会，受教育程度较高

书吏

商人通过用埃及的商品交换外国产品，例如用埃及的粮食交换外国的乌木和豹皮，来获取利润

商人

工匠的价值在于他们掌握的专业技能，比如金属加工、制陶和琢石工艺

工匠

农民为埃及社会种植所需的粮食。没有农活的时候，他们就被政府征召去建筑工事

农民

社会的
组织化

随着人口不断增加，人类不得不开始学着与周围的大量陌生人和平共处。新的社会组织形式出现，并最终形成了国家。在国家中，国王的地位最高，掌控着其他社会阶级。

▲ 母亲与孩子

在公元前100年至公元250年间，墨西哥的哈利斯科人（Jalisco people）制作了许多母亲怀抱婴儿的陶像，反映了女性在社会中的主要角色。

细致的记录对国家的运转至关重要。贵族的书吏会得到财富和权力作为奖励

狩猎采集者通常生活在 25 ～ 60 人的群落中，彼此之间由家庭婚姻纽带相连。群落内部是平等的，没有领导。有些成员会因为有智慧或是在狩猎和采集方面技能高超而更受尊重。男人和女人也是平等的，因为他们都会创造食物。男人主要通过打猎获取食物，女人则通过采集。

随着农业的出现，人们开始定居在较大的群落中，渐渐形成了部落。一个部落可包含上千人。维系部落的纽带是他们的信仰：认为子孙皆有共同的祖先。早期的部落社会是平等的，大家共同做决定。许多部落中都会有个"大人物"，他的意见非常重要。但是他的地位主要是来自人格魅力，而非继承。

但是，一旦部落人口过千，人们就不得不开始跟那些与他们没什么血缘关系的陌生人住在一起了。有权力的酋长可以维持和平，在使用武力方面具有垄断权。部落成员向酋长交纳贡品，酋长将这些贡品再分配给他的追随者，由此产生了不同的阶级。亲属关系依旧重要，但是酋长所在的宗族被认为是更优越的家族。

早期的国家

人口数量超过两万后，国家就出现了。因为亲属关系无法维系人口如此庞大的部落。国家的组织结构就像一个金字塔。塔尖是权力至高无上的统治者，其下则是不同阶级形成的层级结构，比如祭司和行政官员。人数最多的阶级是农民。可以说，是农民的劳动创造了剩余价值——整个体系建立的基础。然而，他们却位于金字塔的最底部。

社会从和平的工作中出现了。社会的核心就是**维护和平**。

路德维希·冯·米塞斯（Ludwig von Mises, 1881—1973），奥地利经济学家

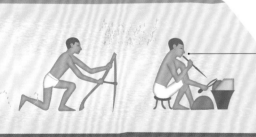

埃及工匠阶级内部也有分级：为贵族服务的工匠的社会地位高于普通的工匠

父权制的出现

随着人类的劳动方式从狩猎和采集向农耕转变，女性逐渐失去了她们在部落中的平等地位并开始受到男性的控制——这一体系被称为父权制。男性成了食物和收入的创造者，女性则与家庭捆绑在一起，负责生养下一代。许多国家禁止女性拥有财产，并赋予丈夫或父亲合法控制女性的权利。在一些社会当中，男性可以拥有多名妻子。人们更希望生儿子，因此会杀死女婴。

战俘

这幅玛雅壁画可追溯至约公元790年。画中展示了波南帕克（Bonampak）国王Chan Muwan（图画中间）庆祝从敌对城邦捕获战士的场景。这些战俘原来象征高地位的衣服被脱了下来，指甲也被拔掉了，这象征着国王的优越与权力。

统治者
出现

随着社会规模不断扩大，亲属间的集体决策开始转向自上而下的强制统治。新的统治者被称为首领或国王，他们会利用武力巩固地位，向臣民索取贡品。

统治者的权力是通过对贡品的再分配取得的。统治者给精英阶层分配武装和财富，由此产生了武士和贵族；与此同时，大量平民被解除了武装。

为什么大多数人会服从小部分人的统治？最开始可能有一些自愿的因素：人们自愿放弃权力以融入组织，换取安全和保护。另一种可能是，他们纯粹是由于受到了强迫才服从暴虐无情的高层的。

神明的支持

统治者往往借助超自然的说法使王权合理化。在此过程中，统治者的福祉被宣扬为社会的根本。比如说，埃及法老被认为是天空之神荷鲁斯（Horus）在人世的化身，中国的帝王称自己拥有"天命"，玛雅国王宣称自己是神灵的后裔，而他们的神灵祖先被认为拥有统治生灵的权力。臣民在接近国王时，需要做出恭顺的姿势，比如鞠躬或是拜倒。

波利尼西亚首领有许多宗教禁忌，甚至禁止臣民接触他们的影子。如果触犯禁忌，臣民就破坏了首领的神圣力量或法力，而这种行为被认为会威胁全体国民的安危，因为首领的法力对于维持社群的安全至关重要。

各个国家的统治者彰显权力的方式是相似的。座椅（宝座）高高在上，统治者本人则佩戴着高高的头饰，手持华丽的权杖。埃及法老手持牧羊人的曲柄杖和一个连枷，象征着国王对其臣民扮演的"牧羊人"的保护性和强制性角色。

打胜仗也是统治者得到了神明帮助的标志。在公共艺术中，国王常常要求画师将自己描绘成战胜敌人的形象。而被打败的敌人则通常赤身裸体，意在凸显其卑下无能。

▼ 国王的棺材

法老图坦卡蒙（约公元前1327年）的棺材上覆盖着象征王权和神灵般地位的装饰。棺材是用金子制作的，金子被视为神灵的肉身；棺材内部饰有蓝色的珐琅。

眼镜蛇和秃鹫代表了法老睥睨埃及众生的至高无上的权力和权威性

只有法老才可以佩戴条纹亚麻头饰（nemes）

曲柄杖象征着法老牧羊者或者叫保护人的身份

仪式性的假胡须是神的象征

连枷是用来鞭打家畜的鞭子，象征法老拥有惩罚的权力

法律、秩序与正义

庞大而复杂的社会需要一套客观的规则来管理人们的行为，和平解决纷争。最初，法典是由统治者编撰的，是统治者控制社会的一种手段。后来，人人都应平等的观念出现了，人们产生了道德感。

农业出现后，人口增长，争端也更多了。狩猎采集部落通常没有私有财产的意识，而农民则不同，常常因土地、财产、水域使用权、继承以及其他事情产生矛盾。

法治尚未发展之时，如果家族中有成员作恶，家族有责任惩罚此人。如果某人犯了错，如杀了人，但家族没有施以惩罚，那么整个家族都会因此蒙羞。但是这会引起一连串的暴力、血仇，甚至可能会涉及数代人。历史上，血仇在社会中很普遍，甚至成了希腊神话、冰岛传说和日本武士故事的题材。

皇家法典

国家出现后，统治者很快垄断了使用暴力的权力。为了和平解决争端、减少世仇，他们编写法典，以惩治犯罪行为，规定犯罪者向受害者应予的赔偿。

▶ 证据

证据是可证事实成立的基础和关键。现代的证据法受到了罗马法惯例的影响。早期，证据主要是口头上的，偶尔会有成文的证据，但物证相当少。

现存最早的法典是苏美尔的《乌尔纳姆法典》，可追溯至约公元前 2100 年。法典中列举了各种赔偿数额，广泛涵盖了各种具体的伤害。例如："如果某人砍下了他人的一只脚，那么他就要赔偿给受害者十谢

克尔的白银。"

最著名的早期法典是《汉穆拉比法典》。汉穆拉比（公元前 1792 年至前 1750 年在位）是巴比伦的国王。他派人将 282 条法律刻在了 2.25 米高的锥形石柱上，把石柱置于巴比伦的中心，以便所有人都能看到它。《汉穆拉比法典》最有名的法条是"如果某人将他人的眼睛挖出来，那么他的眼睛也应被挖出（以眼还眼）"。

在石柱顶端，汉穆拉比宣称他是受上帝的委任"将正义带到人间，惩奸除恶，以免有人恃强凌弱"。他表示，如果有人感觉自己受到了侵害，那么他应该走到石柱前，大声读出法条："看看他可以使用的法律，让他内心得以平静。"

对汉穆拉比这样的国王来说，维护正义是赢得民心的方法。在没有打仗也没有举行宗教仪式的时候，许多古代的统治者

> **法律**凌驾于一切之上，**神与人**都要服从。

克律西波斯（Chrysippus，约公元前 279—前 206），希腊哲学家，《法律论》（On law）

会花许多时间听取申诉、裁断纷争。

根据普鲁塔克（Plutarch）的记载，马其顿国王德米特里一世（Demetrius I）在旅行时遇到了一位老妇人，她走到他面前，希望被倾听。国王回答说，他太忙了，没有时间。结果，老妇人斥责道："那就别当国王！"老妇人的批评使国王很震惊。他停下来，在接下来的几天都留在那里，倾听老妇人以及其他所有需要被倾听的人。普鲁塔克总结道："的确，做一个国王，最重要的任务就是弘扬正义。"

神之律法

道德宗教的出现为法律赋予了新的意义。许多罪行不再被视为对社会和个人的危害，而被视为对神的亵渎。希伯来律法对社会生活的方方面面进行了规定。犹太人认为，这部律法是上帝交给摩西的。其中最重要的律法是"摩西十诫"。摩西十诫被刻在位于耶路撒冷圣殿中央的石碑上。

与摩西十诫相似，伊斯兰教法（Sharia）也对社会生活的方方面面进行了规定。伊斯兰教法是依据《古兰经》（关于先知穆罕默德的经典）和"法特瓦"（fatwa，伊斯兰教法学家所做的裁决）制定的。在阿拉伯语

中国人的哲学

在中国，自公元前 6 世纪开始，两种截然不同的思想发展起来。这两种思想基于对人性完全相反的观点。哲学家孔子认为，如果当权者能够以身作则、树立榜样，那么臣民就会行为端正。他说："道之以政，齐之以刑，民免而无耻。道之以德，齐之以

盎格鲁-撒克逊法典中列出了
小至**失去指甲**的
每种伤害需要赔偿的金额

礼，有耻且格。"

然而，法家反对儒家思想。法家认为，人生而贪婪、自利且懒惰。因此，他们提倡通过严苛的法律和残酷的惩罚来规范人的行为。公元前 4 世纪，秦国采纳了法家思想。商鞅在秦国地位相当于宰相，他写道："有不行王法者，罪死不赦，刑及三族。"商鞅最终失宠，并且受到了自己制定的严苛法律的惩罚。公元前 338 年，他遭车裂而亡，并被灭族。

法家思想帮助秦王建立了专制统治，

合二为一。强调仁义与孝道的儒家思想成为汉朝的治国理念，然而，支撑这一理念的是法家思想下严酷的惩罚措施。"儒表法里"就是这个意思。自此之后，法家思想就一直是中国统治的核心。

罗马法

最早把法律视为科学的是罗马人。法学家们会对法律及其实施的原则进行分析。罗马法学家认为，一项法律的内涵和目的比法条的精准措辞更重要。另一条原则认为，存疑时应有利于被告。

罗马人在几百年间撰写了大量的罗马法律和法律评论。它们常常相互矛盾，是律师和法官的研究对象。公元 528 年至 533 年，罗马皇帝查士丁尼将法律数量缩小到了可控规模。查士丁尼委任一组专家，将当时所有罗马法收集成册，形成了《民法大全》。此外，他们还编辑法律解释，删除了其中重复和矛盾的地方，由此编撰了《法学汇编》一书。《查士丁尼法典》（《民法大全》）传播到了西方。在西方，自 11 世纪起，《法学汇编》成为一代代律师的教科书。后来许多法典都受到《查士丁尼法典》的影响，其中包括 1804 年的法国《拿

正义乃是使**每个人获得其合法权益**的持续有效的处置方式。

 乌尔比安（Ulpian），法学家，引自查士丁尼的《法学汇编》，约公元533年

中，Sharia 是"通途"的意思。在一些伊斯兰国家，伊斯兰教法延续了传统的做法——"以眼还眼"。2009 年，伊朗一个伊斯兰法庭就曾允许一位被泼洒硫酸以致失明的妇女向行凶者的眼睛泼洒硫酸。她选择了宽恕，并说："如果我真的这么做，我将再次遭受折磨和烧灼。"

并征服了周边的国家。公元前 221 年，秦始皇统一了中国，并且在全国实施法家制度。刑罚采用连坐制，一人有罪，祸及亲邻。儒家著作成为禁书。因为秦始皇的暴虐统治，在他去世四年后，也就是公元前 206 年，秦朝就灭亡了。

汉朝取代了秦朝。汉武帝（公元前 141 年至前 87 年在位）将儒家思想和法家思想

破仑法典》。意大利作家亚历山德罗·登特列夫（Alessandro d'Entreves）在他 1951 年出版的《自然法：法律哲学导论》一书中写道："《民法大全》是仅次于《圣经》的、在人类历史上留下深刻印记的书。"

文字
书写

随着农业的发展和贸易规模的扩大，人们需要进行精确的记录，这促使一些早期文明发明了文字系统。很快，文字有了许多新用途，比如撰写法典、宗教经文、大事年表，传播科学以及创作文学。

文字始于约公元前 3300 年，在埃及和美索不达米亚地区成为记录重要信息的方式。起初，只有统治阶级才使用文字。因为原始的文字体系中包含大量的符号，而只有一小群贵族和书吏能够完全掌握它们。

腓尼基人用不到 30 个符号代表了不同的发音，发明了字母表。字母表的发明促进了识字率的提高。书吏不再是唯一识字的群体。公元前一千纪，字母表随着腓尼基商人的活动传遍了地中海沿岸。后来，希腊人和罗马人对腓尼基字母稍加改动，形成了自己的字母表。书写逐渐用在了日常生活

当中，例如写信、写购物清单、标记物品所有者等。

书本成了集体学习的重要工具：知识不仅可以在不同文化间共享，还可以传承给后代。书本被收集在古代图书馆中，其中最有名的当属位于埃及的亚历山大图书馆。自公元前 3 世纪开始，这座图书馆就是希腊治学的中心。数学家埃拉托斯特尼曾任该图书馆馆长。约公元前 200 年时，他精确地计算出了地球的周长。

今天，正是通过那些保存下来的希腊文和拉丁文作品，我们才能了解埃拉托斯特

> 我们必须⋯⋯感谢**我们的祖先**，因为他们没有让一切都默然消逝，而是**记录下了所有奇思妙想**。
>
> **维特鲁威**（Vitruvius，约公元前80—前15），罗马建筑师，《建筑十书》

尼。这些作品在罗马天主教会和拜占庭帝国的保护下度过了中世纪，并被伊斯兰学者翻译成了阿拉伯语。

活字印刷术使人们可以以较低的成本批量印书，这使得识字率再次大幅度提高。欧洲第一部印制作品是公元 1455 年约翰内斯·谷登堡印刷的《圣经》。公元 1500 年，欧洲每年会印制 1 000 万到 2 000 万卷书，共 3.5 万种。

▶ 爱的记忆
文字发明后，逝者的名字就可以被记录下来。这块也门出土的墓碑（纪念石）上刻有古南阿拉伯字母。这种字母使用于公元前 9世纪至公元 6 世纪。

▶ 精美的读物
印刷术出现之前，只有有钱人买得起书。那时的书装帧精美，不仅是读物，而且可以带来美的享受。这本15世纪的手写祈祷书，或称"时祷书"（book of hours），是用拉丁语写成的，因此其读者有限。

中世纪的书以其精美的装帧而备受珍视。也正因如此，在人们不再使用拉丁语后，这些用拉丁语写成的书仍旧能够保存许久

花体字的首字母代表篇章分节
或是强调重点章节

图片是辅助阅读的手段，帮助
读者更好地理解文字

大小写字母的区分
出现于公元8世纪

正文是在绘制插图之前
用手写的

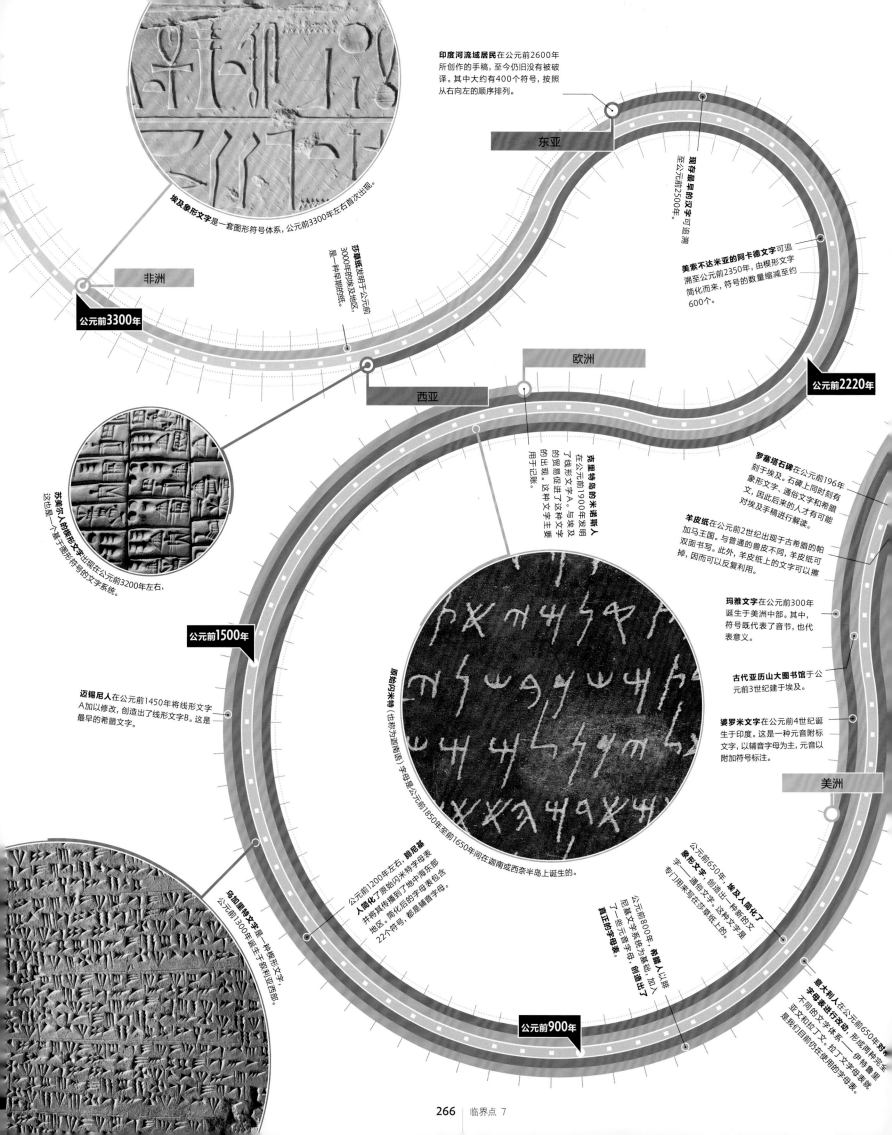

印度河流域居民在公元前2600年所创作的手稿，至今仍旧没有被破译。其中大约有400个符号，按照从右向左的顺序排列。

东亚

现存最早的汉字可追溯至公元前2500年。

美索不达米亚的阿卡德文字可追溯至公元前2350年，由楔形文字简化而来，符号的数量缩减至约600个。

非洲

莎草纸发明于公元前3000年的古埃及地区，是一种早期的纸。

埃及象形文字是一套图形符号体系，公元前3300年左右首次出现。

公元前3300年

公元前2220年

欧洲

西亚

苏美尔人的楔形文字出现在公元前3200年左右，这也是一个基于图形符号的文字系统。

克里特岛的米诺斯人在公元前1900年发明了线形文字A。与埃及的贸易促进了这种文字的出现。这种文字主要用于记账。

罗塞塔石碑在公元前196年刻于埃及。石碑上同时刻有象形文字、通俗文字和希腊文，因此后来的人才有可能对埃及手稿进行解读。

羊皮纸在公元前2世纪出现于古希腊的帕加马王国。与普通的兽皮不同，羊皮纸可双面书写。此外，羊皮纸上的文字可以擦掉，因而可以反复利用。

玛雅文字在公元前300年诞生于美洲中部。其中，符号既代表了音节，也代表意义。

古代亚历山大图书馆于公元前3世纪建于埃及。

婆罗米文字在公元前4世纪诞生于印度。这是一种元音附标文字，以辅音字母为主，元音以附加符号标注。

公元前1500年

迈锡尼人在公元前1450年将线形文字A加以修改，创造出了线形文字B。这是最早的希腊文字。

原始西奈特（也称为迦南语）字母是公元前1850年至前1650年间在迦南或西奈半岛上诞生的。

美洲

公元前650年，埃及人简化了象形文字，创造出一种新的文字——通俗文字。这种文字专门用来写在莎草纸上的。

公元前800年，希腊人以腓尼基文字系统为基础，加入了一些元音字母，创造出了真正的字母表。

公元前1200年左右，腓尼基人简化了原始闪米特字母表，并将其传播到了地中海东部地区。简化后的字母表包含22个符号，都是辅音字母。

乌加里特文字是一种楔形文字，公元前1300年诞生于叙利亚西部。

意大利人在公元前650年对字母表进行改动，形成两种不同的文字体系——伊特鲁里亚文和拉丁文。拉丁文字母表就是我们如今仍在使用的字母表。

公元前900年

266 ｜ 临界点 7

大事年表

文字的
演变

早期文明开始用象形符号进行交易记录时，书写就出现了。苏美尔和埃及的象形符号可以代表单词、意义和读音。

不同的书写材料发展出了不同的文字系统。苏美尔人的楔形文字笔画呈楔形，因为他们的书写方法是将削尖了的"笔"插入柔软的黏土中。汉字呈现出行云流水的姿态，因为最初中国人是用毛笔在竹简上书写的。埃及东部的部族居民将约 30 个象形文字进行改造，创造出了字母表，用字母代表发音。最早的字母表仅有辅音字母。后来，希腊人加入了元音字母。

确定文字系统出现的年代并非易事，因为这取决于古代文献的保存情况，而这完全是偶然事件。苏美尔人的泥板保存了数千年，然而中国人早期书写在竹简上的文字已经无迹可寻。

爱尔兰地区的**欧甘字母**诞生于公元4世纪左右。这种字母十分独特，它是刻在石头上的竖直的符号。

公元1世纪，**中国人**将纸放在刻好的木版上，**发明了印刷术**。

已知最晚的象形文字发现于公元394年的一座埃及神庙中。

公元5世纪，**日本人改造汉字**，还创造了两种音节文字系统（字假名和片假名），由此拥有了三种文字系统。

公元1年

公元1世纪，**罗马人创造了手抄本**。首次采用了分页的方式。这种书籍比卷轴更方便携带。

公元7世纪，本笃会修道院吸取人们的识字，因此出现了文书房，专门用于抄写书籍。修道院也开始互相借书、寻觅集体学习越来越多。

公元610年，《**圣科伦巴斗士**》（*The Cathach of St Columba*）——书首次将诗篇开头部分的大写字母放大，其后则是缩小尺寸的大写字母。这是区分大小写的首次尝试。

公元7世纪，**英格兰和爱尔兰的修道院**开始出现华美的手抄本，这种手抄本以复杂的装饰和图案为特色。

公元8世纪，欧洲西部地区出现了**加洛林书写体**。这种书写体在单词之间插入空隙，成为到那时为止最为清晰、易读的字体。

伊斯兰黄金时代开始于公元786年左右。一群学者汇集在哈伦·拉希德（Harun al-Rashid）的宫廷中，将经典文献译成阿拉伯语，以便珍藏。

公元1000年

第一台活字印刷机是德国出版商约翰内斯·谷登堡于1439年发明的。这项发明使得大批量印书成为可能，因此降低了书籍的价格，促进了识字率的提高。

公元1408年，中国《**永乐大典**》编纂完成。在维基百科出现以前，这部巨著是世界上最大的百科全书，共有11 095册，收书七八千种。

公元1600年

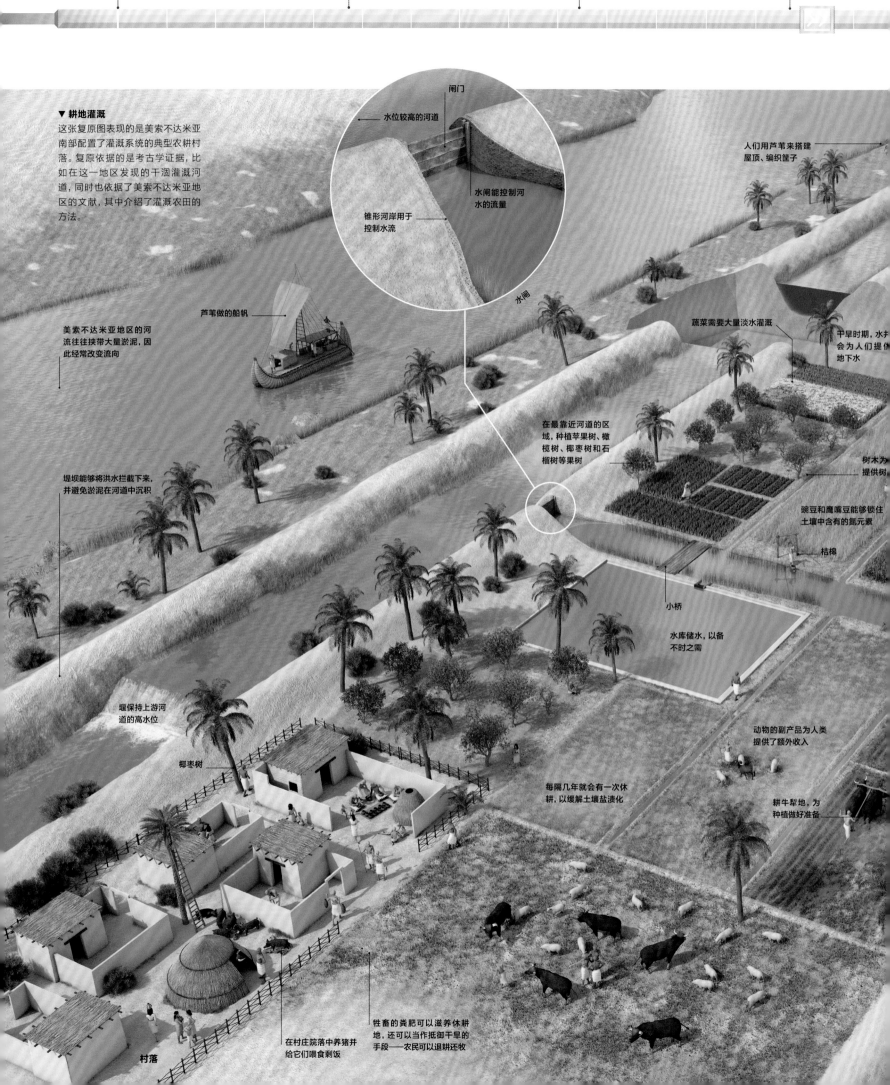

▼ 耕地灌溉

这张复原图表现的是美索不达米亚南部配置了灌溉系统的典型农耕村落。复原依据的是考古学证据，比如在这一地区发现的干涸灌溉河道，同时也依据了美索不达米亚地区的文献，其中介绍了灌溉农田的方法。

闸门

水位较高的河道

水闸能控制河水的流量

锥形河岸用于控制水流

人们用芦苇来搭建屋顶、编织筐子

芦苇做的船帆

水闸

蔬菜需要大量淡水灌溉

干旱时期，水井会为人们提供地下水

美索不达米亚地区的河流往往挟带大量淤泥，因此经常改变流向

在最靠近河道的区域，种植苹果树、橄榄树、椰枣树和石榴树等果树

树木为……提供树……

堤坝能够将洪水拦截下来，并避免淤泥在河道中沉积

豌豆和鹰嘴豆能够锁住土壤中含有的氮元素

桔槔

小桥

水库储水，以备不时之需

堰保持上游河道的高水位

动物的副产品为人类提供了额外收入

椰枣树

每隔几年就会有一次休耕，以缓解土壤盐渍化

耕牛犁地，为种植做好准备

在村庄院落中养猪并给它们喂食剩饭

牲畜的粪肥可以滋养休耕地，还可以当作抵御干旱的手段——农民可以退耕还牧

村落

要阻止洪水，可以用泥土阻塞水渠入口

沙漠

边缘的田地

小麦易受盐分影响，因此通常种植在离主渠最近的地方

种植亚麻以制作亚麻布

灌溉渠道需要定期疏浚以防淤泥堵塞

横截面能够看出地面的坡度

耐盐的大麦种植在靠近沼泽的地带

美索不达米亚的平原非常平坦，因此容易出现水涝和盐渍化问题

沼泽是水鸟和野猪禁猎区

河水渗入沼泽

桔槔是一根带有支点的长杆，一端系着水桶，另一端系有重物，用于从水渠和水井中取水

堤坝

桔槔汲水系统

将水桶沉入井中，然后抽动绳子将其灌满

沙漠

沙漠
灌溉

农民掌握了将水从河道中引入农田，以及在水库中储水备用的技术。这两项技术使得农业不再依赖降雨，甚至可以将沙漠改造为肥沃的农田。

灌溉是一项劳动密集型作业，需要大规模的集体合作。早期文明——埃及、美索不达米亚、印度和中国——都拥有大规模的灌溉系统。埃及和美索不达米亚地区降雨量小，农业主要依靠每年定期泛滥的大河。泛滥的河水在周围的土地中留下营养丰富的淤泥。在美索不达米亚地区，河水在不适合作物种植的时间泛滥，因此人们必须将河水改道并储存以备后用。

堤坝和运河

为了让河水改道，控制流向，人类沿河挖掘了许多水渠，挖出的土则用于建设堤坝，堤坝可以保护农田和村庄不受洪水侵害。从河道中分流的沟渠沿山坡向下流入水库和农田。堰和水闸可让人控制主渠流向支渠的水量。

这种灌溉系统存在的一个问题是，当水蒸发后，盐分会留在土地中并不断积累，最终导致土壤肥力下降。美索不达米亚地区的居民通过休耕来缓解这一问题；此外，他们还种植了更耐盐的大麦。尽管如此，盐分过高的土地最终还是废弃了。

灌溉需要大量的劳动，因为需要维护堤坝，清理水渠中的淤泥。尽管如此，灌溉系统还是大幅提高了生产力。因此在公元前4000年时，这些繁忙而富饶的农业城镇中出现了第一批城邦。

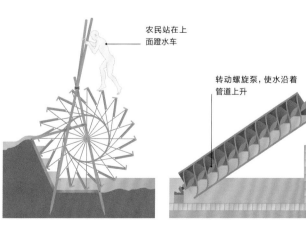

农民站在上面蹬水车

转动螺旋泵，使水沿着管道上升

▲ 水车
中国的农民利用水车将水引入农田。农民站在上面，通过踩动轮子将水舀上来。

▲ 阿基米德螺旋泵
这是一种用手操纵的水泵。水泵由一个斜放的管道和在其中转动的金属螺旋组成。据说，这个水泵是希腊人阿基米德在公元前3世纪发明的。

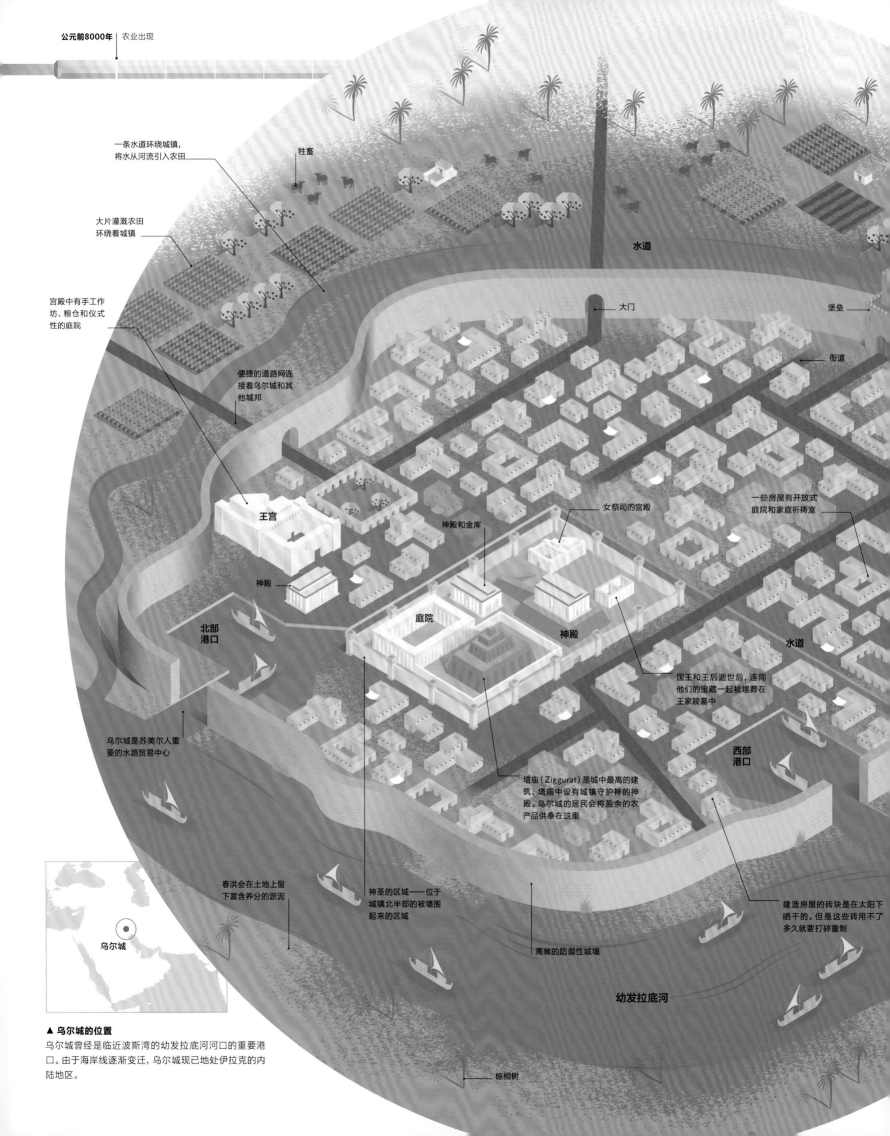

一条水道环绕城镇，将水从河流引入农田

牲畜

水道

大片灌溉农田环绕着城镇

大门

堡垒

宫殿中有手工作坊、粮仓和仪式性的庭院

街道

便捷的道路网连接着乌尔城和其他城邦

女祭司的宫殿

一些房屋有开放式庭院和家庭祈祷室

王宫

神殿和金库

神殿

庭院

神殿

水道

北部港口

国王和王后逝世后，连同他们的宝藏一起被埋葬在王家陵墓中

乌尔城是苏美尔人重要的水路贸易中心

西部港口

塔庙（Ziggurat）是城中最高的建筑。塔庙中设有城镇守护神的神殿。乌尔城的居民会将盈余的农产品供奉在这里

春洪会在土地上留下富含养分的淤泥

神圣的区域——位于城镇北半部的被墙围起来的区域

建造房屋的砖块是在太阳下晒干的。但是这些砖用不了多久就要打碎重制

高耸的防御性城墙

幼发拉底河

乌尔城

棕榈树

▲ 乌尔城的位置

乌尔城曾经是临近波斯湾的幼发拉底河河口的重要港口。由于海岸线逐渐变迁，乌尔城现已地处伊拉克的内陆地区。

庭院中种植树木，并被墙围绕起来，这是许多城市的一大特点

神殿

庭院

城中房屋和商店的出现反映了手工业者的增多，这也意味着有了新的"奢侈"品

商船在幼发拉底河中航行

▲ 乌尔城
乌尔城坐落于幼发拉底河东岸。这个贸易中心是一座富庶的城市。城市中有宫殿、庭院、神殿、市场以及许多泥砖建造的房屋，房屋中住着平民百姓。

城邦的出现

公元前3500年左右，美索不达米亚南部底格里斯河和幼发拉底河沿岸的农耕村落和城镇发展为世界上最早的城市。在世界其他七个区域，城市也各自独立地发展起来，从此人类历史进入一个新的时代：农业文明时代。

尽管早期的城市与村落相似，居民都自给自足，但早期城市并非仅仅是早期农业时代更大的村落。这些城市中出现了人性化的环境，也有新形式的社会等级和更复杂的文化。集体学习促进了新技术的发明，随后，生产力大幅度提高，人口因此快速增长。而人口的增长正是城市出现的原因之一。

美索不达米亚南部地区（苏美尔地区）地长途贸易网络的发展。苏美尔城市居民用陶器和谷物与安纳托利亚人交换锡和铜，与埃及人交换金子。

公元前3000年，苏美尔地区已有包括乌鲁克城、乌尔城和拉格什城在内的十几个城市，各城市的人口少则5万，多则8万。城市拥有复杂的经济结构，因此需要新的社会结构。国王和神职人员等贵族出现了，

> 这是**乌鲁克城的城墙**，世界上**没有其他城市能与之媲美**。看这城墙，**像铜一样**，在阳光下闪闪发光。

《吉尔伽美什》，约公元前2000年

率先出现的几座城市中包括乌鲁克城。乌鲁克城被沙漠包围，因此当地居民建设了灌溉系统。这一系统的发明使得养活更多人口成为可能。这些城市吸引了许多干旱地区的人前来定居，渐渐成了重要的交易中心。苏美尔地区缺少原料，对原料的需求促进了当职业开始分化，由此产生了政治、社会和经济分层的国家。经过一系列伟大的发明之后，文明社会的各类元素诞生了：王权、社会等级、纪念性建筑、赋税、法典以及文学。

◀ 城市的中心点
苏美尔城市的中心是高耸的、泥砖建造起来的塔庙。塔庙在几千米之外就能看到。塔庙的规模体现了当地神灵的重要性，也体现了该城市所拥有的财富和力量。这座位于乌尔城的塔庙有部分是修复过的。

农业对**环境**的影响

农民改造土地，使之适宜耕作，这一举动会带来难以预料的结果。砍伐森林，使地表失去树木，会导致土壤被侵蚀，林地物种减少；灌溉则使得土壤盐渍化，失去培育作物的能力。

花粉记录显示，欧亚大陆上曾有大片森林因农耕发展被毁。人们砍伐树木，以获取木材、炼铁用的木炭以及农耕和放牧的土地。地中海地区的落叶林被砍伐殆尽，剩下了薄薄的土壤，这种土壤只适宜橄榄树生长。在中国，黄土高原的森林被砍伐后，富含矿物质的土壤被雨水冲刷到了黄河中，使得黄河变成了独特的黄色。

砍伐森林对干旱地区有灾难性的影响。干旱地区的树木已经适应了低降水量的环境，根系十分发达。公元200年至公元400年间，秘鲁南部的纳斯卡人将当地树种美洲角豆树（huarango）全部砍伐了。美洲角豆树的根系生长深度超过了其他所有树木，有助于维持土壤的肥力和湿度。花粉样本显示，美洲角豆树是被棉花和玉米取代的。失去了美洲角豆树根系的固定，在来自高地沙漠的风以及季节性洪水的影响下，纳斯卡地区的土壤受到严重侵蚀。这块土地因此变得不宜耕作，大部分都变成了沙漠。

盐渍化指灌溉用水蒸发后在土壤中留下的矿物盐的沉积。盐渍化也加快了纳斯卡文明的终结。盐分在土壤表层沉积，对大多数植物都具有破坏性。至公元500年时，在曾经多产的纳斯卡耕地上，只有耐盐的野草可以存活。

另一些美洲文化也遇到了类似的危机。比如说，玛雅人在过度使用水源和土地之后，被迫舍弃了他们的城市和金字塔。

复活节岛

公元1200年左右，波利尼西亚人到达位于太平洋的复活节岛（拉帕努伊岛）时，这座岛屿被茂密的棕榈树林覆盖着。花粉研究表明，公元1650年，刀耕火种的农业就已经毁掉了岛上最后一棵树。没有了树木，岛上居民无法建造渔船。在树木被毁之后，为了生存，当地人在一半土地上放置了岩石。这被称为岩屑覆盖，可以缓解水分蒸发和土壤侵蚀，有助于补充养分。

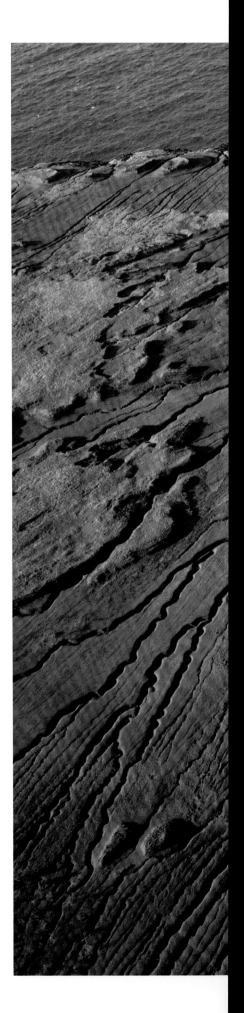

▶ 种植技术
17世纪中叶，因为森林被砍伐殆尽，复活节岛在风的鞭笞下成了一片荒芜贫瘠之地。为了应对这种情况，岛上居民建了数千座被称为"地穴花园"（manavai）的围栏种植作物。这些环形的石墙能够保持土壤的湿度，使幼小的植株免受大风和食草动物的破坏。

裸露的土地

从空中俯瞰复活节岛，可以看到大片土壤侵蚀的痕迹。这是300多年前人类砍伐棕榈树的结果。土壤中的养分被暴雨冲刷走了，且没有得到补充，当地动植物的多样性也随之下降。

信仰体系

人类一直相信超自然力量，但这种信仰随着人类生活方式的改变也会发生变化。当人类由狩猎采集部族发展为农耕部落时，人类的信仰由泛神论转变为对祖先和其他新神灵的信仰。后来，随着社会规模的扩大和社会结构的复杂化，信仰体系普遍建立起来，其中大多是一神论。

我们已知最早的宗教是泛灵论，或称萨满教。现代的狩猎采集部落仍旧信奉这种宗教。泛灵论基于如下信念：人类、动物和自然力都是有灵的，宗教仪式是与灵魂沟通的方式。恶劣的天气、疾病或者打猎时的空手而归都是因为灵魂的不满。宗教专家，即萨满教巫师，会进入一种出神的状态，然后做法术来安抚灵魂。

随着人类向农耕和定居的生存方式转变，人类又对祖先——或者说逝者的灵魂——产生了崇拜。他们认为祖先在看护一

> 我对世界上**一切伟大宗教的基本真理**都怀有信仰。

莫汉达斯·甘地（1869—1948），印度民族解放运动领导人

切活着的人。许多农耕部落的居民甚至一直将逝者的遗体保存在家中并向其供奉。最早的宗教建筑是大型陵墓、巨碑和通道墓。它们通常建于山顶。这样一来，在当地人耕种的农田附近，就能看到他们祖先的坟墓，这无疑强化了他们对土地的占有权。

农民信奉大地，或称大地母神，因为是大地孕育了新的生命。农民还信奉太阳，因为他们依靠太阳获得好收成。秘鲁的印加人将太阳神称为"因蒂"（Inti）；将大地母神称为"帕查玛玛"（Pachamama），意为"世界之母"。目前，安第斯山区的农民仍旧会在播种季节到来之前为帕查玛玛做法术。

人们普遍认为，超自然力量可以通过赠送礼物，即通过献祭来掌控。青铜时代的欧洲人会把珍贵的青铜剑和青铜盾牌扔进湖泊或河流中，将湖泊与河流视作通往神界的大门。贡品越是珍贵，愿望实现的可能性越大。人类历史上有许多文明，诸如青铜时代和铁器时代的欧洲和美洲中部文明，会将人杀死作为祭品。

神族

曾经有一段时间，人类将自然力和抽象的观念人格化，因此出现了神族。游牧的印欧民族自公元前 4000 年左右开始在欧亚大陆西部迁徙并传播他们对天空与雷神的信仰。这个神在印度被称为"特尤斯"（Dyaus Pita），在希腊被称为"宙斯"，在罗马帝国则被称为"朱庇特"。他是众神之首。

国家的兴起伴随着有组织的宗教的发展，同时还出现了供奉地方守护神的神庙和祭司。国家宗教成了新的纽带，将没有亲属关系的许多人联系在一起。统治者可从中获益，因为这种纽带所形成的思维体系会促使财富由民众流向贵族阶层。农民应该向当地神庙中的神灵奉献贡品。

正如国家制度出现等级一样，神灵也被划分为不同等级。国王宣称自己与神明之间有特殊的关系，能够代表民众向神明祈求好收成，以此为自己的统治正名。

多神教往往包容性很强，可以随时纳入新的神明。罗马人认为，他们信奉的神明越多，他们的帝国就会越稳固。因此，罗马人来到其他城市的时候，很乐意参与敬拜当地神明的仪式，而且丝毫不会认为这是对他们自己的神明不忠。多神教并不关注道德层面。可以说，荷马的《伊利亚特》是希腊人的圣言录。诗中的神明的作为却与人类世界中的权贵一样恶劣。

人们信仰的是什么并不重要，一些希腊哲学家甚至质疑神明的存在。公元前 580 年左右，哲学家色诺芬尼（Xenophanes）提出，人类是按照自己的形象创造神明的："埃塞俄比亚人认为他们的神明塌鼻子、黑皮肤，色雷斯人认为他们的神明蓝眼睛、红头发。如果牛和马有手，能够绘画，那么它们笔下神明的形象也会像牛或马一样。"

普世宗教

普世宗教的兴起是一次重大转变。普世宗教对人们进行道德教化、满足人类的精神需求并提供救赎。印度的琐罗亚斯德教、印度的佛教、中国的儒教和地中海国家的犹太教、基督教、伊斯兰教是最主要的宗教。这些宗教的教主都是男性，追随者们认为，教主受到了神的启示。

普世宗教首次出现在公元前一千纪。当时大型的帝国和城市生活刚刚出现。面对日益复杂的社会环境，人们开始思考意义

基督教《圣经》

是世界上

最畅销的书

问题，普世宗教应运而生。宗教史学家将这一时期称为轴心时代，因为这一时代产生了许多今天仍旧存在的宗教和哲学。

轴心时代和普世宗教并没有出现在美洲。这也许有两点原因：其一，与欧亚大陆相比，美洲的城市生活发展滞后；其二，美洲没有长距离的贸易网络，因此思想得不到传播。

关于**神明**，我**无从得知**它们**是否存在**。

普罗塔哥拉（Protagoras，约公元前485—前415）
希腊哲学家，《论众神》

一神论

大部分普世宗教是一神论的，崇拜唯一的全能神。这个神主要关注的是人类的行为。对于国家来说，强调德行的宗教可以让民众更加顺从，还可以帮助统治者宣称社会秩序是神明的旨意。宗教为现世受苦的人提供来世的幸福，并承诺会在天堂给予人们奖赏。人们因此甘愿以自己的生命为代价换取更大的幸福。国民甘愿牺牲自我的心理使国家更有可能在战争中获

胜。普世宗教被帝国接受后，开始繁荣发展。基督教和琐罗亚斯德教分别成了罗马帝国和波斯帝国的国教，儒家思想则成了中国的治国哲学。欧亚大陆上的贸易网络帮助新兴宗教广泛传播开来。佛教诞生于印度，后来沿着丝绸之路向东传播到了中国、日本和东南亚地区。伊斯兰教传播得更远，这可以归功于伊斯兰教对地中海地区的控制。先知穆罕默德于公元632年逝世。在他去世后的一百年中，穆斯林军队占领了许多地区并建立了一个从西班牙横

跨到印度的广阔帝国。传教团和商人将伊斯兰教传到了印度洋沿岸地区。

虔诚的信仰

与多神教不同，普世的一神教非常看重信仰。但问题是，不同的一神教对于信仰的对象有不同的解释。信仰体系的冲突导致了不同民族和不同文化之间的紧张关系。这是人类首次因宗教而战。

主要的矛盾出在伊斯兰教和基督教之间。宗教之间的战争导致欧亚大陆的贸易网络也被切割成彼此敌对的两个部分：信仰伊斯兰教的奥斯曼帝国割断了信仰基督

2010年，**穆斯林**数量达到**16亿**，
相当于**世界总人口的1/4**

教的欧洲通往中国的丝绸之路。于是，在15世纪的大航海时代，克里斯托弗·哥伦布和几位欧洲探险家开始探索通往东方的新的海上航路。

随着欧洲基督徒的旅行、贸易以及信仰之争，整个世界被联系了起来。宗教就这样成了开启全球化的主要动力。

◄ 神之面

在印度万神殿中，象头神（Ganesh）是最有名、最受人推崇的神明之一。它被尊为清除障碍之神，代表了智慧和学识。

死后的主人

这是修复后的西潘王的坟墓。位于坟墓中心的西潘王身着华贵的服饰，并被四个男仆围着。这些男仆都被砍掉双脚。这也许是为了防止他们擅离职守。

陪葬品

人们一直都认为死后会有冥世，因此早在3万多年前，人们就开始用物品陪葬，相信逝者在冥世会用到它们。随着农业和文明的发展，陪葬品越来越多。

通过陪葬品，我们可以得知不同社会阶层的出现时序。早期农民的墓穴里只有一些瓶罐或是肉块，没有社会等级的标志。到了青铜时代（约公元前3000年），出现了酋长。酋长的坟墓规模很大，随葬的是大量珍宝。

通过陪葬品，我们可以对过去人们的日常生活和信仰有很多了解，因为陪葬品往往是重要的、有价值的东西。通过那些地位较高的逝者的陪葬品，我们可以了解当时技术的发展情况。比如铁器时代的英国和中国以战车作为陪葬品；而在盎格鲁-撒克逊和维京人的陪葬品中，则有完整的航船。此外，我们还可以从陪葬品中发现当时长距离贸易的证据。7世纪时，盎格鲁-撒克逊国王被埋葬在英格兰萨顿胡（Sutton Hoo）的船上。一同陪葬的还有银碗和银勺，这些器物是从拜占庭帝国的君士坦丁堡（今天土耳其的伊斯坦布尔）带到不列颠的。

陪葬品的缺失也是非常重要的证据。这证明在新兴宗教的影响下，人们对冥世的看法发生了变化。这一变化在罗马帝国晚期的墓穴中体现得最为明显。在这些墓穴中，异教徒有陪葬品，而与异教徒埋葬在一起的基督徒则没有陪葬品。此外，基督徒的脚朝向东方，指向耶路撒冷。

王室墓穴

王室墓穴中的陪葬品是最精美的。位于秘鲁北海岸的莫切（Moche）王西潘（Sipán）的墓穴陪葬品就是如此。公元300年左右，西潘王被埋葬于此。墓穴中随葬有451件珍宝，由金、银和珍贵的羽毛制成。一同埋葬在这座墓穴中的还有三名女性、两名男性、一名孩童、两只羊驼和一条狗。他们应该是牺牲品，要在冥世陪伴他们的主人。

在早期中国、埃及和美索不达米亚地区的王室墓穴中，也常常出现人祭。这一习俗消失后，人们就用模型替代真人作为祭祀品了。埃及人用木制仆人代替。在中国，第一位皇帝秦始皇（公元前259—前210）的陪葬品是一支陶俑军队。秦始皇统治时期杀人无数，这支军队就是为了让他免受厉鬼打扰而建的。

◀ **兵俑**
这个单膝跪地的武士是7 000个真人大小的兵马俑中的一员。它们被埋葬在墓穴中，保护秦始皇的坟墓。从陶俑手的姿势可以看出，他正拿着一只弩。

> **皇帝的家属**都被勒死，**埋葬在他身边。**被埋葬的还有**马、金杯以及其他珍宝。**

希罗多德（约公元前484—前425），希腊历史学家，这是他对一位斯基泰国王葬礼的描述

象征地位的
服饰

云纹代表天空，意指雨水、好运以及永恒的财富

织物生产可追溯至农业文明初期。人们首先掌握了编篮技术，后来才发展为编织动植物纤维。随着纺织业的发展，纺织品成了常见的商品，服饰则成了一种新的社会等级的象征。

世界上有几个地方独立发明出了纺织技术，但是使用的材料各不相同。最早的纺织品可以追溯至公元前 7000 年左右，是用近东地区的亚麻纤维制成的亚麻布和印度的棉布。后来出现了羊毛纺织品，其原料在欧亚大陆是绵羊毛，在南美洲是羊驼毛和美洲驼毛。美洲中部主要的纺织品是棉布和用龙舌兰纤维制成的粗布。

纺织品制作

随着织布机的发明，纺织技术出现了。这种机器将经纱（纵向的纱）拉紧，然后编织经纱之间的纬纱（横向的纱）。在美洲，人们将织布机固定在纺织工的背部。在欧亚大陆，纺织工在竖直木架上系上重物，另一端与经纱相连。

织物的染色剂主要来自植物、矿物、昆虫和贝类。古代世界中最昂贵的是紫色染色剂。这种染色剂的原料是骨螺——生活在地中海东部的一种海螺。这种染色剂非常珍贵，因此贩卖这些染色剂的人被称为"腓尼基人"——希腊语中意为"紫色的人"。

地位与丝绸

服饰成了人们彰显地位的重要方式。在埃及和美索不达米亚，有钱人会穿着亚麻服饰。亚麻比羊毛更为轻盈、光滑，是高地位的象征。在许多社会中，法律会对人们的穿着做出规定。在都铎王朝时代的英格兰，只有王室成员可以穿金线织物。在中国，只有皇帝和他的近亲才可以穿着明黄色的衣服。

丝绸是最受欢迎的织物。因为丝绸有光泽、柔软、光滑且具有恒温性能，因此冬暖夏凉。公元前 4000 年，中国人用家蚕的茧制成了丝绸。家蚕是当时世界上唯一一种完全被人类驯化的昆虫。通过人工选择，蚕蛾失去了飞翔的能力，其幼虫的腿也萎缩了，因此无法爬行，只能待在人类设置的托盘中。

> "
>
> 甚至连**男性**也会在**夏季**穿着**丝绸衣服**，他们不会因为其光泽度高而感到不好意思。
>
> "

老普林尼（Pliny the Elder, 公元23—79），罗马学者，《博物志》

◄ 中国丝绸

这幅中国12世纪初的绘画展现的是妇女熨烫丝绸的场景。这种布料非常珍贵，因此自亚洲通往欧洲的丝绸贸易路线被称为"丝绸之路"。公元6世纪以前，中国政府规定任何私自出口蚕或者蚕茧的行为都是死罪，因此垄断了丝绸制造。这幅画本身也是绘在一块丝绸上的。

红色和蓝色是幸运色

◀ 神龙

这件黄色刺绣龙袍是18世纪的中国皇帝在节日庆典时穿的。这件袍子的颜色和上面绘制的图案只有皇室可以使用。

火珠是八宝之一（智慧之珠），象征帝王的完美和智慧

龙是帝王好运相伴、位高权重的象征。五爪龙代表穿着这件衣服的人是帝王——地位较低的贵族只能用三爪龙或四爪龙装饰

龙袍上有**九条龙**，九是只有帝王才可以使用的数字

龙从海里飞向天空，带来雨水和丰收

袍子的下摆代表海洋

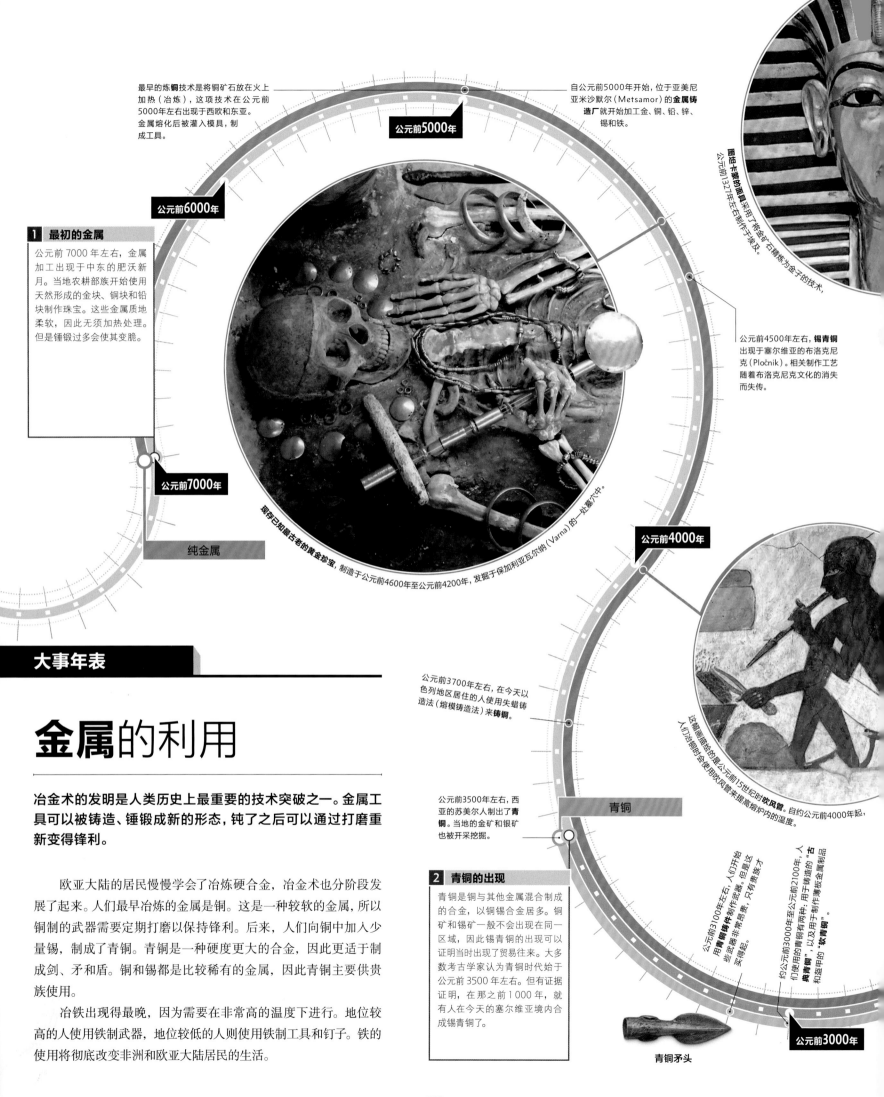

最早的炼铜技术是将铜矿石放在火上加热（冶炼），这项技术在公元前5000年左右出现在西欧和东亚。金属熔化后被灌入模具，制成工具。

公元前5000年

自公元前5000年开始，位于亚美尼亚米沙默尔（Metsamor）的**金属铸造厂**就开始加工金、铜、铅、锌、锡和铁。

图坦卡蒙的面具采用了黄金材料，并用"石精炼为金子的技术"。公元前1327年左右制作于埃及。

公元前6000年

1 最初的金属

公元前7000年左右，金属加工出现于中东的肥沃新月。当地农耕部族开始使用天然形成的金块、铜块和铅块制作珠宝。这些金属质地柔软，因此无须加热处理。但是锤锻过多会使其变脆。

公元前4500年左右，**锡青铜**出现于塞尔维亚的布洛克尼克（Pločnik）。相关制作工艺随着布洛克尼克文化的消失而失传。

公元前7000年

纯金属

现存已知最古老的黄金珍宝，制造于公元前4600年至公元前4200年，发掘于保加利亚瓦尔纳（Varna）的一处墓穴中。

公元前4000年

这幅画描绘的是公元前15世纪时人们冶铜的场景，人们使用吹风管来提高熔炉内的温度。自约公元前4000年起，

公元前3700年左右，在今天以色列地区居住的人使用失蜡铸造法（熔模铸造法）来**铸铜**。

大事年表

金属的利用

冶金术的发明是人类历史上最重要的技术突破之一。金属工具可以被铸造、锤锻成新的形态，钝了之后可以通过打磨重新变得锋利。

公元前3500年左右，西亚的苏美尔人制出了**青铜**。当地的金矿和银矿也被开采挖掘。

青铜

欧亚大陆的居民慢慢学会了冶炼硬合金，冶金术也分阶段发展了起来。人们最早冶炼的金属是铜。这是一种较软的金属，所以铜制的武器需要定期打磨以保持锋利。后来，人们向铜中加入少量锡，制成了青铜。青铜是一种硬度更大的合金，因此更适于制成剑、矛和盾。铜和锡都是比较稀有的金属，因此青铜主要供贵族使用。

冶铁出现得最晚，因为需要在非常高的温度下进行。地位较高的人使用铁制武器，地位较低的人则使用铁制工具和钉子。铁的使用将彻底改变非洲和欧亚大陆居民的生活。

公元前3100年左右，人们开始用青铜铸件制作武器，但这些武器非常昂贵，只有贵族才买得起。

约公元前3000年至公元前2100年，人们使用的青铜有两种："古典青铜"，以及用于制作薄板金属制品的"软青铜"。

2 青铜的出现

青铜是铜与其他金属混合制成的合金，以铜锡合金居多。铜矿和锡矿一般不会出现在同一区域，因此锡青铜的出现可以证明当时出现了贸易往来。大多数考古学家认为青铜时代始于公元前3500年左右。但有证据证明，在那之前1000年，就有人在今天的塞尔维亚境内合成锡青铜了。

青铜矛头

公元前3000年

公元前800年左右，冶铁技术传播到了西欧地区。从当时山丘堡垒和防线的建设可以看出，欧洲铁器时代的来临带来了更多的战争。

乌兹钢（Wootz steel）是铁碳合金。公元前500年左右，印度南部居民发明了这种合金的冶炼技术，并向西方传播。

公元前500年左右，中国人发明了**高炉**，用于冶铁。几个世纪后，欧洲才出现这项技术。

冶铁首先出现在五罗马元（约公元前366年至公元前36年）。这带来了早期的全球污染。

大马士革的钢剑是由地中海东部的冶金工人制作的。公元前330年左右的乌兹钢铸造了这些钢剑。但具这种钢铸剑技术后来失传了。

公元前330年左右，秘鲁的查文人发明了**焊接技术**以及失蜡铸造法。(他们还发明了通巴加金（tumbaga）——一种镶金合金，用于制作精美的工艺品。

通巴加胸盾

公元100年左右，坦桑尼亚的哈亚人（Haya people）发明了**碳钢炼制技术**。几个世纪后，中欧地区才炼制出了碳钢。

3 铁的冶炼

关于铁器时代的开始时间，众说纷纭。但是从在印度发现的铁制器皿以及土耳其安纳托利亚的铁器制造业来看，铁器时代始于公元前1800年左右。铁矿储量丰富，但是铁需要在很高的温度下才能冶炼。极有可能的是，锡贸易的中断迫使人们减少铜的使用，转而开始使用更为廉价的铁。

中国商朝的**青铜器物**装饰更加精美（公元前1500年左右）

商朝的饕餮
（青铜动物面具）

我们在秘鲁的的喀喀湖附近的一处墓穴中发现了公元前2000年左右人工制作的**金项链**。制作项链的金来自天然形成的金块，通过冷锻加工成型。

小雕像：灌木丛中的公羊

这尊"灌木丛中的公羊"雕像在公元前2550年左右制作于伊拉克乌尔地区。所用的材料中有**金和银**。

约公元前3000年至公元前2500年，在土耳其安纳托利亚地区，人们开始开采**银矿**。

地中海西部国家起初用铅炼制青铜。但由于铅有毒性，他们不得不转而使用成本更高的锡。中国江西出土的**青铜刀**可追溯至公元前2700年左右。这是目前已知最早的中国炼铜的证据。

公元700年至800年，**欧洲铸剑工人**将数层铁片焊接在一起，并加入碳，或者捶薄铁片并将其焊接在一起，制成了硬度更高的剑。

欧洲的铁剑

冶铁技术于公元前1200年至公元前1100年传播到亚洲和地中海地区。这只公元前6世纪的希腊花瓶上描绘了铁匠在锻炉旁冶铁的情形。

17世纪初，**英国冶铁工厂**将便宜的煤加工为焦炭，并用焦炭替代木炭冶铁。

贝塞麦炼钢法发明于19世纪，这种技术可追溯到公元前1200年左右的东亚地区。

公元1200年左右，中国人发明了**火药武器**。其中包括铸铁火炮——"霹雳炮"。

15世纪，**冶铁技术**在欧洲得到发展。因为铁的硬度很大，可以塑造成管状，因此很快被用于制作大炮。

17世纪后期，铸铁制成的3磅炮

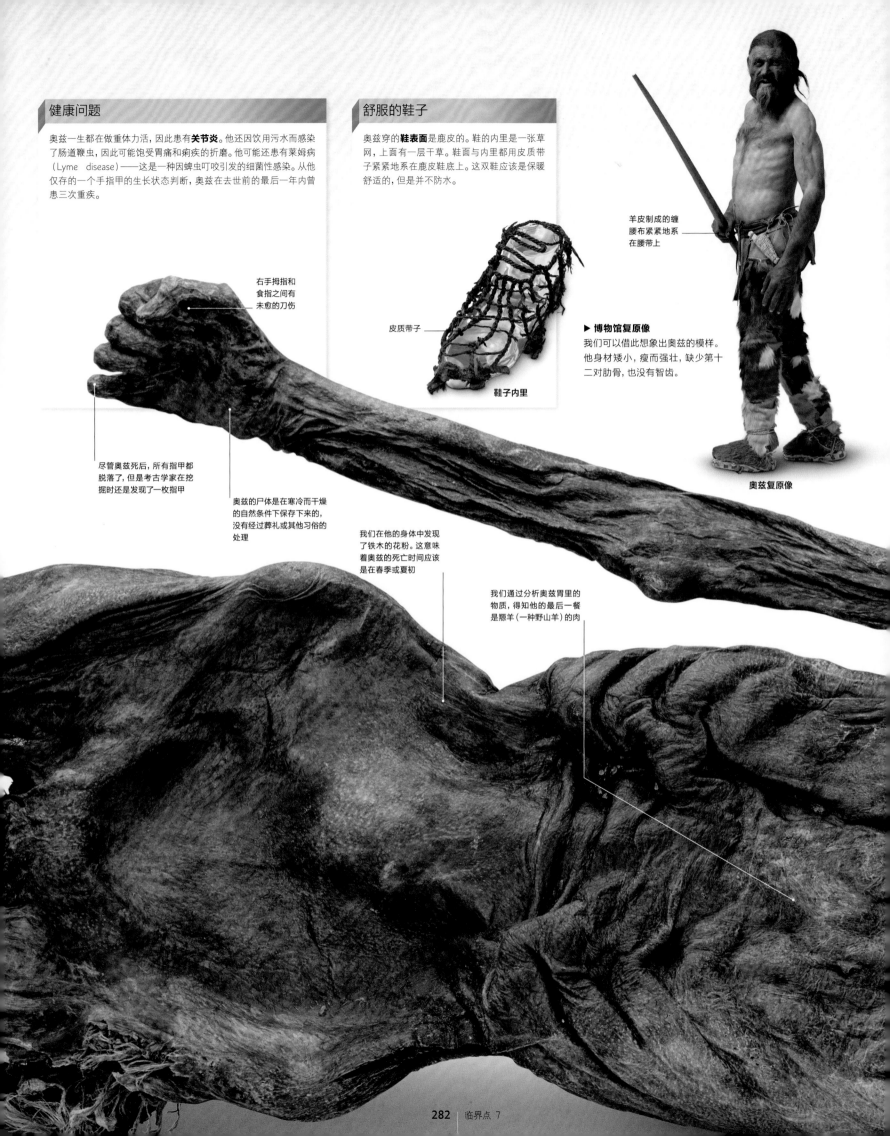

健康问题

奥兹一生都在做重体力活，因此患有**关节炎**。他还因饮用污水而感染了肠道鞭虫，因此可能饱受胃痛和痢疾的折磨。他可能还患有莱姆病（Lyme disease）——这是一种因蜱虫叮咬引发的细菌性感染。从他仅存的一个手指甲的生长状态判断，奥兹在去世前的最后一年内曾患三次重疾。

舒服的鞋子

奥兹穿的鞋**表面**是鹿皮的。鞋的内里是一张草网，上面有一层干草。鞋面与内里都用皮质带子紧紧地系在鹿皮鞋底上。这双鞋应该是保暖舒适的，但是并不防水。

羊皮制成的缠腰布紧紧地系在腰带上

皮质带子

鞋子内里

▶ 博物馆复原像

我们可以借此想象出奥兹的模样。他身材矮小，瘦而强壮，缺少第十二对肋骨，也没有智齿。

奥兹复原像

右手拇指和食指之间有未愈的刀伤

尽管奥兹死后，所有指甲都脱落了，但是考古学家在挖掘时还是发现了一枚指甲

奥兹的尸体是在寒冷而干燥的自然条件下保存下来的，没有经过葬礼或其他习俗的处理

我们在他的身体中发现了铁木的花粉。这意味着奥兹的死亡时间应该是在春季或夏初

我们通过分析奥兹胃里的物质，得知他的最后一餐是羱羊（一种野山羊）的肉

冰人奥兹

1991年,在奥地利和意大利交界处阿尔卑斯山脉的厄茨塔尔山(Ötzal Alps),有人发现了一具自然形成的木乃伊。这具木乃伊被称为奥兹(Ötzi)。随尸体一同找到的物品告诉我们,他生活在5 300年前。

奥兹携带了70多件衣服和物品。借此,我们可以对红铜时代(欧洲人首次使用金属工具的时代,约公元前4500年至前3500年)的人有一些独特而细致的了解。

尽管他是农耕部族的居民,但奥兹也是一个猎人。他所携带的铜斧是他在部族中地位的象征。奥兹有早期农耕者典型的健康问题,比如牙病和关节炎。

奥兹的衣服是用家养山羊皮、野生鹿皮和熊皮制成的。他还围着一块缠腰布,系着一条挂着工具包的腰带、一双护腿,穿着一双鞋子、一件大衣,还戴着一顶帽子。衣服上有跳蚤寄生。他可能还曾经用一块草席来挡雨。

奥兹死于暴力攻击。在死前不久,他击退了一名袭击者。袭击者用刀刺伤了他的手。奥兹逃跑了,但没过多后背就挨了致命的一箭。他的尸体很快被冰雪掩埋,因而未遭腐蚀。

工具和武器

为了长期远离家乡生存,**奥兹可谓全副武装**。他带着一把由有弹性的紫杉木制成的大弓、14个燧石头箭,还有一张线织的网,用来捕鸟和兔子。他带着一把砍树用的铜斧,还有一把燧石短刀。他的装备里,还有用于生火的燧石以及作为药品的菌类。

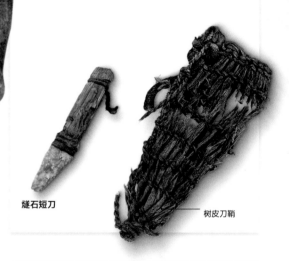

燧石短刀

树皮刀鞘

是艺术还是为了缓解疼痛?

奥兹全身有61处文身,大多是横线和竖线。这些文身并不是用针,而是用刀子精细地刻在皮肤上。文身所在的部位都是奥兹可能关节疼痛的部位。所以这些文身可能是用来缓解疼痛的,就像针灸一样。奥兹是世界上最古老的有文身的木乃伊。

右膝后面的十字

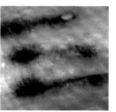

右脚脚踝内部的三条横线

奥兹的牙齿损坏得很严重。他的食物中包含大量谷物,因此牙龈有病,牙齿也被腐蚀了

奥兹本来生有棕色头发,但是尸体冰封时,头发全部脱落了。头发中的铜渣意味着他生前可能是一个铜匠

脑后的伤口可能是坠落或攻击造成的

发现奥兹的地方除了有长长的头发,还有一些较短的、卷曲的毛发,可能是他的胡须

冲突
引发战争

在人类历史的大多数阶段，人口数量都非常少，因此可以避免部族之间发生大规模暴力冲突。随着人口数量增加、人们对土地和资源的需求提高，战争开始了。部落的规模越大，冲突带来的死伤越多。

考古学家在埃及的一处墓穴中发掘出了 24 颗狩猎采集者的头颅，他们在大约 1.3 万年前死于燧石利箭。这是已知最早的、有目的的集体暴力冲突的证据。

农业的出现导致暴力冲突陡然增多。农民要保护自己的土地、财物和家畜，但是他们面对攻击却束手无策。部族之间为资源而竞争，作物歉收时冲突加剧。人们在德国发现的三处万人冢是早期大屠杀的证据。这些万人冢可追溯至公元前 5000 年左右，这些人都是被石斧杀死的。

最初的军队

国家形成后，军队出现了，新的军事发明也随之涌现。这些发明包括青铜时代欧亚大陆的贵族战士所使用的双轮战车，以及用角和木头制成的合成弓（这种弓虽然小，但威力很大）。人类驯化马后，亚洲人中出现了游牧民族，他们是一群四处游荡的部落，随身携带着合成弓，时刻威胁着中国以及欧亚大陆西部的定居文明。

荷马的《伊利亚特》是西方文学的源头，一部称颂英雄战士的史诗。许多文化都认为战士是最尊贵的阶级，农民则位于社会的底层。然而，若不是因为农民的劳作，战事不可能出现。因为军队需要粮饷来维持。为了保证军队的粮食供给，作战计划要与粮食的收割时节相符。

通过欧亚大陆的贸易网络，军事发明得到了广泛传播。13 世纪，中国人发明了火药武器；15 世纪，这种武器传播到了西方。火药终结了贵族战士的地位。面对手持枪支的农民士兵时，欧洲骑士和日本武士显得不堪一击——而这些农民以前一直是社会最底层的人。

▶ 起威慑作用的服饰
地位较高的凯尔特战士戴着的头盔是起威慑作用的，而不是起保护作用的。这个公元前 4 世纪的铜盔来自罗马尼亚。头盔上有一只猛禽作为盔冠。

战士移动时，翅膀会扇动

> **战争——我再了解不过**，还有**屠杀**……在肉搏战中，我知晓**战神的死亡之舞**中的每一个舞步。

荷马（约公元前800—前700），希腊诗人，《伊利亚特》

军事技术

这幅波斯绘画描绘的是波斯人和突厥人在公元589年进行的一场骑兵战役。双方都以精巧而威力强大的合成弓作为武器。突厥统治者莫何可汗（右）被波斯将军巴赫拉姆·楚宾（Bahrām Chōbin，左）一箭射死。

帝国边境

公元122年，罗马人在英国北部建造了哈德良长城
（Hadrian's Wall）。这座长城既是防御工事，也是管
理长城两侧民众的一种手段。长城将当地的布里甘特
部落一分为二，用于监视两边的来往和征收赋税。

帝国
时代

国家为了获取更多资源，不断兼并征服其他地区，规模不断扩大，最终形成帝国。在此过程中，统治者必须将被征服的国家控制住，索要贡品并管理远处的土地。

　　帝国最简单的组织形式是间接统治。公元15世纪，阿兹特克人征服了一个自太平洋至墨西哥湾的大帝国，但是他们不对当地人民进行直接统治。被征服的城镇每年向阿兹特克首都特诺奇蒂特兰献上贡品，包括纺织品、玉器以及珍贵的羽毛等。这一做法的弊端在于，被征服者憎恨阿兹特克人的统治，机会来临时他们就会反叛。

民众也穿着罗马长袍。

　　罗马帝国的统治非常稳固，提供了"罗马式和平"，这促进了贸易的发展。统治者用道路网络将帝国各地连接起来，并铲除了地中海地区的海盗。这片富庶的帝国土地也为来自远方的货物提供了交易市场。其中包括来自中国的丝绸、来自波罗的海的琥珀以及来自印度的香料。

> 让我们向众神和他们的子孙**祈祷**，请让**这个帝国**、这座城**永远繁荣**。

埃留斯·阿里斯提德斯（Aelius Aristides, 117—181），希腊修辞学家，罗马公民，《罗马演说》（The Roman Oration）

　　有些帝国通过在被征服城镇设置地方长官，强制推行直接统治。公元前6世纪40年代，波斯帝国创建者居鲁士大帝设置了26个总督，即地方长官。波斯帝国融合了多种文化，当时的石制浮雕展示了来自帝国各处、穿着不同服饰的民众向大帝进贡的场景。这种统治方式的弊端在于，被征服的民众无须忠于波斯帝王，因此总督有可能创建独立的政权。

　　罗马帝国虽然最终灭亡了，却在道路、城镇、文学、建筑、统治方式等方面留下了永恒的宝贵遗产。罗马帝国作为有效的帝国统治的范本，启迪了其后数千年的国家和统治者们。

罗马帝国

　　罗马帝国是统治最有效、最长久的帝国。其创新之处在于向被统治民众开放公民权。各类人才有机会成为罗马公民，并可以享受随之而来的所有权利和特权。与波斯帝国不同，罗马提供的是一种共享的文化。在罗马疆土上，人们使用同样的语言（拉丁语和希腊语），穿着同样的服饰，信奉同样的神明。哪怕是远在埃及和不列颠北部的

▼ 奥克苏斯双轮战车

波斯帝国率先使用道路系统作为统治工具和交通方式。总督和使者搭乘与这个小金像相似的战车，经由皇家道路，可以更快地到达目的地。

帝国的
兴衰

人类历史上出现过数百个帝国，兴衰交替。帝国的生命周期都是相似的——在经历一段繁荣期后进入衰退期。一些帝国分裂成更小的国家，另一些则被新兴的帝国征服。

帝国统治很难维系。军队需要资金来维持。一个帝国只要处于扩张的状态，开销就能由新的征服来弥补。然而，一旦帝国的规模不能再扩大，就要通过赋税来解决问题。帝国在面对外敌和内乱，以及饥荒和疾病等环境因素时往往不堪一击。

我们已知最早的帝国是在公元前 2300 年左右征服了美索不达米亚的阿卡德帝国。萨尔贡大帝（Sargon of Akkad）拆除了被征服城市的城防，并让他的儿子在当地做长官。在经过一系列叛乱和外敌入侵后，阿卡德帝国于公元前 2150 年左右崩溃了。尽管萨尔贡的帝国灭亡了，但它为美索不达米亚的后世统治者设立了范本。

永恒的遗产

亚历山大大大帝（公元前 356—前 323）是最成功的征服者，他所创建的帝国涵盖了自埃及至阿富汗的广大疆土。尽管帝国在他死后就灭亡了，但亚历山大大大帝惊心动魄的征服壮举激励了罗马人和旃陀罗笈多（Chandragupta Maurya）——印度第一个

◀ **早期帝王**

这个青铜人面像刻画的应该是萨尔贡大帝。追随萨尔贡大帝脚步的美索不达米亚征服者们都非常崇敬他。

帝国的创建者。希腊人的思想、艺术和文化对罗马产生了极大的影响。

关于罗马帝国"衰亡"的原因，出现了两百多种理论。当代历史学家倾向于将罗马帝国的衰亡归为一种逐渐的演变，而非遽然的瓦解。更有趣的是，虽然罗马帝国的中央统治瓦解了，但是就像萨尔贡和亚历山大的帝国一样，它们留下了永久的遗产——集体学习。公元 1300 年，欧洲许多城市的大学都将希腊罗马文化引入了欧洲的思想生活中。由查士丁尼大帝完善的罗马法律体系至今仍旧是欧洲大多数国家法律体系的基础。

▶ **帝国的兴衰**

人类历史上，世界各地的帝国都经历了由兴起到瓦解的过程。这些帝国所经历的过程是相似的，影响帝国兴衰的因素也是相同的。

征服那些统治力量空虚且拥有财富的国家

治理良好、国力强大的城邦发展到了顶峰，资源也已经用尽

> 任何想**和我平起平坐的国王**，无论我去哪里征战，只管**让他过来**。

萨尔贡大帝（卒于公元前 2215 年），阿卡德帝国统治者

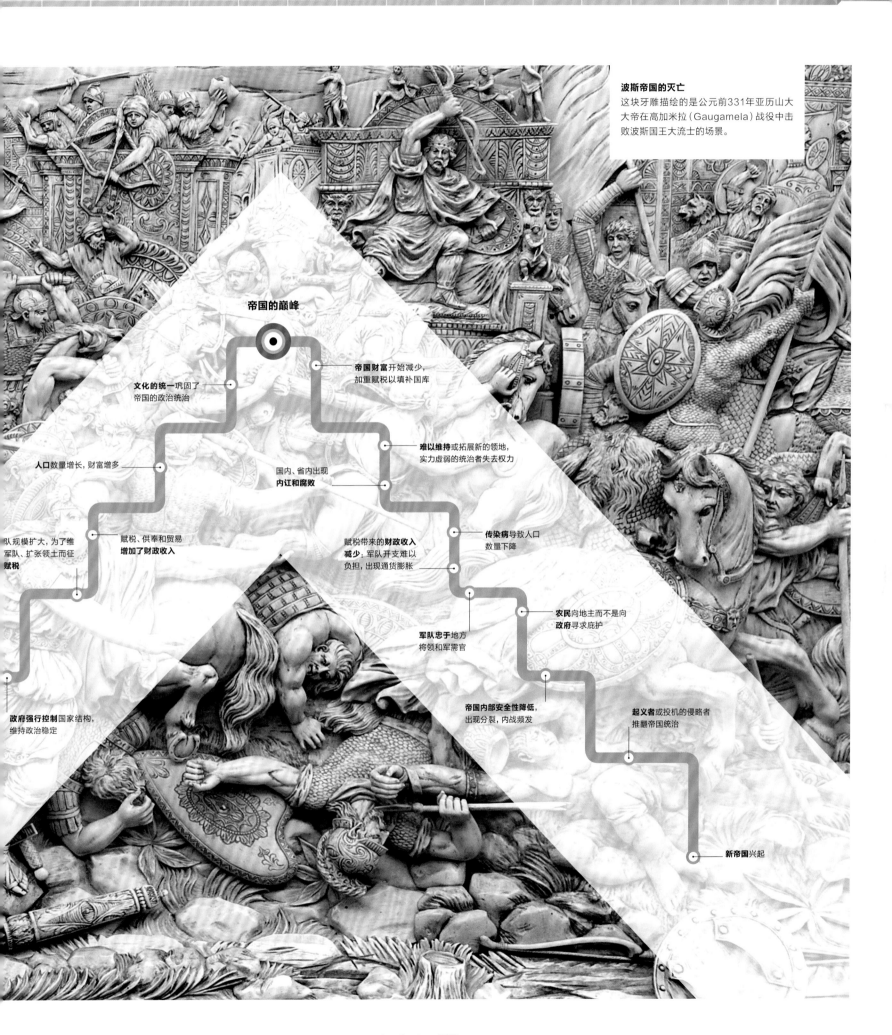

波斯帝国的灭亡
这块牙雕描绘的是公元前331年亚历山大大帝在高加米拉（Gaugamela）战役中击败波斯国王大流士的场景。

帝国的巅峰

帝国财富开始减少，加重赋税以填补国库

文化的统一巩固了帝国的政治统治

难以维持或拓展新的领地，实力虚弱的统治者失去权力

人口数量增长，财富增多

国内、省内出现**内讧和腐败**

传染病导致人口数量下降

队规模扩大，为了维军队、扩张领土而征**赋税**

赋税、供奉和贸易**增加了财政收入**

赋税带来的**财政收入减少**：军队开支难以负担，出现通货膨胀

农民向地主而不是向**政府**寻求庇护

政府强行控制国家结构，维持政治稳定

军队忠于地方将领和军需官

帝国内部安全性降低，出现分裂，内战频发

起义者或投机的侵略者推翻帝国统治

新帝国兴起

▶ **乾隆通宝**
这枚钱币是中国的乾隆皇帝（1736年至1795年在位）按照秦始皇时期的钱币样式制作的。钱币的设计有很强的象征性，彰显了帝王至高无上的权力。

钱孔四周的汉字按照这样的顺序阅读：上、下、右、左。上下两个汉字一起构成了帝王的年号：乾隆

圆形代表了大地之上的天穹，中间的方孔代表了整个大地

方孔**左右的汉字**（由右向左读）意为"流通财产"，表明这种钱币应当自由地流通

钱币是用铜合金灌入模型制作的

阿波罗的头像

▶ **重复的设计**
从这些钱币中，可以看出货币的观念是如何在欧洲传播开的。最左边是一枚希腊金币，是马其顿王腓力（公元前359至前336年在位）发行的。欧洲西北部的凯尔特部落——巴黎西人仿制了腓力钱币的样式。巴黎西人后来的钱币设计图案较为抽象。

非写实的马

抽象的设计

公元前4世纪的希腊钱币（正面）　　公元前4世纪的希腊钱币（背面）　　公元前1世纪的巴黎西（Parisii）钱币（正面）　　公元前1世纪的巴黎西钱币（背面）　　巴黎西后期的钱币（正面）　　巴黎西后期的钱币（背面）

制造
货币

货币是用于交换的价值象征物。起初，人们会用在当地有重要意义的物件充当货币，比如贝壳、羽毛或是可可豆。后来，更具价值的金属取代了这些物件，极大地促进了地区之间的贸易往来。

最早的交换形式是物物交换。这种交换方式的问题在于，双方必须拥有等值的、对方需要的物品才能实现交换。为了解决这个问题，最初的文明发明了金钱。

许多地区都用金属作为贸易的货币，其中尤以金、银和青铜最多。金和银具备稀有、美观、耐用的特点，开采难度较大，因而价值最高。起初，经过称重的银块被用作流通货币。后来，在公元前一千纪，欧亚大陆贸易网络扩大，各国开始发行硬币——这是一种金属代币，上面标记了其价值。

公元前600年左右，吕底亚（现土耳其境内）人发明了真正的硬币。铸币技术后来从吕底亚传播到了希腊。每个希腊城邦都开始铸造自己的硬币。通常，希腊人会在硬币上装饰守护神或其神兽的图样。

发行硬币是宣示政治权威和统治权力的行为。统治者们发现，他们可以利用硬币提升自己的公众形象，广泛而快速地传播想法或信息。罗马硬币上铸有当权者的头像及其成就，例如打过的胜仗或是建造的新神庙。与之类似，伊斯兰领袖哈里发发行的硬币上刻着宗教箴言，比如："奉主之名，穆罕默德是真主的使者。"

硬币：证据

货币的分布可为我们了解欧亚大陆上新的贸易网络以及思想的传播提供证据。人们在遥远的阿富汗和印度发现了罗马硬币，这证明东方的香料曾被贩卖到罗马。

钱币质量的下降意味着帝国经济下滑。罗马安东尼安银币（Antonianus）于公元215年首次发行。此后，银币的含银量不断降低；到了公元3世纪70年代，这种银币只能算是镀银的铜币了。商人认为这种钱币的价值降低了，因此提高了货物的价格，导致了通货膨胀。

中国钱币

中国战国时期（公元前475年至公元前221年），硬币流传开来。当时的硬币形态是青铜工具的微缩版。北部和东部的国家将硬币铸造成刀子的形状，中部国家则将其铸造为铲子的形状。

公元前221年，秦始皇统一中国后，发行了统一的流通铜币。铜币中间有方孔，可以穿在一起。虽然铜的价值比青铜低，但是金属本身的价值不会影响钱币的价值。因为所有中国人都使用一套货币系统。关键在于，铸币的权力被中央垄断。

随着贸易的发展，人们对金钱的需求也增多了。公元900年左右，为了省去携带数千枚硬币的麻烦，中国商人开始向商铺提供单据凭证。中央随后给予了个别商铺垄断权，允许它们发行单据凭证。12世纪20年代，中央控制了这个系统，发行了世界上最早的纸币。

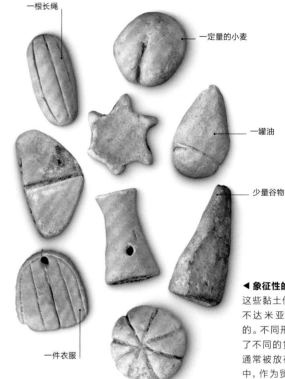

一根长绳　　一定量的小麦　　一罐油　　少量谷物　　一件衣服

美索不达米亚的记账代币

◄ **象征性的价值**

这些黏土代币是早期美索不达米亚商人用来记账的。不同形状的代币代表了不同的货物。这些代币通常被放在黏土"信封"中，作为贸易账单在商人之间传递。"信封"上记录着里面有多少枚代币。

> 有了**纸币**，他们就可以**在帝国任何地方买到想要的商品**，纸币可以**随身携带**，非常轻便。

马可·波罗（约1254—1324），威尼斯商人，《游记》

◄ **石块货币**

在密克罗尼西亚的雅浦岛（Yap）上，用石灰岩刻成的大圆盘是传统形式的货币"费"（rai）。这些石头圆盘是从周边群岛和关岛挖掘出来，然后用竹筏运到雅浦岛上。石块的价值取决于它的尺寸、工艺和历史——运输过程越难、越危险的石头价值越大。石头的所有权通常是口传的，哪怕换了所有者，石头通常还是会放在原有位置。

死神的胜利

黑死病之后，"死神的胜利"成为欧洲艺术的常见主题。这幅西西里岛的壁画诞生于15世纪40年代。壁画中，象征死神的骷髅骑在马上，用弓箭射死各个阶层的人：帝王、贵族和神职人员。

疾病的蔓延

虽然农耕可以养活的人口比狩猎采集更多，但是，随着人们的饮食结构趋于稳定、种类减少，人们的生活方式也不那么健康了。随着人口数量增多，部落人口密度加大，人口流动空间更广，疾病的传播速度也变得更快，并且往往会带来致命的危害。

通过分析早期农民的骨骼，可以发现当时新的生活方式所造成的问题。以谷物为主的饮食缺乏维生素 C 和维生素 D，导致人们容易患上坏血病和佝偻病。此外，农民会因重复性的高负荷劳作受伤。从第一个农耕遗址——位于叙利亚的阿布胡赖拉（Abu Hureyra）——挖掘出来的女性骨骸下腰部和膝盖受损、大脚趾变形。这些伤病都是长期跪着碾磨谷物造成的。

以农业为核心的生产方式带来的不可避免的结果是不时会出现饥荒。狩猎采集时期人们的饮食结构多样，但进入农耕时期，人们只吃少数几种谷物和动物。而这些食物都可能因气候、疾病或虫灾而短缺。在埃及，农耕依赖于尼罗河每年定期的泛滥。河水泛滥时期，水位可达 8 米高；如果水位只有 7 米，收成就会减少；若水位低于这个数值，就会导致饥荒。反反复复出现的食物短缺会导致一些文明走向灭亡。

致命的疾病

人与动物的亲密接触，导致细菌和病毒更容易从宿主家畜的身上转移到人类身上。比如说，麻疹就是由牛瘟病毒——一种发生在牛身上的致死疾病——变异而来。疾病既可以通过与动物的直接接触传播，也可以通过跳蚤或虱子等吸血昆虫传播。其中，致死性最强的是黑死病。这是一种

由鼠疫杆菌引起的疾病，可经跳蚤由老鼠传播给人。黑死病最严重的暴发期是 14 世纪。瘟疫自亚洲开始，沿着贸易路线向西传播，最终导致 1/3 的欧洲人丧生。

狩猎采集时期，人们很少与老鼠接触。但是随着人类开始定居，人类制造的垃圾成为啮齿动物繁殖的温床。饮用水源也常常因人类和动物粪便而受到污染。频频发生的蛔虫病以及另外两类致死细菌性疾病——霍乱和伤寒都是因饮用污水造成的。在现代医学出现之前，哪怕是简单的伤口感染，都可能致命。

◀ **瘟疫携带者**

黑死病是发生在古代的一种由啮齿动物导致的疾病。人类大规模定居后，这种疾病才开始传染给人类。这只跳蚤有两千年历史了，保存在一个琥珀中。它的口器携带着瘟疫细菌。

> 人们**挖了很大很深的坑，坑里堆满了尸体**……我，阿尼奥洛·迪图拉，**亲手埋葬**了我的五个孩子。

阿尼奥洛·迪图拉（Agnolo di Tura），意大利商人、编年史家，约1347年

贸易网络的
发展

农业文明不断发展，人类社会出现了大规模的、彼此相接的网络，货物、语言、技术、微生物乃至基因都通过这些网络互相交换。农业时代最重要的贸易网络就是我们今天所说的"丝绸之路"。

这条不生树木的草原之路自欧洲东部绵延至中国边疆地区，总长度达4 800千米。过去6 000年中，这条路所经过的区域成为游牧民族的居住地。游牧民族骑着马或骆驼，一路前行，寻找新的草原以喂养畜群。游牧民族高度的流动性使得丝绸之路的出现成为可能。他们的游牧路线串联成了欧亚大陆之间的贸易通道。在农业时代，这些路将整个非欧亚大陆连接了起来。世界上的另一些地区在早期已经发展出了贸易网络，比如美洲的安第斯山脉贸易网和美洲中部贸易网。但是这些贸易网络与丝绸之路相比规模较小，且较单一。尽管战争能够将不同文明联系在一起，但贸易才是最具支配力的因素。

丝绸之路

丝绸之路包括经过中国、中亚和地中海地区的陆路贸易网络，以及海洋贸易网络。在丝绸之路历史的第一个主要阶段，即

自公元前50年至公元250年，早期小型农业文明已经巩固发展成为领土广阔、国力强盛的大帝国，这为大规模的商品交换提供了条件。这四个帝国——罗马帝国、帕提亚帝国、贵霜帝国和汉朝——共同建设了一条将四个国家连接起来的陆路网络。冶金和交通方面的技术发展促进了农业生产水平的提高，这两项技术与货币制度的出现一同造就了非欧亚大陆上前所未有的物品交换与文化交流的景象。与此同时，势力强大

▼ 寻找草原
现代哈萨克游牧民族利用马和骆驼作为坐骑和驮畜。他们在丝绸之路的中国阿勒泰平原部分放牧。6 000多年来，他们的生活方式几乎没有发生过变化。

的游牧部落出现在了环境恶劣的欧亚大陆中部地区。他们增进了不同文明之间的联系；丝绸之路形成之后，旅人在行进途中也有赖于这些牧民的帮助。

汉朝扩张至中亚地区后，也就是在公元前200年左右，中国至地中海地区的长途贸易繁荣起来。商人带着来自中国的丝绸、玉石和青铜，罗马的玻璃，阿拉伯的香和印度的香料穿行草原和荒漠。沙漠中的绿洲城镇，以及波斯北部和阿富汗的各个城市，通过控制贸易获得了巨额财富。

丝绸之路传输的更重要的东西是思想和宗教，比如佛教和伊斯兰教。公元6世纪50年代，拜占庭帝国的修道士来到中国，成功地将中国的蚕种走私到西方；这样，拜占庭帝国学会了生产丝绸，打破了中国长期以来对这一广受欢迎的织品的生产垄断局面。

然而，丝绸之路也加速了疾病的传播。公元2世纪至3世纪，中国汉朝和罗马帝国出现了同一种致死性的传染病。后来，这种微生物的互相传播使得非欧亚大陆的居民对该疾病产生了抗体。

这一系列交流导致非欧亚大陆的住民拥有了共同的技术、艺术风格、文化和宗教。通过这些方面的交换和交流，丝绸之路促进了高层次的集体学习，对发展与创新做出了贡献。

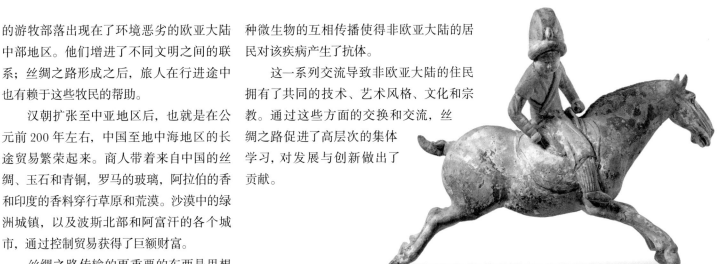

◀ **骑在马背上**
发明于中亚或南亚地区的马球通过丝绸之路传到了中国。这尊唐代（618—907）陶制墓葬雕塑表现的是有名的"汗血马"。这种宝马是沿丝绸之路交易的。

> 他们**将蚕种带到了拜占庭**……拜占庭人学会了这种工艺，因此……**罗马帝国**开始**生产丝绸**。

凯撒里亚的普罗科皮乌斯（Procopius of Caesarea，约500—560），罗马历史学家，论丝绸生产技术的传播

东西方
相遇

1492年以前，非欧亚大陆"旧世界"与美洲"新世界"彼此不知道对方的存在。欧洲探险者将这两个世界联系起来，带来了"哥伦布大交换"。这是一次人类、动物、农作物、疾病和技术的大交融。

在1492年至1650年间，**传染病**导致**90%**的**美洲原住民丧生**

北美洲

木薯
生长于南美洲的木薯抗旱、抗病虫害能力极强，哪怕在贫瘠的土壤中也可以茁壮生长。这种植物广泛分布在热带地区。目前，这种作物是5亿多人的主食。

◀ 新世界
1492年，欧洲探险者到达了美洲，开始对整个美洲进行广泛的殖民统治。他们从美洲获取了大量农作物和动物，带回了旧世界。这些货物往往会变成欧洲人热捧的奢侈品。

1521年，西班牙征服者埃尔南·科尔特斯控制了阿兹特克帝国

烟草
自17世纪初开始，烟草成为北美洲的欧洲殖民者的重要经济作物。烟草被运到欧洲，并在非欧亚大陆上迅速传播开来。

1500年，葡萄牙航海家佩德罗·阿尔瓦雷斯·卡布拉尔率领的一支舰队在巴西靠岸，占领了当地并宣示主权

南美洲

辣椒
美洲辣椒易于生长，在欧亚大陆上迅速传播开来。葡萄牙商人把辣椒卖到非洲、印度和东南亚。当地人将香料加入其中，以适应当地人的口味。

1533年，西班牙征服者弗朗西斯科·皮萨罗征服了印加帝国

西半球

欧洲探险家们充分利用了先进的技术——马术、枪支和钢铁武器——征服了新世界的居民。而他们从欧洲带来的疾病也在这个过程中出了力。哥伦布大交换改变了整个人类的生活。世界各地的人都受益于新食物，所以此后两个世纪全球人口出现了持续增长。随着农业技术的发展和新型组织方法的出现，各种农作物和动物在各地

传播开来。国家加强了中央集权，开始扩张领土，以提高人口数量和国库收入，最终增强了人类对土地的控制。

新的全球贸易网络以及哥伦布大交换带来的文化冲击对两个地区影响最为深刻：美洲和欧洲。美洲的本土文化和政治传统走向了灭亡：人们开始学习欧洲语言，美洲本土语言消失了。欧洲位于新的全球贸

易网络的中心，因此新信息在那里产生了最深刻的影响。然而，出人意料的是，他们当时却没有实现什么创新。1700年的人类思维仍旧传统保守，但是思想、商品、农作物和疾病的快速传播，以及人类的迁徙，为18世纪后期叹为观止的创新大爆发做了铺垫。

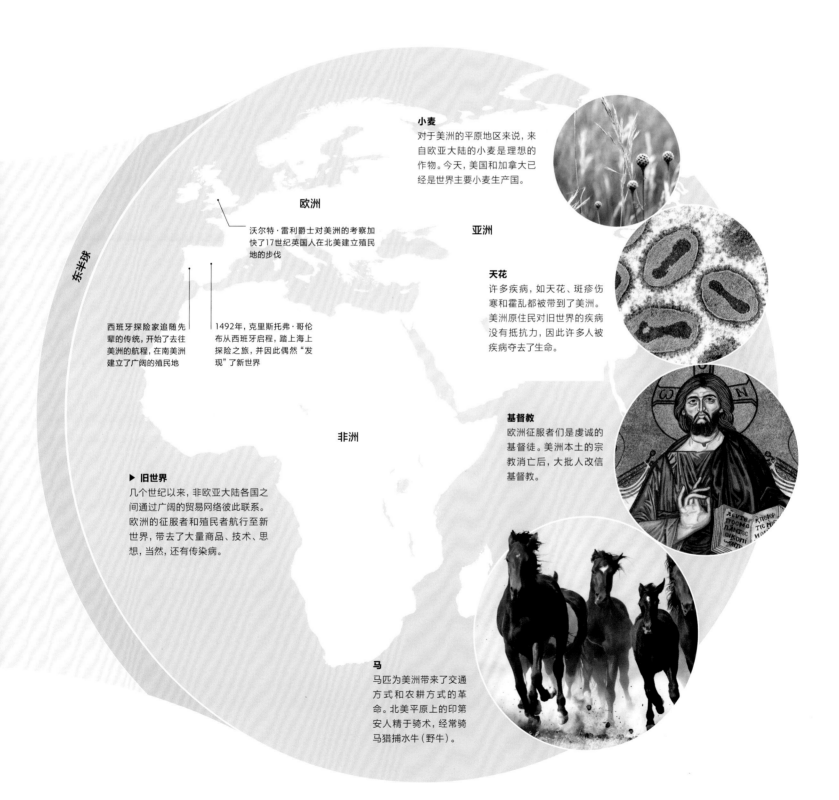

小麦
对于美洲的平原地区来说，来自欧亚大陆的小麦是理想的作物。今天，美国和加拿大已经是世界主要小麦生产国。

欧洲
沃尔特·雷利爵士对美洲的考察加快了17世纪英国人在北美建立殖民地的步伐

亚洲

天花
许多疾病，如天花、斑疹伤寒和霍乱都被带到了美洲。美洲原住民对旧世界的疾病没有抵抗力，因此许多人被疾病夺去了生命。

西班牙探险家追随先辈的传统，开始了去往美洲的航程，在南美洲建立了广阔的殖民地

1492年，克里斯托弗·哥伦布从西班牙启航，踏上海上探险之旅，并因此偶然"发现"了新世界

东半球

非洲

基督教
欧洲征服者们是虔诚的基督徒。美洲本土的宗教消亡后，大批人改信基督教。

▶ **旧世界**
几个世纪以来，非欧亚大陆各国之间通过广阔的贸易网络彼此联系。欧洲的征服者和殖民者航行至新世界，带去了大量商品、技术、思想，当然，还有传染病。

马
马匹为美洲带来了交通方式和农耕方式的革命。北美平原上的印第安人精于骑术，经常骑马猎捕水牛（野牛）。

贸易的
全球化

15世纪末，随着欧洲船队穿越大洋，构建起全球性的海洋贸易网络，世界各地第一次相连。全球化的影响波及世界各地。其中，欧亚大陆与美洲之间的联系最具深远影响。

全球化始于 1492 年。克里斯托弗·哥伦布向西穿越大西洋，希望能够到达亚洲，结果却到了美洲。当时，欧亚大陆尚不知这一"新世界"的存在。6 年后，在瓦斯科·达·伽马的带领下，一支葡萄牙舰队向南继而向东航行，到达了印度。随后，1519 年至 1522 年间，费迪南德·麦哲伦带领的西班牙探险队进行了环球航行。英国人、法国人和荷兰人也紧随其后，开始了远航。

欧洲人的探险驱动力

为什么使全球各地相连的是欧洲人，而不是其他地区的人？欧洲距离香料和丝绸的原产地都很远，敌对的奥斯曼帝国的兴起又切断了欧洲跨大陆的贸易路径，从这两点来看，欧洲在欧亚大陆贸易网络中本处于非常不利的境况。欧洲人深知他们面临的隔绝状态，因此开始发展技术，包括造船术、航海设备和地图，以获得香料。在这个方面，欧洲西北部国家比地中海国家具有优势，因为前者的海岸线直面大西洋。

当时的欧洲大陆因国家敌对和冲突而四分五裂，战事频仍。为了寻求财富，以供军需，欧洲各国不得不扩张海外领土。

与欧洲相比，中国也具备探索新大陆的技术，然而中国在当时已经统一，因此不具备探索新世界的动机。15 世纪初，中国人曾开展过短期的探险航行。当时，一支中国帆船舰队曾远达非洲地区。但是此行的目的是展示国力，而非挖掘新财富。1433 年以后，中国皇帝下令停止探险活动，中国成了一个封闭的国家。

美洲没有远程贸易路线，墨西哥的阿兹特克人和秘鲁的印加人甚至不知道彼此的存在。因此，美洲人根本不知道还有其他地方值得探索，自然不会造船航行。

> **世界贸易**……在16世纪揭开了**资本的近代生活史**。

新的全球化网络

随着新的全球联系的出现，贸易网络的重心转移了。原来处于欧亚大陆网络边缘的欧洲西北部地区，在快速扩张起来的新的全球网络中处于中心位置。这就是为何如今世界上使用人数最多的语言是英语、西班牙语、葡萄牙语和法语。而威尼斯等欧洲南部原有的重要贸易港口则长期衰落。

来自美洲和其他大陆的财富输入欧洲，导致欧洲的经济发生了变化。权力从拥有土地的贵族转移到了商人手中，这象征着现代资本主义的诞生。

▼ 蛋壳上的世界
1500年左右，欧洲人制作了这一已知最早的描绘新世界的地球仪。这个地球仪是将一颗非洲鸵鸟蛋一分为二制成的——这是世界各地互相连接的进一步证明。

这里有71个地名。亚洲的东海岸（此图没有显示出来）区域写着"Hic sunt dracones"，意为"此处有龙"

亚洲与印度洋

"伊莎贝拉"（Isabel）即 La Isabella，是哥伦布建立的一个居民点，位于如今的多米尼加共和国境内

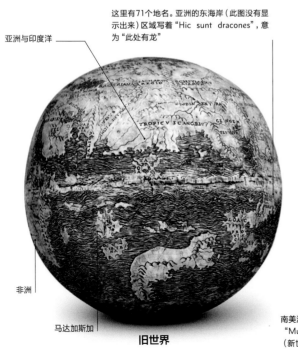

非洲

马达加斯加

南美洲，被标记为
"Mundus Novus"
（新世界）

旧世界

新世界

"圣十字之土"
（Terra Sanctae Crucis）

◀ 葡萄牙贸易
1543年，从印度果阿出发的葡萄牙船队首次驶抵日本。他们用中国的丝绸、瓷器和印度的布匹交换日本的金属制品和艺术作品。这幅日本画作展示的是一艘葡萄牙大帆船，这是一种大型商船。

南美洲的银矿

1545 年，西班牙人在玻利维亚的波托西（Potosi）发现了一座银矿山。这是当时发现的储量最大的银矿。截止到 1660 年，约有 6 万吨白银被货船运回西班牙，欧洲地区的白银量因此增长了两倍。

亚洲商人需要白银。因此白银迅速成为世界经济的基石。大部分白银输往中国，用来购买丝绸和瓷器。从墨西哥出发的西班牙大帆船载着白银穿越太平洋，到达菲律宾。葡萄牙船队也向东方航行，利用新世界的白银购买印度的棉花和香料，以及中国的瓷器和丝绸，然后和日本人做生意。

从美洲带来的大量白银导致欧洲及其他地区出现了大范围的通货膨胀。西班牙银币通过贸易到达了奥斯曼帝国，使银含量较低的当地银币变得更加不值钱。政府官员和士兵发现他们无法再仅仅依靠薪水生活。

虽然从美洲涌入了大量的白银，但是西班牙王室因为频繁的战事经常负债。因此财富最终到了为王室还债的外国银行家手里。

毁灭性的影响

全球化也将欧亚大陆的疾病带到了世界各地。这些疾病给美洲、澳大利亚和太平洋岛屿地区的土著人带来了毁灭性的结果。

起初，美洲的采矿业和农业由土著人维持；然而由于外来疾病和治疗不当导致大量土著人死亡，美洲开始索求新的劳动力。1534 年，欧洲人开始将非洲奴隶——他们对旧世界的疾病有抵抗力——运往美洲。在接下来的 350 年中，约有 1 200 万到 2 500 万名非洲人被绑在贩卖奴隶的船上，运到大西洋的彼岸。

全球化也给环境带来了灾难性的影响。比如，引入澳大利亚的绵羊和太平洋岛屿的山羊导致大片森林被毁，还造成了当地许多野生物种的灭绝。

◀ 西班牙银币
西班牙银币因重量一致、纯度高而有名，因此成为其他硬币的制币标准。

临界点

工业兴起

为了满足不断增长的人口的各种需求，人类探索出了地球上的又一新能源——化石燃料。化石燃料的使用促进了工业和消费主义的诞生，建立了世界新秩序——人类拥有了改变世界的绝对力量。

适当条件

在规模较大、内部差异明显又互通互联的社会中，集体学习是一种强大的力量。18世纪，原有的贸易网络逐渐发展为新兴的全球性网络，高度复杂的现代世界开始形成。变化的速度开始加快，人类控制生物圈的能力也快速提高。

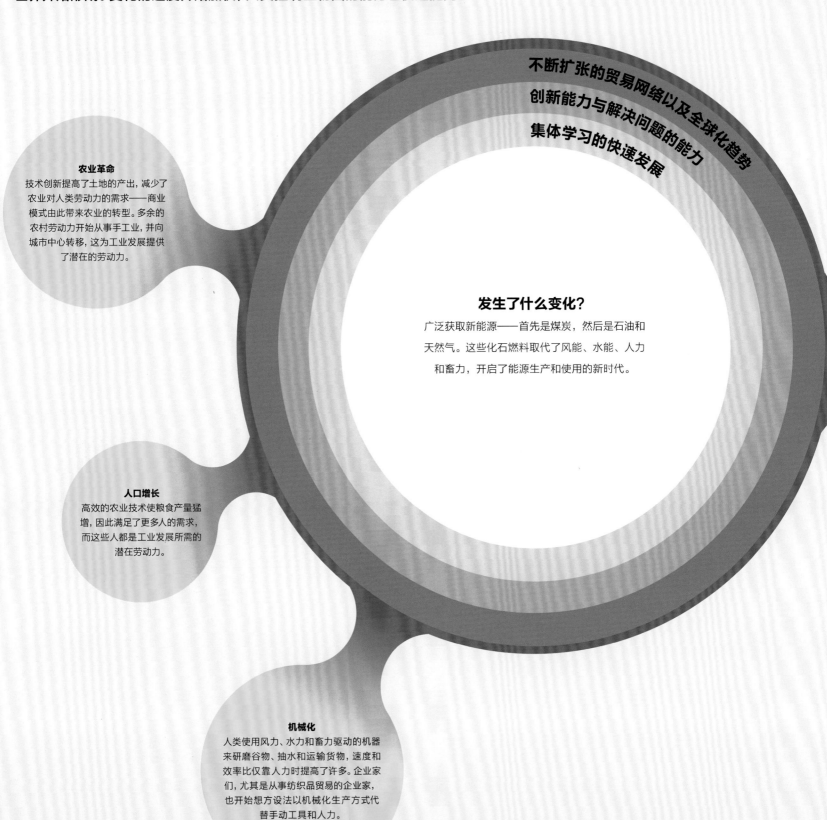

不断扩张的贸易网络以及全球化趋势

创新能力与解决问题的能力

集体学习的快速发展

农业革命
技术创新提高了土地的产出，减少了农业对人类劳动力的需求——商业模式由此带来农业的转型。多余的农村劳动力开始从事手工业，并向城市中心转移，这为工业发展提供了潜在的劳动力。

人口增长
高效的农业技术使粮食产量猛增，因此满足了更多人的需求，而这些人都是工业发展所需的潜在劳动力。

发生了什么变化？
广泛获取新能源——首先是煤炭，然后是石油和天然气。这些化石燃料取代了风能、水能、人力和畜力，开启了能源生产和使用的新时代。

机械化
人类使用风力、水力和畜力驱动的机器来研磨谷物、抽水和运输货物，速度和效率比仅靠人力时提高了许多。企业家们，尤其是从事纺织品贸易的企业家，也开始想方设法以机械化生产方式代替手动工具和人力。

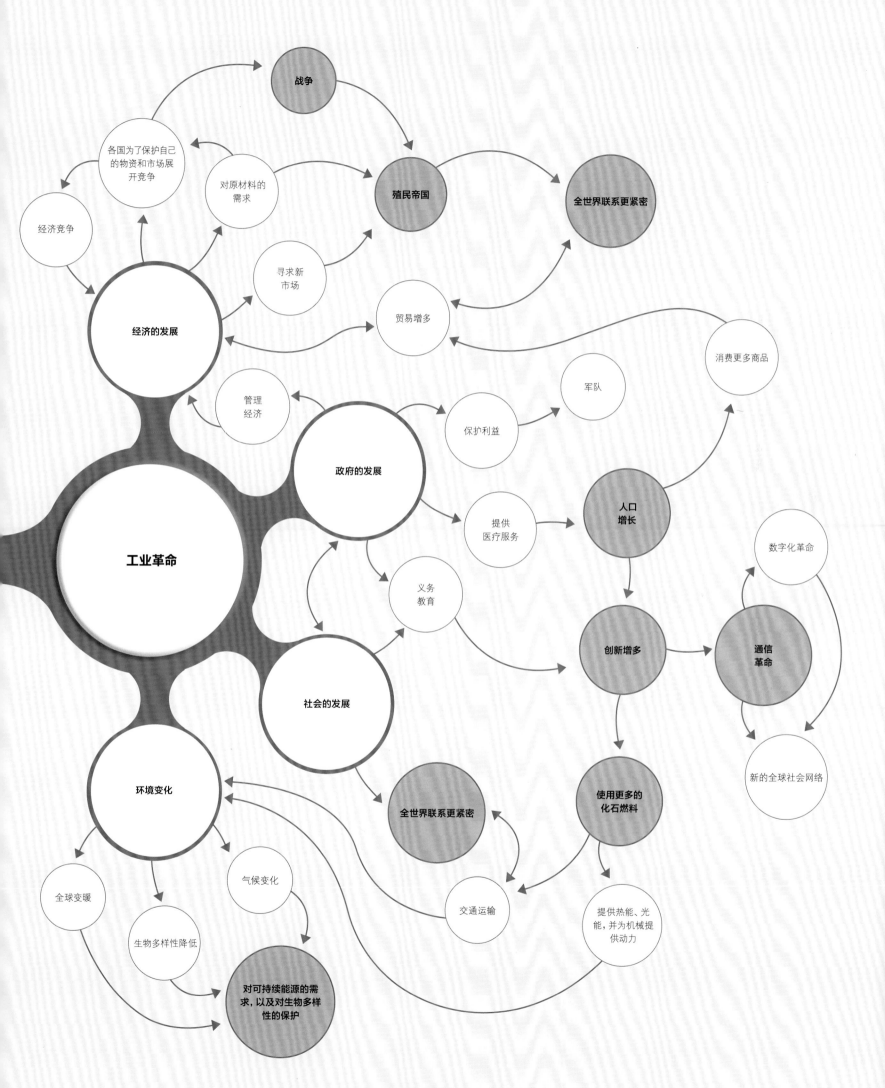

战争

各国为了保护自己的物资和市场展开竞争

对原材料的需求

殖民帝国

全世界联系更紧密

经济竞争

寻求新市场

贸易增多

消费更多商品

经济的发展

管理经济

政府的发展

保护利益

军队

提供医疗服务

人口增长

数字化革命

工业革命

义务教育

创新增多

通信革命

社会的发展

全世界联系更紧密

使用更多的化石燃料

新的全球社会网络

环境变化

全球变暖

气候变化

交通运输

提供热能、光能，并为机械提供动力

生物多样性降低

对可持续能源的需求，以及对生物多样性的保护

工业革命

18世纪中期，在经历数百年的缓慢发展后，英国出现了一系列技术创新。这一进程将永久性地改变整个世界。这就是我们今天所说的工业革命。

工业革命改变了农业社会，使人们发现了在制造业、通信和运输方面利用煤炭等化石燃料代替人力、畜力的方法。这一过程始于英国。全球化和地区化的各种因素使英国进入了一个技术变革相对较快的时代。

为什么在那里，为什么是那时？

英国工业化之后，欧洲人口开始快速增长。马拉播种机等农业技术的革新，以及现代农耕技术的使用，提高了土地承载力，进一步促进了人口增长（见第252~253页）。那也是一个社会变革的时代：地主可以用更少的人力生产出更多的粮食，许多农业劳动力开始向城市转移并从事手工业。地主不再向佃农收租金，佃农则开始靠工资生活。社会结构首次由农业社会向商业化社会转型。

这是一次重大转折。当社会和思想不

国有强大的陆军和海军保护国家的商业发展。伦敦是英国重要的交易中心，而英国则位于连接欧洲和美洲的全球贸易网络的中心，因此英国能够充分地从集体学习带来的新发明中获益。

中国拥有巨大的人口优势，自11世纪以来又利用煤炭发展了钢铁冶炼工业。因此，理论上说，中国在11世纪后的任何时间节点上都可以实现工业化。然而，中国的煤矿主要分布在政局动荡的北方，13世纪蒙古族入侵后，中国经济中心南移，远离了煤矿。此外，当时的政治环境也不利于工业化发展：中央所提倡的儒家思想强调稳定，而工业化通常被视为具有破坏性。

越发严重的问题

1750年至1800年，英国人口数量翻了一番，导致木材供应不足，煤炭越来越多

> **（工业革命）** 可能是**世界历史**上**最重要的事件**之一……仅次于**农业**和**城市**的出现。

艾瑞克·霍布斯鲍姆（Eric Hobsbawm, 1917—2012），英国历史学家

具备创新动机的时候，加上政治局面的影响，创新的速度就会减缓。18世纪时，欧洲大陆的绝对君主制抑制了创新。然而，英国实行的是议会君主制，英国政府支持商业活动并奖励创新，这受益于启蒙运动营造的思想氛围。

英国大部分国民收入来自商业，而商业为工业化发展提供了必要的资金。同时，英

地被用作燃料。木材越是短缺，煤炭的需求量越大。尽管英国煤炭储量丰富，但这些煤矿都在地下深处，很难开采。这就产生了创新的需求；英国具备了一切发生创新的必要条件——创新也的确发生了。

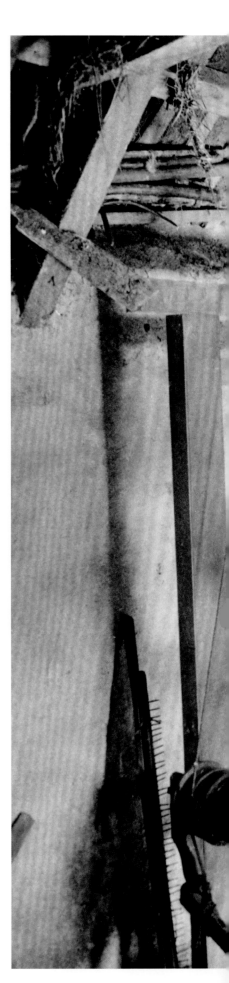

在家工作
农耕者从田地中解放出来，开始从事纺织业等家庭
手工业。这促进了经济、贸易和出口的增长，为实现
工业化做了铺垫。

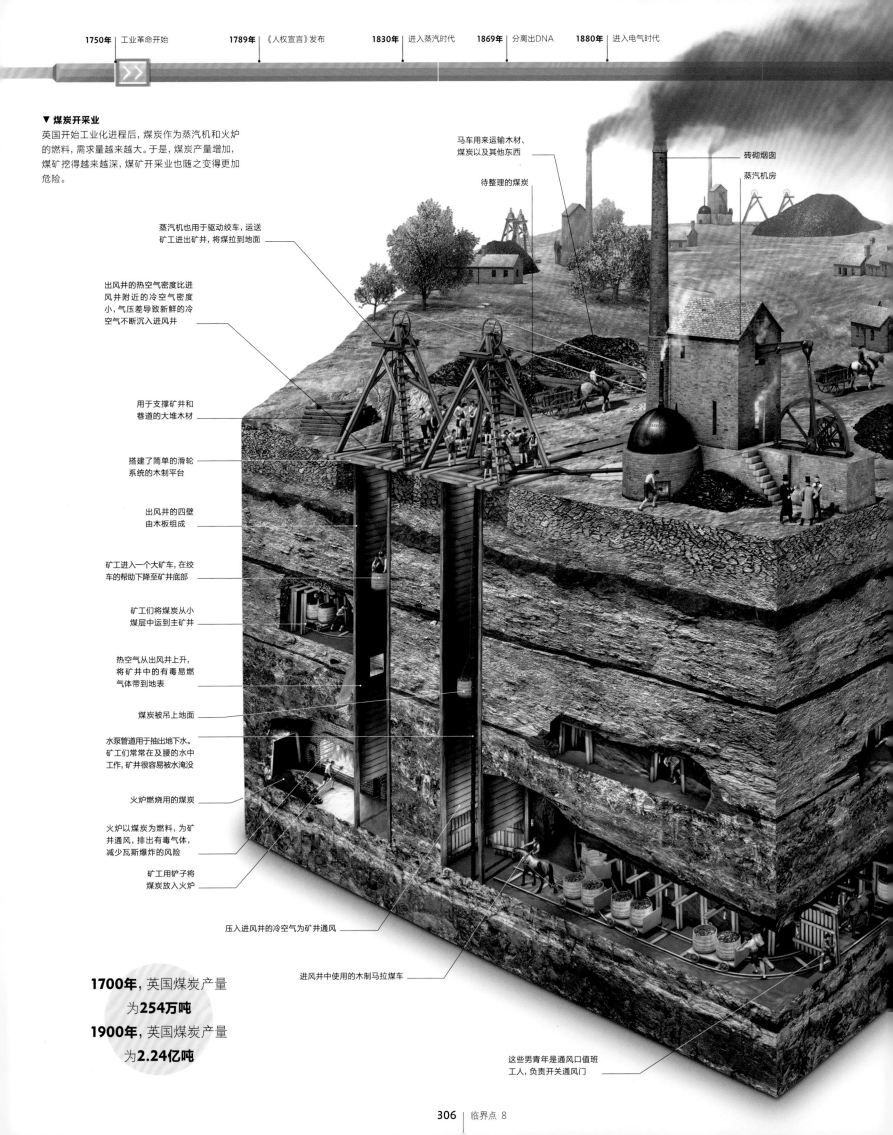

▼ 煤炭开采业

英国开始工业化进程后，煤炭作为蒸汽机和火炉的燃料，需求量越来越大。于是，煤炭产量增加，煤矿挖得越来越深，煤矿开采业也随之变得更加危险。

马车用来运输木材、煤炭以及其他东西

待整理的煤炭

砖砌烟囱

蒸汽机房

蒸汽机也用于驱动绞车，运送矿工进出矿井，将煤拉到地面

出风井的热空气密度比进风井附近的冷空气密度小，气压差导致新鲜的冷空气不断沉入进风井

用于支撑矿井和巷道的大堆木材

搭建了简单的滑轮系统的木制平台

出风井的四壁由木板组成

矿工进入一个大矿车，在绞车的帮助下降至矿井底部

矿工们将煤炭从小煤层中运到主矿井

热空气从出风井上升，将矿井中的有毒易燃气体带到地表

煤炭被吊上地面

水泵管道用于抽出地下水。矿工们常常在及腰的水中工作，矿井很容易被水淹没

火炉燃烧用的煤炭

火炉以煤炭为燃料，为矿井通风，排出有毒气体，减少瓦斯爆炸的风险

矿工用铲子将煤炭放入火炉

压入进风井的冷空气为矿井通风

进风井中使用的木制马拉煤车

1700年，英国煤炭产量为**254万吨**

1900年，英国煤炭产量为**2.24亿吨**

这些男青年是通风口值班工人，负责开关通风门

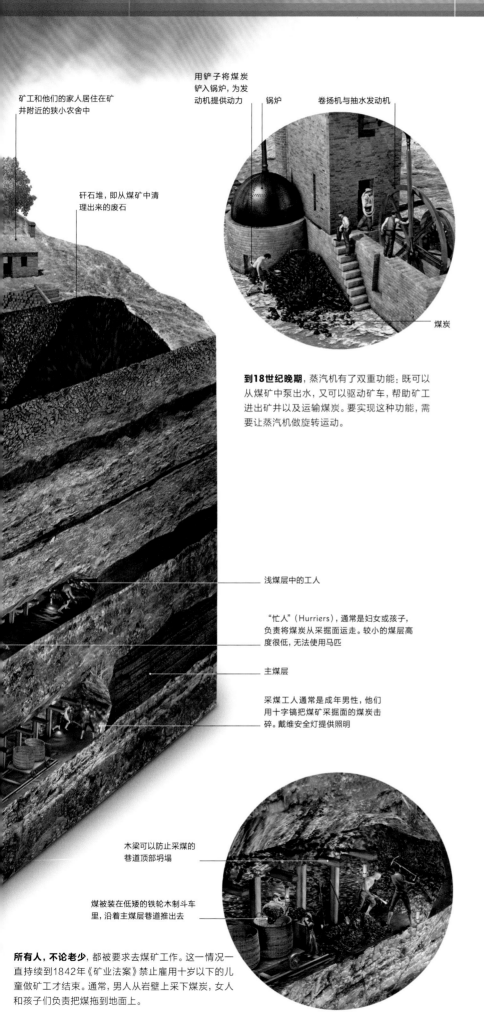

矿工和他们的家人居住在矿井附近的狭小农舍中

矸石堆，即从煤矿中清理出来的废石

用铲子将煤炭铲入锅炉，为发动机提供动力

锅炉

卷扬机与抽水发动机

煤炭

到18世纪晚期，蒸汽机有了双重功能：既可以从煤矿中泵出水，又可以驱动矿车，帮助矿工进出矿井以及运输煤炭。要实现这种功能，需要让蒸汽机做旋转运动。

浅煤层中的工人

"忙人"（Hurriers），通常是妇女或孩子，负责将煤炭从采掘面运走。较小的煤层高度很低，无法使用马匹

主煤层

采煤工人通常是成年男性，他们用十字镐把煤矿采掘面的煤炭击碎。戴维安全灯提供照明

木梁可以防止采煤的巷道顶部坍塌

煤被装在低矮的铁轮木制斗车里，沿着主煤层巷道推出去

所有人，不论老少，都被要求去煤矿工作。这一情况一直持续到1842年《矿业法案》禁止雇用十岁以下的儿童做矿工才结束。通常，男人从岩壁上采下煤炭，女人和孩子们负责把煤拖到地面上。

煤炭
为工业助燃

煤炭的大量开采是一个重大突破，为工业机器提供了燃料，开启了现代化进程。煤炭是几种化石燃料中最先被工业界使用的能源。

煤炭的利用史比欧洲 18 世纪的煤矿业悠久得多。早在公元前 1000 年，中国人就开始利用煤炭取暖、铸铜、为冶铁高炉供能；到公元 11 世纪时，宋朝以煤炭为燃料冶炼钢铁，用于制作兵器。英国自公元 2 世纪开始使用煤炭。当时，罗马人开采近地表的煤炭来为堡垒供暖，为火炉提供燃料，在祭坛前焚烧献给神灵的祭品。5 世纪罗马帝国分裂后，煤炭的使用量也下降了。对大多数人来说，木材是一种更容易得到的燃料，但自 13 世纪开始，被海水冲刷到英国东北部海岸的大量海煤（sea coal）开始被开采，并被装船分运到各地。

工业化的发展需要燃料；在英国，煤矿床恰巧位于厚煤层，尽管埋藏在地下深处。然而，早期的煤矿开采业是非常危险的：矿井时常会被水淹没，且仅靠马力排水要耗费相当长的时间。蒸汽机是托马斯·纽科门（Thomas Newcomen）发明的，后经詹姆斯·瓦特（James Watt）改良，成为当时的一大突破。该发明使得人们可以高效地将矿井中的水泵出，并且可以开采更深处的煤炭。

◀ 原煤筛分
妇女和孩子将煤炭进行筛选，并按照尺寸堆放在一起。筛选后的煤炭经过清洗和干燥，会运出煤矿。

蒸汽机
驱动发展

蒸汽机是工业时代的决定性发明。这项18世纪的发明最初用于从矿井中抽水，后来这种以煤炭为燃料的发动机取代了人力、畜力和水力，工厂、铁路和轮船也因此诞生。

1712 年，英国铁器商、工程师托马斯·纽科门发明了一种蒸汽机。这种蒸汽机可以产生相当于 20 匹马的动力，可以将地下矿井中的水抽出来。这一发明出现后，人们才得以挖掘更深的矿井，扭转了英国煤炭长期供不应求的局面。这种蒸汽机非常受欢迎，到 1755 年，已经推广到了法国、比利时、德国、匈牙利、瑞典和美国。然而，纽科门的蒸汽机过于庞大、低效、耗煤，如果不加以改进，只能用于煤矿开采。1765年，发明家詹姆斯·瓦特意识到，纽科门的蒸汽机无法充分利用煤炭和蒸汽，因此他发明了一种带有独立冷凝器的发动机，改善了这种情况。

工厂制度的出现

矿井用的蒸汽机利用活塞上下移动产生能量，但实业家马修·博尔顿（Matthew Boulton）意识到，瓦特改进后的蒸汽机适合进行旋转运动，可以为工厂机器供能。博尔顿是伯明翰苏豪（Soho）工厂的厂主，生产小型金属装饰品和玩具。与当时许多工业家一样，博尔顿的工厂依靠水轮驱动机械。因此，每当气候干旱、河水枯竭时，工厂就不得不中止生产活动。博尔顿为瓦特提供了工具和工程师，请他制作一款新型发动机。1776 年，瓦特发明出了新型蒸汽

▲ 动力工业
纽科门的蒸汽机经瓦特改进后，可以为工厂机器提供动力，进行大规模生产。

▼ 动力的改变
铁路运输乘客、原材料和工业产品。蒸汽机车为人们提供了廉价的运输方式，促进了工业化的进一步发展。

机，自此工业生产摆脱了自然动力的局限。与纽科门的蒸汽机相比，瓦特的蒸汽机输出等量动力所需的燃料仅为前者的1/4，而且可以安装在任何地方。苏豪工厂因此成了世界上首个以蒸汽为动力的工厂，而工厂工人也开始在大规模生产的流水线上终日辛劳。蒸汽机出现后，一种新的生产方式——工厂制度——诞生了。

机器生产率先发生在英国、美国和日本的纺织厂。蒸汽动力促进了工业的转型，纺织品的大规模生产则促进了英国经济的转型。织布机上安装了蒸汽机后，纺织品的生产速度大大提高。1850年，英国人的用棉量是1800年的10倍多，纺织品变得更为廉价、常见。英国人对美国棉花的需求增多，是美国奴隶种植园一直经营下去的原因。

蒸汽机的普及

蒸汽机出现后，工业生产活动不再依赖水力，因此工厂不必建设在靠近水源的地方了。19世纪末，以蒸汽为动力的工厂附近兴起了一座座城镇。为了给这些城镇提供足够的煤炭、原材料以及商品，人们创造出了新的运输方式：收费公路、运河和铁路。

铁路是工业化的第二股浪潮。钢铁的大规模生产促进了铁路的出现。18世纪初

▲ 纺织女工
纺织厂逐渐引入了动力织布机。动力织布机的效率越来越高，因此女性和儿童取代了男性，成为操作机器的纺织工人。

期，英国工程师亚伯拉罕·达比（Abraham Darby）发现可以通过焦炭燃烧产生的热量熔化钢铁。由于人们发现了获取煤炭的新途径，英国的钢铁产量猛增。钢铁与高压蒸汽机完美结合的产物就是蒸汽机车及铁轨。19世纪，新兴的铁路连接了许多其他正在发展工业的国家。在德国、比利时、法国和美国，钢铁、煤炭和铁路成了工业革命的核心标志。铁路成了工业时代推动技术更新的又一不竭动力。

在蒸汽机上安装涡轮装置后，这一技术就可以为船只提供动力了。螺旋桨比早期的明轮效率更高，可以提供更为持久的推动力。1840年，满载货物和人的蒸汽轮船开始在大西洋上穿梭。到19世纪末，装甲舰——靠蒸汽驱动、船身被钢板或铁板保护起来的战舰——证明了蒸汽动力可用于制造武器。

推崇**现代文明**的人往往将**蒸汽机**和电报视为现代文明的**标志**。

萧伯纳（1856—1950），爱尔兰剧作家、政治活动家

▲ 航运公司
荷兰皇家轮船公司的轮船运载着货物、乘客和信件穿梭在欧洲与荷属东印度之间。

高效的交通运输网络
将原材料运输至工厂并将产品运输至市场是工业化过程中必不可少的一环。收费公路、运河与铁路相继出现。汽船提高了大西洋上的运输效率。

煤炭

能量来源
各国利用水、煤炭、石油和天然气等为工业化提供能源。煤炭是工业革命的主要燃料，被用于蒸汽机、冶铁高炉等。

石油

劳动力
农业技术革新后，人口数量增长，因此带来了劳动力的分工与专业化：工匠、手艺人、织工和佣工摆脱农村的束缚，移居到了城市并在工厂中工作。

技术革新
蒸汽动力技术持续革新，蒸汽机车和汽船接连诞生。时至今日，大量电能仍然是由燃煤蒸汽机提供的。

蒸汽机

创新思维
水力纺纱机、轧棉机和珍妮纺纱机等新型机械出现后，工业大规模生产得以实现。蒸汽机驱动的大型机械出现后，工厂制度诞生了。

思想的自由交流
发明家与工厂主的交流促进了蒸汽机等新技术的诞生。工业间谍以及贸易路线的拓展促进了技术的传播。

工业化
过程

英国是第一个发生工业革命的国家，为后来的国家提供了范本。每个国家的工业化道路都是独特的，但它们具备共同的特征。

工业化带来了农业经济的转型以及一系列技术革新，提高了自然资源的利用率，实现了工业产品的大规模生产。新能源的使用促成了一连串创新。各类机器的发明降低了人力劳动的需求，提高了生产率，使新型工厂组织形式得以出现，产生了劳动力的分工和专业化。科技越来越多地应用于工业，钢铁等新材料促进了交通和通信设施的发展。

最终，工业化改变了政治、社会和经济局势：贸易扩张，经济增长，政府政策调整以适应新的工业化社会，新兴城市出现，帝国兴起。

铁

紧密的贸易联系
工业产生财富：政府和实业家提供资金，新兴的国内外市场提供原材料，产品则到了买主手中。

工业化的要素

◀ 工业化的影响

工业化使得农业社会和农业经济发生了转型。新发明和新技术推动了工业化进程，带来了政治、社会的巨大转变，促进了新经济制度的形成以及强大工业帝国的诞生。

政治伙伴关系

革命、中产阶级的兴起以及政治和社会改革促使政府和人民订立了新的社会契约。现代国家兴起，民主制度出现。

城市的发展

城市在工业中心周边迅速崛起。大规模城市化往往带来人口过多、环境污染以及疾病蔓延的问题。工业化城市环境恶劣，工人阶级几乎得不到任何卫生设备和自来水。

社会改革

19世纪，各国开始致力于提高公民的生活水平；通过立法对工时和童工进行限制，实施强制性的公共教育，建立医疗体系，实施卫生项目以净化城市。

货币管理者

工业化国家开始管理市场。国家创建了银行、证券市场以及保险公司等金融机构来管理和储存财富。

强大的军队

工业化带来的巨额财富使政府得以维持庞大的军队，与其他工业化国家相抗衡。军队也被用于控制广阔的殖民地。

军事技术

对于工业强国而言，发展强大的军队是非常重要的。借助机枪等军事技术，工业化国家得以控制市场，要求一些非工业化国家打开国门进行贸易。

新的生产方式

采用新型工业机器的工厂实现了产品的大规模生产，由此也引发了一些社会问题。工人每天在恶劣的工作环境中长时间工作，领到的薪水却微不足道。

新的意识形态

工业化国家采用现代国家的组织形式后，民族主义和帝国主义等思想也发展起来。对非工业化国家及其人民实行霸权统治是帝国主义信条的理想。

消费者文化

奢侈品的平民化趋向，通过新的贸易网络涌入的国外商品，以及工资水平的提高带来了中产阶级的崛起。消费革命创造出了可以反复投资的资本。

殖民力量

利用强大的陆军和海军力量在原材料丰富的地区开展殖民活动，为工业生产提供原料，这一活动被称为帝国主义。

经济实力

工业化推动了消费资本主义的发展，随后，消费资本主义创造了财富。这导致贫富差距越来越大，工业化国家和非工业化国家之间的差距也越来越大。

持续创新的原因 → → → **新的基础设施和机构** - - → **社会、政治和经济的变化**

1 开始变化

英国的发明家和革新者引领了纺织工业机械的进程化开创入了工厂制度。英国可以利用海外殖民地获取原材料，工厂生产也实现获得了机械化，因此可以大规模地生产廉价商品。英国开始主宰世界贸易。

英国

1750年

1753年左右，飞梭（1733年获得专利）被更广泛地用于纺织品生产。飞梭的使用使每个纺织工人的产量增加了一倍。

布里奇沃特运河（Bridgewater Canal）于1761年开通。这条河完全由人工开凿，彻底改变了英国的交通运输方式。

1765年，詹姆斯·瓦特改良了**蒸汽机**。瓦特的蒸汽机比纽科门的蒸汽机（1712年）更高效，可以驱动机器，工厂制度由此诞生。

珍妮纺纱机发明于1765年，降低了纱线的成本，满足了纺织工人的需求。

1769年，理查德·阿克赖特（Richard Arkwright）发明了**水力纺纱机**。这是一种由水力驱动的纺纱机，对工人力技术的要求更低。

1766年，**苏豪工厂开工**。该厂以蒸汽为动力，是大规模生产金属和玻璃商品的先驱。

1771年，**克罗姆福德水力棉纺厂**（Cromford Mill）在德比郡建成。其他正在工业化的国家也建设了类似的工厂。

亚当·斯密的《国富论》发表于1776年。该书阐述了一种新的、适用于工业化时代的经济理论，提倡自由贸易（不受限制的贸易）。

1779年，亚伯拉罕·达比三世主持建成了**世界第一座铸铁桥**。这座桥横跨在英国什罗普郡的塞文河（Severn River）上。这座桥作为工业革命的象征而闻名于世。

1779年，将珍妮纺纱机与水力纺纱机融于一体的**骡机**（spinning mule）实现了完全自动化的纺织，促进了纺织工业的扩张。

1783年，亨利·柯特（Henry Cort）发明**搅炼炉**。这项技术在20年内将铁产量提高了400%。

发明于1786年的**打谷机**提高了农业效率。

大事年表

工业的
全球化

英国较早实现了工业化，经济腾飞，因此在全球范围内确立了领先地位。其他国家纷纷效仿。

工业化出现在英国是一系列独特的偶发因素共同作用的结果，但是那些有政府强力推行或企业家支持的国家也可以复制这一过程。新型的工业化国家虽然发展模式互不相同、各有特色，但都沿袭了先驱者英国的传统并具有共同的特征，例如对煤炭、钢铁，以及纺织工业的依赖。

英国试图通过阻止新技术传播和留住熟练工人来保持自身优势，然而，决心超过英国的国家会偷偷运出机器，派遣间谍学习英国人的秘诀，引诱英国实业家在海外建厂。第一批实现工业化的国家不是在地理位置上就是在文化上与英国相近：继英国之后，比利时、法国和普鲁士也建起了铁路系统，以及一批对工业化至关重要的工厂。

1792年，威廉·默多克（William Murdock）首次用**煤气**为房屋照明。后来，煤气取代了蜡烛、油灯，用于街道、房屋和工厂照明。

1793年，伊莱·惠特尼（Eli Witney）发明了**轧棉机**。这种机器可以高效地将棉籽从纤维中分离出来，因此棉花产量和对种植园奴隶的需求都大大增加。

轧棉机

美国

1804年，理查德·特里维西克（Richard Trevithick）用蒸汽机车运输煤炭，开启了交通运输更快、更高效的时代。

比利时

1800年

欧洲大陆工业革命始于1799年。英国人威廉·科克里尔（William Cockerill）违背了英国法律，在比利时制造了纺织机。

1807年，"**北河号**"（North River）汽船穿过了哈德孙与奥尔巴尼，连接了纽约与南河。这是蒸汽技术首次用于商业河运。

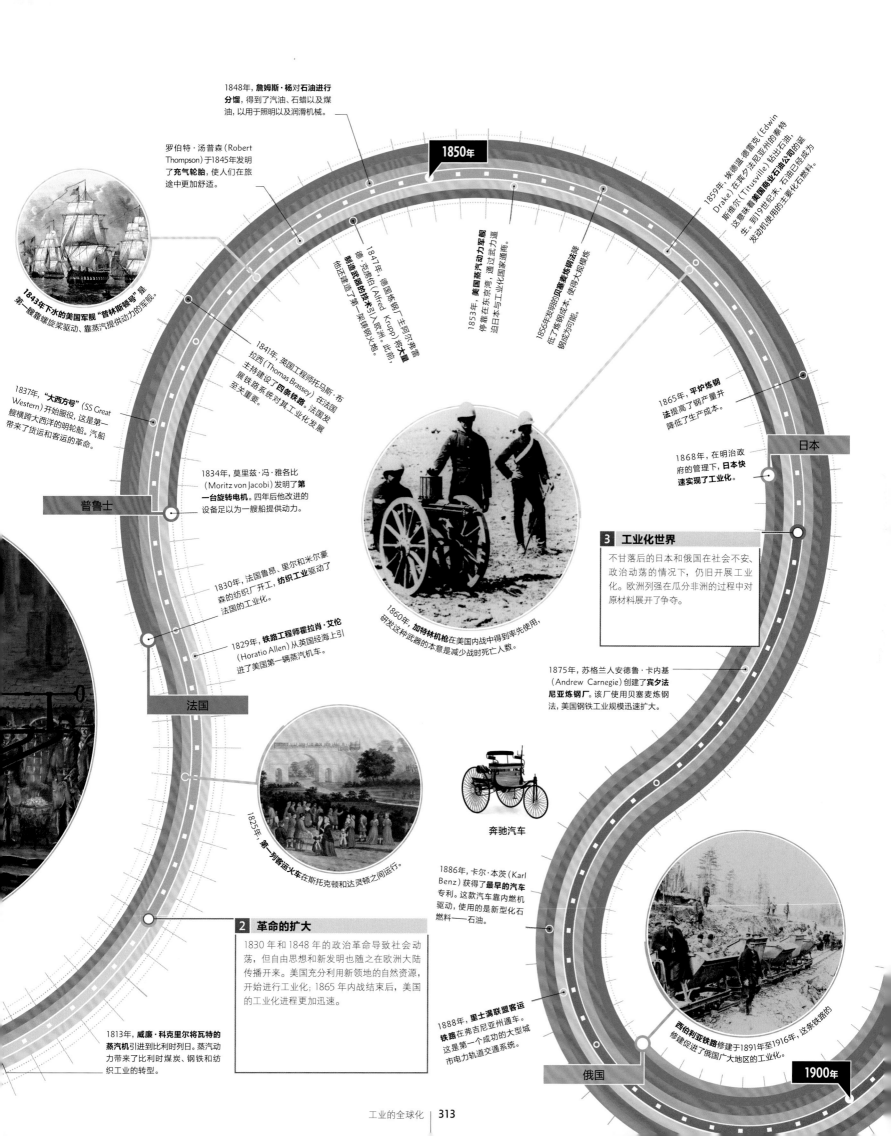

1848年，**詹姆斯·杨**对**石油进行分馏**，得到了汽油、石蜡以及煤油，以用于照明以及润滑机械。

罗伯特·汤普森（Robert Thompson）于1845年发明了**充气轮胎**，使人们在旅途中更加舒适。

1843年下水的美国军舰**"普林斯顿号"**是第一艘靠螺旋桨驱动、靠蒸汽提供动力的军舰。

1841年，英国工程师托马斯·布拉西（Thomas Brassey）在法国主持建设了**四条铁路**。法国发展铁路系统对其工业化发展至关重要。

1841年，克鲁伯（德国钢铁厂主）阿尔弗雷德·克鲁伯（Alfred Krupp）将**大量制造武器的技术引入欧洲**。此前，他铸造了第一架青铜火炮。

1853年，美国蒸汽动力军舰停靠在东京湾，迫使日本与工业化国家通商。

1856年发明的**贝塞麦炼钢法**降低了炼钢成本，使得大规模炼钢成为可能。

1859年，埃德温·德鲁克（Edwin Drake）在宾夕法尼亚州的泰特斯维尔（Titusville）钻出石油，这意味着**美国商业石油公司**的诞生。到19世纪末，石油已经成为发动机使用的主要化石燃料。

1850年

1837年，**"大西方号"**（SS Great Western）开始服役，这是第一艘横跨大西洋的明轮船。汽船带来了货运和客运的革命。

1834年，莫里兹·冯·雅各比（Moritz von Jacobi）发明了**第一台旋转电机**。四年后他改进的设备足以为一艘船提供动力。

普鲁士

1830年，法国鲁昂、里尔和米尔豪森的纺织厂开工，**纺织工业**驱动了法国的工业化。

1829年，**铁路工程师霍拉肖·艾伦**（Horatio Allen）从英国经海上引进了美国第一辆蒸汽机车。

法国

1865年，**平炉炼钢法**提高了钢产量并降低了生产成本。

1868年，在明治政府的管理下，**日本快速实现了工业化**。

日本

3　工业化世界

不甘落后的日本和俄国在社会不安、政治动荡的情况下，仍旧开展工业化。欧洲列强在瓜分非洲的过程中对原材料展开了争夺。

1860年，**加特林机枪**在美国内战中得到了率先使用，研发这种武器的本意是减少战时死亡人数。

1875年，苏格兰人安德鲁·卡内基（Andrew Carnegie）创建了**宾夕法尼亚炼钢厂**。该厂使用贝塞麦炼钢法，美国钢铁工业规模迅速扩大。

1825年，**第一列客运火车**在斯托克顿和达灵顿之间运行。

奔驰汽车

1886年，卡尔·本茨（Karl Benz）获得了**最早的汽车专利**。这款汽车靠内燃机驱动，使用的是新型化石燃料——石油。

2　革命的扩大

1830年和1848年的政治革命导致社会动荡，但自由思想和新发明也随之在欧洲大陆传播开来。美国充分利用新领地的自然资源，开始进行工业化；1865年内战结束后，美国的工业化进程更加迅速。

1813年，**威廉·科克里尔将瓦特的蒸汽机**引进到比利时列日。蒸汽动力带来了比利时煤炭、钢铁和纺织工业的转型。

1888年，**里士满联盟客运铁路**在弗吉尼亚州通车。这是第一个成功的大型城市电力轨道交通系统。

西伯利亚铁路修建于1891年至1916年，这条铁路的修建促进了俄国广大地区的工业化。

俄国

1900年

政府的
变革与发展

政府很快意识到，工业化可以为国家增加财富，这改变了国家的管理模式。政府开始与工厂合作，由此产生了一种新的权力平衡机制，政府成了市场和公民的管理者。

　　随着工业化的发展，政府的本质发生了变化。原有的为农业文明服务的政治结构或者进一步发展，或者改变为新的结构，以管理工业经济体制中的财富和权力。英国是首个实现工业化的国家，因而在创造更多财富、与商人合作以及靠海军保护海外利益等方面均走在了前面。商业的成功不仅扩大了市场，而且创造出更多的财富。因此，政府开始鼓励创新，以提高产量，满足国内外市场的需求。其他国家意识到，工业化带来的国家收入可以投资军队建设，同时它们也愈加重视支持工业家、管控新经济，以及管理越来越庞大的雇工群体——这一切促成了官僚体制的强化，以及现代国家的诞生。

　　各国的现代化道路有着天壤之别。法国在 1789 年的社会政治革命后彻底抛弃了旧的制度，建立了一套全新的官僚体制。英国已经建立了众议院，后来逐渐建立起了其他国家机构。为了确保公民对国家忠诚，统治者开始宣扬民族主义。到了 1914 年，现代国家开始塑造全球政治格局。

每一名公民都应当在自己的能力范围内为支持**政府**做出**相应贡献**。

亚当·斯密（1723—1790），苏格兰哲学家，政治经济学的先驱

▼ 当权的压力
工业化不仅导致社会转型，还重新分配了财富，使得更多人受益；各类群体开始向政府提出要求。

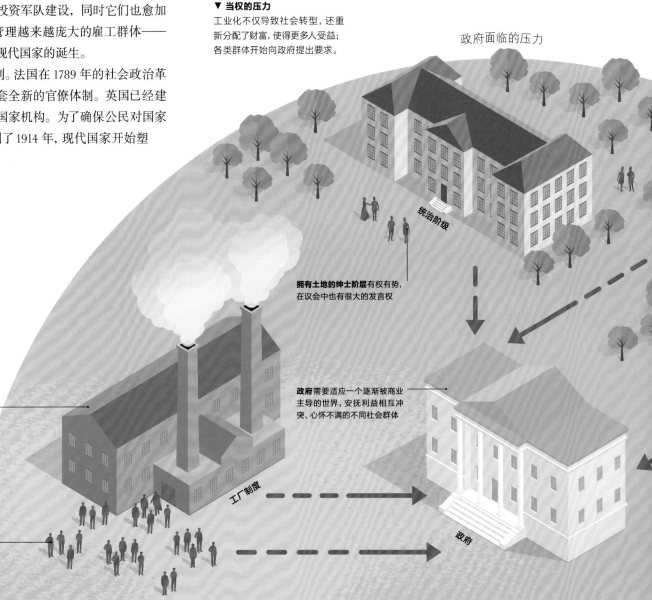

政府面临的压力

拥有土地的绅士阶层有权有势，在议会中也有很大的发言权

工业家获得了大量财富，要求在政府中有更多代表。为了积累更多的财富，他们强烈要求政府实行自由贸易

政府需要适应一个逐渐被商业主导的世界，安抚利益相互冲突、心怀不满的不同社会群体

统治阶级

在新型工厂中，**雇工**工时很长，薪水却极少，有时甚至要在危险的环境中工作。工人们破坏工厂的机器，组织工会，为获得更好的工作环境和更高的薪水而抗议示威

工厂制度

政府

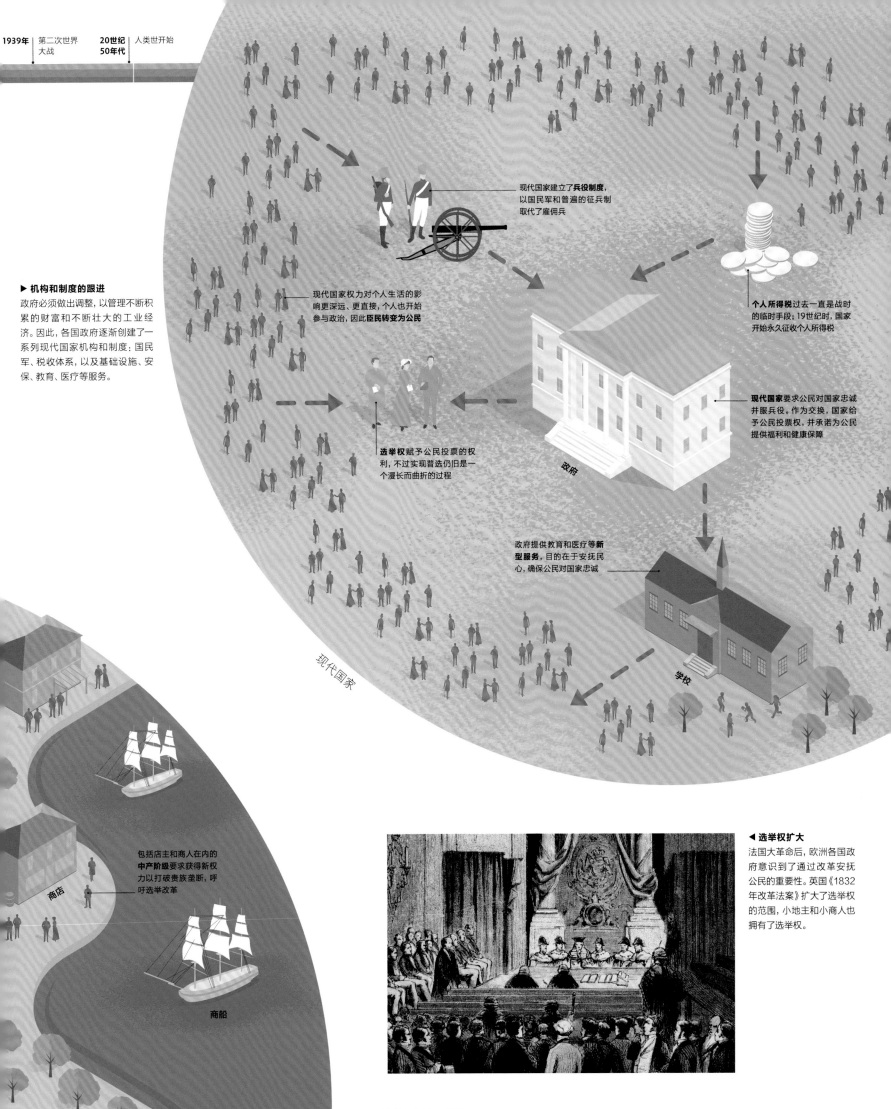

▶ 机构和制度的跟进
政府必须做出调整，以管理不断积累的财富和不断壮大的工业经济。因此，各国政府逐渐创建了一系列现代国家机构和制度：国民军、税收体系，以及基础设施、安保、教育、医疗等服务。

现代国家建立了**兵役制度**，以国民军和普遍的征兵制取代了雇佣兵

现代国家权力对个人生活的影响更深远、更直接，个人也开始参与政治，因此**臣民转变为公民**

个人所得税过去一直是战时的临时手段；19世纪时，国家开始永久征收个人所得税

现代国家要求公民对国家忠诚并服兵役。作为交换，国家给予公民投票权，并承诺为公民提供福利和健康保障

选举权赋予公民投票的权利，不过实现普选仍旧是一个漫长而曲折的过程

政府

政府提供教育和医疗等**新型服务**，目的在于安抚民心，确保公民对国家忠诚

现代国家

学校

包括店主和商人在内的**中产阶级**要求获得新权力以打破贵族垄断，呼吁选举改革

商店

商船

◀ 选举权扩大
法国大革命后，欧洲各国政府意识到了通过改革安抚公民的重要性。英国《1832年改革法案》扩大了选举权的范围，小地主和小商人也拥有了选举权。

消费主义的出现

工业化意味着土地不再是财富的唯一来源。制造业和商品贸易同样可以产生财富。18世纪末，中产阶级发展壮大，人们开始关注社会地位的提升并重视消费。

▲ 人人必需的家庭用品

陶瓷业的发展为消费者提供了更多选择，曾经用金属托盘吃饭的工人们也开始使用韦奇伍德的陶瓷餐具。

▼ 消费者文化

百货商店出现后，消费者在一家商店里就可以买到各式各样的商品，购物成为人们的休闲活动。

工业化带动交通运输业和生产技术的发展，而这些发展又为消费者提供了更多产品。加上国际贸易的发展，国内市场新产品之丰富达到了前所未有的程度。随着财富的积累和社会流动性的提高，中产阶级的地位得以提升，越来越多的人拥有了可支配收入。中产阶级包括了从贵族到工人的不同身份的人群。位于中产阶级最底层的是小店主，最顶层的则是运营公司的资本家。中产阶级中有商人、企业家、医生、律师和教师。这个不断扩大的阶级关注经济发展，并且对政府在管理中应该扮演的角色有自己的见解。他们希望经济活动可以不受政府限制，因为这是驱动个人成功的最佳途径。

他们还拥有同样的价值观：努力工作、自力更生，就有可能获得经济上的成功。

自我完善的意识是中产阶级文化中的

关键部分。随着社会地位的提高，为了使贵族不再享受不公正的优势，中产阶级展开游说，争取选举改革和自由贸易。这两项举措被视为人人都可通过努力获得成功的必备条件。

通过《1832年改革法案》，英国中产阶级将经济上的成功转化为政治权力。一个人人追逐成功的社会对政府的要求和期待变得更高。

炫耀性消费

中产阶级往往渴望拥有贵族阶级的消费模式。衣着和住房是彰显社会地位的一种方式。18世纪末，许多人的收入水平都足以让自己拥有这两种地位的象征。商品种类丰富，令人眼花缭乱：布匹、家具、衣服、帽子、瓷器、珠宝、饰带、香水和食品。中产阶级已婚妇女会使用一些新型材料装点家居，购买时尚的衣服以彰显丈夫的经济地位。

18世纪时，西欧国家的工资水平很高，尤其英国。因此，即使是社会底层的人民也能购买一些消费品。18世纪时，大多数城镇中都有廉价的小餐馆，以及可供人们边吃巧克力、边喝咖啡闲谈的咖啡厅。

不断提高的购买力以及不断下跌的物价提高了人们对新产品的需求，这进一步刺激了工业化进程中的国家经济的发展。源源不断地涌入欧洲港口的商品背后是超过1 100万奴隶的劳动。这些奴隶是"三角贸易"的一环。欧洲商人们将奴隶从非洲运往美洲和加勒比海地区的种植园，然后把奴隶生产的商品运回欧洲。

广告与渴望

英国实业家乔赛亚·韦奇伍德（Josiah Wedgwood）注意到，贵族的流行风尚正慢慢地渗透到社会中。英国女王从他那里购买茶具，他的"女王茶具"就成了中产阶级所必备的物件。韦奇伍德意识到，他需要让消费者相信自己的确想要购买茶具，而这些消费者以女性为主。他为此开设了一个展销厅，鼓励女性消费者在那里小聚、饮茶，同时为她们展示新的瓷器。欧洲和北美的每个工业市场都有他生产的陶瓷。他也被认为是现代广告之父。韦奇伍德的营销天分在伦敦以及国外产生了连锁反应，他在国外开的连锁店为国外消费者提供了购买产品的便利。百货商场的发展也很迅速。19世纪30年代，巴黎第一家百货商场开业；19世纪50年代，俄罗斯的百货商场也开业了；19世纪90年代，日本也出现了百货商场。

随着城镇和城市的快速发展，到19世纪时，购物已经成为一种重要的文化活动。这意味着人们已经从购买生活必需品变成了购买时尚品。商店里的镜子、明灯、绚丽的标语和广告，以及所有的产品都在吸引购物者前往。虽然许多商店想要吸引的是高层次的消费者，但是大规模生产出的廉价商品以及繁荣的食品市场使得购物成了一种面向大众的文化活动。

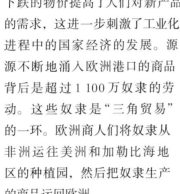

可可豆

◀ 巧克力的诱惑
巧克力曾是贵族喜爱的食品，后来变得平民化了。厂家将女性和儿童作为巧克力广告营销的对象。

◀ 奢华与奴役
原棉、蔗糖、朗姆酒和烟草等进口货物都产自加勒比海地区的奴隶种植园。在那里，非洲黑奴是主要劳动力。

美国独立战争和法国大革命以自由、平等和博爱为口号，这三个概念源于17、18世纪启蒙运动宣扬的理想：理性、知识和改善个人生活的自由。启蒙哲学与改革运动的结合使西方政治局面出现了剧变。人们开始挣脱绝对君主制和封建帝王的压迫并寻求自由，希望能够订立新的社会契约。具体而言，这包括在政府中拥有更大的发言权，获得拥有土地的权利。此外，这也带来了意识方面的整体转变。对普世的天赋人权的认同成了更具同理心的新世界观的一部分，这种世界观促进了现代国家的发展。

大理念

平等与
自由

18世纪末，美国独立战争和法国大革命推翻了原有的贵族统治之后，倡导自由、平等、博爱的革命思想进入了正在工业化的世界。这些观点体现在了19世纪的政治思想中，并成了现代人权观念的核心。

◀ **自由的礼物**
自由女神像由法国建筑师建造，是法国送给美国的礼物。这尊雕像成了美国的圣像和自由的象征。

各国之间的交流

托马斯·杰斐逊是美国独立战争中的关键人物，1776年《独立宣言》的起草者，也是率先提出这些原则的人。根据《独立宣言》，人人生而自由，法律面前人人平等，财产权、生命权和自由权是人人皆有的自然权利——这些观点至今仍旧是民主制度的核心原则。民主本身并非新概念：公元前5世纪左右，雅典就建立了民主制度；文艺复兴时期，民主再次出现。雅典人的政治经验在抵制绝对君主制的革命，如法国大革命中，起到了鼓舞人心的作用。

《独立宣言》以及美国独立战争都深受国际人物影响：英国哲学家约翰·洛克（John Locke）主张政府的合法性需要得到人民的认同，作家、政治活动家托马斯·潘恩（Thomas Paine）主张人民有权推翻不履行保护人民义务的政府。他们将讨论内容出版为小册子，在革命群体中传阅。这一群体中有参加过美国独立战争和法国大革命的人，比如美国独立战争中的法国英雄拉法耶特侯爵（Marquis de Lafayette）。因此，潘恩的《人的权利》（*Rights of Man*, 1791）等著作中的观点才得以传播到世界各地。美国和法国之间的思想交流是当时最重要的政治交流网络。美国向世界表明这是可能的：许多法国人帮助美国摆脱英国的统治并独立，而

**美国《独立宣言》
印发了200册**

法国人也在此过程中受到了影响。法国国内也爆发起义后，拉法耶特侯爵请当时在巴黎的托马斯·杰斐逊帮忙撰写了《人权与公民权宣言》（简称《人权宣言》）。美国独立战争和法国大革命彰显出自由思想的强大力量。

促进启蒙思想交流的是资产阶级和曾经参与法国大革命的中产阶级。他们既有野心，又有文化，学习过孟德斯鸠、卢梭和伏尔泰等人的思想。而这些人被称为启蒙思想家（philosophes），提倡思想交流不受约束，主张出版自由。他们通过文学圈宣传观

点，圈内集结了欧洲和美国的知识分子，他们以信件、随笔和专著交流见解。

17和18世纪时，启蒙运动的出现使人们的思想由宗教信条向科学以及实证主义转变。科学发展和技术革新推动了英国工业革命。启蒙思想的广泛传播得到了中产阶级的支持，他们创建了"思想协会"，在阅览室、咖啡厅、共济会和科学学会举办活动。咖啡厅后来成了革命者重要的集会场所，其中包括卡尔·马克思和弗里德里希·恩格斯，1848年欧洲革命的关键人物。他们利用1843年发明的轮转印刷机印刷了大量书刊。马克思创办的报纸《莱茵报》曾报道1848年的起义，并向民众普及革命观念。

遗产

美国独立战争、法国大革命以及19世纪的其他革命都是以启蒙思想为基础展开的。启蒙思想认为，人固有的权利不可剥夺，政府的职责是界定和保护公民的权利和财产。政府是由纳税公民选举出来的官员组成的。但女人、奴隶和外邦人不属于公民。然而，法国大革命的余震过后，一种新观念开始在欧洲传播。许多人开始对他人的苦难表示同情——先进开明的思想家呼吁进行监狱改革，废除酷刑和奴隶制。1794年，法国率先废除了奴隶制；英国和美国则分别是1807年和1808年。到了1842年，大西洋上的奴隶贸易结束了。

1820年、1830年和1848年，革命活动在欧洲大陆遍地开花，此时，人权思想起到了重要作用。现代政治意义上的左派和右派思想家在当时都响应了《人权宣言》的原则；他们表示，自己的政治活动正是普世权利理

念的体现。至关重要的是，《人权宣言》"主权在本质上源自国民"的理念在民族主义兴起时期和欧洲现代民族国家形成时期都起到了持续的感召作用。

《人权宣言》的一条关键性原则是"人生而自由，拥有平等的尊严与权利"，这一原则在19世纪广泛传播。全世界的进步人士都认为，《人权宣言》所宣扬的观点——人的权利是普世的、平等的、与生俱来的——将会推翻一切非民主形式的统治。西蒙·玻利瓦尔（1783—1830）是西属委内瑞拉、厄瓜多尔、玻利维亚、秘鲁和哥伦比亚的解放者，曾公开赞赏法国大革命。印度改革家拉姆·莫汉·罗伊（Ram Mohun Roy，1772—1833）在抨击印度种姓制度时，指出言论自由和宗教自由是人与生俱来的权

法国大革命以后，
1万名非洲奴隶获得了**自由**

利。19世纪末至20世纪，受过教育的亚洲和非洲领导人指出，欧洲殖民活动剥夺了当地人的权利。最终，这一原则被1948年联合国颁布的《世界人权宣言》置于首位。而这一宣言旨在保护全人类——不论来自何地——固有的根本权利。

否定人权就是**反对人性。**

纳尔逊·曼德拉（1918—2013），南非民权运动家

我们把这些看作不言自明的真理，人人生而平等……

托马斯·杰斐逊（1743—1826）
《独立宣言》

民族主义
兴起

18世纪后半叶是社会、政治大变革的时期。世界秩序发生了重大变化，各个国家开始独立。民族国家就此形成，民族主义也逐渐兴起。

现代民族主义之根源可追溯至17世纪英国人约翰·洛克的政治哲学思想。这种思想强调个体性、个人权利以及人类共同体。现代民族主义也受到了工业革命带来的空前社会变革以及启蒙思想家追求的自由理想的影响。大体而言，现代民族主义要求个人对国家忠诚，体现了统治者和公民共同的历史和身份认同感。

自由平等的民主制度下的统一既是1776年美国独立战争的自由民族主义的核心，也是1789年法国大革命爆发的关键。以这一思想为铺垫，现代民族国家才能成为宪法下人人拥有平等权利的联合共同体。

法国革命者建立了统一法律之下的中央行政机构，并将法语确立为法国的通用语言。

新兴民族国家

欧洲逐渐兴起的民族主义引发了希腊和比利时争取独立的斗争（后来比利时革命成功，从荷兰独立）。1848年，欧洲再次爆发了革命。大批民众发泄不满，要求实现民族统一并进行宪政改革。1861年，意大利王国建立；1871年，德国建立。然而这两国的统一都是以很高的代价换来的。绝对君主制一度死灰复燃，大众传媒等自由主义机构受到压迫。民族主义与种族优越感的错误结合导致欧洲国家在19世纪末对许多其他国家进行了殖民统治。

文化层面的民族主义通常体现为对本民族的历史、文化和成就感到自豪。工业强国以快速的现代化进程而自豪，举办盛大的全球贸易展览会，炫耀新近的制造业成果——这是民族自信心最极致的展现方式。

▼ 统一的力量

1871年，宰相奥托·冯·俾斯麦最终实现了将300个小邦和公国统一为德国的目标。

爱国主义意味着**对本国人民的热爱**超越一切，**民族主义**意味着对他国人民的憎恨超越一切。

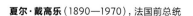

夏尔·戴高乐（1890—1970），法国前总统

爱国性质的博览会
1851年英国的世界博览会是第一次世界性的工业
产品博览会，展示了大英帝国的民族自豪感。

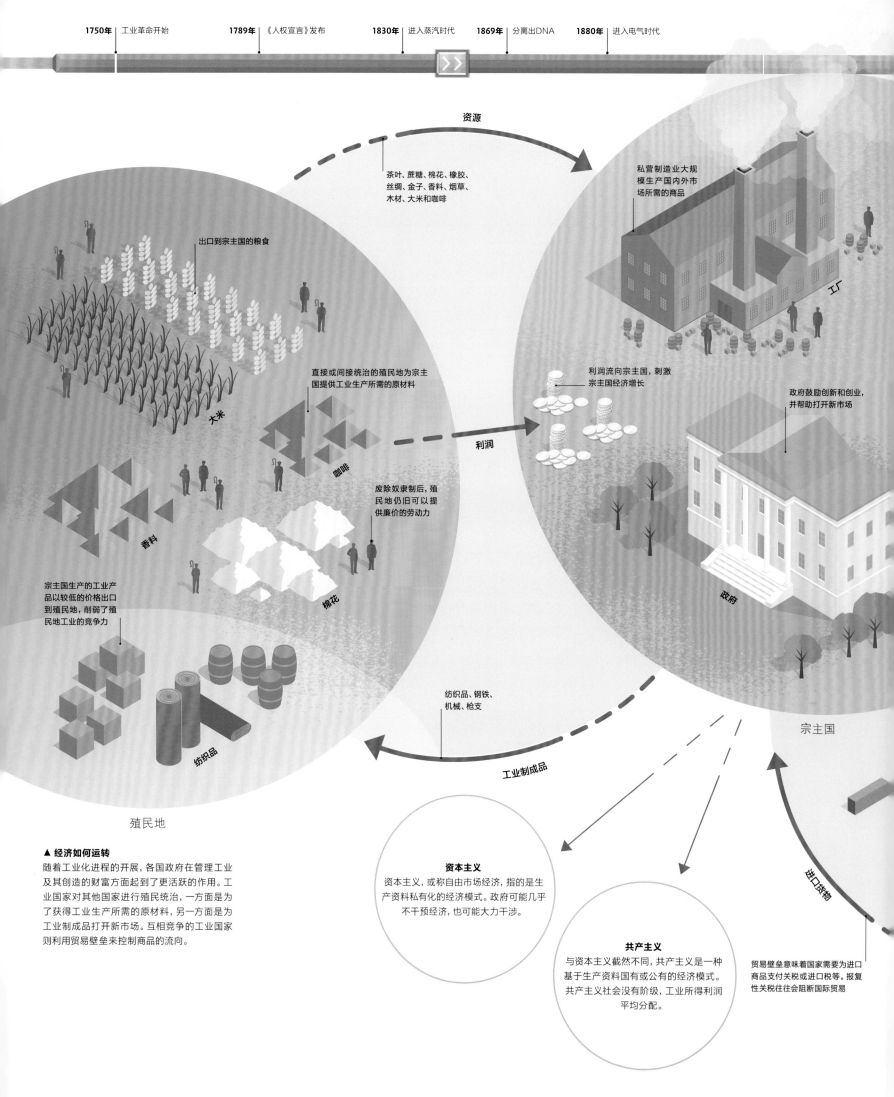

资源

茶叶、蔗糖、棉花、橡胶、丝绸、金子、香料、烟草、木材、大米和咖啡

私营制造业大规模生产国内外市场所需的商品

出口到宗主国的粮食

直接或间接统治的殖民地为宗主国提供工业生产所需的原材料

利润流向宗主国，刺激宗主国经济增长

政府鼓励创新和创业，并帮助打开新市场

大米

利润

废除奴隶制后，殖民地仍旧可以提供廉价的劳动力

咖啡

香料

宗主国生产的工业产品以较低的价格出口到殖民地，削弱了殖民地工业的竞争力

棉花

政府

工厂

纺织品、钢铁、机械、枪支

纺织品

工业制成品

宗主国

殖民地

进口货物

▲ 经济如何运转

随着工业化进程的开展，各国政府在管理工业及其创造的财富方面起到了更活跃的作用。工业国家对其他国家进行殖民统治，一方面是为了获得工业生产所需的原材料，另一方面是为工业制成品打开新市场。互相竞争的工业国家则利用贸易壁垒来控制商品的流向。

资本主义

资本主义，或称自由市场经济，指的是生产资料私有化的经济模式。政府可能几乎不干预经济，也可能大力干涉。

共产主义

与资本主义截然不同，共产主义是一种基于生产资料国有或公有的经济模式。共产主义社会没有阶级，工业所得利润平均分配。

贸易壁垒意味着国家需要为进口商品支付关税或进口税等。报复性关税往往会阻断国际贸易。

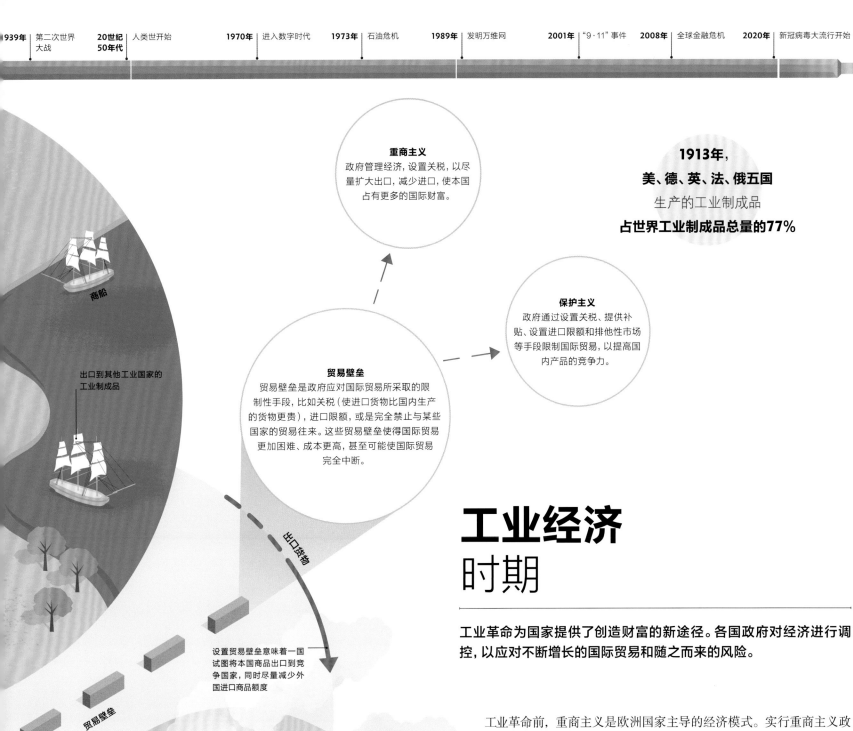

重商主义
政府管理经济，设置关税，以尽量扩大出口，减少进口，使本国占有更多的国际财富。

1913年，
美、德、英、法、俄五国
生产的工业制成品
占世界工业制成品总量的77%

保护主义
政府通过设置关税、提供补贴、设置进口限额和排他性市场等手段限制国际贸易，以提高国内产品的竞争力。

贸易壁垒
贸易壁垒是政府应对国际贸易所采取的限制性手段，比如关税（使进口货物比国内生产的货物更贵），进口限额，或是完全禁止与某些国家的贸易往来。这些贸易壁垒使得国际贸易更加困难、成本更高，甚至可能使国际贸易完全中断。

商船

出口到其他工业国家的工业制成品

出口货物

设置贸易壁垒意味着一国试图将本国商品出口到竞争国家，同时尽量减少外国进口商品额度

贸易壁垒

工厂

工业国家竞争者

工业经济
时期

工业革命为国家提供了创造财富的新途径。各国政府对经济进行调控，以应对不断增长的国际贸易和随之而来的风险。

工业革命前，重商主义是欧洲国家主导的经济模式。实行重商主义政策的国家认为世界财富是有限的，因此鼓励出口，限制进口。但是，工业化大生产的出现大大提高了经济产值，使各国看到了创造新财富的途径。工业家们意识到，从工业欠发达国家进口廉价原材料，利用这些原材料生产商品，贩卖到国内外市场，可以获取利润。工业生产的扩大和利润的提高，使得各国一度受益于自由贸易。工业家们要求政府采取自由贸易政策——取消贸易壁垒和政府干预，实现进口零关税和出口无补贴。随后的一段时期，财富大量积累，新的金融机构不断建立，资本主义开始出现——"资本主义"一词是经济学家亚当·斯密提出的。资本主义至今仍是工业化国家主导的经济模式。

自由贸易虽然可以促进国家间的商品和财富流通，却也会带来负面结果，比如经济的不稳定性、剥削以及因财富来源——殖民地、市场和原材料——引发的冲突。为了抵御这些负面影响，政府设置关税并保护本国利益，这带来了国家间贸易时增时减的循环现象。

炮舰外交
日本武士划船与美国"黑船"相会。日本17世纪的
兵器在美国的炮舰外交面前不堪一击。

开门
通商

随着工业国家努力扩大自己的商贸市场，19世纪成了世界贸易的重要转折点。虽然这一进程并非始终和平，但它为现代国际经济奠定了基础。

19世纪40年代，让贸易免受政府干预或进出口关税影响的自由贸易政策，使得工业化进程中的国家能够积累大量财富。工厂可以进行大规模、低成本的生产，因此为国内外市场提供了品种空前繁多的商品。而消费者需求的不断增长又进一步刺激了经济发展。工业强国——英国，随后是西欧国家和北美——发展了世界贸易后，必须保护自己的经济地位。

市场管理

自由贸易政策下回报率最高、最有效的手段是对原材料和市场进行双重控制。由于工业化国家和其他国家在技术上的差距越来越大，这种控制经常通过武力实现。历史上，日本和中国等国家曾经长期抵制进口欧洲国家的商品，因为它们并不需要，也不想要。英国从中国进口茶叶，但是与英国贩卖非洲黑奴给美洲的西班牙殖民者以换取白银不同，英国没有可以与中国交换的商品。奴隶制被废除后，英国能换来的白银越来越少，因此，英国开始向中国贩卖鸦片。19世纪中叶，中国人民对英国的剥削发起反抗，最终英国发动了两次鸦片战争。

美国也对东方国家进行了武装干涉，它将日本视作落后地区，允许商人在日本开拓新市场。1853年，四艘美国炮舰进入日本禁区江户湾。这些黑船满载着现代化武器，逼迫日本打开国门，与美国和欧洲通商。拥有先进技术的美国人的到来，推动了日本本国工业化和现代化的进程。

取得鸦片战争胜利后，英国政府迫使中国签订了一系列不平等条约，从而获得了优惠待遇和贸易特权。日本也与美国签订了

1809年至1839年，英国的进口额增长了一倍，出口额增长了两倍

类似的条约。欧洲其他工业强国也纷纷效仿，强迫拉丁美洲和中东国家签署了不平等的贸易条约。与欧洲国家通商时，这些国家必须压低进口商品的关税，采取有利于欧洲国家的法律条款。

◀ 水烟袋
英国向中国输出的大量鸦片使中国深受毒害，白银外流。中国查禁鸦片后不久，英国先后发动了第一次鸦片战争（1840—1842）和第二次鸦片战争（1856—1860）。中国战败后被迫开放了更多通商口岸。

▼ 加特林机枪

理查德·加特林从人道主义的角度为他1861年发明的速射枪进行了辩护。他声称这一发明可以减少战场大屠杀，缩短战争时间，因此可以挽救生命。

弹斗的作用是利用重力，把新的弹药装入弹膛。环状多枪管会随着弹斗转动，填弹工作则由旁边的一名士兵来完成

环状多枪管设计使得子弹可以自动入膛，每个枪管的子弹射出后有短暂的冷却时间，因此枪管不会过热，可实现速射

"

发生什么都不要紧，**我们有马克沁机枪，他们没有。**

"

伊莱尔·贝洛克（Hilaire Belloc, 1870—1953），英法作者、历史学家

战争驱动
创新

技术革新提高了武器的威力，为"非洲争夺战"创造了前提。欧洲强国迅速席卷整个非洲的殖民活动以种族主义为借口，但其真实意图是掠夺原材料。

工业化以及对原材料和市场的需求是帝国主义的重要驱动力，文化优越性和种族优越性则被当作欧洲强国殖民的借口。19世纪时，许多欧洲人认为将文明带到非白人世界是他们义不容辞的责任。随着欧洲的实力和生产力不断提高，欧洲人对世界的观点开始改变。他们开始用科学术语阐述种族主义思想，并将达尔文适者生存的观念引申到社会中。欧洲人认为，铲除那些他们认为"低级"或"落后"的种族是一件正常的事情。

战场上的突破

工业化为殖民活动提供了条件，其中技术革新是关键。在汽船和防治疟疾的奎宁水的帮助下，欧洲商人破天荒地进入了撒哈拉以南非洲的中部，随后开始在非洲寻找原材料。然而欧洲人与当地的贸易往来引发了冲突，导致欧洲强国占领了这片土地。在接下来的领土争夺战中，国际对抗成为重要因素，欧洲国家在地图上瓜分非洲，将领土归为己有。在欧洲国家建立帝国的过程中，强大的军事力量是关键因素；新军事技术的研发则是工业创新的结果。

由理查德·加特林（Richard Gatling）发明、海勒姆·马克沁（Hiram Maxim）改进的机枪表明，在现代战争中军事技术占据了主要地位。1898年的恩图曼战役（Battle of Omdurman）中，英国士兵用马克沁机枪屠杀了10万多名苏丹马赫迪信徒，而英国军队伤亡还不到50人。机枪也时刻提醒着人们，非洲人民并不是轻易顺从于帝国主义统治的。1896年，埃塞俄比亚成功击退了殖民入侵的意大利军队。这是欧洲强国在非洲遭遇的第一次战败，给了欧洲人的种族优越主义一记重创。

▲ 殖民控制
非洲民兵是欧洲强国在非洲的雇佣兵，接受过欧洲强国的训练。当地的军队对于殖民地管理十分关键。在非洲，通常每7名欧洲军官统领多达200名非洲民兵。

◀ 兵器制胜
1896年，埃塞俄比亚皇帝孟尼利克二世（Menilek Ⅱ）带领军队消灭了大量意大利士兵，靠的就是从欧洲购买的现代枪支。

| 1750年 | 工业革命开始 | 1789年 | 《人权宣言》发布 | 1830年 | 进入蒸汽时代 | 1869年 | 分离出DNA | 1880年 | 进入电气时代 | 1914年 | 第一次世界大战 | 20世纪30年代 | 大萧条 |

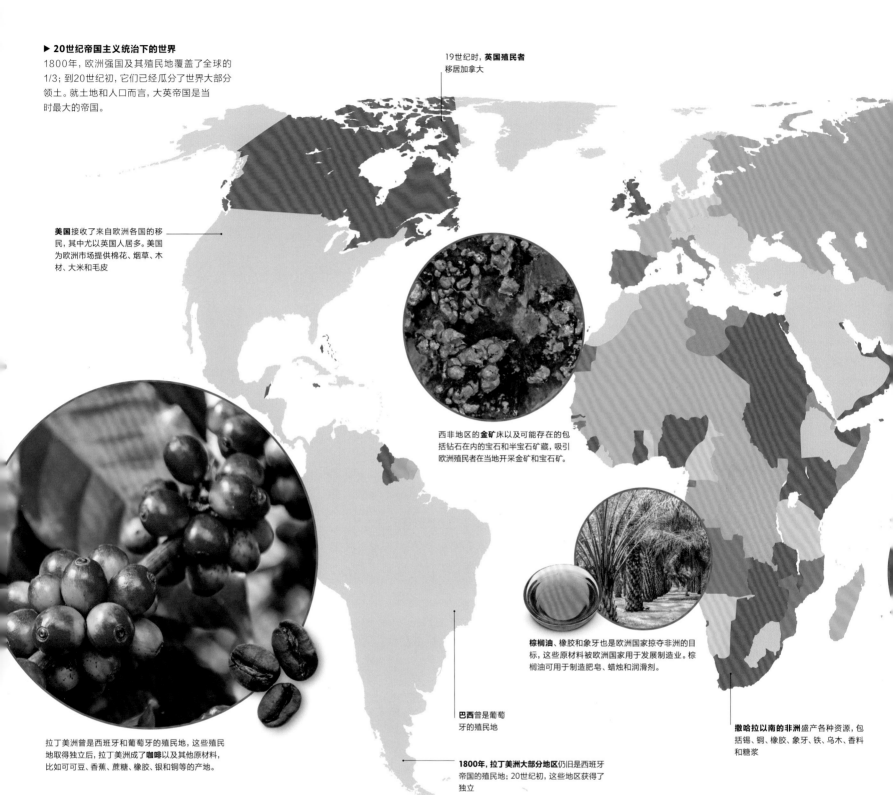

▶ 20世纪帝国主义统治下的世界

1800年，欧洲强国及其殖民地覆盖了全球的1/3；到20世纪初，它们已经瓜分了世界大部分领土。就土地和人口而言，大英帝国是当时最大的帝国。

19世纪时，**英国殖民者**移居加拿大

美国接收了来自欧洲各国的移民，其中尤以英国人居多。美国为欧洲市场提供棉花、烟草、木材、大米和毛皮

西非地区的**金矿**床以及可能存在的包括钻石在内的宝石和半宝石矿藏，吸引欧洲殖民者在当地开采金矿和宝石矿。

棕榈油、橡胶和象牙也是欧洲国家掠夺非洲的目标，这些原材料被欧洲国家用于发展制造业。棕榈油可用于制造肥皂、蜡烛和润滑剂。

拉丁美洲曾是西班牙和葡萄牙的殖民地，这些殖民地取得独立后，拉丁美洲成了**咖啡**以及其他原材料，比如可可豆、香蕉、蔗糖、橡胶、银和铜等的产地。

巴西曾是葡萄牙的殖民地

1800年，拉丁美洲大部分地区仍旧是西班牙帝国的殖民地；20世纪初，这些地区获得了独立

撒哈拉以南的非洲盛产各种资源，包括锡、铜、橡胶、象牙、铁、乌木、香料和糖浆

▮ **英国**	▮ **俄国**	▮ **比利时**	▮ **德国**	▮ **法国**
时间段： 1603—1949	**时间段：** 1721—1917	**时间段：** 1885—1962	**时间段：** 1871—1918	**时间段：** 1870—1946
英国通过商埠开始向海外开拓，商埠的设立促进了英国在世界范围内的殖民扩张，英国因此成为世界历史上最大的殖民帝国。	1866年，处于顶峰状态的俄国是世界历史上第二大帝国，其领土自东欧绵延至亚洲。	1830年，比利时摆脱荷兰统治，取得独立。刚果是比利时最大的殖民地，领土面积是其宗主国的75倍多。	19世纪末，德国为与英国竞争新建了海军，并以此对西非和南太平洋沿岸地区进行殖民。	1870年的普法战争中，法国战败。法国自1871年起在非洲、太平洋地区和东南亚地区进行殖民。

产自印度种植园的**蔗糖**是大英帝国的重要出口货物。糖曾是奢侈品，后来欧洲寻常百姓也可以买到糖，糖的需求量也越来越大。

印度尼西亚不仅为荷兰提供蔗糖和咖啡，还提供包括**肉豆蔻和丁香**在内的香料。

印度生产的**棉花**被装船运往英国，在那里用作纺织品原料。英国向印度出口衣物，价格大大低于印度本地生产的纺织品。

19世纪，**英国殖民者**移居澳大利亚，缓解了英国国内的人口压力和社会动荡

殖民帝国的
兴衰

19世纪，欧洲国家开始主宰世界。工业生产需要原材料，殖民者需要土地，剩余商品需要市场：这些都是刺激当时帝国扩张的因素。

帝国之间的抗衡非常激烈，殖民地成了帝国威望的象征。帝国抢占大片寸草不生、人迹罕至的干旱土地，仅仅是为了防止敌对国家占领这片土地。欧洲各国在政治上存在竞争，又互不信任，因此都将殖民活动获取的财富用在国家管理和军队建设方面。

殖民地建立之后，宗主国就要设法控制新领地。它们通常采用间接控制手段——与亚洲、非洲殖民地当地的领袖合作是欧洲控制殖民地的重要手段。只有在殖民地政局不稳定或之前没有中央政权的时候，帝国才会进行军事干涉。然而，美洲、非洲、印度和东南亚地区的人民往往遭受来自帝国主义强国的种族歧视、政治压迫和暴力。在比利时属刚果，劳工的家人被当作人质，如果橡胶的生产量过低，劳工的家人就会遭到强奸和杀害。包括新西兰毛利人和澳大利亚原住民在内的土著人当中，有些人被杀，有些人被迫离开家园，还有些人死于欧洲人带来的疾病。

被殖民国家从 20 世纪初期开始独立。这一趋势在"二战"后更为明显，因为欧洲国家不再具备控制遥远领土的财力、手段和兴趣。殖民者并没有给新兴的独立国家遗留任何财富，它们必须自己建设国家机构。有些新兴国家成功了，还有一些则因腐败或贫困而失败。

1914年，
欧洲强国控制了
全球陆地的约**85%**

■ **意大利**

时间段： 1861—1946

意大利对厄立特里亚、利比亚和索马里部分地区进行殖民控制。第二次世界大战后，意大利被迫放弃殖民地；1946年，君主政体随之终结。

■ **葡萄牙**

时间段： 1415—2002

葡萄牙是第一个全球性帝国，其领土贯穿了数个大陆；葡萄牙也是欧洲殖民帝国中最长久的，持续了近6个世纪。

■ **荷兰**

时间段： 1543—1975

1800年前，荷兰帝国通过荷兰东印度公司和西印度公司对殖民地进行间接控制；荷兰帝国于19世纪时达到巅峰。

■ **日本**

时间段： 1868—1945

日本在1904年的日俄战争中击败俄国，控制了朝鲜半岛，这显示出日本不断增强的军事实力。

■ **西班牙**

时间段： 1402—1975

18世纪时，西班牙控制了拉丁美洲大部分地区；然而，到了20世纪，西班牙几乎丧失了所有殖民地。

工厂生活
工人阶级在工厂中干苦力，由中产阶级工头管理。工厂中都是新型机器，工人甚至在吃午饭时也要被迫清洗设备。

社会
改革

工业化彻底改变了工人阶级的生活。工厂缺乏监管，工作非常危险，而且工人们居住的贫民窟人口密度很大，这样的境况一直到政府推行大规模改革才得以改善。

随着工厂逐步取代农田，乡村的成人与儿童在进城务工的过程中不得不面对社会和技术的空前巨变。

穷人的困境

中产阶级是工业化的真正受益者。英国《1832年改革法案》甚至给予中产阶级男性选举权。工人阶级的境况最不堪。他们每天至少要在工厂中工作13个小时，由此引发的失聪、肺病以及重伤十分普遍。工人们得不到法律保护，而作为中产阶级的工厂主和工头就是工人阶级的国王。在经济极度不平等的刺激下，1848年，欧洲一系列革命浪潮汹涌而来。德国哲学家弗里德里希·恩格斯是推动这股浪潮的力量之一，他在《英国工人阶级状况》中记载了工人阶级的悲惨生活。

新城市

工人们居住的贫民窟就在工厂附近。各国纷纷出现城市化趋势：1850年，英格兰有50%的人口居住在城市中；德国、美国和日本分别在1900年、1920年和1930年达到这一水平。各国工业化城市都面临类似的问题：人口过多、环境污染、缺乏自来水、废弃物处理不当以及居住环境恶劣。这些问题加速了疾病的传播，最终导致印度、欧洲和北美洲暴发了霍乱。1832年法国的一项调查显示，霍乱与贫民窟、贫穷和健康水平低下之间存在关联；1849年，英国医师约翰·斯诺（John Snow）证明霍乱是通过被污染的饮用水源传播的。

得知这一事实后，政府开始采取行动，兴修污水处理系统，引入自来水，并建立城市垃圾处理系统。在欧洲和北美洲，其他社会政治改革也开始了。劳动法提高了安全标准，为工人们提供了保护。此外，法律规定儿童必须接受教育。

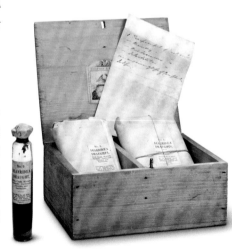

◀ 霍乱药物
19世纪末，霍乱在欧洲和北美洲已经绝迹。这两个地区的生活水平提高了，卫生和医疗条件改善了，常设的卫生机构也得以成立。

> 66
>
> **房屋前面**的水上满是浮垢……堤岸上堆积着**不堪入目的污物**……空气中……弥漫着**坟场的味道**。
>
> 99

亨利·梅休（Henry Mayhew, 1812—1887），记者和改善住房条件的倡导者

教育的发展

教育在集体学习和创新中起着关键作用。19世纪中期以后，许多国家的政府意识到教育的重要性，开始大规模的改革，推行义务教育。到2000年时，世界上有80%的人具备读写能力。

▲ 课本学习
美国教育系统以私立学校为主，直到19世纪40年代改革后才创建公立学校，并开始使用统一的标准化教材。

自古以来，识文断字就是一项重要能力。自16世纪起，在欧洲国家，尤其是法、德、英三国，人们的读写水平不断提高。重视知识和思想的社会符合启蒙时代的理想，也刺激了工业化的发展。18世纪初，英国开设了数百所学校，以满足不断增长的人口的需求。然而，能否负担教育费用体现出了阶级之间的巨大差距。18世纪时，教育仍旧是有偿的，因此，工人阶级无法接受教育。当时也不鼓励女性接受教育——工人阶级的女性从儿童时期就要工作，而中产阶级的女性结婚后就不能继续在学校接受教育了。

教育水平高的国家

19世纪，人们对教育的观念开始改变。启蒙运动对理性、知识和思想自由交流的追求是教育观念改变的原因之一。独立改革者们努力获取公众的支持，呼吁政府管理奴隶制、公共卫生和教育。1848年革命后，政府需要有所行动以安抚人民；当时，中产阶级要求改革，工人阶级则在准备反抗。政府意识到，国家只有提高教育水平，才能维持强大的军事力量，激发人民的爱国情怀并减少人民反抗的想法。自1870年起，公立学校义务教育开始在西欧普及，并在美国东北部地区发展。包括中国、埃及和日本在内的非欧洲国家也在1900年后开始建立教育体系。这些国家建立教育体系，一方面是为了激发人民的爱国情感，另一方面是对欧洲帝国的模仿，因为教育机构的设立曾使欧洲帝国变得强大。

150年以来，教育不断普及，世界识字率稳步提高。拥有读写能力的人口达到了空前的规模，这也带来了文化交流和集体学习网络的不断发展。然而，哪怕是在现代社会，教育资源的分配仍旧不公平；世界最贫困的地区文盲率最高，女性的文盲率也最高。2011年，世界上3/4的文盲生活在南亚、中东和撒哈拉以南非洲等地区。此外，世界7.74亿文盲人口中，2/3是女性。

信息时代

就个人层面而言，教育是传播信息和

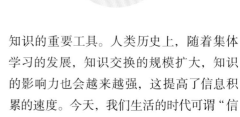

2016年，**全球**超过
83%的人
具备**读写能力**

知识的重要工具。人类历史上，随着集体学习的发展，知识交换的规模扩大，知识的影响力也会越来越强，这提高了信息积累的速度。今天，我们生活的时代可谓"信息时代"。数字化革命使经济由传统工业驱动转型为由数字化信息驱动。在信息社会和知识经济的背景下，驱动利润产生的要素是信息的流动。全球化曾将整个世界联系

▶ **不断改善的儿童福利**
英国的工业化发展导致工人阶级儿童被迫在工厂和矿井中工作，直到政府改革，这种做法才被禁止。1880年《教育法案》规定，10岁以前的儿童必须接受学校义务教育。

◀ **基础教育**
1994年，非洲马拉维共和国政府开始推行免费的基础教育；然而，辍学率依旧居高不下，尤其是女孩的辍学率。这种情况常常发生在撒哈拉以南非洲的贫困国家，当地儿童必须工作以补贴家用。

在一起；如今，信息和财富的流动及控制进一步模糊了区域之间的边界。2009年的国内生产总值（GDP）世界排行榜前100名中，有60个是国家，其余的则是公司企业。其中许多是中国石化和壳牌等跨国石油和天然气企业，以及苹果和三星等技术和通信企业。今天，信息变得空前重要。

近年来，随着软件和生物技术产业的发展，社会对熟练工人产生了新的需求。在工业化背景下，社会出现一个金字塔体系，大量非熟练劳动力位于塔底，少数资本主义商业领袖和创新型人才位于塔尖。生存在这样的金字塔型社会中，教育是关键：如果人们能够接受更好的教育，他们就能够参与金字塔尖的高价值工作；而自动化将减少社会对大量非熟练工人的需求。

追求创新

教育是集体学习的一种形式，对创新至关重要。在20世纪，对许多工业社会来说，创新的需求本身就是创新的一大动力，而且创新往往会得到政府、商业和教育机构的支持。17世纪，欧洲率先建立了科学协会，英国政府鼓励创新，并在实现工业化的第一个世纪就从科技和工程突破中获益了。19世纪，政府和商界都意识到，科学是创新、财富和权力的关键来源。于是，它们开始积极地支持和组织科学研究。20世纪，科学技术的创新已经成为工业国家军事实力、政治实力和经济实力的基石。

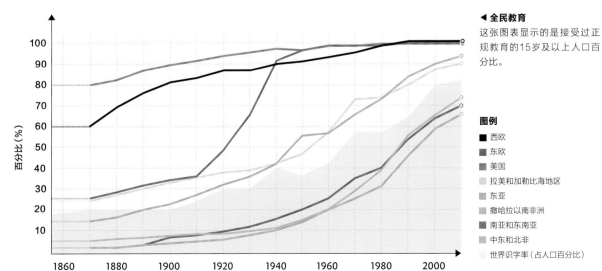

◀ **全民教育**
这张图表显示的是接受过正规教育的15岁及以上人口百分比。

图例
- ■ 西欧
- ■ 东欧
- ■ 美国
- 拉美和加勒比海地区
- 东亚
- 撒哈拉以南非洲
- ■ 南亚和东南亚
- 中东和北非
- 世界识字率（占人口百分比）

医学
进步

自18世纪末以来，工业国家对医学知识的探索有了快速进展，科学研究、创新和疾病预防措施令人们活得更长久，更健康。

贸易网络和城市化规模的不断扩大使人与人的接触空前密切，疾病也不断传播。爱德华·詹纳（Edward Jenner）于1796年在天花疫苗研究上取得的突破，称得上是一个医学奇迹。19世纪时，病菌说和细菌的发现提高了外科手术的安全性，也加深了人们对于公共场所卫生条件的重要性的理解。技术革新为医师诊断疾病提供了可靠的辅助手段。医学技术革新和医学知识的更新对于提高人们，尤其是老人和儿童的健康水平有积极意义。

20世纪最显著的特征之一是医学技术的迅速发展。为应对现代社会中的传染病、饥荒和战争所带来的健康问题，医疗卫生体系逐步成形。21世纪以来，科学研究不断发展，提高了干细胞研究、人类基因组测序以及创造新生命的能力。互联网不仅能够广泛传播这些医学突破的详细内容，也为不断增加的医学知识提供了分享的平台——既造福了医学从业者，也造福了病人。

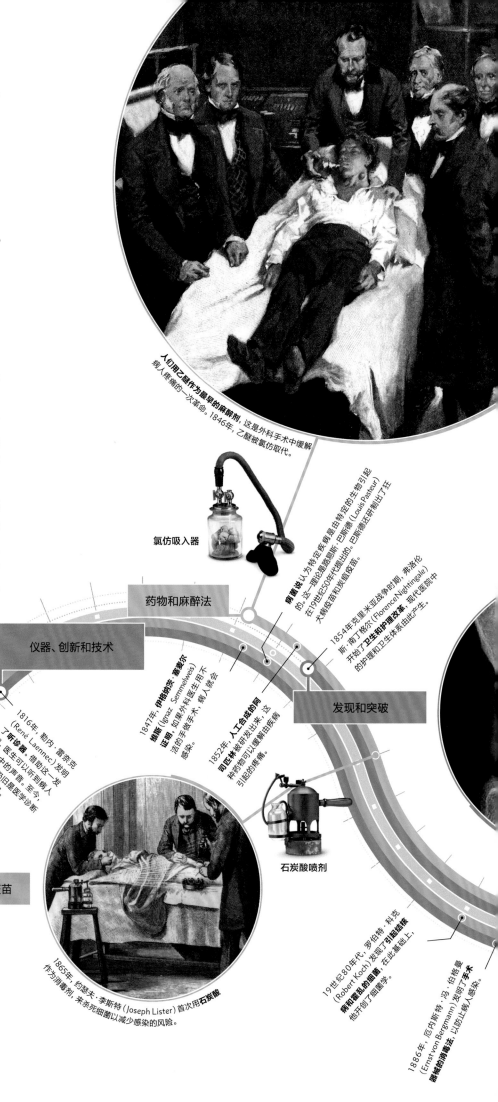

人们用乙醚作为最早的麻醉剂，病人疼痛的一次革命。1846年，乙醚被氯仿取代。

氯仿吸入器

病菌说以为特定疾病是由特定的生物引起的。这一理论是路易斯·巴斯德（Louis Pasteur）的。巴斯德于18世纪，在19世纪50年代被提出后，大病疫苗和狂犬疫苗。巴斯德随后研制出了狂犬疫苗。

1854年克里米亚战争时期，弗洛伦斯·南丁格尔（Florence Nightingale）开始了**卫生和护理改革**，现代医院中的护理和卫生体系由此产生。

药物和麻醉法

仪器、创新和技术

听诊器

1847年，伊格纳次·塞麦尔维斯（Ignaz Semmelweis）**证明**，如果外科医生用不洁的手做手术，病人就会感染。

1816年，勒内·雷奈克（René Laennec）发明了**听诊器**。借助这一发明，医生可以听到病人胸腔中的声音。至今，听诊器仍旧是医学诊断的重要工具。

1852年，人工合成的阿司匹林被研发出来，这种药物可以缓解由疾病引起的疼痛。

发现和突破

石炭酸喷剂

1800年

细菌、疾病和疫苗

1865年，约瑟夫·李斯特（Joseph Lister）首次用**石炭酸**作为消毒剂，来杀死细菌以减少感染的风险。

19世纪80年代，罗伯特·科赫（Robert Koch）发现了**引起结核病的细菌**，在此基础上，他开创了细菌学。

1775年

1796年，"免疫学之父"爱德华·鲁纳研制出了**天花疫苗**，疫苗得到广泛应用后挽救了无数生命。

1886年，厄内斯特·冯·伯格曼（Ernst von Bergmann）发明了**器械的消毒法**，以防止病人感染。

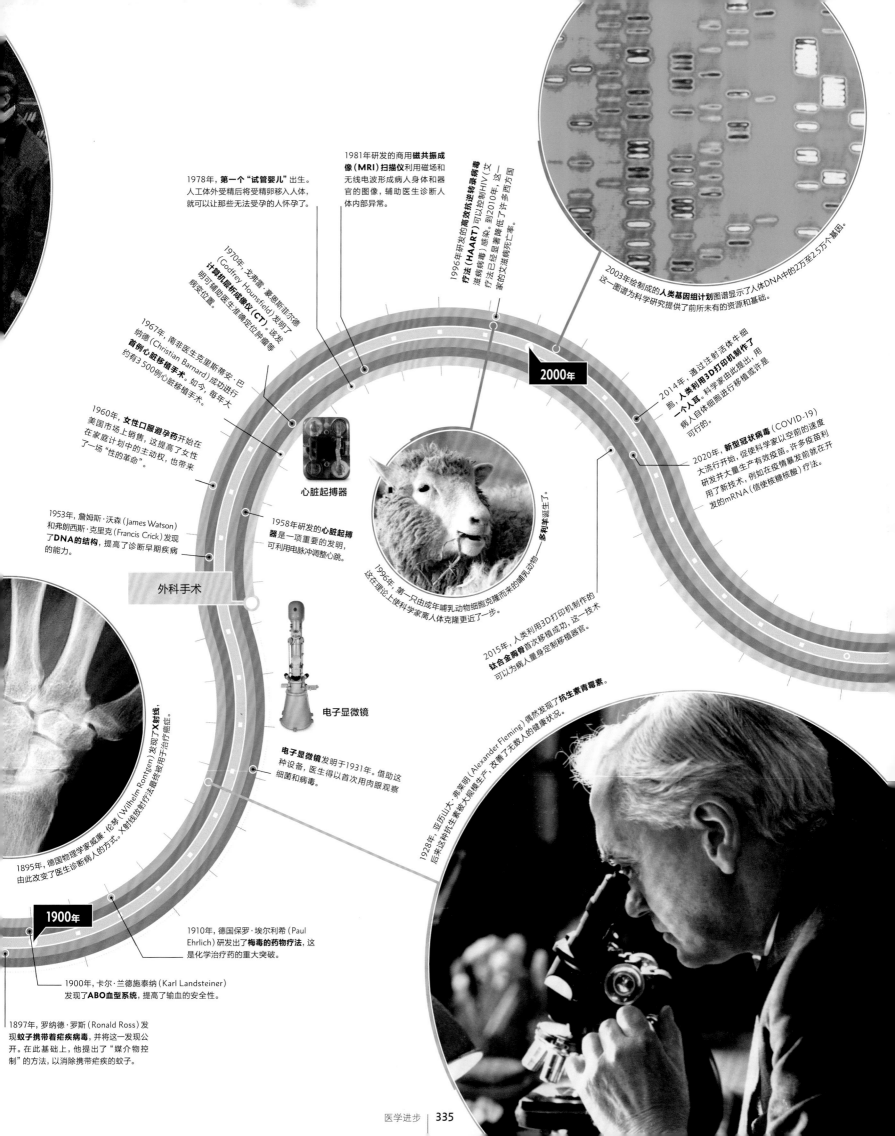

1978年，**第一个"试管婴儿"**出生。人工体外受精后将受精卵移入人体，就可以让那些无法受孕的人怀孕了。

1981年研发的商用**磁共振成像（MRI）扫描仪**利用磁场和无线电波形成病人身体和器官的图像，辅助医生诊断人体内部异常。

1996年研发的高效抗逆转录病毒**疗法（HAART）**可以控制HIV（艾滋病病毒）感染。到2010年，这一疗法已经显著降低了许多西方国家的艾滋病死亡率。

1970年，戈弗雷·豪恩斯菲尔德（Godfrey Hounsfield）发明了**计算机轴折成像仪（CT）**。这发明可辅助医生准确定位肿瘤或病变位置。

2003年绘制成的**人类基因组计划**图谱显示了人体DNA中的2万至2.5万个基因。这一图谱为科学研究提供了前所未有的资源和基础。

1967年，南非医生克里斯蒂安·巴纳德（Christian Barnard）成功进行**首例心脏移植手术**。如今，每年大约有3 500例心脏移植手术。

2014年，通过注射活体牛细胞，**人类利用3D打印机制作了一个人耳**。科学家由此提出，用病人自体细胞进行移植或许是可行的。

1960年，**女性口服避孕药**开始在美国市场上销售，这提高了女性在家庭计划中的主动权，也带来了一场"性的革命"。

2020年，**新型冠状病毒**（COVID-19）大流行开始，促使科学家以空前的速度研发并大量生产有效疫苗。许多疫苗利用了新技术，例如在疫情暴发前就在开发的mRNA（信使核糖核酸）疗法。

1953年，詹姆斯·沃森（James Watson）和弗朗西斯·克里克（Francis Crick）发现**了DNA的结构**，提高了诊断早期疾病的能力。

心脏起搏器

1958年研发的**心脏起搏器**是一项重要的发明，可利用电脉冲调整心跳。

2000年

1996年，第一只由成年哺乳动物细胞克隆而来的哺乳动物——多利羊诞生了。这在理论上使科学家离人体克隆更近了一步。

2015年，人类利用3D打印机制作的**钛合金钩骨**首次移植成功，这一技术可以为病人量身定制移植器官。

外科手术

电子显微镜

电子显微镜发明于1931年。借助这种设备，医生得以首次用肉眼观察细菌和病毒。

1928年，亚历山大·弗莱明（Alexander Fleming）偶然发现了**抗生素青霉素**。后来这种抗生素被大规模地生产，改善了无数人的健康状况。

1895年，德国物理学家威廉·伦琴（Wilhelm Rontgen）发现了**X射线**，由此改变了医生诊断病人的方式。X射线疗法最终被用于治疗癌症。

1900年

1910年，德国保罗·埃尔利希（Paul Ehrlich）研发出了**梅毒的药物疗法**，这是化学治疗药的重大突破。

1900年，卡尔·兰德施泰纳（Karl Landsteiner）发现了**ABO血型系统**，提高了输血的安全性。

1897年，罗纳德·罗斯（Ronald Ross）发现**蚊子携带着疟疾病毒**，并将这一发现公开。在此基础上，他提出了"媒介物控制"的方法，以消除携带疟疾的蚊子。

美洲

太平洋岛屿国家

世界四大区域
18世纪工业化开始时，欧洲探险家们已经把世界上的四个区域连接起来了。

非欧亚大陆

澳大利亚

工业化地区
工业欠发达地区

1900年
世界四大地区已经分成两类：通过大生产致富的工业化地区和被当作原料、劳动力和土地开发地的贫穷的工业欠发达地区。

交通运输
自1820年开始，不断下降的交通和通信成本促进了国际贸易的发展。1800年至1910年，内陆运输成本降低了90%；1870年至1900年，横渡大西洋的运输成本降低了60%。

全球化
之路

世界合并为两大区域，带来了全球范围内的贸易、资本融合、移民，以及文化和知识的大交融，这一过程被称为全球化。

全球化并不是一个现代概念：在横跨 15 至 18 世纪、开启了旧世界通往新世界大门的地理大发现时代后，全球关系网络就极大地扩展了。在这一时期，金钱、人口、农作物、思想和疾病在两个世界区域间传递，但大多数情况下满足的都是西欧国家的利益。19 世纪帝国主义时期，这一全球化模型加速形成；到 19 世纪末，地域广大的殖民帝国将专门发展工业、农业的地区并入新世界经济体系中，而这一新经济的目标就是资本积累。

除了引进电报和铁路等工业技术，工业欠发达地区也引入了现代化国家的新型组织结构，比如司法体制和国家官僚系统。工业欠发达地区发展了各自的专业化领域——比如茶叶种植和出口——在一个具有自定规则、法规和语言的系统中运作。20 世纪去殖民化之后，原殖民地则参照帝国的方式发展经济。

到 21 世纪时，通信技术方面的革新在促进全球化方面起着与交通运输同等重要的作用。廉价而高效的集装箱运输促进了中国作为经济强国的崛起，光纤和宽带网络则使印度成为全球服务中心。创新在今天仍在持续，高度先进的智能手机连接了全世界的人，新的全球文化开始形成。

贸易协议
原殖民地独立后的国家开始在互惠的基础上签订贸易协议。其中许多国家都采取了自由贸易的模式，这为跨国经济注入了新活力。

20世纪末/21世纪初
许多工业欠发达国家变为全球制造机器上的一颗颗齿轮，这些国家负责将世界各地运来的原材料组装加工为产品。

工业较发达的国家向工业**较不发达**的国家所**显示**的，只是后者**未来**的景象。

卡尔·马克思（1818—1883），德国哲学家、经济学家和社会学家

资源
19世纪, 工业强国在全世界推行自由市场资本主义。帝国掠夺财富、奴役劳工, 并将全世界当作西欧的农产品大仓库。

迁移
新型交通运输形式促进了全球人口的流动。爱尔兰的土豆荒和英国的人口过多导致两国有大批移民迁居殖民地, 包括帝国官僚和流动工人。

文化交流
人口的流动为文化交流提供了契机, 这种文化交流涉及生活的方方面面, 例如社会习俗, 学术与商业文化, 宗教与政治意识形态, 文学、音乐等艺术, 服饰与审美, 饮食习俗与习惯。

金融机构
国际货币基金组织等权威金融机构的建立, 为工业国家之间的投资交易提供了渠道, 各国在此过程中也需要承担自己的义务。这使得全球金融体系更为协调统一。

新成员
苏联解体、中国开放后, 世界资本市场加入了新成员, 它们参与了大量的国际交易和投资。

外来投资
贸易协议鼓励工业国家的跨国公司对工业欠发达国家直接投资。这提高了工业欠发达国家的私有化程度以及外国资产的份额。

第二次世界大战后
现代全球化始于资本主义和自由贸易带来的世界新经济。这种经济逐渐被跨国公司和金融机构所掌控。

人口流动
贸易壁垒取消、交通费用降低后, 以务工为目的的移民越来越多。这促进了文化交流, 以及汇款经济的兴起——海外工作者需要汇款到家乡。

文化同质性
全球化服务业经济的兴起、通信技术的提高以及跨国公司的发展共同提高了文化同质性, 这意味着在全球任何角落都能找到一样的品牌、音乐、电视节目和食物。

工业的发展
在全球的资本主义背景下, 工业欠发达区域的许多国家得以开始工业化进程, 通过为市场生产廉价商品带来财富。这提供了更多就业机会, 减少了贫困人口的数量。

▼ **发动机的演变**

1885年，卡尔·本茨为驱动"无马客车"制造了一台汽油机。第二年，他研制出奔驰"专利汽车"——世界上第一台汽车。这台汽车与今天的汽车有许多共同特征。

转向手柄可以控制前轮，从而控制前进方向。发动机驱动的是两个后轮

水箱用于冷却发动机。这项新发明与另外两项发明——电点火装置与齿轮式差速器——依旧被用于现代汽车中

表面汽化器由本茨发明，是将空气与燃料混合的装置。本茨使用石油的副产品汽油作为燃料，利用汽化器将空气和汽油蒸汽混合。这个汽化器可以容下4.5升的汽油

这个**曲轴**上装有一个水平的大飞轮，飞轮的作用是启动发动机

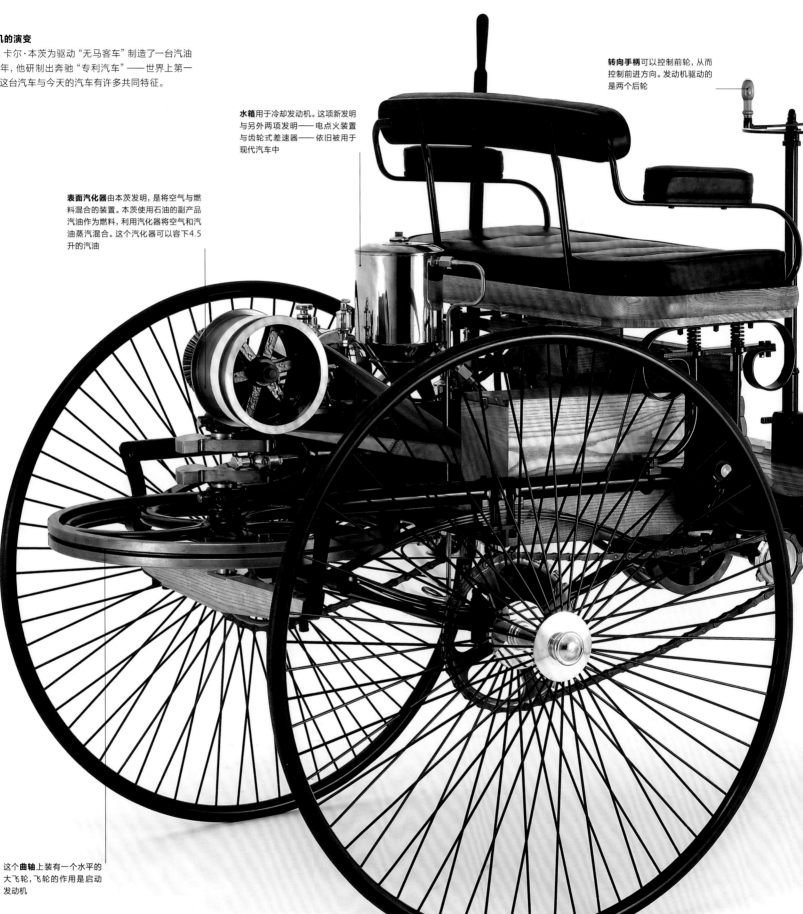

发动机使
世界变小

在工业化发展过程中，交通运输起到了关键作用。在过去的两个世纪中，铁路、轮船和飞机以及通信技术方面的创新极大地提高了货物运输、思想交流、信息传播和技术共享的速度。

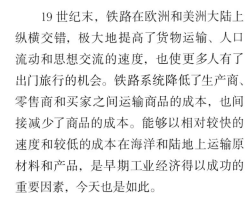

19 世纪末，铁路在欧洲和美洲大陆上纵横交错，极大地提高了货物运输、人口流动和思想交流的速度，也使更多人有了出门旅行的机会。铁路系统降低了生产商、零售商和买家之间运输商品的成本，也间接减少了商品的成本。能够以相对较快的速度和较低的成本在海洋和陆地上运输原材料和产品，是早期工业经济得以成功的重要因素，今天也是如此。

新型交通工具

正如 19 世纪煤炭为铁路发展提供了动力一样，20 世纪初交通运输业的革命也离不开化石燃料的充分供应。人们以新方式利用石油和天然气，创造出内燃机，还促成了汽车和喷气式飞机的发明。1913 年，企业家亨利·福特设计了用于大规模生产的装配线，并组装了第一台价格可以被大众接受的汽车。这是消费资本主义的开端。工人成了自己制造的工业产品的目标市场，这些商品对他们来说曾经是奢侈品。

随着政府建设公路和交通系统，福特推动汽车平民化的想法彻底改变了现代西方社会。20 世纪 50 年代，汽油和柴油驱动的汽车、公交车和卡车成为货物运输和人们出行的关键工具。第二次世界大战后，商业航空线开始出现。战时的航空专家转而

关注发展和平时期的航空业。航空业的发展加快了客运和信件投寄的速度。人们的出行次数增多、出行目的多样化，比如商务旅行、休闲旅行等等，这又促进了交通运输的发展。运输业的创新促进了运输业的发展，运输业的发展又反过来促进了创新。

20 世纪 60 年代初，人类发明了载人火箭。苏联率先向太空发射了载人火箭；1969 年，美国人登上月球。随着世界各地越发触手可及，货物运输、人口流动和思想交流达到了空前的规模——地球似乎变小了。

▲ **汽车的普及**

工厂引入快速、高效的装配线之后，生产成本大大降低，福特T型车等产品的价格降至大众可接受的水平。

假若我问**人们想要什么**，他们一定会说**'跑得更快的马'**。

亨利·福特（1863—1947），美国实业家、福特汽车公司创始人

从1635年起，**英国开始提供邮递服务**。邮递员骑马投递邮件，这使得居住在不同地区的人能够以还算不错的速度传递信息，并在一定程度上可预知其何时到达。

1780年

邮政服务

1784年，英国皇家邮政局的邮递车开始由守卫保护，提高了邮递服务的安全性。

视觉信号

1792年，克劳德·沙普（Claude Chappe）发明了**信号标**。通过信号标，人们可以通过挥舞旗子传递信息，这是工业化的代替信息长途通信系统。

1800年

1866年，**跨大西洋海底电缆**建成，每分钟可以在美洲和欧洲之间传递八个字符。此前通过邮船传递信息通常需要10天的时间。

电报与电话

1837年，塞缪尔·莫尔斯发明了**电报系统**。这种系统利用莫尔斯电码，通过电报线传递信息，是远距离通信的一次革命。

1840年出现了**统一便士邮政**（Uniform Penny Post），人们只需花一便士就可以获得寄信服务。这为英国和爱尔兰人民提供了价格平民化的邮政服务。

新闻与广播

1843年，查尔斯·瑟伯（Charles Thurber）发明了**打字机**，这一发明被广泛应用于办公室和商务通信中。

鸦片战争后的1844年，中国港口开设了**客邮**。这为中国现代国家邮政服务奠定了基础。

1867年，利用莫尔斯电码发明的**信号灯**出现了。借助信号灯，英国海军舰艇可以从远处收发信息。

电话

1876年，亚历山大·格雷厄姆·贝尔获得了**电话**的专利。电话逐渐成为现代社会最普遍的通信设备。

1877年，托马斯·爱迪生发明了**留声机**。这是第一台既能录音，又能回放的设备，带来了音乐产业的转型。

电报

1895年，古列尔莫·马可尼（Guglielmo Marconi）发明了**无线电报**，这是走向现代远距离无线电广播的第一步。

大事年表

信息**传播**
加快

与他人交流的渴望是人类历史的重要组成部分。我们的祖先通过在岩壁上绘画来讲述自己的故事，这与我们今天的交流方式有天壤之别，这种区别很大程度上是18世纪至今技术创新的结果。

　　任何通信方式的基础都是拉近人们之间距离的能力。21世纪，万维网（World Wide Web）彻底改变了数十亿人创造信息、共享信息的方式。早期的电信形式，比如电话，提供的是一对一通信；然而现代网络的信息传播范围更广，通常是全球性的。网络可以传递任何形式的信息，从推特（Twitter）上一条简短的政治评论，到一篇实时更新的长篇新闻稿件。

　　如今，速度对通信的意义可能超过了一切。过去，信息通过轮船或火车传递，往往要耗费数日甚至数星期的时间；然而如今，只需几秒钟，信息就可以通过邮件或脸书（Facebook）评论传递出去。伴随着数据的快速交换，信息量也飞速增多：24小时电视新闻播报十分普遍，社交媒体掌握在数十亿智能手机用户的手中，如今全球通信网络的复杂性和多样性是前所未有的。

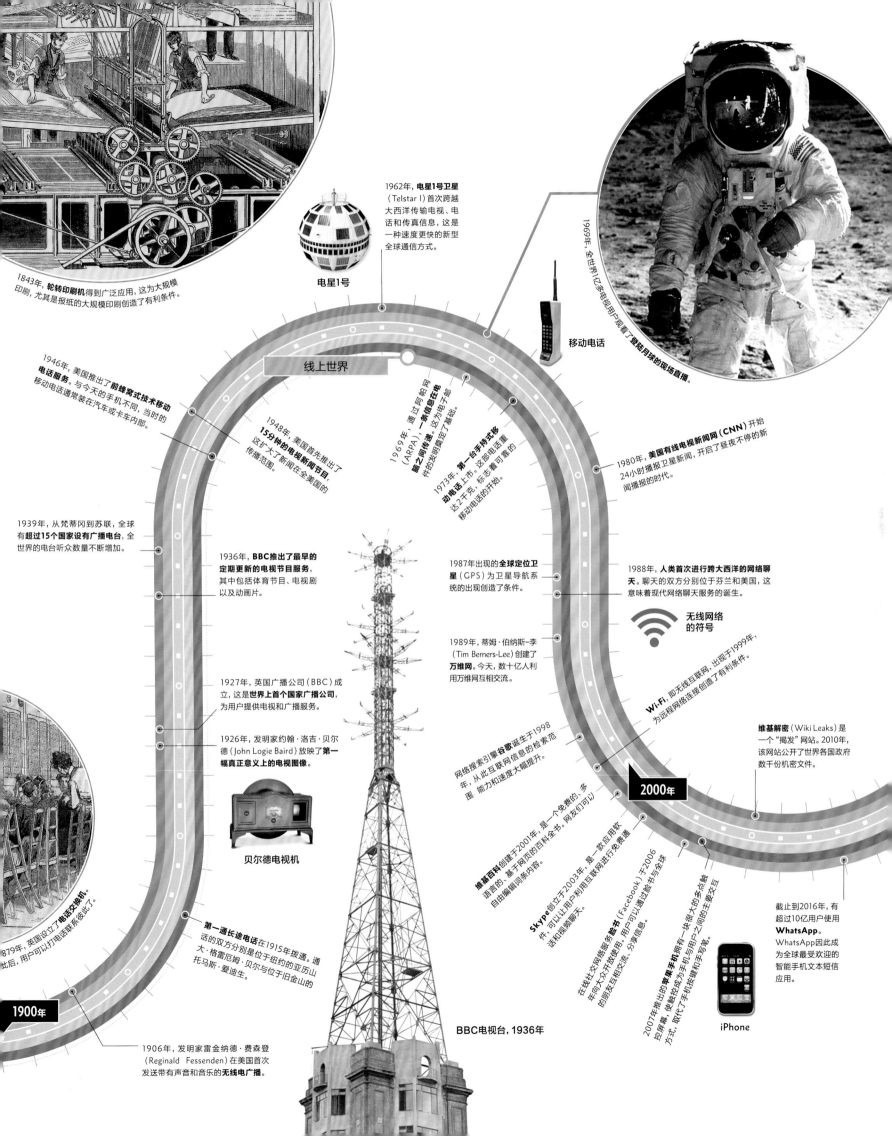

1843年，**轮转印刷机**得到广泛应用，这为大规模印刷，尤其是报纸的大规模印刷创造了有利条件。

1962年，**电星1号卫星**（Telstar I）首次跨越大西洋传输电视、电话和传真信息，这是一种速度更快的新型全球通信方式。

电星1号

1969年，全世界1亿多电视机用户观看了登陆月球的现场直播。

1946年，美国推出了**前蜂窝式技术移动电话服务**。与今天的手机不同，当时的移动电话通常装在汽车或卡车内部。

1948年，美国首先推出了**15分钟的电视新闻节目**，这扩大了新闻在全美国的传播范围。

1969年，**通过阿帕网（ARPA），一条信息在电脑之间传递**。这为电子邮件的发明奠定了基础。

1973年，**第一台手持式移动电话**上市。这部电话重达2千克，标志着可靠的移动电话的开始。

移动电话

线上世界

1980年，**美国有线电视新闻网（CNN）**开始24小时播报卫星新闻，开启了昼夜不停的新闻播报的时代。

1939年，从梵蒂冈到苏联，全球有超过**15个国家设有广播电台**，全世界的电台听众数量不断增加。

1936年，**BBC推出了最早的定期更新的电视节目服务**，其中包括体育节目、电视剧以及动画片。

1987年出现的**全球定位卫星（GPS）**为卫星导航系统的出现创造了条件。

1988年，**人类首次进行跨大西洋的网络聊天**。聊天的双方分别位于芬兰和美国，这意味着现代网络聊天服务的诞生。

无线网络的符号

1989年，蒂姆·伯纳斯-李（Tim Berners-Lee）创建了**万维网**。今天，数十亿人利用万维网互相交流。

1927年，英国广播公司（BBC）成立，这是**世界上首个国家广播公司**，为用户提供电视和广播服务。

1926年，发明家约翰·洛吉·贝尔德（John Logie Baird）放映了**第一幅真正意义上的电视图像**。

贝尔德电视机

Wi-Fi，即无线互联网，出现于1999年，为远程网络连接创造了有利条件。

维基解密（Wiki Leaks）是一个"揭发"网站。2010年，该网站公开了世界各国政府数千份机密文件。

网络搜索引擎谷歌诞生于1998年，从此互联网信息的检索范围、能力和速度大幅提升。

2000年

维基百科创建于2001年，是一个免费的、多语言的、基于网页的百科全书，向广大众开放使用，可以让用户自由编辑词条内容。

Skype创立于2003年，是一款软件，可以让用户利用互联网进行免费通话和视频聊天。

在线社交网络服务脸书（Facebook）于2006年向全球的朋友互相交流、分享信息。用户可以通过脸书与全球

2007年推出的**苹果手机**用有一块很大的多点触控屏幕，使触控成为手机按键和手写。取代了手机按键和手写方式，

iPhone

截止到2016年，有超过10亿用户使用**WhatsApp**。WhatsApp因此成为全球最受欢迎的智能手机文本短信应用。

1879年，英国设立了**电话交换机**。从此，用户可以打电话联系彼此了。

第一通长途电话在1915年拨通。通话的双方分别是位于纽约的亚历山大·格雷厄姆·贝尔与位于旧金山的托马斯·曼迪生。

1900年

1906年，发明家雷金纳德·费森登（Reginald Fessenden）在美国首次发送带有声音和音乐的**无线电广播**。

BBC电视台，1936年

社交网络扩大

1876年，第一台电话问世，大洋两岸从此得以通话。今天，经过技术革新，可以连接无线网络的智能手机诞生了。这一技术带来了人类历史上范围最大、最复杂的信息交换网络。

20世纪末到21世纪初，人类在数字技术和通信技术上取得突破，这两项突破都在人类的联系与信息的传递上发挥了重要的作用。网络可以传播新闻和信息，社交媒体可以让个体之间保持联系，移动电话则使人们可以随时拍摄或录制当下发生的事情并与全球用户分享。社交网络已成为一个全球性的现象：2015年，在32亿网民中，有21亿人拥有自己的社交媒体账号。社交媒体最基本的功能是为用户提供互相联系、分享观点的渠道；此外，社交媒体也被用于组织和支持不同的群体。

与传统的新闻发布渠道不同，通过社交媒体传播的消息和图像不受当局的控制。社交网络可以被用于动员个人支持某一群体。比如反对突尼斯、埃及、巴林王国和利比亚领导人的"阿拉伯之春"就是这样运作的。2011年，突尼斯小商贩穆罕默德·布瓦吉吉在被政府官员刁难后点火自焚，由此引发了一场自发的抗议活动。现场的人用手机录制下了抗议画面并上传到了脸书。这段分享画面鼓动了其他人的加入，后期的抗议活动主要是通过推特组织起来的。

交通运输和通信基础设施欠发达的国家也可以发展社交网络。这些国家不仅可以利用现有的社交网络，还可以在其基础上进行创新。在肯尼亚，有人发明了一款名为 M-Pesa 的应用软件。利用这款软件，人们可以通过智能手机转账、存款和取款。因此，人们可以在几分钟的时间里把钱直接送到乡村或遥远的家中，不再需要耗费数日的时间了。

> 通过给予**人们分享信息的力量**，我们使这个**世界越发透明**。

马克·扎克伯格（生于1984年），脸书联合创始人

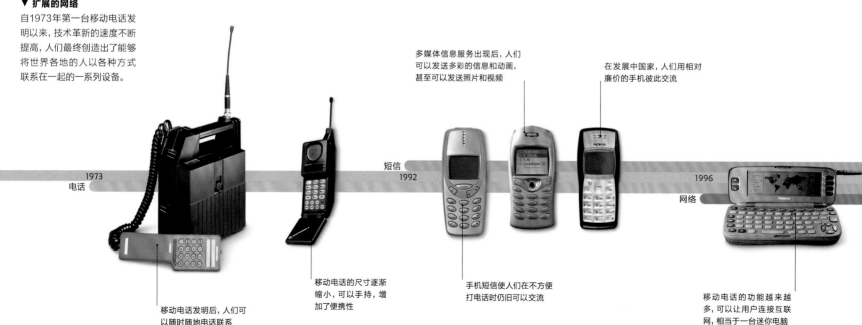

▼ 扩展的网络

自1973年第一台移动电话发明以来，技术革新的速度不断提高，人们最终创造出了能够将世界各地的人以各种方式联系在一起的一系列设备。

多媒体信息服务出现后，人们可以发送多彩的信息和动画，甚至可以发送照片和视频

在发展中国家，人们用相对廉价的手机彼此交流

短信
1992

1973
电话

网络
1996

移动电话发明后，人们可以随时随地电话联系

移动电话的尺寸逐渐缩小，可以手持，增加了便携性

手机短信使人们在不方便打电话时仍旧可以交流

移动电话的功能越来越多，可以让用户连接互联网，相当于一台迷你电脑

◄ 众筹的发起

社交媒体平台为组织和个人筹资提供了新的方式。众筹网站可以为艺术项目和3D打印机等创新型产品筹集资金。

▲ 政治实践主义

社交媒体直接参与了历史性事件。在2011年的席卷全球的"占领"抗议活动中，社交媒体起到了关键作用。从纽约华尔街到其他国家、其他城市，活动者们通过社交媒体组织到一起，并不断更新动态。

▲ 新机会

在那些没有建设固定电话基础设施的国家中，廉价的移动电话改变了当地人的通信方式。在非洲，3G网络使得人们可以进行贸易、使用网络银行、获取关于健康和医药的信息，从而减少了人们长途旅行的需要。

◄ 拯救生命

器官捐献等医疗救护往往能够获得积极响应。2016年，社交媒体上的一则求助信息使得干细胞捐献者陡然增多。网友们团结一致，帮助一个患有白血病的女孩，这场活动的标签是"Match4Lara"（为Lara而战）。

Apple Watch等智能手表出现后，佩戴者可以用手表打电话或发邮件

黑莓信使服务使用户可以通过互联网发送视频、语音通话和即时消息

智能手机也可以收发邮件，这意味着人们可以在旅途中发邮件了

2007年，苹果手机配备的多点触控屏幕使得用户可以放大屏幕内容，从而看清细节

4G网络下，数据传输速度提升，人们发送和接收信息的速度比以往任何时候都快

2000

照相机功能

照相功能出现后，人们可以在事件发生时拍摄照片或录制视频

苹果公司的Macbook Pro等笔记本电脑，可以让用户通过Skype等免费软件拨打视频电话，与世界各地的人联系

亚马逊的Kindle起初是为阅读电子书而设计的，不过也可以接入无线网络

增长与
消耗

20世纪最显著的特征是，世界变化的速度急剧加快，范围急剧扩展。工业化和经济的发展使人类拥有了超越自然的掌控生态的力量，也带来了人口的快速增长和地球资源的急剧消耗。

20世纪世界的急速变革标志着人类历史以及人类与其他物种和地球本身的关系史都进入了一个崭新的阶段。种群规模的增减是衡量物种生态能力的一种尺度，因为规模扩大的前提是有足够的资源支持。在过去的250年中，世界人口以惊人的速度增长：1800年，世界人口数量为9亿；1900年，人口数量达到了16亿；2000年，人口数量为61亿；而今天，世界人口数量已经超过了70亿。与此同时，人类寿命也有所增长。在20世纪，人均预期寿命增长了一倍。之所以出现这一显著增长，部分原因是新发明的出现提高了人类对生物圈资源集中控制的能力。其中的关键在于技术的快速发展：技术革新为不断增长的人口提供了足够的资源。其中，食品生产行业的技术革新最为重要。

食品的创新

自1900年以来，食品生产速度超过了人口增长速度，谷物产量提高了6倍。这可归功于粮食的工业化规模生产：利用化石燃料驱动的机器修建水坝和灌溉水渠。化肥提高了土地的出产能力，可耕地粮食产量平均提高了3倍多。20世纪70年代，科技创新又创造了转基因粮食：这种粮食的基因中添加了来自其他品种的有益基因，因此或者需要的化肥更少，或者自身带有抗病虫害的机能。

在农耕时代，大多数人都是农民，只有一小部分精英阶层——不到总人口的5%——消费得起奢侈品。目前，世界上大约仅有35%的劳动力从事农耕，他们生产的粮食足以满足工业国家非农业人口的需求。工业国家中新兴的、人数更庞大的全球中产阶级拥有前所未有的财富和消费品。

旧石器时代，2 000千卡

农业时代，1万~1.2万千卡

现代，20万千卡

▼ 解锁新能源
20世纪初，一系列新发明的出现使人类可以利用石油和天然气提供的动力，能源因此比历史上任何时期都廉价、易得。与旧石器时代的祖先相比，我们消耗的能源大约是他们的100多倍，而这些能源大多来自化石燃料。

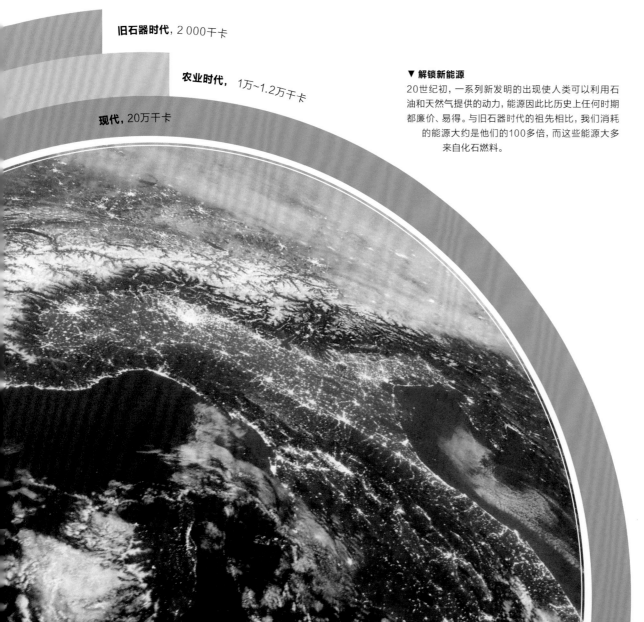

作为一个**物种**，我们如今所使用的**资源**量是**100年前的24倍**

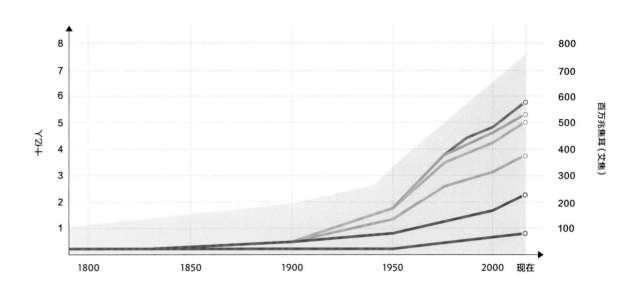

► **燃料消耗**

人类不断开发新型能源，人口与全球能源消耗量同步稳定增长。

图例

■ 木材
■ 煤炭
■ 石油
■ 天然气
■ 水电
■ 核能
□ 人口增长

消耗的增加

20世纪后半叶，技术创新的速度前所未有，涵盖范围空前扩大，整个世界发生了翻天覆地的转变。消费资本主义是这种转变的一个产物。工业国家的居民拥有较多的财富，且物质富足。1900年，油灯、蒸汽火车和常温储存的商品已经很常见了。在仅仅50年的时间里，通过管道和电缆，家家户户就都通了电。电可以用于家庭照明、取暖，为家用电器提供动力。这些家电技术革新改变了现代人的生活：洗衣机、洗碗

入。比如说，廉价的合成塑料出现后，很多产品的生产成本降低了。曾经昂贵的商品，如今消费者越来越多，生产成本随之下降；生产成本下降后，消费得起的顾客就更多了。

如今，不仅世界人口数量达到历史最高点，消费水平也是如此。人均消费剧增，都是拜化石燃料所赐。与此同时，消费品的价格更低，也更容易买到了，一次性商品越来越多，于是产生了大量垃圾。这些垃圾主要包括塑料制品，以及废旧电脑、手机和电视

划分为工业国家和工业欠发达国家（见第336~337页）。工业化使欧洲和北美洲财富增加，却导致东亚地区财富急剧减少。

此外，食物等资源的分配也不均衡：世界上约有8亿人没有足够的食物，其中大多数居住在亚洲和撒哈拉以南非洲地区贫困的欠发达国家。而与此同时，全世界每年生产的食物中，有1/3会浪费掉。

▼ **工业垃圾**

1900年，世界每天产生的固体废弃物约有50万吨。2000年，该数值已经增长了5倍，达到约300万吨。

> 想在**有限的物质**世界中**无限制地消耗物质**是**不可能**的。

恩斯特·弗里德里希·舒马赫（Ernst Friedrich Schumacher, 1911—1977），德国经济学家

机、收音机、电视机、立体声音响、电话和电脑逐渐成了人们的日常用品。生产这些电器的工人也成了电器的重要消费群体。广告（见第316~317页）和营销刺激消费者购买这些产品，银行贷款则为暂时消费不起这些商品的人提供了消费机会。

化石燃料的革命将电送进了工厂。工厂不断进行技术革新，采取成本更低的生产方式，降低了产品价格并扩大了市场，而市场的扩大又刺激了对产品和科研的投

机等电子垃圾。不仅商品的大批量生产会释放温室气体，商品废物的处理也会产生更多的温室气体。

不均衡的发展

GDP被普遍认为是衡量一国发展的尺度，这一指标计算的是一国所生产的全部产品的价值总和。自1913年至1998年，世界GDP总额增长了近12倍。然而，发展通常是不均衡的：1900年，世界各国可被

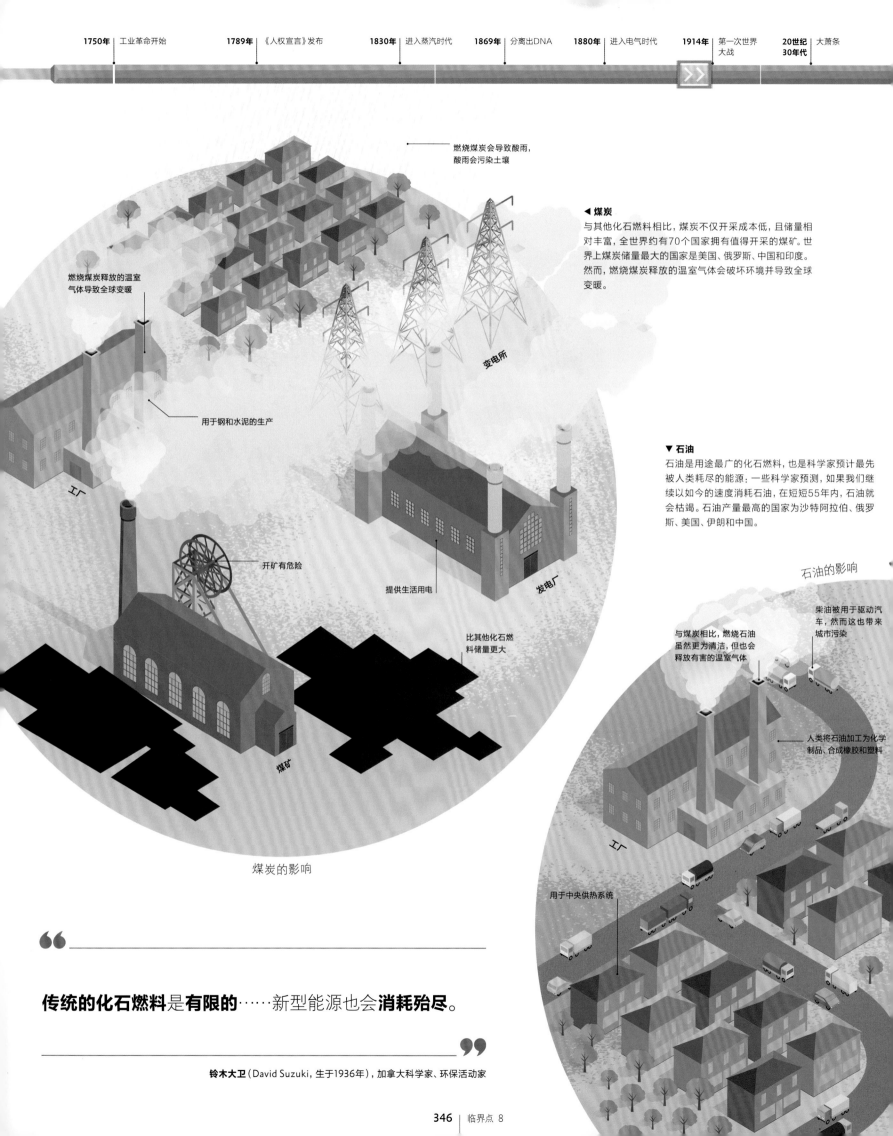

燃烧煤炭会导致酸雨，酸雨会污染土壤

燃烧煤炭释放的温室气体导致全球变暖

◄ 煤炭

与其他化石燃料相比，煤炭不仅开采成本低，且储量相对丰富，全世界约有70个国家拥有值得开采的煤矿。世界上煤炭储量最大的国家是美国、俄罗斯、中国和印度。然而，燃烧煤炭释放的温室气体会破坏环境并导致全球变暖。

用于钢和水泥的生产

变电所

▼ 石油

石油是用途最广的化石燃料，也是科学家预计最先被人类耗尽的能源：一些科学家预测，如果我们继续以如今的速度消耗石油，在短短55年内，石油就会枯竭。石油产量最高的国家为沙特阿拉伯、俄罗斯、美国、伊朗和中国。

开矿有危险

提供生活用电

发电厂

工厂

石油的影响

柴油被用于驱动汽车，然而这也带来城市污染

与煤炭相比，燃烧石油虽然更为清洁，但也会释放有害的温室气体

比其他化石燃料储量更大

人类将石油加工为化学制品、合成橡胶和塑料

煤矿

工厂

用于中央供热系统

煤炭的影响

> **传统的化石燃料**是**有限的**……新型能源也会**消耗殆尽。**

铃木大卫（David Suzuki，生于1936年），加拿大科学家、环保活动家

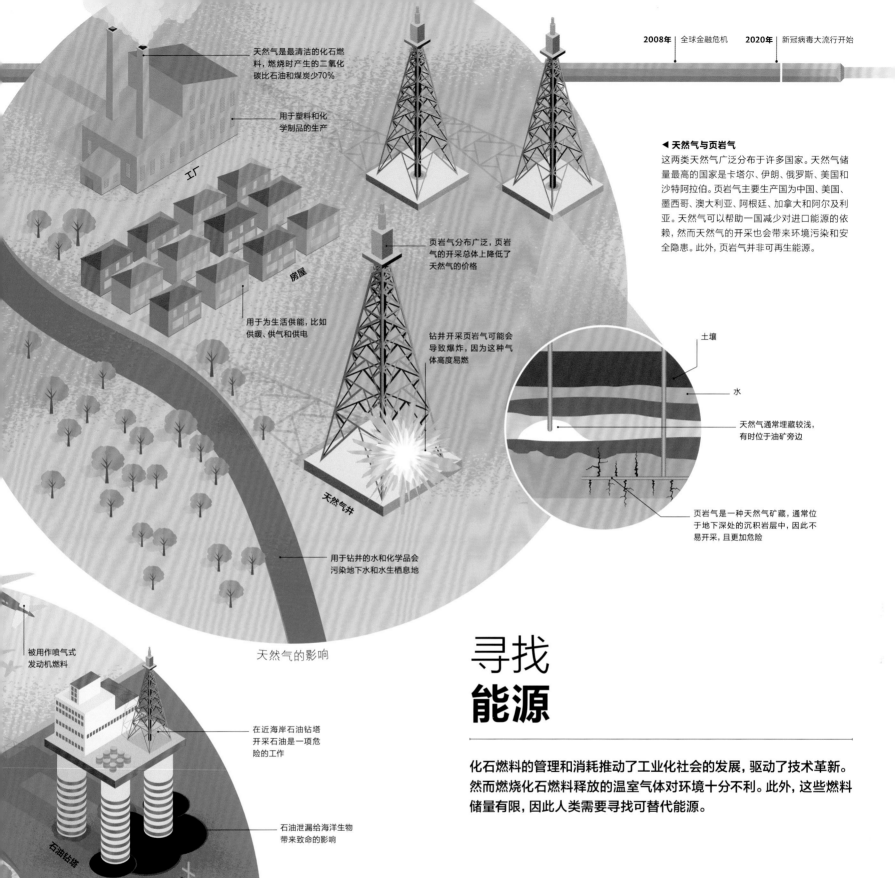

天然气是最清洁的化石燃料，燃烧时产生的二氧化碳比石油和煤炭少70%

用于塑料和化学制品的生产

工厂

房屋

用于为生活供能，比如供暖、供气和供电

◄ 天然气与页岩气

这两类天然气广泛分布于许多国家。天然气储量最高的国家是卡塔尔、伊朗、俄罗斯、美国和沙特阿拉伯。页岩气主要生产国为中国、美国、墨西哥、澳大利亚、阿根廷、加拿大和阿尔及利亚。天然气可以帮助一国减少对进口能源的依赖，然而天然气的开采也会带来环境污染和安全隐患。此外，页岩气并非可再生能源。

页岩气分布广泛，页岩气的开采总体上降低了天然气的价格

钻井开采页岩气可能会导致爆炸，因为这种气体高度易燃

土壤

水

天然气通常埋藏较浅，有时位于油矿旁边

天然气井

页岩气是一种天然气矿藏，通常位于地下深处的沉积岩层中，因此不易开采，且更加危险

用于钻井的水和化学品会污染地下水和水生栖息地

天然气的影响

被用作喷气式发动机燃料

在近海岸石油钻塔开采石油是一项危险的工作

寻找
能源

化石燃料的管理和消耗推动了工业化社会的发展，驱动了技术革新。然而燃烧化石燃料释放的温室气体对环境十分不利。此外，这些燃料储量有限，因此人类需要寻找可替代能源。

石油泄漏给海洋生物带来致命的影响

石油钻塔

油轮

便于储存和运输，尤其是液态石油

　　煤炭、石油和天然气是三大主要化石燃料，它们来源于历史悠久的动植物化石，历经千百万年才能形成（见第148～149页）。从煤炭开始，这些燃料被逐渐用于为现代工业供能；如今，它们正以前所未有的速度走向枯竭。在20世纪，石油取代煤炭成为世界主要化石燃料，政府和工业家们联手合作，寻找并管理新的油田。政府与能源公司的相互依存，以及石油的供给与管理塑造了当今世界的政治局面。此外，根据预测，页岩气这种天然气也将成为一种重要的新能源。许多国家都发现了页岩气，这或许可以帮助这些国家缓解甚至彻底摆脱未来可能出现的对进口能源的依赖。

核能的利用

20世纪，全球科学家联系探索利用核能的技术。第二次世界大战期间，核能的利用带来了长久的灾难性后果。2016年，核能发电量占全球总发电量的15%。

战争往往会驱动技术创新。1945年，日本的广岛和长崎遭到原子弹轰炸，这种终极武器显示出了令人恐惧的威力。至今，原子弹仍旧是一个工业国家对另一个工业国家实施过的最具毁灭性的技术，由此带来的恐惧感——拥有原子弹的国家只需按一下按钮就可以摧毁另一个国家——塑造了主宰20世纪后半叶的冷战局面。

◀ 放射性能源
晶质铀矿是一种放射性极强的铀矿，可以为核电站提供能源。

替代能源

20世纪50年代，人们对过分依赖化石燃料的担忧，使得世界进入和平利用核能的时期。第一家核电站1954年建于苏联。20世纪60年代，这一产业迅速发展。20世纪70年代，中东石油危机导致石油价格飞涨，法国、日本等国家被迫减少对化石燃料的依赖，核能具有了前所未有的政治意义。到2000年时，法国的核能发电占法国总发电量的80%，日本则是40%。

此外，核能也具有重要的民用和商用价值。截止到2016年，世界上56个国家一共运行着240个小型核反应堆，主要用于科研、教学、材料试验、医药以及工业。

环境威胁

关于核能的利弊，至今仍旧争论不休。人们担心，一个国家有能力建设核反应堆，就有能力制造核武器。有人认为，核能发电厂释放的污染物比化石燃料发电厂少；然而，也有人担心，开采铀矿会产生放射性废料和有毒污染物。在经历了1986年乌克兰切尔诺贝利事件以及2011年日本福岛危机后，安全问题也成了人们的关切。切尔诺贝利事件污染了超过16 316 900公顷的土地，登记的因事故致残人数达148 274人；福岛事故则迫使超过16万人离开家园。此外，核事故也会给农业用地带来灾难性后果，被污染的土地再也不能用于农耕。工程师们正在努力研发更安全、更高效的发电技术。

> 一个**没有核武器**的世界将会**更安全、更富足**。

潘基文（生于1944年），联合国前秘书长

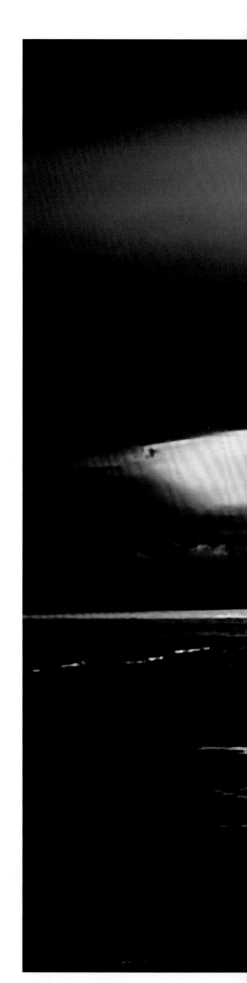

大气层核武器试验

人类曾在地上、地下和水下进行过核武器试验。1945年至1996年，全球发生了2 000多次核武器爆炸。

进入
人类世

人类活动已成为地球上对生命最有影响的因素。工业化的冲击，以及人类活动施加的压力引起了大气、生态系统和生物多样性的变化，也导致了许多资源的枯竭。在这种情况下，科学家们提出，人类已经进入了一个新的地质年代：人类世（Anthropocene）。

▼ 燃烧化石燃料
人类通过燃烧煤炭为工业提供能源，此举向大气中释放了数十亿吨二氧化碳。19世纪80年代以后，石油和天然气进一步推动了经济增长，也释放出了更多的二氧化碳。

2000 年，荷兰科学家保罗·克鲁岑（Paul Crutzen）创造了"人类世"一词，用于描述新的地质时代。他认为，生物圈变化的主导因素已经变为人类，而不再是过去的地质和气候因素。地球承载着人类活动的永久印记：空气中的炭黑——化石燃料和生物质燃烧产生的烟的主要成分——被封存在冰川中，化肥中的化学物质残留在土壤中，塑料污染了土壤和水体。这一切都将以化石的形式被记录下来，供未来的人发现和探索。人口增长、农业密度的增加、生物多样性的破坏以及工业化是导致环境问题的主要原因：它们彻底改变了地球的生态环境和生物界。

地球的历史被分为不同的地质年代：一个"世"可纵贯数万年时间。如果人类世被正式认可，全新世就会结束。全新世开始于约 11 700 年前，当时最近一次冰期刚刚结束，人类对新的领地进行殖民活动，人口数量初次增长。作为食物链顶端的物种，人类在 5 万年前就开始影响动物群，将许多大型哺乳动物猎杀至灭绝。冰期结束后，人类逐渐定居下来，并开始发展农业。科学家们认为，8 000 年前的毁林开荒向大气中释放了温室气体，导致二氧化碳的浓度猛增。农耕还对土壤产生了影响，地质学者们在公元 900 年的欧洲岩石上发现了农业活动的痕迹。

19 世纪工业化时期，欧洲人再次在环境中留下痕迹。克鲁岑认为，人类世就始于此时。其他科学家认为，人类世开始于20 世纪 50 年代的原子时代以及随后经济、人口和能耗都急剧增长的"大加速"（the Great Acceleration）时期。"大加速"时期是在第一枚原子弹爆炸后到来的。人类历史上第一次使用核武器，不仅在全球地表沉积物中留下了放射性痕迹，也标志着人类对地球产生了真正意义上的全球性影响。

工业化的影响

人们对于人类世的说法尚有争议，但对于工业化对环境的影响已经基本达成共识。在英国工业革命早期，来自燃煤工厂的浓烟散播到大气中，就已经带来了大范围的健康问题。这一现象在 20 世纪仍旧持续：在伦敦，1952 年冬季燃煤产生的浓雾在四天内就导致 4 000 人因呼吸系统疾病而亡。在美国加利福尼亚州，汽车尾气带来的烟雾使得人们开始讨论新的环境术语：温室

自**工业革命**以来，
地球上**二氧化碳的含量**
已经增长了**34%**

气体。

地球大气中的包括二氧化碳和水蒸气在内的少量温室气体，本来是自然产生的，可以防止热量散发到宇宙中去。如果没有温室气体，地球将会是一个冰冻的、干旱的星球。然而，在最近 250 年中，日趋强烈的人类活动——主要是用于工业、发电和交通运输的化石燃料燃烧——导致大气中二氧化碳的浓度达到了 80 万年以来的最高值。数万年来，大气中的二氧化碳含量一直维持

在百万分之 280 以下，然而自工业革命后，它们正以越来越快的速度增加。自 20 世纪 50 年代以来，该数值一直在增长，并在 21 世纪初达到了大约百万分之 400。越来越多的温室气体将越来越多的热量保存在大气层中，防止其散发到宇宙空间，地球的平均温度就会持续上升。温室气体排放是全球变暖的主要原因。

科学家们认为，要防止全球变暖导致的灾难，需要在 2050 年以前减少 50% 的全球二氧化碳排放量。全球变暖已经造成了许多严重的影响，包括冰川融化、海平面上升、海水酸化、地表温度升高、极端天

最终流入海洋，形成了死水区。藻类在此区域繁殖生长。它们沉入海底并分解时会吸收水体中的氧气。海水含氧量低会导致其他海洋生物离开或死亡。此外，目前已有约 8 000 万吨塑料垃圾被倾倒进全球海洋，平均每年会增加 800 多万吨。每年有数百万的动物因误食塑料垃圾而死亡。

由于人口增加、栖息地改变、城市化以及对于自然资源的过度开采，物种灭绝正以超过自然速率 1 000 倍的速度发生。2015 年，世界自然保护联盟（IUCN）对 8 万种动物进行了调查，发现其中有将近 2.5 万个物种正面临灭绝的威胁。如果这一情况持续下去，地

的数量正在减少，因此食物的产量可能会下降，甚至出现食物严重短缺的局面。

补救

人类正试图补救数百年以来给环境带来的破坏。自 20 世纪 70 年代，各国签署了

自1992年以来，**全球自然保护区**的数量已经**增长了20倍**

> ## 我们的**星球**正在发生改变——引起这种**改变**的并非自然，而是**人类这一物种**的活动。

戴维·阿滕伯勒爵士
（生于1926年）

气以及生态系统的破坏等。

此外，自 19 世纪起，为了给工业化提供木材和原材料，人类大面积地砍伐森林，此举也破坏了生态系统。咖啡和茶叶等农作物取代了树木，有可能会在一块土地上连续生长数年。如今，砍伐森林导致的温室气体增加约占总量的 1/5。这是因为植物和树木会在光合作用的过程中吸收二氧化碳。停止伐木、退耕还林有助于降低二氧化碳的浓度。

不断减少的生物多样性

砍伐森林已经破坏了许多生态系统。人类不断地开发土地，遗留给其他物种的空间越来越少，导致野生物种的丰富性和多样性降低。在 19 世纪的工业化时期，人类砍伐森林的活动导致非洲、印度和太平洋岛屿上大量动植物被毁灭。

与此同时，全球海洋中废弃物的不断增加也给海洋生物带来了致命的影响。化肥和污水排入水渠中，污染了淡水资源，并

球将迎来第六次大灭绝，其规模是恐龙灭绝以来的 6 500 万年中从未有过的。

生物多样性面临威胁的原因包括土地使用方式的改变、污染、气候变化和不断升高的二氧化碳浓度，这一问题目前成了人类的首要关切。每一个物种在地球生物圈中都扮演着自己的角色，而生物圈是一个互相依赖的全球生态系统。这一生态系统为人类提供了清洁的水源和肥沃的土壤，吸收了污染物，使人免遭暴风雨的侵害，还可从自然灾害中恢复，这些对人类来说都是至关重要的。即使是小到蜜蜂这样的物种的灭绝也会引起连锁反应。蜜蜂是世界上约 1/3 的粮食作物的主要传粉者，然而，它们

数百条国际性的环境协议和公约；签署国同意实现与环境保护有关的指标，但实现的程度不一。

2015 年，联合国制定了 17 项"可持续发展目标"，这些目标有望在 2030 年以前对 193 个国家的政策产生影响。其原则是通过发展"可持续化工业"，达到"消除贫穷，保护地球，保障全人类的富足"的目的。这也许会成为后人的核心主题。保障环境的可持续性并保护地球的生态环境，这将成为未来的第一要务。

> **气候危机**是**人类面临**的史上**最严峻的挑战**。

阿尔·戈尔（Al Gore，生于1948年），美国政治家、环保主义者

气候变化

在地球45亿年的历史中，气候的变化十分剧烈。据科学家证实，燃烧化石燃料和开垦耕地等人类活动也是气候变化的原因。

气候变化是以气温、降水、风以及其他气候因素的改变为标志的长期变化。气象科学100多年前就出现了。当时，科学家首次认为，燃烧化石燃料可能会导致全球变暖，进而造成气候变化。工业化使得燃烧化石燃料产生的温室气体二氧化碳急剧增加，直接导致大气层的变暖。

数十年来，科学家一直在检测全球变暖的影响：全球气温上升，冰川和冰盖萎缩，臭氧层变得稀薄，海洋酸化和升温，海平面上升。通过与过去的数据进行对比，科学家试图预测全球变暖对未来的影响。参与气候变化数据收集的有化学家、生物学家、物理学家、海洋学家和地质学家。通过将数据录入计算机并制作气候变化模型，他们将地球温度、天气状况以及温室气体数据进行对比。他们分析空气样本，以测量和对比大气中自然来源的二氧化碳的浓度与燃烧化石燃料产生的二氧化碳浓度。在具有数千年历史的南极冰芯的气泡中，科学家们也会得到这类数据，从中可以得知地球气候在过去的变化（见第174～175页）。从地壳中获得的植物化石，可以让我们得知不同时期物种的分布情况，提示我们该如何应对未来不断提高的二氧化碳浓度。

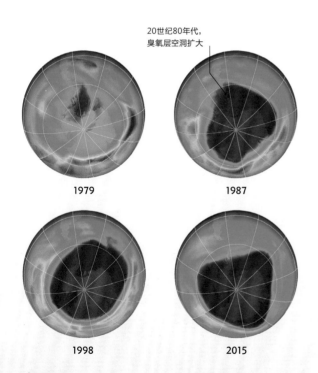

20世纪80年代，
臭氧层空洞扩大

1979   1987

1998   2015

▲ 臭氧消耗
臭氧层覆盖了地球上层大气，能够吸收大部分太阳紫外辐射。20世纪70年代，卫星测量显示，臭氧层出现了空洞。1987年，《蒙特利尔议定书》签订后，各国约定禁止使用破坏臭氧层的化学制品；然而，据预测，直到2070年，臭氧层才会恢复到1980年的状态。

全球温度升高

为了记录全球温度，科学家们分别利用卫星、船只和气象监测站测量空气，并分析数据。数据显示，与1880年相比，当前全球平均气温提高了0.8℃。全球变暖导致了席卷亚洲和欧洲地区的热浪，非洲的洪水，南美洲的干旱以及全球性风暴、气旋和台风等极端天气强度的增加。

海平面上升

根据验潮仪读数、冰芯数据以及卫星的测量，在20世纪，全球海平面平均上涨了7厘米。其原因是冰川和极地冰盖的融化，以及升温导致的海域扩张。不断上升的海平面将对包括太平洋岛屿在内的地势低洼的沿海生境造成灾难性影响。

马尔代夫面临危机

不断减少的海冰

根据格陵兰和南极洲的冰盖的**卫星图像**，随着气温升高，冰盖正以每十年减少13.4%的速度融化。海冰能将太阳光反射到宇宙中。如果没有海冰，海洋将吸收90％的太阳光，这将导致海水变暖，北极气温加速升高，并形成一个正反馈，使海冰融化速度越来越快。

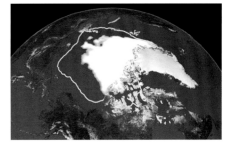

有记载以来面积最小的海冰，2012年

海洋酸化

一直以来，**科学家们都在研究冰芯数据**以及海洋生物化石的化学成分，目的是测量海水酸度。由于海洋吸收了大气中不断增加的二氧化碳，过去200年里，海洋表层的酸度上升了30％。海洋酸化会导致珊瑚、贻贝以及牡蛎等生物无法获取维持骨架所需的碳酸钙。

不断升温的海洋

利用自动监测设备，科学家们得知全球海洋在1971年至2010年间升温了约0.11°C，破坏了珊瑚礁等生态系统。2016年，不断升温的海水导致了全球性的珊瑚白化。这是由于珊瑚礁失去了提供色素、氧和营养物质的多彩藻类。如果持续下去，白化的珊瑚礁将会死亡。

珊瑚礁白化

▼ 濒危元素

根据濒危元素周期表,有44种元素存在供应有限的问题,17种稀土元素中有3种是濒危元素。

图例

- 供应有限,远期可能会短缺
- 使用量增加导致供应问题更加突出
- 在未来100年中有可能耗尽
- 稀土元素

锂被用于生产锂离子电池,为个人电子设备和电动汽车供电。锂电池能够储存更多能量(在相同体积下)。

铪熔点较高,因此被用于制作核反应堆和核潜艇的控制棒。此外,铪也被用作芯片中的绝缘体,出现在电脑的电路中。

钕被用于生产为手机、电动汽车和风力发电机提供能量的磁铁。如果没有钕,磁铁的磁力将减少90%,体积将增加一倍,这将导致绿色能源效率降低。

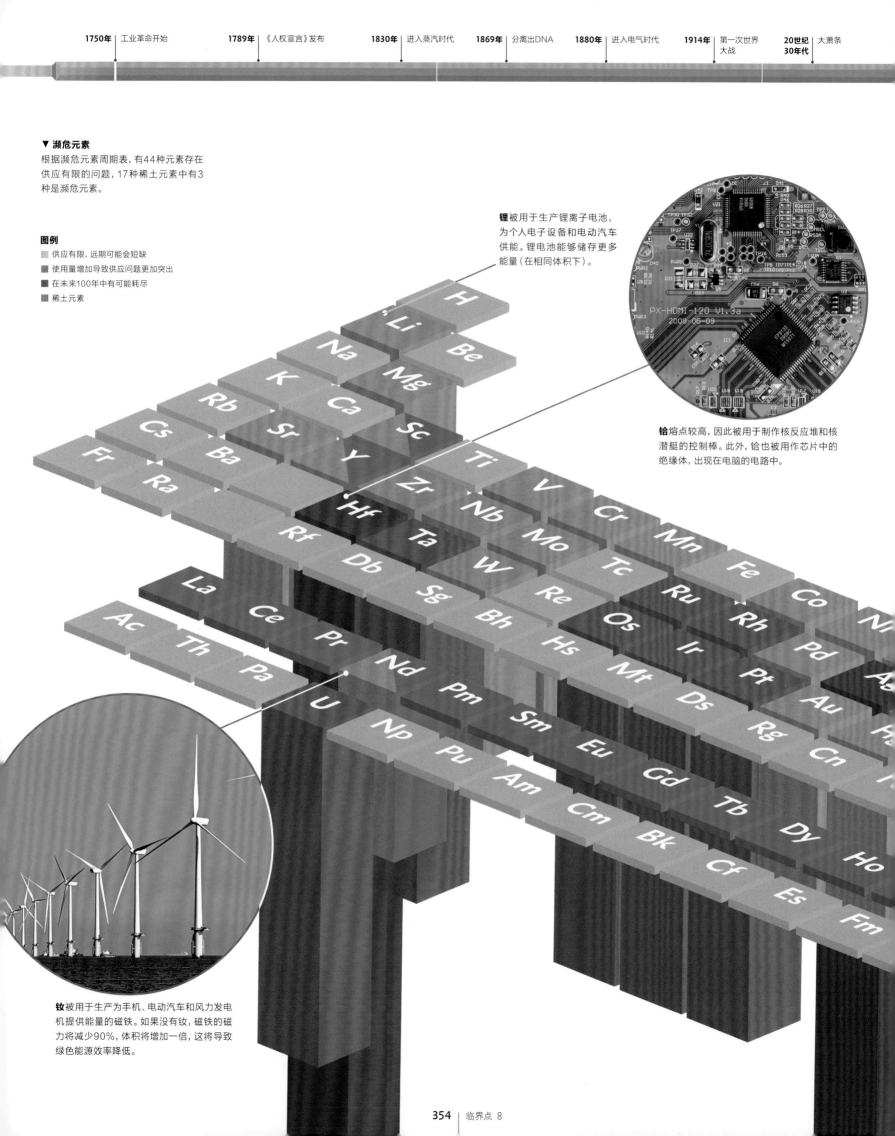

濒危
元素

地球上有一部分化学元素含量十分有限。在已发现的118种元素中, 约有44种被认为是濒危元素, 因为科技产业对这些元素的需求预计将远超供给。

2010年,
中国出产了世界**95%的**
稀土元素

根据人类现有需求, 煤炭和石油并非唯一面临短缺问题的天然资源。元素的供给——稀土元素(REEs)的磁性、发光性以及电化学性能对新技术至关重要——也面临威胁。有些元素本身总量有限且不可再生, 比如氦。另一些元素则很难获取: 稀土元素分布零散, 与其他矿物混合在一起, 因此开采成本很高, 提纯时也会产生大量有毒废物。此外, 有财力开矿的国家更倾向于将这些资源用于本国的医药等民用以及军事装备方面, 而不愿将它们出口给其竞争国家。与操纵石油价格的国家类似, 这些国家通过控制稀土供给量保护其市场强势地位。虽然可以从旧的或废弃的电脑和电话等电子产品中提取出稀土元素并循环使用, 然而还是直接开采成本更低。若没有稀土元素, 很多高科技设备无法运行, 然而稀土元素的高价和低供给也给了生产商革新的动力, 促使他们发明对稀土元素和濒危元素需求更少——甚至为零——的替代产品, 并推广可持续的资源使用方式。

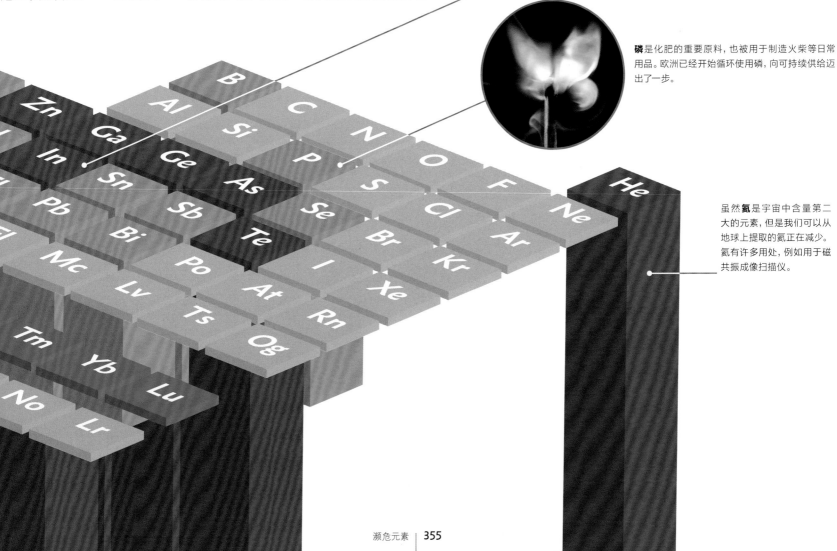

铟被用于制造智能手机的触摸屏玻璃。铟提取自锌矿, 含量极为稀少, 因此专门开采是不现实的。如果锌的需求减少, 那么铟的供给也会受到影响。

磷是化肥的重要原料, 也被用于制造火柴等日常用品。欧洲已经开始循环使用磷, 向可持续供给迈出了一步。

虽然**氦**是宇宙中含量第二大的元素, 但是我们可以从地球上提取的氦正在减少。氦有许多用处, 例如用于磁共振成像扫描仪。

太阳能超级树

新加坡的滨海湾花园是创新和节能基地，里面的超级树是研发者受自然树木的启发创造出来的。它们具有光伏电池，可以将太阳光转化为能量并发光。

对**可持续性**的追求

过去250年来，人类一直靠煤炭、石油和天然气为工业发展供能，然而，这些化石燃料的储量是有限的。由使用不可再生能源向使用可再生能源转变，可以大大提高能源安全性，有助于保护环境。

2013年，全球的能源中有超过80%来自煤炭、石油和天然气，仅有19%来自可再生能源。研究者已将寻求新型可再生能源视为紧急要务。

◀ **电动汽车**

这种汽车不靠汽油驱动，而是通过充电电池供能，这意味着它们释放的二氧化碳更少。

绿色科技

最常见的可再生能源是水能、太阳能、风能、地热能——利用的是地球自身的热量，如温泉——以及通过燃烧腐败动植物产生的生物质燃料。然而，每一种能源都有其局限性。风力发电场、太阳能电池板、水电大坝以及挡潮堤的建设造价高昂，地热能则只分布于有火山的地区。生物质在燃烧时会释放二氧化碳，但如果作为可持续控制项目的一环，同时栽种了新的树木以吸收释放的二氧化碳，或采取了其他措施，就可实现碳平衡。不过，新的可再生技术正快速发展，成本也正在降低。通过全球网络，我们共享知识和经验，因此有能力革新以克服现有局限。

许多国家已经在使用可再生能源。在巴西，甘蔗被用于生产乙醇生物燃料；巴西的汽油中含有18%至27%的乙醇。2020年，丹麦有48%的电力源于风能，德国超过

26%的电力来自可再生能源，中国和印度的一些村庄也通过燃烧生物质发电。2016年，超过60%的全球能源投资用于可再生能源项目；据预测，到2030年，绿色能源将会取代化石燃料为人类提供电能。

可再生能源可以创造无数的工作机会。此外，对于许多工业国家来说至关重要的是，可再生能源的应用可以长期保障其国内能源安全，使其免受进口燃料价格波动的影响。然而，中国和印度等正在工业化的国家却仍旧依靠煤炭。化石燃料补贴往往很高，因此成本较低。虽然存在种种投资障碍，但可再生能源正在迎头发展，在一些国家甚至比化石燃料的成本更低。

> 最终，我们需要**生产清洁的可再生能源**，那种有益的**能源**。
>
>
>
> **贝拉克·奥巴马**（生于1961年），美国总统（2009—2017）

未来
会如何?

大历史为了解人类故事的发展趋势和主题提供了独特的视角。我们能否利用这些信息预测未来呢?世事无常,但是人口增长、技术革新、能源以及可持续性等主题将会在未来几百年中不断被提及。

人口增长和技术创造是人类作为一个物种胜利的象征。18世纪时,祖先们将数千年的集体学习与新的农业技术相结合,结束了周期性地导致农业人口减少的马尔萨斯危机。令人叹为观止的工业革新让更多的人用上了商品、服务,生活质量达到了此前难以想象的水平。20世纪的技术发展超越了人类历史上的任何时期。今天的智能手机和互联网等技术发明哪怕在20世纪80年代初看来似乎是不可能的。这些技术以史上最复杂的网络形式将世界联系在一起。

然而,发展也是要付出代价的。发展导

处于第六次浪潮的浪尖:可持续性是我们这个时代的重大主题。第六次浪潮的目标是为不断增加的世界人口——预计2050年将达到100亿人——提供更高的生活水平,减少人类对化石燃料的依赖,高效地利用现有资源。利用新能源的能力定义了过去的人类历史,如今,我们与能源的关系会决定人类的命运。

有迹象表明趋势正在改变。印度和中国等正在工业化的国家人口增长率已经放缓。这可能是由于经济发达的国家的国民倾向于少生孩子。但是这些孩子往往受教育水平更高,随着他们加入已被现代全球通信网

> **大历史**研究的是**万事万物的历史**,为**了解这个世界**以及**我们自身的角色**提供了途径。

大卫·克里斯蒂安(生于1946年),"大历史"历史学家

致水资源以及化石燃料不断消耗,造成了许多动植物物种的灭绝,还排放了大量温室气体。如今,为了后代,人类要恢复被破坏的环境,发展对环境更友好的生活方式,这需要依靠全球的共同行动。

可持续的未来

工业革命有时被视为一系列革新浪潮中的第一次浪潮,即最初的机械化时代,继而是蒸汽时代、电气时代、航空和太空时代以及最近的数字时代。今天,我们正

络联系在一起的数十亿创新者大军,这也许会成为拯救地球的关键。集体学习从未像今天这样普及、全面和重要。

这个枢纽已经创造了重要的绿色发明:电动汽车、太阳能海水淡化和零排放建筑——这种建筑物消耗的能源不会排放温室气体。就此而言,不远的未来充满无限潜力。21世纪将作为全球可持续性的拂晓而被铭记。要实现这一目标,离不开绿色技术以及可再生能源。未来尚未被书写,一切皆有可能。

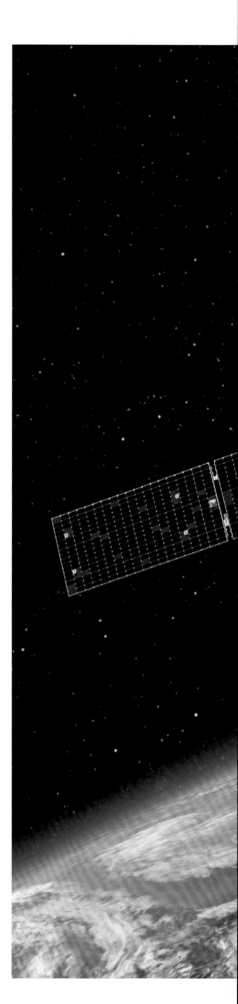

预测气候变化的技术发明
轨道碳观测卫星可以探测大气层中哪个地方吸收了
二氧化碳以及吸收的量，从而提高气候变化预测的
准确性。

致谢

The publisher would like to thank the Big History Institute for their enthusiastic support throughout the preparation of this book – especially Tracy Sullivan, Andrew McKenna, David Christian, and Elise Bohan. Special thanks to the writers: Jack Challoner, Peter Chrisp, Robert Dinwiddie, Derek Harvey, Ben Hubbard, Colin Stuart, and Rebecca Wragg-Sykes.

DK would also like to thank the following:
Editorial assistance: Steve Setford; Ashwin Khurana; Steven Carton; Anna Limerick; Helen Ridge; Angela Wilkes; and Hugo Wilkinson.
Design assistance: Ina Stradins; Jon Durbin; Saffron Stocker; Gadi Farfour; and Raymond Bryant.
Additional illustrations: KJA artists; Andrew Kerr.
Image retoucher: Steve Crozier.
Picture Research: Sarah Smithies.
Proofreader: Katie John.
Indexer: Elizabeth Wise.
Creative Technical Support: Tom Morse.
Senior DTP Designer: Sachin Singh.
DTP Designer: Vijay Kandwal.
Production manager: Pankaj Sharma.